FRENCH LITERATURE
OF THE
NINETEENTH CENTURY

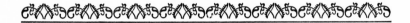

FOR SURVEY COURSES

FRENCH LITERATURE
BEFORE 1800

by

Robert Foster Bradley

and

Robert Bell Michell

Mornet's

SHORT HISTORY
OF
FRENCH LITERATURE

Translated by

C. A. Choquette

and

Christian Gauss

FRENCH LITERATURE

OF THE

NINETEENTH CENTURY

Edited by

ROBERT FOSTER BRADLEY

Washington and Lee University

and

ROBERT BELL MICHELL

University of Wisconsin

APPLETON-CENTURY-CROFTS, INC.

New York

PREFACE

The purpose of the editors in preparing this volume has been to furnish a basic text for an introduction to French literature of the nineteenth century, just as its companion volume, *French Literature Before 1800,* is intended to serve as a foundation for the study of earlier French literature. In preparing it they have kept in mind the needs of students in survey courses, and have been guided by the experience of those teaching the elementary course in French literature at the University of Wisconsin. They do not claim to have included all the material any teacher may wish to use—everyone has his individual preferences, and space is limited—but they believe they have provided more than enough selections to furnish a satisfactory introduction to French literature of the nineteenth century, if supplemented by plays and novels.* This volume contains: twenty *contes* and *nouvelles,* representing eight authors; eighty-three poems, chosen from twelve of the most important poets; excerpts from seventeen critical essays and prefaces (four are given in full), by thirteen writers; and one historical selection from Michelet. More of such material has been offered than would ordinarily be used in a third year survey course in order that selections may be varied from year to year, and also to make the volume available for use in more advanced classes.

Since novels and plays are easily obtainable in separate editions, and since neither can be treated satisfactorily from the literary point of view unless read in fairly complete form, they have been omitted. Each teacher will, of course, read those that best suit his purpose. As far as possible, cutting has been avoided; with few exceptions the poems, *contes* and *nouvelles* have been given in full. While it has been necessary to reduce or give only extracts from many of the prefaces and essays, an effort has been made to offer enough of each to show the style, attitude, and critical method of the author and to aid in showing the development of French literature throughout the century.

It is assumed that every teacher will wish to treat periods, authors, and works in his own way, either by lecture, discussion, or reading assigned in some good history of French literature. For that reason, and also to save as much space as possible for text, introductions have been limited to the presentation of a few of the most important features of the authors' lives and works. To encourage students to read some of the most useful manuals and histories, a brief estimate of the author, by some recognized critic, has been included as

---

* It is assumed that anyone studying French literature of the 19th century would read, in addition to not less than half the selections offered in this volume, at least the equivalent of the following: DRAMA: Hugo—*Hernani;* Musset—*On ne Badine pas avec l'amour;* Dumas fils—*Le Demi-monde* or Augier—*Le Gendre de M. Poirier;* and Becque—*Les Corbeaux,* Brieux —*Blanchette* or Curel—*Le Repas du lion.* NOVEL: Sand—*La Mare au diable;* Balzac—*Eugénie Grandet;* Merimée—*Carmen.*

part of each introduction. Following the introductions, some of the most important works of each author have been listed to guide those interested in gaining a better acquaintance with him.

Notes have been given only when necessary to clear up allusions to persons and places, or to make clear the meaning of words and idioms that would not be found in an ordinary dictionary, or that might not be understood by third-year students without explanation.

The editors wish to express their gratitude to their colleagues: Professor W. F. Giese for his helpful suggestions in regard to the introductions; Professor C. D. Zdanowicz for reading and criticizing the whole manuscript; and Mr. C. H. Greenleaf for aid in reading proof. They are particularly indebted to Dean Christian Gauss, of Princeton University, for his invaluable suggestions and revision of the volume as a whole. The good qualities of this book are largely due to the unfailing, kindly interest of these men. For any inaccuracies or defects that it may still contain, the editors are entirely responsible.

* * *

For students who are beginning the study of French literature, the following books are suggested as likely to be most helpful:

Abry-Audic-Crouzet, *Histoire illustrée de la littérature française,* Paris (Didier).
E. Faguet, *Histoire de la littérature française,* Paris (Plon-Nourrit).
G. Lanson, *Histoire de la littérature française,* Paris (Hachette).
D. Mornet, *Histoire de la littérature et de la pensée françaises,* Paris (Larousse).
————, *Histoire de la littérature et de la pensée françaises contemporaines,* Paris (Larousse).
G. Pellissier, *Le Mouvement littéraire au XIXᵉ siècle,* Paris (Hachette).
F. Strowski, *Tableau de la littérature française au XIXᵉ siècle et au XXᵉ siècle,* Paris (Mellottée).

D. Mornet, *Short History of French Literature,* tr. by Choquette and Gauss (Crofts).
Nitze and Dargan, *History of French Literature* (Holt).
C. H. C. Wright, *A History of French Literature* (Oxford).

Le Petit Larousse Illustré, Dictionnaire Encyclopédique, Paris (Larousse).

R.F.B.
R.B.M.

TABLE OF CONTENTS

	PAGE
PREFACE	v
CHATEAUBRIAND:	3
Atala	4
MME DE STAËL:	47
De la Littérature et des Arts	47
La Littérature du Nord et la Littérature du Sud	50
De La Poésie Classique et de la Poésie Romantique	52
STENDHAL:	55
Racine et Shakespeare (extracts)	55
LAMARTINE:	59
L'Isolement	60
L'Automne	61
L'Immortalité	62
Le Lac	63
Le Crucifix	65
La Marseillaise de la Paix	67
Le Lézard sur les Ruines de Rome	71
VICTOR HUGO:	73
Préface de Cromwell	74
La Fiancée du Timbalier	78
Extase	81
Les Djinns	82
Passé	85
Tristesse d'Olympio	87
Oceano Nox	91
L'Expiation	93
Oh! Je Fus Comme Fou dans le Premier Moment	101
Paroles sur la Dune	101
Pasteurs et Troupeaux	103
La Conscience	104
Booz Endormi	106
Première Rencontre du Christ avec le Tombeau	109
La Rose de l'Infante	111
Saison des Semailles. Le Soir	114
ALFRED DE VIGNY:	115
Moïse	116
Le Cor	119

PAGE

La Maison du Berger 122
La Mort du Loup 123
La Bouteille à la Mer 125

ALFRED DE MUSSET: 129
Lettres de Dupuis et de Cotonet (extract) 130
Au Lecteur 133
Sonnet: Béatrix Donato 133
La Nuit de Mai 134
La Nuit d'Octobre 139
Souvenir 142
Tristesse 147
Une Soirée Perdue 147
Chanson 150
Lucie (fragment) 150

THÉOPHILE GAUTIER: 151
Pastel 152
Le Pot de Fleurs 152
In Deserto 153
Dans la Sierra 154
A Zurbaran 154
Les Affres de la Mort 157
Premier Sourire du Printemps 158
Vieux de la Vieille 159
L'Art 163

GEORGE SAND: 165
L'Auteur au Lecteur (Preface to *La Mare au Diable*) 166

HONORÉ DE BALZAC: 169
Avant-Propos (de *la Comédie Humaine*) 170
Jésus-Christ en Flandre 178

JULES MICHELET: 187
La Découverte de l'Italie (extract) 187

PROSPER MÉRIMÉE: 191
L'Enlèvement de la Redoute 191
Vision de Charles XI 195
Mateo Falcone 200

SAINTE-BEUVE: 211
Chateaubriand 212
Qu'est-ce qu'un Classique? 222

GUSTAVE FLAUBERT: 234
Un Cœur Simple 235

PAGE

HIPPOLYTE TAINE: 260
  Histoire de la Littérature Anglaise (Introduction) 261

ERNEST RENAN: 277
  Qu'est-ce qu'une Nation? 278
  Prière sur l'Acropole 286

LECONTE DE LISLE: 293
  Bhagavat (fragment) 294
  Midi 295
  L'Ecclésiaste 296
  Le Vérandah 296
  Le Sommeil du Condor 297
  La Panthère Noire 298
  Les Montreurs 299
  Solvet Seclum 300
  L'Illusion Suprême 301
  A un Poète Mort 302

CHARLES BAUDELAIRE: 304
  Élévation 304
  Correspondances 305
  Hymne à la Beauté 305
  Le Flacon 306
  La Cloche Fêlée 307
  Spleen 308

SULLY PRUDHOMME: 309
  Le Vase Brisé 309
  Intus 310
  L'Art Sauveur 310
  Homo Sum 310
  A Théophile Gautier 311

JOSÉ-MARIA DE HEREDIA: 313
  L'Oubli 313
  Le Cydnus 314
  Soir de Bataille 314
  Antoine et Cléopâtre 315
  La Dogaresse 315
  Les Conquérants 316

ALPHONSE DAUDET: 317
  Le Curé de Cucugnan 317
  Le Pape Est Mort 322
  Un Réveillon dans le Marais 325
  La Vision du Juge de Colmar 328

PAGE

GUY DE MAUPASSANT: 332
  Le Roman (Preface to *Pierre et Jean*) 333
  La Parure 337
  La Ficelle 344
  L'Aventure de Walter Schnaffs 349
  La Peur 355
  Menuet 360

ÉMILE ZOLA: 364
  Le Roman Expérimental (excerpts) 365
  L'Attaque du Moulin 366

FERDINAND BRUNETIÈRE: 390
  Évolution des Genres 390

PAUL VERLAINE: 396
  Femme et Chatte 396
  Clair de Lune 397
  Le Bruit des Cabarets, La Fange des Trottoirs 397
  Ariettes Oubliées 397
  Gaspard Hauser Chante 399
  Art Poétique 400

JEAN ARTHUR RIMBAUD: 402
  Voyelles 402
  Bateau Ivre 403
  Alchimie du Verbe (fragment) 406

STÉPHANE MALLARMÉ: 408
  Brise Marine 408
  Éventail 409
  Le Tombeau d'Edgar Poe 409

ANATOLE FRANCE: 411
  La Morale et la Science 412
  Le Jongleur de Notre Dame 419
  Le Petit Soldat de Plomb 424
  Crainquebille 430

FRENCH LITERATURE

OF THE

NINETEENTH CENTURY

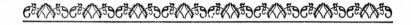

CHATEAUBRIAND (1768–1848)

François René de Chateaubriand, born at Saint-Malo in Brittany, was reared in surroundings calculated to encourage the pessimistic, melancholy, emotional tendencies given him by nature, which developed into what has come to be known as *le mal de René* or *le mal du siècle*. In 1791 Chateaubriand visited America, probably going as far west as Ohio. He returned to France in 1792, only to become one of the *émigrés* and live as best he could, first in the royalist army on the Rhine, then in Belgium and England. Returning to France in 1800, he was, after the success of *Le Génie du Christianisme* (1802), appointed first secretary to the embassy at Rome, but upon the death of the Duke of Enghien,* refused to serve longer under Napoleon. During the years 1806–1807 he visited Greece, Jerusalem, Egypt, and Spain, gathering new impressions to be used in later works. Under the *Restauration* he played an active rôle in politics.

Although he was a lover of histrionic attitudes, Chateaubriand's deep influence upon French literature can hardly be overestimated. He was a disciple of Rousseau in showing man communing with nature, man in conflict with his social environment, civilization contrasted with the simple life of the savage, and at the same time followed Bernardin de Saint-Pierre in developing the use of local color. In *Le Génie du Christianisme,* written after the death of his mother, Chateaubriand directed attention to the Middle Ages. Sainte-Beuve called him "an epicurean with a Catholic imagination." His religious feeling, that of an artist, derived from form and ritual rather than from profound spiritual conviction, came as a relief from the skepticism of the 18th century. Chateaubriand was a careful master of style. His poetic prose descriptions must be classed among the most beautiful to be found in the French language; *Les Martyrs* is a prose epic. He is himself the hero of all his works.

Rousseau and Bernardin de Saint-Pierre had pointed the way, but it was Chateaubriand who possessed the literary genius necessary to win the victory for Romanticism in both form and content.

"Comme artiste proprement dit, comme écrivain, il parlait une langue à laquelle il n'y en avait pas eu de comparable depuis Bossuet. Trop poétique peut-être pour certains goûts, mais large, abondante, nombreuse, harmonieuse, souple et pittoresque, elle réunissait tous les charmes, toutes les séductions et toutes les forces; c'était une langue de poète, d'orateur et d'artiste. 'Quel qu'il soit comme fond, l'ouvrage sera bon, disait Joubert, parcequ'il est de l'enchanteur.' Le mot était trouvé: Chateaubriand a enchanté le siècle. . . . On peut dire que l'imagination française avait perdu ses sources et que Chateaubriand les avait retrouvées et les lui avait rendues." (Faguet: *Histoire de la Littérature Française.*)

IMPORTANT WORKS:

Personal and autobiographical: *René* (1802, in *Le Génie du Christianisme*); *Mémoires d'Outre-Tombe* (1849–1850).

*Enghien (1772–1804), the last representative of the Condé family, was seized, in neutral territory, by Napoleon's order, accused of taking part in a Bourbon conspiracy, and tried by a military court. Although Enghien was not proved guilty, Napoleon had him executed. This act cast a lasting stigma upon the character of Napoleon.

Defense of religion: *Le Génie du Christianisme* (1802).
Novel: *Atala* (1801); *Les Martyrs* (1809).
Travel: *Itinéraire de Paris à Jérusalem* (1811).

ATALA [1]

PROLOGUE

Après la découverte du Meschacebé [2] par le Père Marquette [3] et l'infortuné La Salle,[4] les premiers Français qui s'établirent au Biloxi [5] et à la Nouvelle-Orléans firent alliance avec les Natchez, nation indienne dont la puissance était redoutable dans ces contrées. Des querelles et des jalousies
5 ensanglantèrent dans la suite la terre de l'hospitalité. Il y avait parmi ces sauvages un vieillard nommé Chactas, qui, par son âge, sa sagesse, et sa science dans les choses de la vie, était le patriarche et l'amour des déserts. Comme tous les hommes, il avait acheté la vertu par l'infortune. Non seulement les forêts du Nouveau Monde furent remplies de ses malheurs,
10 mais il les porta jusque sur les rivages de la France. Retenu aux galères à Marseille par une cruelle injustice, rendu à la liberté, présenté à Louis XIV, il avait conversé avec les grands hommes de ce siècle et assisté aux fêtes de Versailles, aux tragédies de Racine,[6] aux oraisons funèbres de Bossuet;[7] en un mot, le sauvage avait contemplé la société à son plus haut point de splen-
15 deur.

Depuis plusieurs années, rentré dans le sein de sa patrie, Chactas jouissait du repos. Toutefois, le ciel lui vendait encore cher cette faveur: le vieillard était devenu aveugle. Une jeune fille l'accompagnait sur les coteaux du Meschacebé, comme Antigone [8] guidait les pas d'Œdipe [9] sur le Cythéron,[10]
20 ou comme Malvina [11] conduisait Ossian [11] sur les rochers de Morven.[11]

Malgré les nombreuses injustices que Chactas avait éprouvées de la part des Français, il les aimait. Il se souvenait toujours de Fénelon,[12] dont il avait été l'hôte, et désirait pouvoir rendre quelque service aux compatriotes de cet homme vertueux. Il s'en présenta une occasion favorable. En 1725, un
25 Français nommé René, poussé par les passions et les malheurs, arriva à la

---

[1] *Atala* is printed here complete, except for about three pages omitted from the prologue.

[2] Mississippi.

[3] Père Marquette (1637–1675), missionary and explorer, guided an exploring party down the Mississippi to the mouth of the Arkansas in 1673.

[4] La Salle (1643?–1687), French explorer, tried to reach the Pacific, sailing down the Ohio. He went down the Mississippi to its mouth in 1682. He was assassinated by his own men.

[5] Biloxi, city in Mississippi, 60 miles S. W. of Mobile, Ala. A settlement was established across the bay from the present town by Iberville in 1699.

[6] Jean Racine (1639–1699), celebrated French Classical tragic poet.

[7] Bossuet (1627–1704), Bishop of Meaux, called the *Aigle de Meaux,* the most celebrated pulpit orator of the 17th century.

[8] Antigone, in Sophocles' *Œdipus Coloneus,* accompanies her blinded father, Œdipus, to Attica.

[9] Œdipus, in ignorance of his parentage, killed his father, Laius, and married his own mother, Jocasta. Upon discovering the truth, he tore out his own eyes.

[10] Cithæron, a mountain range in northern Greece.

[11] *Ossian,* legendary Gaelic bard and hero, supposedly the author of poems, published about 1762, by James McPherson. Malvina was his fiancée. His father, Finn or Fingal, was king of Morven.

[12] Fénelon (1651–1715), Archbishop of Cambrai, author of *Télémaque.*

Louisiane. Il remonta le Meschacebé jusqu'aux Natchez et demanda à être reçu guerrier de cette nation. Chactas l'ayant interrogé et le trouvant inébranlable dans sa résolution, l'adopta pour fils et lui donna pour épouse une Indienne appelée Céluta. Peu de temps après ce mariage, les sauvages se préparèrent à la chasse du castor.

Chactas, quoique aveugle, est désigné par le conseil des Sachems pour commander l'expédition, à cause du respect que les tribus indiennes lui portaient. Les prières et les jeûnes commencent: les Jongleurs [13] interprètent les songes; on consulte les Manitous; [14] on fait des sacrifices de petun; [15] on brûle des filets de langue d'orignal,[16] on examine s'ils pétillent dans la flamme, afin de découvrir la volonté des Génies; [17] on part enfin, après avoir mangé le chien sacré. René est de la troupe. A l'aide des contre-courants les pirogues [18] remontent le Meschacebé et entrent dans le lit de l'Ohio. C'est en automne. Les magnifiques déserts [19] du Kentucky se déploient aux yeux étonnés du jeune Français. Une nuit, à la clarté de la lune, tandis que tous les Natchez dorment au fond de leurs pirogues et que la flotte indienne, élevant ses voiles de peaux de bêtes, fuit devant une légère brise, René, demeuré seul avec Chactas, lui demande le récit de ses aventures. Le vieillard consent à le satisfaire, et, assis avec lui sur la poupe de la pirogue, il commence en ces mots:

LE RÉCIT

Les Chasseurs

«C'est une singulière destinée, mon cher fils, que celle qui nous réunit. Je vois en toi l'homme civilisé qui s'est fait sauvage; tu vois en moi l'homme sauvage que le grand Esprit (j'ignore pour quel dessein) a voulu civiliser. Entrés l'un et l'autre dans la carrière de la vie par les deux bouts opposés, tu es venu te reposer à ma place, et j'ai été m'asseoir à la tienne: ainsi nous avons dû avoir des objets une vue totalement différente. Qui de toi ou de moi a le plus gagné ou le plus perdu à ce changement de position? C'est ce que savent les Génies, dont le moins savant a plus de sagesse que tous les hommes ensemble.

«A la prochaine lune des fleurs,[20] il y aura sept fois dix neiges, et trois neiges [21] de plus, que ma mère me mit au monde sur les bords du Meschacebé. Les Espagnols s'étaient depuis peu établis dans la baie de Pensacola,[22] mais aucun blanc n'habitait encore la Louisiane. Je comptais à peine dix-sept chutes [23] de feuilles lorsque je marchai avec mon père, le guerrier Outalissi, contre les Muscogulges,[24] nation puissante des Florides. Nous nous joignîmes aux Espagnols, nos alliés, et le combat se donna sur une des branches de la Maubile.[25] Areskoui [26] et les Manitous ne nous furent pas favorables. Les ennemis triomphèrent; mon père perdit la vie; je fus

---

[13] "medicine men."   [14] "great spirits."   [15] "tobacco."   [16] "elk."   [17] "spirits."
[18] "canoes."   [19] "wilderness."   [20] "month of May."   [21] "winters."
[22] City in northwestern Florida.   [23] "years" (autumns).   [24] Muskogees.
[25] Mobile, river in Alabama.   [26] God of war.

blessé deux fois en le défendant. Oh! que ne descendis-je alors dans le pays
des âmes! j'aurais évité les malheurs qui m'attendaient sur la terre. Les
Esprits en ordonnèrent autrement: je fus entraîné par les fuyards à Saint-
Augustin.

5   «Dans cette ville nouvellement bâtie par les Espagnols, je courais le risque
d'être enlevé pour les mines de Mexico,[27] lorsqu'un vieux Castillan nommé
Lopez, touché de ma jeunesse et de ma simplicité, m'offrit un asile et me
présenta à une sœur avec laquelle il vivait sans épouse.

«Tous les deux prirent pour moi les sentiments les plus tendres. On m'éleva
10 avec beaucoup de soin; on me donna toutes sortes de maîtres. Mais, après
avoir passé trente lunes à Saint-Augustin, je fus saisi du dégoût de la vie
des cités. Je dépérissais à vue d'œil;[28] tantôt je demeurais immobile pendant
des heures à contempler la cime des lointaines forêts; tantôt on me trouvait
assis au bord d'un fleuve que je regardais tristement couler. Je me peignais
15 les bois à travers lesquels cette onde avait passé, et mon âme était tout
entière à la solitude.

«Ne pouvant plus résister à l'envie de retourner au désert, un matin je me
présentai à Lopez, vêtu de mes habits de sauvage, tenant d'une main mon
arc et mes flèches et de l'autre mes vêtements européens. Je les remis à mon
20 généreux protecteur, aux pieds duquel je tombai en versant des torrents de
larmes. Je me donnai des noms odieux; je m'accusai d'ingratitude: «Mais
enfin, lui dis-je, ô mon père! tu le vois toi-même: je meurs si je ne reprends
la vie de l'Indien.»

«Lopez, frappé d'étonnement, voulut me détourner de mon dessein. Il me
25 présenta les dangers que j'allais courir en m'exposant à tomber de nouveau
entre les mains des Muscogulges. Mais voyant que j'étais résolu à tout
entreprendre, fondant en pleurs et me serrant dans ses bras: «Va, s'écria-t-il,
enfant de la nature; reprends cette indépendance de l'homme que Lopez
ne te veut point ravir. Si j'étais plus jeune moi-même, je t'accompagnerais
30 au désert (où j'ai aussi de doux souvenirs!) et je te remettrais dans les bras
de ta mère. Quand tu seras dans les forêts, songe quelquefois à ce vieil
Espagnol qui te donna l'hospitalité, et rappelle-toi, pour te porter à l'amour
de tes semblables, que la première expérience que tu as faite du cœur
humain a été tout en sa faveur.» Lopez finit par une prière au Dieu des
35 chrétiens dont j'avais refusé d'embrasser le culte, et nous nous quittâmes
avec des sanglots.

«Je ne tardai pas à être puni de mon ingratitude. Mon inexpérience m'égara
dans les bois, et je fus pris par un parti de Muscogulges et de Siminoles,[29]
comme Lopez me l'avait prédit. Je fus reconnu pour Natchez à mon vête-
40 ment et aux plumes qui ornaient ma tête. On m'enchaîna, mais légèrement,
à cause de ma jeunesse. Simaghan, le chef de la troupe, voulut savoir mon
nom; je répondis: «Je m'appelle Chactas, fils d'Outalissi, fils de Miscou, qui
ont enlevé plus de cent chevelures[30] aux héros muscogulges.» Simaghan me
dit: «Chactas, fils d'Outalissi, fils de Miscou, réjouis-toi: tu seras brûlé au

[27] Mines being worked by the Spaniards in Mexico.
[28] "I was visibly wasting away."   [29] Seminoles, Indians of Florida.   [30] "scalps."

grand village.» Je repartis: «Voilà qui va bien;» et j'entonnai ma chanson de mort.

«Tout prisonnier que j'étais, je ne pouvais, durant les premiers jours, m'empêcher d'admirer mes ennemis. Le Muscogulge, et surtout son allié, le Siminole, respire la gaîté, l'amour, le contentement. Sa démarche est légère, son abord ouvert et serein. Il parle beaucoup et avec volubilité; son langage est harmonieux et facile. L'âge même ne peut ravir aux Sachems [31] cette simplicité joyeuse: comme les vieux oiseaux de nos bois, ils mêlent encore leurs vieilles chansons aux airs nouveaux de leur jeune postérité.

«Les femmes qui accompagnaient la troupe témoignaient pour ma jeunesse une pitié tendre et une curiosité aimable. Elles me questionnaient sur ma mère, sur les premiers jours de ma vie; elles voulaient savoir si l'on suspendait mon berceau de mousse aux branches fleuries des érables, si les brises m'y balançaient auprès du nid des petits oiseaux. C'étaient ensuite mille autres questions sur l'état de mon cœur: elles me demandaient si j'avais vu une biche blanche dans mes songes et si les arbres de la vallée secrète m'avaient conseillé d'aimer. Je répondais avec naïveté aux mères, aux filles et aux épouses des hommes. Je leur disais: «Vous êtes les grâces du jour et la nuit vous aime comme la rosée. . . . Vous savez des paroles magiques qui endorment toutes les douleurs. Voilà ce que m'a dit celle qui m'a mis au monde, et qui ne me reverra plus! Elle m'a dit encore que les vierges étaient des fleurs mystérieuses, qu'on trouve dans les lieux solitaires.»

«Ces louanges faisaient beaucoup de plaisir aux femmes: elles me comblaient de toutes sortes de dons; elles m'apportaient de la crème de noix, du sucre d'érable, de la sagamité,[32] des jambons d'ours, des peaux de castor, des coquillages pour me parer et des mousses pour ma couche. Elles chantaient, elles riaient avec moi, et puis elles se prenaient à verser des larmes en songeant que je serais brûlé.

«Une nuit que les Muscogulges avaient placé leur camp sur le bord d'une forêt, j'étais assis auprès du *feu de la guerre,* avec le chasseur commis à ma garde. Tout à coup j'entendis le murmure d'un vêtement sur l'herbe, et une femme à demi voilée vint s'asseoir à mes côtés. Des pleurs roulaient sous sa paupière; à la lueur du feu un petit crucifix en or brillait sur son sein. Elle était régulièrement belle; l'on remarquait sur son visage je ne sais quoi de vertueux et de passionné, dont l'attrait était irrésistible. Elle joignait à cela des grâces plus tendres; une extrême sensibilité unie à une mélancolie profonde respirait dans ses regards; son sourire était céleste.

« Je crus que c'était la *Vierge des dernières amours,* cette vierge qu'on envoie au prisonnier de guerre pour enchanter sa tombe. Dans cette persuasion, je lui dis en balbutiant et avec un trouble qui pourtant ne venait pas de la crainte du bûcher: «Vierge, vous êtes digne des premières amours, et vous n'êtes pas faite pour les dernières. Les mouvements [33] d'un cœur qui va bientôt cesser de battre répondraient mal aux mouvements du vôtre. Comment mêler la mort et la vie? Vous me feriez trop regretter le jour. Qu'un

---

[31] "old men," members of the council of the tribe or nation.
[32] A kind of porridge made of corn meal; corn meal mush.   [33] "emotions, feelings."

autre soit plus heureux que moi, et que de longs embrassements unissent la liane et le chêne!»

«La jeune fille me dit alors: «Je ne suis point la *Vierge des dernières amours*. Es-tu chrétien?» Je répondis que je n'avais point trahi les Génies [34] de ma cabane. A ces mots, l'Indienne fit un mouvement involontaire. Elle me dit: «Je te plains de n'être qu'un méchant idolâtre. Ma mère m'a faite chrétienne; je me nomme Atala, fille de Simaghan aux bracelets d'or et chef des guerriers de cette troupe. Nous nous rendons à Apalachucla,[35] où tu seras brûlé.» En prononçant ces mots, Atala se lève et s'éloigne.»

Ici, Chactas fut contraint d'interrompre son récit. Les souvenirs se pressèrent en foule dans son âme; ses yeux éteints inondèrent de larmes ses joues flétries: telles deux sources cachées dans la profonde nuit de la terre se décèlent par les eaux qu'elles laissent filtrer entre les rochers.

«O mon fils! reprit-il enfin: tu vois que Chactas est bien peu sage, malgré sa renommée de sagesse! Hélas! mon cher enfant, les hommes ne peuvent déjà plus voir, qu'ils peuvent encore pleurer! Plusieurs jours s'écoulèrent; la fille du Sachem revenait chaque soir me parler. Le sommeil avait fui de mes yeux, et Atala était dans mon cœur comme le souvenir de la couche de mes pères.

«Le dix-septième jour de marche, vers le temps où l'éphémère [36] sort des eaux, nous entrâmes sur la grande savane [37] Alachua. Elle est environnée de coteaux qui, fuyant les uns derrière les autres, portent, en s'élevant jusqu'aux nues, des forêts étagées de copalmes,[38] de citronniers, de magnolias et de chênes verts. Le chef poussa le cri d'arrivée, et la troupe campa au pied des collines. On me relégua à quelque distance, au bord d'un de ces puits naturels si fameux dans les Florides. J'étais attaché au pied d'un arbre; un guerrier veillait impatiemment auprès de moi. J'avais à peine passé quelques instants dans ce lieu, qu'Atala parut sous les liquidambars [39] de la fontaine. «Chasseur, dit-elle au héros muscogulge, si tu veux poursuivre le chevreuil, je garderai le prisonnier.» Le guerrier bondit de joie à cette parole de la fille du chef; il s'élance du sommet de la colline et allonge ses pas dans la plaine.

«Étrange contradiction du cœur de l'homme! Moi qui avais tant désiré de dire les choses du mystère [40] à celle que j'aimais déjà comme le soleil, maintenant interdit et confus, je crois que j'eusse préféré d'être jeté aux crocodiles de la fontaine à me trouver seul ainsi avec Atala. La fille du désert était aussi troublée que son prisonnier; nous gardions un profond silence; les Génies de l'amour avaient dérobé nos paroles. Enfin, Atala, faisant un effort, dit ceci: «Guerrier, vous êtes retenu faiblement; vous pouvez aisément vous échapper.» A ces mots, la hardiesse revint sur ma langue, je répondis: «Faiblement retenu, ô femme! . . .» Je ne sus comment achever; Atala hésita quelques moments, puis elle dit: «Sauvez-vous.» Et elle me détacha du tronc de l'arbre. Je saisis la corde, je la remis dans la main de la fille

[34] "Spirits of my family."
[35] *Apalachucla* and other names below, like *Alachua,* were probably used by Chateaubriand for their exotic and poetic qualities rather than with any idea of geographical accuracy.
[36] "day-fly."   [37] "savanna, plain."   [38] "liquidamber, sweet gum."
[39] same as *copalme.*   [40] "talk of love."

étrangère, en forçant ses beaux doigts à se fermer sur ma chaîne. «Reprenez-la! reprenez-la! m'écriai-je.—Vous êtes un insensé, dit Atala d'une voix émue. Malheureux! ne sais-tu pas que tu seras brûlé? Que prétends-tu? Songes-tu bien que je suis la fille d'un redoutable Sachem?—Il fut un temps, répliquai-je avec des larmes, que j'étais aussi porté, dans une peau de castor, 5 aux épaules d'une mère. Mon père avait aussi une belle hutte, et ses chevreuils buvaient les eaux de mille torrents; mais j'erre maintenant sans patrie. Quand je ne serai plus, aucun ami ne mettra un peu d'herbe sur mon corps pour le garantir des mouches. Le corps d'un étranger malheureux n'intéresse personne.» 10

«Ces mots attendrirent Atala. Ses larmes tombèrent dans la fontaine. «Ah! repris-je avec vivacité, si votre cœur parlait comme le mien! Le désert n'est-il pas libre! Les forêts n'ont-elles point de replis[41] où nous cacher? Faut-il donc, pour être heureux, tant de choses aux enfants des cabanes! O fille plus belle que le premier songe de l'époux! ô ma bien-aimée, ose suivre mes pas!» 15 Telles furent mes paroles. Atala me répondit d'une voix tendre: «Mon jeune ami, vous avez appris le langage des blancs; il est aisé de tromper une Indienne.—Quoi! m'écriai-je, vous m'appelez votre jeune ami! Ah! si un pauvre esclave. . . .—Eh bien, dit-elle, en se penchant sur moi, un pauvre esclave. . . .» Je repris avec ardeur: «Qu'un baiser l'assure de ta foi!» Atala 20 écouta ma prière; comme un faon semble pendre aux fleurs de lianes roses, qu'il saisit de sa langue délicate dans l'escarpement de la montagne, ainsi je restai suspendu aux lèvres de ma bien-aimée.

«Hélas! mon cher fils, la douleur touche de près au plaisir! Qui eût pu croire que le moment où Atala me donnait le premier gage de son amour 25 serait celui-là même où elle détruirait mes espérances? Cheveux blanchis du vieux Chactas, quel fut votre étonnement lorsque la fille du Sachem prononça ces paroles: «Beau prisonnier, j'ai follement cédé à ton désir; mais où nous conduira cette passion? Ma religion me sépare de toi pour toujours. . . . O ma mère! qu'as-tu fait? . . .»[42] Atala se tut tout à coup, et retint je ne sus 30 quel fatal secret près d'échapper à ses lèvres. Ses paroles me plongèrent dans le désespoir. «Eh bien! m'écriai-je, je serai aussi cruel que vous: je ne fuirai point. Vous me verrez dans le cadre de feu, vous entendrez les gémissements de ma chair et vous serez pleine de joie.» Atala saisit mes mains entre les deux siennes. «Pauvre jeune idolâtre, s'écria-t-elle, tu me fais réellement pitié! 35 Tu veux donc que je pleure tout mon cœur? Quel dommage que je ne puisse fuir avec toi! Malheureux a été le ventre de ta mère, ô Atala! Que ne te jettes-tu au crocodile de la fontaine?»

«Dans ce moment même, les crocodiles, aux approches du coucher du soleil, commençaient à faire entendre leurs rugissements. Atala me dit: 40 «Quittons ces lieux.» J'entraînai la fille de Simaghan au pied des coteaux qui formaient des golfes de verdure en avançant leurs promontoires dans la savane. Tout était calme et superbe au désert. La cigogne criait sur son nid; les bois retentissaient du chant monotone des cailles, du sifflement des

---

[41] "recesses, hidden places."
[42] Atala has in mind the vow of chastity her mother had made her take.

perruches, du mugissement des bisons et du hennissement des cavales [43] siminoles.

«Notre promenade fut presque muette. Je marchais à côté d'Atala; elle tenait le bout de la corde que je l'avais forcée de reprendre. Quelquefois nous
5   versions des pleurs, quelquefois nous essayions de sourire. Un regard tantôt levé vers le ciel, tantôt attaché à la terre, une oreille attentive au chant de l'oiseau, un geste vers le soleil couchant, une main tendrement serrée, un sein tour à tour palpitant, tour à tour tranquille, les noms de Chactas et d'Atala doucement répétés par intervalles. . . . O première promenade de
10 l'amour! il faut que votre souvenir soit bien puissant, puisque après tant d'années d'infortune vous remuez encore le cœur du vieux Chactas!

«Qu'ils sont incompréhensibles les mortels agités par les passions! Je venais d'abandonner le généreux [44] Lopez, je venais de m'exposer à tous les dangers pour être libre: dans un instant le regard d'une femme avait changé mes
15 goûts, mes résolutions, mes pensées! Oubliant mon pays, ma mère, ma cabane et la mort affreuse qui m'attendait, j'étais devenu indifférent à tout ce qui n'était pas Atala. Sans force pour m'élever à la raison de l'homme, j'étais retombé tout à coup dans une espèce d'enfance; et loin de pouvoir rien faire pour me soustraire aux maux qui m'attendaient, j'aurais eu presque besoin
20 qu'on s'occupât de mon sommeil et de ma nourriture.

«Ce fut donc vainement qu'après nos courses dans la savane, Atala, se jetant à mes genoux, m'invita de nouveau à la quitter. Je lui protestai que je retournerais seul au camp si elle refusait de me rattacher au pied de mon arbre. Elle fut obligée de me satisfaire, espérant me convaincre une autre
25 fois.

«Le lendemain de cette journée, qui décida du destin de ma vie, on s'arrêta dans une vallée, non loin de Cuscowilla, capitale des Siminoles. Ces Indiens, unis aux Muscogulges, forment, avec eux, la confédération des Creecks.[45] La fille du pays des palmiers vint me trouver au milieu de la nuit. Elle me
30 conduisit dans une grande forêt de pins et renouvela ses prières pour m'engager à la fuite. Sans lui répondre, je pris sa main dans ma main, et je forçai cette biche altérée d'errer avec moi dans la forêt. La nuit était délicieuse. Le Génie des airs secouait sa chevelure bleue,[46] embaumée de la senteur des pins, et l'on respirait la faible odeur d'ambre qu'exhalaient les
35 crocodiles couchés sous les tamarins des fleuves. La lune brillait au milieu d'un azur sans tache, et sa lumière gris de perle descendait sur la cime indéterminée des forêts.[47] Aucun bruit ne se faisait entendre, hors je ne sais quelle harmonie lointaine qui régnait dans la profondeur des bois: on eût dit que l'âme de la solitude soupirait dans toute l'étendue du désert.

40 «Nous aperçûmes à travers les arbres un jeune homme qui, tenant à la main un flambeau, ressemblait au Génie du printemps parcourant les forêts

---

[43] "mares."   [44] "noble."   [45] Creeks, Indians of Georgia and Alabama.
[46] A fine example of Chateaubriand's picturesque style.
[47] In his famous discussion of the qualities which make great poetry, Matthew Arnold cites *"cime indéterminée des forêts"* as possessing "natural magic" (*Maurice de Guérin* in *Essays in Criticism*).

pour ranimer la nature: c'était un amant qui allait s'instruire de son sort à la cabane de sa maîtresse.[48]

«Si la vierge éteint le flambeau, elle accepte les vœux offerts; si elle se voile sans l'éteindre, elle rejette un époux.

«Le guerrier, en se glissant dans les ombres, chantait à demi-voix ces 5 paroles:

«Je devancerai les pas du jour sur le sommet des montagnes pour chercher ma colombe solitaire parmi les chênes de la forêt.

«J'ai attaché à son cou un collier de porcelaines; on y voit trois grains rouges pour mon amour, trois violets pour mes craintes, trois bleus pour mes 10 espérances.

«Mila a les yeux d'une hermine et la chevelure d'un champ de riz; sa bouche est un coquillage rose garni de perles; ses deux seins sont comme deux petits chevreaux sans tache, nés au même jour, d'une seule mère.

«Puisse Mila éteindre ce flambeau! Puisse sa bouche verser sur lui une 15 ombre voluptueuse! Je fertiliserai son sein.[49] L'espoir de la patrie pendra à sa mamelle féconde, et je fumerai mon calumet de paix sur le berceau de mon fils.

«Ah! laissez-moi devancer les pas du jour sur le sommet des montagnes pour chercher ma colombe solitaire parmi les chênes de la forêt!» 20

«Ainsi chantait ce jeune homme, dont les accents portèrent le trouble jusqu'au fond de mon âme et firent changer de visage à Atala. Nos mains unies frémirent l'une dans l'autre. Mais nous fûmes distraits de cette scène par une scène non moins dangereuse pour nous.

«Nous passâmes auprès du tombeau d'un enfant, qui servait de limites à 25 deux nations. On l'avait placé au bord du chemin, selon l'usage, afin que les jeunes femmes, en allant à la fontaine, pussent attirer dans leur sein l'âme de l'innocente créature et la rendre à la patrie. On y voyait dans ce moment des épouses nouvelles qui, désirant les douceurs de la maternité, cherchaient, en entr'ouvrant leurs lèvres, à recueillir l'âme du petit enfant, qu'elles 30 croyaient voir errer sur les fleurs. La véritable mère vint ensuite déposer une gerbe de maïs et des fleurs de lis blanc sur le tombeau. Elle arrosa la terre de son lait, s'assit sur le gazon humide et parla à son enfant d'une voix attendrie:

«Pourquoi te pleuré-je dans ton berceau de terre, ô mon nouveau-né! 35 Quand le petit oiseau devient grand, il faut qu'il cherche sa nourriture, et il trouve dans le désert bien des graines amères. Du moins tu as ignoré les pleurs; du moins ton cœur n'a point été exposé au souffle dévorant des hommes. Le bouton qui sèche dans son enveloppe passe avec tous ses parfums, comme toi, ô mon fils! avec toute ton innocence. Heureux ceux qui 40 meurent au berceau, ils n'ont connu que les baisers et les sourires d'une mère!»

«Déjà subjugués par notre propre cœur, nous fûmes accablés par ces images d'amour et de maternité, qui semblaient nous poursuivre dans ces solitudes

---

[48] "sweetheart."   [49] "I will give her children."

enchantées. J'emportai Atala dans mes bras au fond de la forêt, et je lui dis des choses qu'aujourd'hui je chercherais en vain sur mes lèvres. Le vent du midi, mon cher fils, perd sa chaleur en passant sur les montagnes de glace. Les souvenirs de l'amour dans le cœur d'un vieillard sont comme les feux
5 du jour réfléchis par l'orbe paisible de la lune, lorsque le soleil est couché et que le silence plane sur la hutte des sauvages.

«Qui pouvait sauver Atala? qui pouvait l'empêcher de succomber à la nature? Rien qu'un miracle, sans doute, et ce miracle fut fait! La fille de Simaghan eut recours au Dieu des chrétiens; elle se précipita sur la terre et
10 prononça une fervente oraison, adressée à sa mère et à la Reine des vierges. C'est de ce moment, ô René, que j'ai conçu une merveilleuse idée de cette religion qui, dans les forêts, au milieu de toutes les privations de la vie, peut remplir de mille dons les infortunés; de cette religion qui, opposant sa puissance au torrent des passions, suffit seule pour les vaincre, lorsque tout
15 les favorise, et le secret des bois, et l'absence des hommes, et la fidélité des ombres. Ah! qu'elle me parut divine, la simple sauvage, l'ignorante Atala, qui, à genoux devant un vieux pin tombé, comme au pied d'un autel, offrait à son Dieu des vœux pour un amant idolâtre! Ses yeux levés vers l'astre de la nuit, ses joues brillantes des pleurs de la religion et de l'amour, étaient d'une
20 beauté immortelle. Plusieurs fois, il me sembla qu'elle allait prendre son vol vers les cieux, plusieurs fois je crus voir descendre sur les rayons de la lune et entendre dans les branches des arbres ces Génies que le Dieu des chrétiens envoie aux ermites des rochers, lorsqu'il se dispose à les rappeler à lui. J'en fus affligé, car je craignais qu'Atala n'eût que peu de temps à passer sur la
25 terre.

«Cependant elle versa tant de larmes, elle se montra si malheureuse, que j'allais peut-être consentir à m'éloigner, lorsque le cri de mort retentit dans la forêt. Quatre hommes armés se précipitent sur moi: nous avions été découverts; le chef de guerre avait donné l'ordre de nous poursuivre.

30 «Atala, qui ressemblait à une reine pour l'orgueil de la démarche, dédaigna de parler à ces guerriers. Elle leur lança un regard superbe et se rendit auprès de Simaghan.

«Elle ne put rien obtenir. On redoubla mes gardes, on multiplia mes chaînes, on écarta mon amante. Cinq nuits s'écoulent, et nous apercevons
35 Apalachucla, situé au bord de la rivière Chata-Uche.[50] Aussitôt on me couronne de fleurs; on me peint le visage d'azur et de vermillon; on m'attache des perles au nez et aux oreilles et l'on me met à la main un chichikoué.[51]

«Ainsi paré pour le sacrifice, j'entre dans Apalachucla aux cris répétés
40 de la foule. C'en était fait de ma vie, quand tout à coup le bruit d'une conque se fait entendre, et le Mico, ou chef de la nation, ordonne de s'assembler.

«Tu connais, mon fils, les tourments que les sauvages font subir aux prisonniers de guerre. Les missionnaires chrétiens, au péril de leurs jours

---

[50] The Chattahoochee, which, rising in northern Georgia, runs south between Georgia and Alabama and becomes the Apalachicola in Florida.
[51] A musical instrument.

et avec une charité infatigable, étaient parvenus chez plusieurs nations à faire substituer un esclavage assez doux aux horreurs du bûcher. Les Muscogulges n'avaient point encore adopté cette coutume, mais un parti nombreux s'était déclaré en sa faveur. C'était pour prononcer sur cette importante affaire que le Mico convoquait les Sachems. On me conduisit au lieu des délibérations.

«Non loin d'Apalachucla s'élevait, sur un tertre isolé, le pavillon du conseil. Trois cercles de colonnes formaient l'élégante architecture de cette rotonde. Les colonnes étaient de cyprès poli et sculpté; elles augmentaient en hauteur et en épaisseur et diminuaient en nombre à mesure qu'elles se rapprochaient du centre, marqué par un pilier unique. Du sommet de ce pilier partaient des bandes d'écorce qui, passant sur le sommet des autres colonnes, couvraient le pavillon en forme d'éventail à jour.

«Le conseil s'assemble. Cinquante vieillards en manteau de castor se rangent sur des espèces de gradins faisant face à la porte du pavillon. Le grand chef est assis au milieu d'eux, tenant à la main le calumet de paix à demi coloré pour la guerre. A la droite des vieillards se placent cinquante femmes couvertes d'une robe de plumes de cygne. Les chefs de guerre, le tomahawk à la main, le pennage [52] en tête, les bras et la poitrine teints de sang, prennent la gauche.

«Au pied de la colonne centrale brûle le feu du conseil. Le premier Jongleur, environné des huit gardiens du temple, vêtu de longs habits et portant un hibou empaillé sur la tête, verse du baume de copalme sur la flamme et offre un sacrifice au soleil. Ce triple rang de vieillards, de matrones, de guerriers, ces prêtres, ces nuages d'encens, ce sacrifice, tout sert à donner à ce conseil un appareil [53] imposant.

«J'étais debout, enchaîné, au milieu de l'assemblée. Le sacrifice achevé, le Mico prend la parole et expose avec simplicité l'affaire qui rassemble le conseil. Il jette un collier bleu dans la salle en témoignage de ce qu'il vient de dire.

«Alors un Sachem de la tribu de l'Aigle se lève et parle ainsi:

«Mon père le Mico, Sachems, matrones, guerriers des quatre tribus de l'Aigle, du Castor, du Serpent et de la Tortue, ne changeons rien aux mœurs de nos aïeux; brûlons le prisonnier et n'amollissons point nos courages. C'est une coutume des blancs qu'on vous propose, elle ne peut être que pernicieuse. Donnez un collier rouge qui contienne mes paroles. J'ai dit.»

«Et il jette un collier rouge dans l'assemblée.

«Une matrone se lève et dit:

«Mon père l'Aigle, vous avez l'esprit d'un renard et la prudente lenteur d'une tortue. Je veux polir avec vous la chaîne d'amitié, et nous planterons ensemble l'arbre de paix. Mais changeons les coutumes de nos aïeux en ce qu'elles ont de funeste. Ayons des esclaves qui cultivent nos champs, et n'entendons plus les cris des prisonniers, qui troublent le sein des mères. J'ai dit.»

«Comme on voit les flots de la mer se briser pendant un orage, comme en

[52] "feathers, feather bonnet, war bonnet."   [53] "pomp."

automne les feuilles séchées sont enlevées par un tourbillon, comme les roseaux du Meschacebé plient et se relèvent dans une inondation subite, comme un grand troupeau de cerfs brame au fond d'une forêt, ainsi s'agitait et murmurait le conseil. Des Sachems, des guerriers, des matrones parlent
5 tour à tour ou tous ensemble. Les intérêts se choquent, les opinions se divisent, le conseil va se dissoudre, mais enfin l'usage antique l'emporte et je suis condamné au bûcher.

«Une circonstance vint retarder mon supplice: la Fête des morts ou Festin des âmes approchait. Il est d'usage de ne faire mourir aucun captif pendant
10 les jours consacrés à cette cérémonie. On me confia à une garde sévère, et sans doute les Sachems éloignèrent la fille de Simaghan, car je ne la revis plus.

«Cependant les nations de plus de trois cents lieues à la ronde arrivaient en foule pour célébrer le Festin des âmes. On avait bâti une longue hutte sur
15 un site écarté. Au jour marqué, chaque cabane exhuma les restes de ses pères de leurs tombeaux particuliers et l'on suspendit les squelettes, par ordre et par famille, aux murs de la Salle commune des aïeux. Les vents (une tempête s'était élevée), les forêts, les cataractes mugissaient au dehors, tandis que les vieillards des diverses nations concluaient entre eux des traités de paix et
20 d'alliance sur les os de leurs pères.

«On célèbre les jeux funèbres, la course, la balle, les osselets.[54] Deux vierges cherchent à s'arracher une baguette de saule. Les boutons de leurs seins viennent se toucher, leurs mains voltigent sur la baguette, qu'elles élèvent au-dessus de leurs têtes. Leurs beaux pieds nus s'entrelacent, leurs douces
25 haleines se confondent; elles se penchent et mêlent leurs chevelures; elles regardent leurs mères, rougissent: on applaudit. Le Jongleur invoque Michabou, génie des eaux. Il raconte les guerres du grand Lièvre [55] contre Matchimanitou, dieu du mal. Il dit le premier homme et Atahensic [56] la première femme, précipités du ciel pour avoir perdu l'innocence, la terre
30 rougie du sang fraternel, Jouskeka l'impie immolant le juste Tahouistsaron, le déluge descendant à la voix du grand Esprit, Massou sauvé seul dans un canot d'écorce, et le corbeau envoyé à la découverte de la terre; il dit encore la belle Endaé,[57] retirée de la contrée des âmes par les douces chansons de son époux.

35 «Après ces jeux et ces cantiques, on se prépare à donner aux aïeux une éternelle sépulture.

«Sur les bords de la rivière Chata-Uche se voyait un figuier sauvage, que le culte des peuples avait consacré. Les vierges avaient accoutumé de laver leurs robes d'écorce dans ce lieu et de les exposer au souffle du désert, sur
40 les rameaux de l'arbre antique. C'était là qu'on avait creusé un immense tombeau. On part de la salle funèbre en chantant l'hymne de la mort; chaque

---

[54] "knuckle bones."
[55] God of the chase, creator of Earth, men, and animals, according to Chateaubriand.
[56] "spirit of vengeance."
[57] Story of Orpheus and Eurydice. Note the mingling of Indian lore, Bible story, and ancient mythology in this passage.

famille porte quelques débris sacrés. On arrive à la tombe, on y descend les reliques; on les y étend par couches, on les sépare avec des peaux d'ours et de castor; le mont du tombeau s'élève, et l'on y plante l'*Arbre des pleurs et du sommeil.*

«Plaignons les hommes, mon cher fils! Ces mêmes Indiens dont les coutumes sont si touchantes, ces mêmes femmes qui m'avaient témoigné un intérêt si tendre, demandaient maintenant mon supplice à grands cris, et des nations entières retardaient leur départ pour avoir le plaisir de voir un jeune homme souffrir des tourments épouvantables.

«Dans une vallée au nord, à quelque distance du grand village, s'élevait un bois de cyprès et de sapins, appelé le *Bois du sang.* On y arrivait par les ruines d'un de ces monuments dont on ignore l'origine, et qui sont l'ouvrage d'un peuple maintenant inconnu. Au centre de ce bois s'étendait une arène où l'on sacrifiait les prisonniers de guerre. On m'y conduit en triomphe. Tout se prépare pour ma mort: on plante le poteau d'Areskoui; [58] les pins, les ormes, les cyprès tombent sous la cognée; le bûcher s'élève; les spectateurs bâtissent des amphithéâtres avec des branches et des troncs d'arbres. Chacun invente un supplice: l'un se propose de m'arracher la peau du crâne, l'autre de me brûler les yeux avec des haches ardentes. Je commence ma chanson de mort:

«Je ne crains point les tourments; je suis brave, ô Muscogulges! Je vous défie; je vous méprise plus que des femmes. Mon père Outalissi, fils de Miscou, a bu dans le crâne de vos plus fameux guerriers; vous n'arracherez pas un soupir de mon cœur.»

«Provoqué par ma chanson, un guerrier me perça le bras d'une flèche. Je dis: «Frère, je te remercie.»

«Malgré l'activité des bourreaux, les préparatifs du supplice ne purent être achevés avant le coucher du soleil. On consulta le Jongleur, qui défendit de troubler les Génies des ombres, et ma mort fut encore suspendue jusqu'au lendemain. Mais, dans l'impatience de jouir du spectacle et pour être plus tôt prêts au lever de l'aurore, les Indiens ne quittèrent point le *Bois du sang;* ils allumèrent de grands feux et commencèrent des festins et des danses.

«Cependant on m'avait étendu sur le dos. Des cordes partant de mon cou, de mes pieds, de mes bras, allaient s'attacher à des piquets enfoncés en terre. Des guerriers étaient couchés sur ces cordes, et je ne pouvais faire un mouvement sans qu'ils n'en fussent avertis. La nuit s'avance: les chants et les danses cessent par degrés; les feux ne jettent plus que des lueurs rougeâtres, devant lesquelles on voit encore passer les ombres de quelques sauvages; tout s'endort: à mesure que le bruit des hommes s'affaiblit, celui du désert augmente, et au tumulte des voix succèdent les plaintes du vent dans la forêt.

«C'était l'heure où la jeune Indienne qui vient d'être mère se réveille en sursaut au milieu de la nuit, car elle a cru entendre les cris de son premier-né qui lui demande la douce nourriture. Les yeux attachés au ciel, où le croissant de la lune errait dans les nuages, je réfléchissais sur ma destinée. Atala me

[58] God of war.

semblait un monstre d'ingratitude; m'abandonner au moment du supplice, moi qui m'étais dévoué aux flammes plutôt que de la quitter! Et pourtant je sentais que je l'aimais toujours et que je mourrais avec joie pour elle.

«Il est dans les extrêmes plaisirs un aiguillon qui nous éveille, comme pour
5 nous avertir de profiter de ce moment rapide; dans les grandes douleurs, au contraire, je ne sais quoi de pesant nous endort: des yeux fatigués par les larmes cherchent naturellement à se fermer, et la bonté de la Providence se fait ainsi remarquer jusque dans nos infortunes. Je cédai malgré moi à ce lourd sommeil que goûtent quelquefois les misérables. Je rêvais qu'on
10 m'ôtait mes chaînes; je croyais sentir ce soulagement qu'on éprouve lorsque, après avoir été fortement pressé, une main secourable relâche nos fers.

«Cette sensation devint si vive qu'elle me fit soulever les paupières. A la clarté de la lune, dont un rayon s'échappait entre deux nuages, j'entrevois une grande figure blanche penchée sur moi et occupée à dénouer silencieusement
15 mes liens. J'allais pousser un cri, lorsqu'une main, que je reconnus à l'instant, me ferma la bouche. Une seule corde restait, mais il paraissait impossible de la couper sans toucher un guerrier qui la couvrait tout entière de son corps. Atala y porte la main; le guerrier s'éveille à demi et se dresse sur son séant. Atala reste immobile et le regarde. L'Indien croit voir l'Esprit des ruines;
20 il se recouche en fermant les yeux et en invoquant son Manitou. Le lien est brisé. Je me lève; je suis ma libératrice, qui me tend le bout d'un arc dont elle tient l'autre extrémité. Mais que de dangers nous environnent! Tantôt nous sommes près de heurter des sauvages endormis; tantôt une garde nous interroge, et Atala répond en changeant sa voix. Des enfants poussent des
25 cris, des dogues aboient. A peine sommes-nous sortis de l'enceinte funeste, que des hurlements ébranlent la forêt. Le camp se réveille, mille feux s'allument, on voit courir de tous côtés des sauvages avec des flambeaux. Nous précipitons notre course.

«Quand l'aurore se leva sur les Apalaches,[59] nous étions déjà loin. Quelle
30 fut ma félicité lorsque je me trouvai encore une fois dans la solitude avec Atala, avec Atala ma libératrice, avec Atala qui se donnait à moi pour toujours! Les paroles manquèrent à ma langue; je tombai à genoux et je dis à la fille de Simaghan: «Les hommes sont bien peu de chose; mais quand les Génies les visitent, alors ils ne sont rien du tout. Vous êtes un Génie, vous
35 m'avez visité, et je ne puis parler devant vous.» Atala me tendit la main avec un sourire: «Il faut bien, dit-elle, que je vous suive, puisque vous ne voulez pas fuir sans moi. Cette nuit, j'ai séduit le Jongleur par des présents, j'ai enivré vos bourreaux avec de l'essence de feu[60] et j'ai dû hasarder ma vie pour vous, puisque vous aviez donné la vôtre pour moi. Oui, jeune idolâtre,
40 ajouta-t-elle avec un accent qui m'effraya, le sacrifice sera réciproque.»

«Atala me remit les armes qu'elle avait eu soin d'apporter; ensuite elle pansa ma blessure. En l'essuyant avec une feuille de papaya,[61] elle la mouillait de ses larmes. «C'est un baume, lui dis-je, que tu répands sur ma plaie.[62]

---

[59] Appalachian Mountains.
[60] "fire-water, brandy."
[61] "papaw," tree or shrub with palm-like leaves.
[62] This sounds very much like the language of the French *précieux*.

—«Je crains plutôt que ce ne soit un poison,» répondit-elle. Elle déchira un des voiles de son sein, dont elle fit une première compresse, qu'elle attacha avec une boucle de ses cheveux.

«L'ivresse, qui dure longtemps chez les sauvages et qui est pour eux une espèce de maladie, les empêcha sans doute de nous poursuivre durant les premières journées. S'ils nous cherchèrent ensuite, il est probable que ce fut du côté du couchant, persuadés que nous aurions essayé de nous rendre au Meschacebé; mais nous avions pris notre route vers l'étoile immobile, en nous dirigeant sur la mousse du tronc des arbres.

«Nous ne tardâmes pas à nous apercevoir que nous avions peu gagné à ma délivrance. Le désert déroulait maintenant devant nous ses solitudes démesurées. Sans expérience de la vie des forêts, détournés de notre vrai chemin et marchant à l'aventure, qu'allions-nous devenir? Souvent, en regardant Atala, je me rappelais cette antique histoire d'Agar,[63] que Lopez m'avait fait lire, et qui est arrivée dans le désert de Bersabée,[64] il y a bien longtemps, alors que les hommes vivaient trois âges de chêne.

«Atala me fit un manteau avec la seconde écorce du frêne, car j'étais presque nu. Elle me broda des mocassins de peau de rat musqué avec du poil de porc-épic. Je prenais soin à mon tour de sa parure. Tantôt je lui mettais sur la tête une couronne de ces mauves bleues que nous trouvions sur notre route, dans des cimetières indiens abandonnés; tantôt je lui faisais des colliers avec des graines rouges d'azaléa, et puis je me prenais à sourire en contemplant sa merveilleuse beauté.

«Quand nous rencontrions un fleuve, nous le passions sur un radeau ou à la nage. Atala appuyait une de ses mains sur mon épaule, et, comme deux cygnes voyageurs, nous traversions ces ondes solitaires.

«Souvent, dans les grandes chaleurs du jour, nous cherchions un abri sous les mousses des cèdres. Presque tous les arbres de la Floride, en particulier le cèdre et le chêne vert, sont couverts d'une mousse blanche [65] qui descend de leurs rameaux jusqu'à terre. Quand la nuit, au clair de la lune, vous apercevez sur la nudité d'une savane une yeuse isolée revêtue de cette draperie, vous croiriez voir un fantôme traînant après lui ses longs voiles. La scène n'est pas moins pittoresque au grand jour, car une foule de papillons, de mouches brillantes, de colibris, de perruches vertes, de geais d'azur, vient s'accrocher à ces mousses qui produisent alors l'effet d'une tapisserie en laine blanche où l'ouvrier européen aurait brodé des insectes et des oiseaux éclatants.

«C'était dans ces riantes hôtelleries, préparées par le grand Esprit, que nous nous reposions à l'ombre. Lorsque les vents descendaient du ciel pour balancer ce grand cèdre, que le château aérien, bâti sur des branches, allait flottant avec les oiseaux et les voyageurs endormis sous ses abris, que mille soupirs sortaient des corridors et des voûtes du mobile édifice, jamais les merveilles de l'ancien monde n'ont approché de ce monument du désert.

[63] Hagar, concubine of Abraham, who was driven into the wilderness with Ishmael, because of Sarah's jealousy.
[64] Beersheba.　　　　　[65] Spanish moss.

«Chaque soir nous allumions un grand feu et nous bâtissions la hutte du voyage avec une écorce élevée sur quatre piquets. Si j'avais tué une dinde sauvage, un ramier, un faisan des bois, nous le suspendions devant le chêne embrasé, au bout d'une gaule plantée en terre, et nous abandonnions au vent le soin de tourner la proie du chasseur. Nous mangions des mousses appelées *tripes de roches*,[66] des écorces sucrées de bouleau, et des pommes de mai[67] qui ont le goût de la pêche et de la framboise. Le noyer noir, l'érable, le sumac, fournissaient le vin à notre table. Quelquefois j'allais chercher parmi les roseaux une plante dont la fleur allongée en cornet contenait un verre de la plus pure rosée. Nous bénissions la Providence qui, sur la faible tige d'une fleur, avait placé cette source limpide au milieu des marais corrompus, comme elle a mis l'espérance au fond des cœurs ulcérés par le chagrin, comme elle a fait jaillir la vertu du sein des misères de la vie!

«Hélas! je découvris bientôt que je m'étais trompé sur le calme apparent d'Atala. A mesure que nous avancions, elle devenait triste. Souvent elle tressaillait sans cause et tournait précipitamment la tête. Je la surprenais attachant sur moi un regard passionné qu'elle reportait vers le ciel avec une profonde mélancolie. Ce qui m'effrayait surtout était un secret, une pensée cachée au fond de son âme, que j'entrevoyais dans ses yeux. Toujours m'attirant et me repoussant, ranimant et détruisant mes espérances quand je croyais avoir fait un peu de chemin dans son cœur, je me retrouvais au même point. Que de fois elle m'a dit: «O mon jeune amant! je t'aime comme l'ombre des bois au milieu du jour! Tu es beau comme le désert avec toutes ses fleurs et toutes ses brises. Si je me penche sur toi, je frémis; si ma main tombe sur la tienne, il me semble que je vais mourir. L'autre jour le vent jeta tes cheveux sur mon visage, tandis que tu te délassais sur mon sein, je crus sentir le léger toucher des Esprits invisibles. Oui, j'ai vu les chevrettes de la montagne d'Occonne,[68] j'ai entendu les propos des hommes rassasiés de jours; mais la douceur des chevreaux et la sagesse des vieillards sont moins plaisantes et moins fortes que tes paroles. Eh bien, pauvre Chactas, je ne serai jamais ton épouse!»

«Les perpétuelles contradictions de l'amour et de la religion d'Atala, l'abandon de sa tendresse et la chasteté de ses mœurs, la fierté de son caractère et sa profonde sensibilité, l'élévation de son âme dans les grandes choses, sa susceptibilité dans les petites, tout en faisait pour moi un être incompréhensible. Atala ne pouvait pas prendre sur un homme un faible empire; pleine de passions, elle était pleine de puissance; il fallait ou l'adorer ou la haïr.

«Après quinze nuits d'une marche précipitée, nous entrâmes dans la chaîne des monts Alléganys et nous atteignîmes une des branches du Tenase,[69] fleuve qui se jette dans l'Ohio. Aidé des conseils d'Atala, je bâtis un canot, que j'enduisis de gomme de prunier, après en avoir recousu les écorces avec des racines de sapin. Ensuite je m'embarquai avec Atala, et nous nous abandonnâmes au cours du fleuve.

«Le village indien de Sticoë, avec ses tombes pyramidales et ses huttes en

---

[66] "rock-tripe," a sort of lichen growing on rocks.
[67] "may apples, mandrake."
[68] Oconee, in northern Georgia.
[69] Tennessee.

ruines, se montrait à notre gauche, au détour d'un promontoire; nous laissions à droite la vallée de Keow,[70] terminée par la perspective des cabanes de Jore,[71] suspendues au front de la montagne du même nom. Le fleuve qui nous entraînait, coulait entre de hautes falaises, au bout desquelles on apercevait le soleil couchant. Ces profondes solitudes n'étaient point troublées par 5
la présence de l'homme. Nous ne vîmes qu'un chasseur indien, qui, appuyé sur son arc et immobile sur la pointe d'un rocher, ressemblait à une statue élevée dans la montagne au Génie de ces déserts.

«Atala et moi nous joignions notre silence au silence de cette scène. Tout à coup la fille de l'exil fit éclater dans les airs une voix pleine d'émotion et de 10
mélancolie; elle chantait la patrie absente:

«Heureux ceux qui n'ont point vu la fumée des fêtes de l'étranger et qui ne se sont assis qu'aux festins de leurs pères!

«Si le geai bleu du Meschacebé disait à la nonpareille[72] des Florides: Pourquoi vous plaignez-vous si tristement? N'avez-vous pas ici de belles 15
eaux et de beaux ombrages, et toutes sortes de pâtures comme dans vos forêts?—Oui, répondrait la nonpareille fugitive, mais mon nid est dans le jasmin: qui me l'apportera? Et le soleil de ma savane, l'avez-vous?

«Heureux ceux qui n'ont point vu la fumée des fêtes de l'étranger et qui ne se sont assis qu'aux festins de leurs pères! 20

«Après les heures d'une marche pénible, le voyageur s'assied tristement. Il contemple autour de lui les toits des hommes; le voyageur n'a pas un lieu où reposer sa tête. Le voyageur frappe à la cabane, il met son arc derrière la porte, il demande l'hospitalité; le maître fait un geste de la main; le voyageur reprend son arc et retourne au désert! 25

«Heureux ceux qui n'ont point vu la fumée des fêtes de l'étranger et qui ne se sont assis qu'aux festins de leurs pères!

«Merveilleuses histoires racontées autour du foyer, tendres épanchements du cœur, longues habitudes d'aimer si nécessaires à la vie, vous avez rempli les journées de ceux qui n'ont point quitté leur pays natal! Leurs tombeaux 30
sont dans leur patrie, avec le soleil couchant, les pleurs de leurs amis et les charmes de la religion.

«Heureux ceux qui n'ont point vu la fumée des fêtes de l'étranger et qui ne se sont assis qu'aux festins de leurs pères!»

«Ainsi chantait Atala. Rien n'interrompait ses plaintes, hors le bruit in- 35
sensible de notre canot sur les ondes. En deux ou trois endroits seulement elles furent recueillies par un faible écho, qui les redit à un second plus faible, et celui-ci à un troisième plus faible encore: on eût cru que les âmes de deux amants jadis infortunés comme nous, attirées par cette mélodie touchante, se plaisaient à en soupirer les derniers sons dans la montagne. 40

«Cependant, la solitude, la présence continuelle de l'objet aimé, nos malheurs mêmes, redoublaient à chaque instant notre amour. Les forces d'Atala commençaient à l'abandonner, et les passions, en abattant son corps, allaient triompher de sa vertu. Elle priait continuellement sa mère, dont elle

[70] West, main branch, of the Savannah.
[71] Jore, on the Tennessee river.   [72] A kind of finch, a tropical bird.

avait l'air de vouloir apaiser l'ombre irritée. Quelquefois elle me demandait
si je n'entendais pas une voix plaintive, si je ne voyais pas des flammes sortir
de la terre. Pour moi, épuisé de fatigue, mais toujours brûlant de désir,
songeant que j'étais peut-être perdu sans retour au milieu de ces forêts, cent
5   fois je fus prêt à saisir mon épouse dans mes bras, cent fois je lui proposai
de bâtir une hutte sur ces rivages et de nous y ensevelir ensemble. Mais
elle me résista toujours: «Songez, me disait-elle, mon jeune ami, qu'un
guerrier se doit à sa patrie. Qu'est-ce qu'une femme auprès des devoirs
que tu as à remplir? Prends courage, fils d'Outalissi; ne murmure point
10 contre ta destinée. Le cœur de l'homme est comme l'éponge du fleuve, qui
tantôt boit une onde pure dans les temps de sérénité, tantôt s'enfle d'une
eau bourbeuse quand le ciel a troublé les eaux. L'éponge a-t-elle le droit de
dire: Je croyais qu'il n'y aurait jamais d'orages, que le soleil ne serait jamais
brûlant?»

15 «O René! si tu crains les troubles du cœur, défie-toi de la solitude: les
grandes passions sont solitaires, et les transporter au désert, c'est les rendre à
leur empire. Accablés de soucis et de craintes, exposés à tomber entre les
mains des Indiens ennemis, à être engloutis dans les eaux, piqués des serpents,
dévorés des bêtes, trouvant difficilement une chétive nourriture et ne sachant
20 plus de quel côté tourner nos pas, nos maux semblaient ne pouvoir plus
s'accroître, lorsqu'un accident y vint mettre le comble.

«C'était le vingt-septième soleil, depuis notre départ des cabanes: la lune de
feu [73] avait commencé son cours, et tout annonçait un orage. Vers l'heure où
les matrones indiennes suspendent la crosse [74] du labour aux branches du
25 savinier [75] et où les perruches se retirent dans le creux des cyprès, le ciel
commença à se couvrir. Les voix de la solitude s'éteignirent, le désert fit
silence et les forêts demeurèrent dans un calme universel. Bientôt les roule-
ments d'un tonnerre lointain, se prolongeant dans ces bois aussi vieux que
le monde, en firent sortir des bruits sublimes. Craignant d'être submergés,
30 nous nous hâtâmes de gagner le bord du fleuve et de nous retirer dans une
forêt.

«Ce lieu était un terrain marécageux. Nous avancions avec peine sous une
voûte de smilax, parmi des ceps de vigne, des indigos, des faséoles,[76] des
lianes rampantes, qui entravaient nos pieds comme des filets. Le sol
35 spongieux tremblait autour de nous, et à chaque instant nous étions près
d'être engloutis dans les fondrières. Des insectes sans nombre, d'énormes
chauves-souris nous aveuglaient; les serpents à sonnettes bruissaient de toutes
parts, et les loups, les ours, les carcajous,[77] les petits tigres, qui venaient se
cacher dans ces retraites, les remplissaient de leurs rugissements.

40 «Cependant, l'obscurité redouble[78]: les nuages abaissés entrent sous l'ombrage des bois. La nue se déchire, et l'éclair trace un rapide losange[79] de feu.
Un vent impétueux, sorti du couchant, roule les nuages sur les nuages; les

[73] The month of July.   [74] Primitive plow, a stick bent at the end.
[75] Juniper tree, probably the red cedar.   [76] "phasel," a kind of bean.
[77] "badgers" (probably wolverines).
[78] One of Chateaubriand's famous descriptive passages.   [79] "zigzag."

forêts plient, le ciel s'ouvre coup sur coup et, à travers ses crevasses, on aperçoit de nouveaux cieux et des campagnes ardentes. Quel affreux, quel magnifique spectacle! La foudre met le feu dans les bois; l'incendie s'étend comme une chevelure de flammes; des colonnes d'étincelles et de fumée assiègent les nues, qui vomissent leurs foudres dans le vaste embrasement. Alors le 5
grand Esprit couvre les montagnes d'épaisses ténèbres; du milieu de ce vaste chaos s'élève un mugissement confus formé par le fracas des vents, le gémissement des arbres, le hurlement des bêtes féroces, le bourdonnement de l'incendie et la chute répétée du tonnerre qui siffle en s'éteignant dans les eaux. 10

«Le grand Esprit le sait! Dans ce moment, je ne vis qu'Atala, je ne pensai qu'à elle. Sous le tronc penché d'un bouleau, je parvins à la garantir des torrents de la pluie. Assis moi-même sous l'arbre, tenant ma bien-aimée sur mes genoux, et réchauffant ses pieds nus entre mes mains, j'étais plus heureux que la nouvelle épouse qui sent pour la première fois son fruit tressaillir dans 15
son sein.

«Nous prêtions l'oreille au bruit de la tempête; tout à coup, je sentis une larme d'Atala tomber sur mon sein: «Orage du cœur, m'écriai-je, est-ce une goutte de votre pluie?» Puis, embrassant étroitement celle que j'aimais: «Atala, lui dis-je, vous me cachez quelque chose. Ouvre-moi ton cœur, ô ma 20
beauté! cela fait tant de bien quand un ami regarde dans votre âme! Raconte-moi cet autre secret de la douleur que tu t'obstines à taire. Ah! je le vois, tu pleures ta patrie.» Elle repartit aussitôt: «Enfant des hommes, comment pleurerais-je ma patrie, puisque mon père n'était pas du pays des palmiers!— Quoi! répliquai-je avec un profond étonnement, votre père n'était point du 25
pays des palmiers! Quel est donc celui qui vous a mise sur la terre? Répondez.» Atala dit ces paroles:

«Avant que ma mère eût apporté en mariage au guerrier Simaghan trente cavales, vingt buffles, cent mesures d'huile de gland, cinquante peaux de castors et beaucoup d'autres richesses, elle avait connu un homme de la chair 30
blanche. Or, la mère de ma mère lui jeta de l'eau au visage,[80] et la contraignit d'épouser le magnanime Simaghan, tout semblable à un roi et honoré des peuples comme un Génie. Mais ma mère dit à son nouvel époux: «Mon ventre a conçu, tuez-moi.» Simaghan lui répondit: «Le grand Esprit me garde d'une si mauvaise action! Je ne vous mutilerai point, je ne vous 35
couperai point le nez ni les oreilles, parce que vous avez été sincère et que vous n'avez point trompé ma couche. Le fruit de vos entrailles sera mon fruit, et je ne vous visiterai qu'après le départ de l'oiseau de rizière, lorsque la treizième lune aura brillé. En ce temps-là, je brisai le sein de ma mère et je commençai à croître, fière comme une Espagnole et comme une sauvage. 40
Ma mère me fit chrétienne, afin que son Dieu et le Dieu de mon père fût aussi mon Dieu. Ensuite le chagrin d'amour vint la chercher, et elle descendit dans la petite cave [81] garnie de peaux d'où l'on ne sort jamais.»

«Telle fut l'histoire d'Atala. «Et quel était donc ton père, pauvre orpheline? lui dis-je. Comment les hommes l'appelaient-ils sur la terre et quel nom 45

[80] Possibly an Indian custom.   [81] "grave."

portait-il parmi les Génies.[82]—Je n'ai jamais lavé les pieds [83] de mon père,
dit Atala; je sais seulement qu'il vivait avec sa sœur à Saint-Augustin et
qu'il a toujours été fidèle à ma mère. Philippe était son nom parmi les anges,
et les hommes le nommaient Lopez.»

5   «A ces mots, je poussai un cri qui retentit dans toute la solitude; le bruit
de mes transports se mêla au bruit de l'orage. Serrant Atala sur mon cœur,
je m'écriai avec des sanglots: O ma sœur! ô fille de Lopez! fille de mon
bienfaiteur!» Atala, effrayée, me demanda d'où venait mon trouble; mais,
quand elle sut que Lopez était cet hôte généreux qui m'avait adopté à
10   Saint-Augustin et que j'avais quitté pour être libre, elle fut saisie elle-même
de confusion et de joie.

      «C'en était trop pour nos cœurs que cette amitié fraternelle qui venait nous
visiter et joindre son amour à notre amour. Désormais les combats d'Atala
allaient devenir inutiles. En vain je la sentis porter une main à son sein et
15   faire un mouvement extraordinaire: déjà je l'avais saisie, déjà je m'étais
enivré de son souffle, déjà j'avais bu toute la magie de l'amour sur ses lèvres.
Les yeux levés au ciel, à la lueur des éclairs, je tenais mon épouse dans mes
bras en présence de l'Éternel. Pompe nuptiale, digne de nos malheurs et de
la grandeur de nos amours, superbes forêts qui agitiez vos lianes et vos
20   dômes comme les rideaux et le ciel de notre couche, pins embrasés qui
formiez les flambeaux de notre hymen, fleuve débordé, montagnes mugis-
santes, affreuse et sublime nature, n'étiez-vous donc qu'un appareil préparé
pour nous tromper, et ne pûtes-vous cacher un moment dans vos mystérieuses
horreurs la félicité d'un homme?

25   «Atala n'offrait plus qu'une faible résistance, je touchais au moment du
bonheur, quand tout à coup un impétueux éclair, suivi d'un éclat de foudre,
sillonne l'épaisseur des ombres, remplit la forêt de soufre et de lumière et
brise un arbre à nos pieds. Nous fuyons. O surprise! . . . dans le silence qui
succède, nous entendons le son d'une cloche. Tous deux interdits, nous prêtons
30   l'oreille à ce bruit si étrange dans un désert. A l'instant, un chien aboie dans
le lointain; il approche, il redouble ses cris, il arrive, il hurle de joie à nos
pieds. Un vieux solitaire portant une petite lanterne le suit à travers les
ténèbres de la forêt. «La Providence soit bénie! s'écria-t-il aussitôt qu'il nous
aperçut. Il y a bien longtemps que je vous cherche. Notre chien vous a sentis
35   dès le commencement de l'orage, et il m'a conduit ici! Bon Dieu! comme ils
sont jeunes! Pauvres enfants, comme ils ont dû souffrir! Allons! j'ai apporté
une peau d'ours pour cette jeune femme; voici un peu de vin dans notre
calebasse. Que Dieu soit loué dans toutes ses œuvres! Sa miséricorde est bien
grande et sa bonté est infinie!»

40   «Atala était aux pieds du religieux: «Chef de la prière, lui disait-elle, je
suis chrétienne. C'est le ciel qui t'envoie pour me sauver.—Ma fille, dit
l'ermite en la relevant, nous sonnons ordinairement la cloche de la mission
pendant la nuit et pendant les tempêtes pour appeler les étrangers, et, à

---

[82] What were his family name and his surname?   [83] "I have never seen my father."

l'exemple de nos frères des Alpes [84] et du Liban,[85] nous avons appris à nos chiens à découvrir les voyageurs égarés.» Pour moi, je comprenais à peine l'ermite; cette charité me semblait si fort au-dessus de l'homme, que je croyais faire un songe. A la lueur de la petite lanterne que tenait le religieux, j'entrevoyais sa barbe et ses cheveux tout trempés d'eau; ses pieds, ses mains et son 5 visage étaient ensanglantés par les ronces. «Vieillard, m'écriai-je enfin, quel cœur as-tu donc, toi qui n'as pas craint d'être frappé de la foudre?—Craindre! repartit le Père avec une sorte de chaleur; craindre lorsqu'il y a des hommes en péril et que je leur puis être utile! Je serais donc un bien indigne serviteur de Jésus-Christ!—Mais sais-tu, lui dis-je, que je ne suis pas chrétien? 10 —Jeune homme, répondit l'ermite, vous ai-je demandé votre religion? Jésus-Christ n'a pas dit: «Mon sang lavera celui-ci, et non celui-là.» Il est mort pour le Juif et pour le Gentil, et il n'a vu dans tous les hommes que des frères. Ce que je fais ici pour vous est fort peu de chose, et vous trouveriez ailleurs bien d'autres secours; mais la gloire n'en doit point retomber sur 15 les prêtres. Que sommes-nous, faibles solitaires, sinon de grossiers instruments d'une œuvre céleste? Eh! quel serait le soldat assez lâche pour reculer lorsque son chef, la croix à la main et le front couronné d'épines, marche devant lui au secours des hommes?»

Ces paroles saisirent mon cœur; des larmes d'admiration et de tendresse 20 tombèrent de mes yeux. «Mes chers enfants, dit le missionnaire, je gouverne dans ces forêts un petit troupeau de vos frères sauvages. Ma grotte est près d'ici dans la montagne; venez vous réchauffer chez moi. Vous n'y trouverez pas les commodités de la vie, mais vous y aurez un abri, et il faut encore en remercier la bonté divine, car il y a bien des hommes qui en manquent.» 25

LES LABOUREURS

«Il y a des justes dont la conscience est si tranquille, qu'on ne peut approcher d'eux sans participer à la paix qui s'exhale pour ainsi dire de leur cœur et de leurs discours. A mesure que le solitaire parlait, je sentais les passions s'apaiser dans mon sein, et l'orage même du ciel semblait s'éloigner à sa voix. Les nuages furent bientôt assez dispersés pour nous permettre de 30 quitter notre retraite. Nous sortîmes de la forêt, et nous commençâmes à gravir le revers [86] d'une haute montagne. Le chien marchait devant nous en portant au bout d'un bâton la lanterne éteinte. Je tenais la main d'Atala, et nous suivions le missionnaire. Il se détournait souvent pour nous regarder, contemplant avec pitié nos malheurs et notre jeunesse. Un livre était sus- 35 pendu à son cou; il s'appuyait sur un bâton blanc. Sa taille était élevée, sa figure pâle et maigre, sa physionomie simple et sincère. Il n'avait pas les traits morts et effacés de l'homme né sans passions; on voyait que ses jours avaient été mauvais, et les rides de son front montraient les belles cicatrices des passions guéries par la vertu et par l'amour de Dieu et des hommes. 40 Quand il nous parlait debout et immobile, sa longue barbe, ses yeux modeste-

---

[84] The monks of Saint-Bernard, Switzerland.   [85] Lebanon.   [86] "side, slope."

ment baissés, le son affectueux de sa voix, tout en lui avait quelque chose de calme et de sublime. Quiconque a vu, comme moi, le Père Aubry cheminant seul avec son bâton et son bréviaire dans le désert, a une véritable idée du voyageur chrétien sur la terre.

5 «Après une demi-heure d'une marche dangereuse par les sentiers de la montagne, nous arrivâmes à la grotte du missionnaire. Nous y entrâmes à travers les lierres et les giraumonts humides que la pluie avait abattus des rochers. Il n'y avait dans ce lieu qu'une natte de feuilles de papaya, une calebasse pour puiser de l'eau, quelques vases de bois, une bêche, un serpent fa-
10 milier[87] et, sur une pierre qui servait de table, un crucifix et le livre des chrétiens.

«L'homme des anciens jours[88] se hâta d'allumer du feu avec des lianes sèches: il brisa du maïs entre deux pierres, et, en ayant fait un gâteau, il le mit cuire sous la cendre. Quand ce gâteau eut pris au feu une belle couleur dorée,
15 il nous le servit tout brûlant, avec de la crème de noix dans un vase d'érable. Le soir ayant ramené la sérénité, le serviteur du grand Esprit nous proposa d'aller nous asseoir à l'entrée de la grotte. Nous le suivîmes dans ce lieu, qui commandait une vue immense. Les restes de l'orage étaient jetés en désordre vers l'orient; les feux de l'incendie allumé dans les forêts par la foudre bril-
20 laient encore dans le lointain; au pied de la montagne, un bois de pins tout entier était renversé dans la vase, et le fleuve roulait pêle-mêle les argiles détrempées, les troncs des arbres, les corps des animaux et les poissons morts dont on voyait le ventre argenté flotter à la surface des eaux.

«Ce fut au milieu de cette scène qu'Atala raconta notre histoire au vieux
25 Génie[89] de la montagne. Son cœur parut touché, et des larmes tombèrent sur sa barbe. «Mon enfant, dit-il à Atala, il faut offrir vos souffrances à Dieu, pour la gloire de qui vous avez déjà fait tant de choses; il vous rendra le repos. Voyez fumer ces forêts, sécher ces torrents, se dissiper ces nuages: croyez-vous que celui qui peut calmer une pareille tempête ne pourra pas
30 apaiser les troubles du cœur de l'homme? Si vous n'avez pas de meilleure retraite, ma chère fille, je vous offre une place au milieu du troupeau que j'ai eu le bonheur d'appeler à Jésus-Christ. J'instruirai Chactas et je vous le donnerai pour époux quand il sera digne de l'être.»

«A ces mots, je tombai aux genoux du solitaire en versant des pleurs de
35 joie; mais Atala devint pâle comme la mort. Le vieillard me releva avec bénignité, et je m'aperçus alors qu'il avait les deux mains mutilées. Atala comprit sur-le-champ ses malheurs. «Les barbares!» s'écria-t-elle.

«Ma fille, reprit le Père avec un doux sourire, qu'est-ce que cela auprès de ce qu'a enduré mon divin Maître? Si les Indiens idolâtres m'ont affligé, ce
40 sont de pauvres aveugles que Dieu éclairera un jour. Je les chéris même davantage en proportion des maux qu'ils m'ont faits. Je n'ai pu rester dans ma patrie, où j'étais retourné, et où une illustre reine m'a fait l'honneur de vouloir contempler ces faibles marques de mon apostolat. Et quelle récompense plus glorieuse pouvais-je recevoir de mes travaux que d'avoir obtenu du chef de notre religion[90] la permission de célébrer le divin sacrifice avec ces

---

[87] "tame."   [88] The old man.   [89] The hermit.   [90] The Pope.

mains mutilées? Il ne me restait plus, après un tel honneur, qu'à tâcher de m'en rendre digne: je suis revenu au Nouveau Monde consumer le reste de ma vie au service de mon Dieu. Il y a bientôt trente ans que j'habite cette solitude, et il y en aura demain vingt-deux que j'ai pris possession de ce rocher. Quand j'arrivai dans ces lieux, je n'y trouvai que des familles vaga- 5 bondes, dont les mœurs étaient féroces et la vie fort misérable. Je leur ai fait entendre la parole de paix, et leurs mœurs se sont graduellement adoucies. Ils vivent maintenant rassemblés au bas de cette montagne. J'ai tâché, en leur apprenant les voies du salut, de leur apprendre les premiers arts de la vie, mais sans les porter trop loin, et en retenant ces honnêtes gens dans cette 10 simplicité qui fait le bonheur. Pour moi, craignant de les gêner par ma présence, je me suis retiré sous cette grotte, où ils viennent me consulter. C'est ici que, loin des hommes, j'admire Dieu dans la grandeur de ces solitudes et que je me prépare à la mort, que m'annoncent mes vieux jours.»

«En achevant ces mots, le solitaire se mit à genoux, et nous imitâmes son 15 exemple. Il commença à haute voix une prière, à laquelle Atala répondait. De muets éclairs couvraient encore les cieux dans l'orient, et sur les nuages du couchant trois soleils [91] brillaient ensemble. Quelques renards dispersés par l'orage allongeaient leurs museaux noirs au bord des précipices, et l'on entendait le frémissement des plantes qui, séchant à la brise du soir, relevaient 20 de toutes parts leurs tiges abattues.

«Nous rentrâmes dans la grotte, où l'ermite étendit un lit de mousse de cyprès pour Atala. Une profonde langueur se peignait dans les yeux et dans les mouvements de cette vierge; elle regardait le Père Aubry, comme si elle eût voulu lui communiquer un secret; mais quelque chose semblait la retenir, 25 soit ma présence, soit une certaine honte, soit l'inutilité de l'aveu. Je l'entendis se lever au milieu de la nuit; elle cherchait le solitaire; mais comme il avait donné sa couche, il était allé contempler la beauté du ciel et prier Dieu sur le sommet de la montagne. Il me dit le lendemain que c'était assez sa cou- tume, même pendant l'hiver, aimant à voir les forêts balancer leurs cimes 30 dépouillées, les nuages voler dans les cieux, et à entendre les vents et les torrents gronder dans la solitude. Ma sœur fut donc obligée de retourner à sa couche, où elle s'assoupit. Hélas! comblé d'espérance, je ne vis dans la faiblesse d'Atala que des marques passagères de lassitude!

«Le lendemain, je m'éveillai aux chants des cardinaux et des oiseaux 35 moqueurs nichés dans les acacias et les lauriers qui environnaient la grotte. J'allai cueillir une rose de magnolia, et je la déposai, humectée des larmes du matin, sur la tête d'Atala endormie. J'espérais, selon la religion de mon pays, que l'âme de quelque enfant mort à la mamelle serait descendue sur cette fleur dans une goutte de rosée, et qu'un heureux songe la porterait au 40 sein de ma future épouse. Je cherchai ensuite mon hôte; je le trouvai la robe relevée dans ses deux poches,[92] un chapelet à la main et m'attendant assis sur le tronc d'un pin tombé de vieillesse. Il me proposa d'aller avec lui à

---

[91] Evidently an optical illusion, the effect of the sun shining behind clouds.

[92] "the (corners of) the skirt of his robe tucked in his pockets" (to protect the skirt while he was walking).

la mission, tandis qu'Atala reposait encore; j'acceptai son offre, et nous nous mîmes en route à l'instant.

«En descendant la montagne, j'aperçus des chênes où les Génies semblaient avoir dessiné des caractères étrangers. L'ermite me dit qu'il les avait tracés
5　lui-même, que c'étaient des vers d'un ancien poète appelé Homère et quelques sentences [92a] d'un autre poète plus ancien encore, nommé Salomon.[93] Il y avait je ne sais quelle mystérieuse harmonie entre cette sagesse des temps, ces vers rongés de mousse, ce vieux solitaire qui les avait gravés et ces vieux chênes qui lui servaient de livres.

10　«Son nom, son âge, la date de sa mission étaient aussi marqués sur un roseau de savane, au pied de ces arbres. Je m'étonnai de la fragilité du dernier monument: «Il durera encore plus que moi, me répondit le Père, et aura toujours plus de valeur que le peu de bien que j'ai fait.»

«De là, nous arrivâmes à l'entrée d'une vallée, où je vis un ouvrage
15　merveilleux: c'était un pont naturel, semblable à celui de la Virginie,[94] dont tu as peut-être entendu parler. Les hommes, mon fils, surtout ceux de ton pays, imitent souvent la nature, et leurs copies sont toujours petites; il n'en est pas ainsi de la nature, quand elle a l'air d'imiter les travaux des hommes, en leur offrant en effet des modèles. C'est alors qu'elle jette des ponts du
20　sommet d'une montagne au sommet d'une autre montagne, suspend des chemins dans les nues, répand des fleuves pour canaux, sculpte des monts pour colonnes, et pour bassins creuse des mers.

«Nous passâmes sous l'arche unique de ce pont, et nous nous trouvâmes devant une autre merveille: c'était le cimetière des Indiens de la Mission, ou
25　*les Bocages* [95] *de la mort.* Le Père Aubry avait permis à ses néophytes d'ensevelir leurs morts à leur manière et de conserver au lieu de leurs sépultures son nom sauvage; il avait seulement sanctifié ce lieu par une croix. Le sol en était divisé, comme le champ commun des moissons, en autant de lots qu'il y avait de familles.

30　«Chaque lot faisait à lui seul un bois qui variait selon le goût de ceux qui l'avaient planté. Un ruisseau serpentait sans bruit au milieu de ces bocages, on l'appelait le *Ruisseau de la paix.* Ce riant asile des âmes était fermé à l'orient par le pont sous lequel nous avions passé; deux collines le bornaient au septentrion [96] et au midi; il ne s'ouvrait qu'à l'occident, où s'élevait un
35　grand bois de sapins. Les troncs de ces arbres, rouge marbré de vert, montant sans branches jusqu'à leurs cimes, ressemblaient à de hautes colonnes et formaient le péristyle de ce temple de la mort. Il y régnait un bruit religieux, semblable au sourd mugissement de l'orgue sous les voûtes d'une église; mais lorsqu'on pénétrait au fond du sanctuaire, on n'entendait plus que les
40　hymnes des oiseaux qui célébraient à la mémoire des morts une fête éternelle.

«En sortant de ce bois, nous découvrîmes le village de la mission, situé au bord d'un lac, au milieu d'une savane semée de fleurs. On y arrivait par une avenue de magnolias et de chênes verts, qui bordaient une de ces anciennes routes que l'on trouve vers les montagnes qui divisent le Kentucky

---

92a "Proverbs."　　　93 King Solomon.　　　94 Near Lexington, Virginia.　　　95 "groves."
96 "north."

des Florides. Aussitôt que les Indiens aperçurent leur pasteur dans la plaine, ils abandonnèrent leurs travaux et accoururent au-devant de lui. Les uns baisaient sa robe, les autres aidaient ses pas; les mères élevaient leurs petits enfants pour leur faire voir l'homme de Jésus-Christ, qui répandait des larmes. Il s'informait en marchant de ce qui se passait au village; il donnait un conseil à celui-ci, réprimandait doucement celui-là; il parlait des moissons à recueillir, des enfants à instruire, des peines à consoler, et il mêlait Dieu à tous ses discours.

«Ainsi escortés, nous arrivâmes au pied d'une grande croix qui se trouvait sur le chemin. C'était là que le serviteur de Dieu avait accoutumé de célébrer les mystères de sa religion: «Mes chers néophytes, dit-il en se tournant vers la foule, il vous est arrivé un frère et une sœur, et, pour surcroît de bonheur, je vois que la divine Providence a épargné hier vos moissons; voilà deux grandes raisons de la remercier. Offrons donc le saint sacrifice, et que chacun y apporte un recueillement profond, une foi vive, une reconnaissance infinie et un cœur humilié.»

«Aussitôt, le prêtre divin revêt une tunique blanche d'écorce de mûrier, les vases sacrés sont tirés d'un tabernacle au pied de la croix, l'autel se prépare sur un quartier [97] de roche, l'eau se puise dans le torrent voisin, et une grappe de raisin sauvage fournit le vin du sacrifice. Nous nous mettons tous à genoux dans les hautes herbes; le mystère commence.

«L'aurore, paraissant derrière les montagnes, enflammait l'orient. Tout était d'or ou de rose dans la solitude. L'astre [98] annoncé par tant de splendeur sortit enfin d'un abîme de lumière, et son premier rayon rencontra l'hostie consacrée, que le prêtre en ce moment élevait dans les airs. O charme de la religion! O magnificence du culte chrétien! Pour sacrificateur un vieil ermite, pour autel un rocher, pour église le désert, pour assistance d'innocents sauvages! Non, je ne doute point qu'au moment où nous nous prosternâmes le grand mystère [99] ne s'accomplît et que Dieu ne descendît sur la terre, car je le sentis descendre dans mon cœur.

«Après le sacrifice, où il ne manqua pour moi que la fille de Lopez, nous nous rendîmes au village. Là régnait le mélange le plus touchant de la vie sociale et de la vie de la nature: au coin d'une cyprière [100] de l'antique désert on découvrait une culture naissante; les épis roulaient à flots d'or sur le tronc du chêne abattu, et la gerbe d'un été remplaçait l'arbre de trois siècles.

«Partout on voyait les forêts livrées aux flammes pousser de grosses fumées dans les airs, et la charrue se promener lentement entre les débris de leurs racines. Des arpenteurs avec de longues chaînes allaient mesurant le terrain; des arbitres établissaient les premières propriétés; l'oiseau cédait son nid; le repaire de la bête féroce se changeait en une cabane; on entendait gronder des forges, et les coups de la cognée faisaient pour la dernière fois mugir des échos, expirant eux-mêmes avec les arbres qui leur servaient d'asile.

«J'errais avec ravissement au milieu de ces tableaux, rendus plus doux par l'image d'Atala et par les rêves de félicité dont je berçais mon cœur. J'admirais le triomphe du christianisme sur la vie sauvage; je voyais l'Indien se civilisant

---

[97] "block, mass."   [98] The sun.   [99] Transubstantiation.   [100] "cypress grove."

à la voix de la religion; j'assistais aux noces primitives de l'homme et de la terre: l'homme, par ce grand contrat, abandonnant à la terre l'héritage de ses sueurs, et la terre s'engageant en retour à porter fidèlement les moissons, les fils et les cendres de l'homme.

5 «Cependant on présenta un enfant au missionnaire, qui le baptisa parmi des jasmins en fleurs, au bord d'une source, tandis qu'un cercueil, au milieu des jeux et des travaux, se rendait aux Bocages de la mort. Deux époux reçurent la bénédiction nuptiale sous un chêne, et nous allâmes ensuite les établir dans un coin du désert. Le pasteur marchait devant nous, bénissant
10 çà et là, et le rocher, et l'arbre, et la fontaine, comme autrefois, selon le livre des chrétiens, Dieu bénit la terre inculte en la donnant en héritage à Adam. Cette procession, qui pêle-mêle avec ses troupeaux suivait de rocher en rocher son chef vénérable, représentait à mon cœur attendri ces migrations des premières familles, alors que Sem,[101] avec ses enfants, s'avançait à travers
15 le monde inconnu, en suivant le soleil qui marchait devant lui.

«Je voulus savoir du saint ermite comment il gouvernait ses enfants. Il me répondit avec une grande complaisance: «Je ne leur ai donné aucune loi; je leur ai seulement enseigné à s'aimer, à prier Dieu et à espérer une meilleure vie: [101a] toutes les lois du monde sont là-dedans. Vous voyez au milieu du
20 village une cabane plus grande que les autres: elle sert de chapelle dans la saison des pluies. On s'y assemble soir et matin pour louer le Seigneur, et quand je suis absent, c'est un vieillard qui fait la prière, car la vieillesse est, comme la maternité, une espèce de sacerdoce. Ensuite, on va travailler dans les champs et, si les propriétés sont divisées afin que chacun puisse apprendre
25 l'économie sociale, les moissons sont déposées dans des greniers communs, pour maintenir la charité fraternelle.

«Quatre vieillards distribuent avec égalité le produit du labeur. Ajoutez à cela des cérémonies religieuses, beaucoup de cantiques, la croix où j'ai célébré les mystères, l'ormeau sous lequel je prêche dans les bons jours, nos
30 tombeaux tout près de nos champs de blé, nos fleuves où je plonge les petits enfants et les saint Jean [102] de cette nouvelle Béthanie,[103] vous aurez une idée complète de ce royaume de Jésus-Christ.»

«Les paroles du solitaire me ravirent, et je sentis la supériorité de cette vie stable et occupée sur la vie errante et oisive du sauvage.

35 «Ah! René, je ne murmure point contre la Providence, mais j'avoue que je ne me rappelle jamais cette société évangélique sans éprouver l'amertume des regrets. Qu'une hutte avec Atala sur ces bords eût rendu ma vie heureuse! Là finissaient toutes mes courses; là, avec une épouse, inconnu des hommes, cachant mon bonheur au fond des forêts, j'aurais passé comme ces fleuves
40 qui n'ont pas même un nom dans le désert. Au lieu de cette paix que j'osais alors me promettre, dans quel trouble n'ai-je point coulé mes jours! Jouet continuel de la fortune, brisé sur tous les rivages, longtemps exilé de mon pays, et n'y trouvant à mon retour qu'une cabane en ruine et des amis dans la tombe, telle devait être la destinée de Chactas.»

[101] Shem, son of Noah.
[102] John the Baptist.
[101a] A deistic rather than a Christian doctrine.
[103] Bethany.

LE DRAME

«Si mon songe de bonheur fut vif, il fut aussi d'une courte durée, et le réveil m'attendait à la grotte du solitaire. Je fus surpris, en y arrivant au milieu du jour, de ne pas voir Atala accourir au-devant de nos pas. Je ne sais quelle soudaine horreur me saisit. En approchant de la grotte, je n'osais appeler la fille de Lopez: mon imagination était également épouvantée, ou du bruit, ou du silence qui succéderait à mes cris. Encore plus effrayé de la nuit qui régnait à l'entrée du rocher, je dis au missionnaire: «O vous que le ciel accompagne et fortifie, pénétrez dans ces ombres.»

«Qu'il est faible celui que les passions dominent! qu'il est fort celui qui se repose en Dieu! Il y avait plus de courage dans ce cœur religieux, flétri par soixante-seize années, que dans toute l'ardeur de ma jeunesse. L'homme de paix entra dans la grotte, et je restai au dehors, plein de terreur. Bientôt un faible murmure semblable à des plaintes sortit du fond du rocher et vint frapper mon oreille. Poussant un cri et retrouvant mes forces, je m'élançai dans la nuit de la caverne. . . . Esprits de mes pères, vous savez seuls le spectacle qui frappa mes yeux!

«Le solitaire avait allumé un flambeau de pin; il le tenait d'une main tremblante au-dessus de la couche d'Atala. Cette belle et jeune femme, à moitié soulevée sur le coude, se montrait pâle et échevelée. Les gouttes d'une sueur pénible brillaient sur son front; ses regards à demi éteints cherchaient encore à m'exprimer son amour et sa bouche essayait de sourire. Frappé comme d'un coup de foudre, les yeux fixés, les bras étendus, les lèvres entr'ouvertes, je demeurai immobile. Un profond silence règne un moment parmi les trois personnages de cette scène de douleur. Le solitaire le rompit le premier: «Ceci, dit-il, ne sera qu'une fièvre occasionnée par la fatigue, et si nous nous résignons à la volonté de Dieu, il aura pitié de nous.»

«A ces paroles, le sang suspendu reprit son cours dans mon cœur, et avec la mobilité du sauvage, je passai subitement de l'excès de la crainte à l'excès de la confiance. Mais Atala ne m'y laissa pas longtemps. Balançant tristement la tête, elle nous fit signe de nous approcher de sa couche.

«Mon père, dit-elle d'une voix affaiblie en s'adressant au religieux, je touche au moment de la mort. O Chactas! écoute sans désespoir le funeste secret que je t'ai caché pour ne pas te rendre trop misérable et pour obéir à ma mère. Tâche de ne pas m'interrompre par des marques d'une douleur qui précipiterait le peu d'instants que j'ai à vivre. J'ai beaucoup de choses à raconter, et aux battements de ce cœur, qui se ralentissent, . . . à je ne sais quel fardeau glacé que mon sein soulève à peine, . . . je sens que je ne me saurais trop hâter.»

«Après quelques instants de silence, Atala poursuivit ainsi:

«Ma triste destinée a commencé presque avant que j'eusse vu la lumière. Ma mère m'avait conçue dans le malheur, je fatiguais son sein, et elle me mit au monde avec de grands déchirements d'entrailles; on désespéra de ma vie. Pour sauver mes jours, ma mère fit un vœu: elle promit à la Reine des

Anges [104] que je lui consacrerais ma virginité si j'échappais à la mort. . . .
Vœu fatal, qui me précipite au tombeau!

«J'entrais dans ma seizième année, lorsque je perdis ma mère. Quelques
heures avant de mourir, elle m'appela au bord de sa couche. «Ma fille, me
5 dit-elle en présence d'un missionnaire qui consolait ses derniers instants; ma
fille, tu sais le vœu que j'ai fait pour toi. Voudrais-tu démentir ta mère?
O mon Atala! je te laisse dans un monde qui n'est pas digne de posséder une
chrétienne, au milieu d'idolâtres qui persécutent le Dieu de ton père et le
mien, le Dieu qui, après t'avoir donné le jour, te l'a conservé par un miracle.
10 Eh! ma chère enfant, en acceptant le voile des vierges, tu ne fais que renoncer
aux soucis de la cabane et aux funestes passions qui ont troublé le sein de ta
mère! Viens donc, ma bien-aimée, viens, jure sur cette image de la Mère du
Sauveur, entre les mains de ce saint prêtre et de ta mère expirante, que tu
ne me trahiras pas à la face du ciel. Songe que je me suis engagée pour toi,
15 afin de te sauver la vie, et que si tu ne tiens pas ma promesse, tu plongeras
l'âme de ta mère dans des tourments éternels.»

«O ma mère! pourquoi parlâtes-vous ainsi? O religion qui fais à la fois
mes maux et ma félicité, qui me perds et qui me consoles! Et toi, cher et
triste objet d'une passion qui me consume jusque dans les bras de la mort,
20 tu vois maintenant, ô Chactas, ce qui a fait la rigueur de notre destinée! . . .
Fondant en pleurs et me précipitant dans le sein maternel, je promis tout ce
qu'on me voulut faire promettre. Le missionnaire prononça sur moi les
paroles redoutables, et me donna le scapulaire qui me lie pour jamais. Ma
mère me menaça de sa malédiction si jamais je rompais mes vœux; et après
25 m'avoir recommandé un secret inviolable envers les païens, persécuteurs de
ma religion, elle expira en me tenant embrassée.

«Je ne connus pas d'abord le danger de mes serments. Pleine d'ardeur et
chrétienne véritable, fière du sang espagnol qui coule dans mes veines, je
n'aperçus autour de moi que des hommes indignes de recevoir ma main; je
30 m'applaudis de n'avoir d'autre époux que le Dieu de ma mère. Je te vis,
jeune et beau prisonnier; je m'attendris sur ton sort, je t'osai parler au
bûcher de la forêt: alors je sentis tout le poids de mes vœux.»

«Comme Atala achevait de prononcer ces paroles, serrant les poings et
regardant le missionnaire d'un air menaçant, je m'écriai: «La voilà donc,
35 cette religion que vous m'avez tant vantée! Périsse le serment qui m'enlève
Atala! Périsse le Dieu qui contrarie la nature! Homme, prêtre, qu'es-tu venu
faire dans ces forêts?

«—Te sauver, dit le vieillard d'une voix terrible, dompter tes passions et
t'empêcher, blasphémateur, d'attirer sur toi la colère céleste! Il te sied bien,
40 jeune homme à peine entré dans la vie, de te plaindre de tes douleurs! Où
sont les marques de tes souffrances? Où sont les injustices que tu as sup-
portées? Où sont tes vertus, qui seules pourraient te donner quelques droits
à la plainte? Quel service as-tu rendu? Quel bien as-tu fait? Eh, malheureux,
tu ne m'offres que des passions, et tu oses accuser le ciel! Quand tu auras,
45 comme le Père Aubry, passé trente années exilé sur les montagnes, tu seras

[104] The Virgin Mary.

moins prompt à juger les desseins de la Providence; tu comprendras alors que tu ne sais rien, que tu n'es rien, et qu'il n'y a point de châtiments si rigoureux, point de maux si terribles, que la chair corrompue ne mérite de souffrir.»

«Les éclairs qui sortaient des yeux du vieillard, sa barbe qui frappait sa poitrine, ses paroles foudroyantes, le rendaient semblable à un dieu. Accablé de sa majesté, je tombai à genoux et lui demandai pardon de mes emportements. «Mon fils, me répondit-il, avec un accent si doux que le remords entra dans mon âme, mon fils, ce n'est pas pour moi-même que je vous ai réprimandé. Hélas! vous avez raison, mon cher enfant: je suis venu faire bien peu de choses dans ces forêts, et Dieu n'a pas de serviteur plus indigne que moi. Mais, mon fils, le ciel, le ciel, voilà ce qu'il ne faut jamais accuser! Pardonnez-moi si je vous ai offensé; mais écoutons votre sœur. Il y a peut-être du remède; ne nous lassons point d'espérer. Chactas, c'est une religion bien divine que celle-là qui a fait une vertu de l'espérance!

«—Mon jeune ami, reprit Atala, tu as été témoin de mes combats, et cependant tu n'en as vu que la moindre partie; je te cachais le reste. Non, l'esclave noir qui arrose de sueurs les sables ardents de la Floride est moins misérable que n'a été Atala. Te sollicitant à la fuite, et pourtant certaine de mourir si tu t'éloignais de moi; craignant de fuir avec toi dans les déserts, et cependant haletant après l'ombrage des bois. . . . Ah! s'il n'avait fallu que quitter parents, amis, patrie; si même (chose affreuse!) il n'y eût eu que la perte de mon âme! . . . Mais ton ombre, ô ma mère! ton ombre était toujours là, me reprochant ses tourments. J'entendais tes plaintes, je voyais les flammes de l'enfer te consumer. Mes nuits étaient arides et pleines de fantômes, mes jours étaient désolés; la rosée du soir séchait en tombant sur ma peau brûlante; j'entr'ouvrais mes lèvres aux brises, et les brises, loin de m'apporter la fraîcheur, s'embrasaient du feu de mon souffle. Quel tourment de te voir sans cesse auprès de moi, loin de tous les hommes, dans de profondes solitudes, et de sentir entre toi et moi une barrière invincible! Passer ma vie à tes pieds, te servir comme ton esclave, apprêter ton repas et ta couche dans quelque coin de l'univers eût été pour moi le bonheur suprême; ce bonheur, j'y touchais et je ne pouvais en jouir. Quel dessein n'ai-je point rêvé! Quel songe n'est point sorti de ce cœur si triste! Quelquefois, en attachant mes yeux sur toi, j'allais jusqu'à former des désirs aussi insensés que coupables: tantôt j'aurais voulu être avec toi la seule créature vivante sur la terre; tantôt, sentant une divinité qui m'arrêtait dans mes horribles transports, j'aurais désiré que cette divinité se fût anéantie, pourvu que, serrée dans tes bras, j'eusse roulé d'abîme en abîme avec les débris de Dieu et du monde! A présent même, . . . le dirai-je? à présent que l'éternité va m'engloutir, que je vais paraître devant le Juge inexorable, au moment où, pour obéir à ma mère, je vois avec joie ma virginité dévorer ma vie, eh bien! par une affreuse contradiction, j'emporte le regret de n'avoir pas été à toi! . . .

«—Ma fille, interrompit le missionnaire, votre douleur vous égare. Cet excès de passion auquel vous vous livrez est rarement juste, il n'est pas même dans la nature; et en cela il est moins coupable aux yeux de Dieu, parce que c'est plutôt quelque chose de faux dans l'esprit que de vicieux dans le

cœur. Il faut donc éloigner de vous ces emportements, qui ne sont pas dignes de votre innocence. Mais aussi, ma chère enfant, votre imagination impétueuse vous a trop alarmée sur vos vœux. La religion n'exige point de sacrifice plus qu'humain. Ses sentiments vrais, ses vertus tempérées sont bien
5 au-dessus des sentiments exaltés et des vertus forcées d'un prétendu héroïsme. Si vous aviez succombé, eh bien! pauvre brebis égarée, le bon Pasteur vous aurait cherchée pour vous ramener au troupeau. Les trésors du repentir vous étaient ouverts: il faut des torrents de sang pour effacer nos fautes aux yeux des hommes, une seule larme suffit à Dieu. Rassurez-vous donc, ma chère
10 fille, votre situation exige du calme; adressons-nous à Dieu, qui guérit toutes les plaies de ses serviteurs. Si c'est sa volonté, comme je l'espère, que vous échappiez à cette maladie, j'écrirai à l'évêque de Québec: il a les pouvoirs nécessaires pour vous relever de vos vœux, qui ne sont que des vœux simples, et vous achèverez vos jours près de moi, avec Chactas votre époux.»
15 «A ces paroles du vieillard, Atala fut saisie d'une longue convulsion, dont elle ne sortit que pour donner des marques d'une douleur effrayante.

«Quoi! dit-elle en joignant les deux mains avec passion, il y avait du remède. Je pouvais être relevée de mes vœux.—Oui, ma fille, répondit le père, et vous le pouvez encore.—Il est trop tard, il est trop tard! s'écria-t-elle.
20 Faut-il mourir au moment où j'apprends que j'aurais pu être si heureuse! Que n'ai-je connu plus tôt ce saint vieillard! Aujourd'hui, de quel bonheur je jouirais avec toi, avec Chactas chrétien, . . . consolée, rassurée par ce prêtre auguste . . . dans ce désert . . . pour toujours . . . Oh! c'eût été trop de félicité!—Calme-toi, lui dis-je, en saisissant une des mains de l'infortunée;
25 calme-toi, ce bonheur, nous allons le goûter.—Jamais! jamais! dit Atala.— Comment? repartis-je.—Tu ne sais pas tout, s'écria la vierge: c'est hier, pendant l'orage. . . . J'allais violer mes vœux; j'allais plonger ma mère dans les flammes de l'abîme; déjà sa malédiction était sur moi, déjà je mentais au Dieu qui m'a sauvé la vie. Quand tu baisais mes lèvres tremblantes, tu ne
30 savais pas que tu n'embrassais que la mort!—O ciel! s'écria le missionnaire; chère enfant, qu'avez-vous fait?—Un crime, mon père, dit Atala les yeux égarés; mais je ne perdais que moi, et je sauvais ma mère.—Achève donc, m'écriai-je plein d'épouvante.—Eh bien! dit-elle, j'avais prévu ma faiblesse. En quittant les cabanes, j'ai emporté avec moi. . . .—Quoi? repris-je avec
35 horreur.—Un poison? dit le prêtre.—Il est dans mon sein,» s'écria Atala.

«Le flambeau échappe de la main du solitaire, je tombe mourant près de la fille de Lopez. Le vieillard nous saisit l'un et l'autre dans ses bras, et tous trois dans l'ombre nous mêlons un moment nos sanglots sur cette couche funèbre.
40 «Réveillons-nous! dit bientôt le courageux ermite, en allumant une lampe. Nous perdons des moments précieux; intrépides chrétiens, bravons les assauts de l'adversité; la corde au cou, la cendre sur la tête, jetons-nous aux pieds du Très-Haut pour implorer sa clémence, pour nous soumettre à ses décrets. Peut-être est-il temps encore. Ma fille, vous eussiez dû m'avertir hier au soir.
45 «—Hélas! mon père, dit Atala, je vous ai cherché la nuit dernière; mais le ciel, en punition de mes fautes, vous a éloigné de moi. Tout secours eût

d'ailleurs été inutile, car les Indiens mêmes, si habiles dans ce qui regarde les poisons, ne connaissent point de remèdes à celui que j'ai pris. O Chactas! juge de mon étonnement quand j'ai vu que le coup n'était pas aussi subit que je m'y attendais! Mon amour a redoublé mes forces, mon âme n'a pu si vite se séparer de toi.»

«Ce ne fut plus ici par des sanglots que je troublai le récit d'Atala, ce fut par ces emportements qui ne sont connus que des sauvages. Je me roulai furieux sur la terre en me tordant les bras et en me dévorant les mains. Le vieux prêtre, avec une tendresse merveilleuse, courait du frère à la sœur et nous prodiguait mille secours. Dans le calme de son cœur et sous le fardeau des ans, il savait se faire entendre à notre jeunesse, et sa religion lui fournissait des accents plus tendres et plus brûlants que nos passions mêmes. Ce prêtre, qui depuis quarante années s'immolait chaque jour au service de Dieu et des hommes dans ces montagnes, ne te rappelle-t-il pas ces holocaustes[105] d'Israël fumant perpétuellement sur les hauts lieux, devant le Seigneur?

«Hélas! ce fut en vain qu'il essaya d'apporter quelque remède aux maux d'Atala. La fatigue, le chagrin, le poison et une passion plus mortelle que tous les poisons ensemble, se réunissaient pour ravir cette fleur à la solitude. Vers le soir, des symptômes effrayants se manifestèrent: un engourdissement général saisit les membres d'Atala, et les extrémités de son corps commencèrent à refroidir. «Touche mes doigts, me disait-elle; ne les trouves-tu pas bien glacés?» Je ne savais que répondre et mes cheveux se hérissaient d'horreur; ensuite elle ajoutait: «Hier encore, mon bien-aimé, ton seul toucher me faisait tressaillir, et voilà que je ne sens plus ta main; je n'entends presque plus ta voix, les objets de la grotte disparaissent tour à tour. Ne sont-ce pas les oiseaux qui chantent? Le soleil doit être près de se coucher maintenant; Chactas, ses rayons seront bien beaux au désert, sur ma tombe!»

«Atala, s'apercevant que ces paroles nous faisaient fondre en pleurs, nous dit: «Pardonnez-moi, mes bons amis, je suis bien faible, mais peut-être que je vais redevenir plus forte. Cependant mourir si jeune, tout à la fois, quand mon cœur était si plein de vie! Chef de la prière, aie pitié de moi; soutiens-moi. Crois-tu que ma mère soit contente et que Dieu me pardonne ce que j'ai fait?

«—Ma fille, répondit le bon religieux en versant des larmes et les essuyant avec ses doigts tremblants et mutilés, ma fille, tous vos malheurs viennent de votre ignorance; c'est votre éducation sauvage et le manque d'instruction nécessaire qui vous ont perdue; vous ne saviez pas qu'une chrétienne ne peut disposer de sa vie. Consolez-vous donc, ma chère brebis; Dieu vous pardonnera à cause de la simplicité de votre cœur. Votre mère et l'imprudent missionnaire qui la dirigeait ont été plus coupables que vous; ils ont passé[106] leur pouvoir en vous arrachant un vœu indiscret; mais que la paix du Seigneur soit avec eux! Vous offrez tous trois un terrible exemple des dangers de l'enthousiasme et du défaut de lumières en matière de religion. Rassurez-vous, mon enfant; celui qui sonde les reins et les cœurs vous jugera sur vos intentions, qui étaient pures, et non sur votre action, qui est condamnable.

---

[105] "burnt offerings."   [106] *dépassé.*

«Quant à la vie, si le moment est arrivé de vous endormir dans le Seigneur, ah! ma chère enfant, que vous perdez peu de chose en perdant ce monde! Malgré la solitude où vous avez vécu, vous avez connu des chagrins; que penseriez-vous donc si vous eussiez été témoin des maux de la société; si,

5 en abordant sur les rivages d'Europe, votre oreille eût été frappée de ce long cri de douleur qui s'élève de cette vieille terre? L'habitant de la cabane et celui des palais, tout souffre, tout gémit ici-bas; les reines [107] ont été vues pleurant comme de simples femmes, et l'on s'est étonné de la quantité de larmes que contiennent les yeux des rois!

10 «Est-ce votre amour que vous regrettez? Ma fille, il faudrait autant pleurer un songe. Connaissez-vous le cœur de l'homme, et pourriez-vous compter les inconstances de son désir? Vous calculeriez plutôt le nombre des vagues que la mer roule dans une tempête. Atala, les sacrifices, les bienfaits, ne sont pas des liens éternels: un jour peut-être le dégoût fût venu avec la satiété,

15 le passé eût été compté pour rien, et l'on n'eût plus aperçu que les inconvénients d'une union pauvre et méprisée. Sans doute, ma fille, les plus belles amours furent celles de cet homme et de cette femme sortis de la main du Créateur. Un paradis avait été formé pour eux, ils étaient innocents et immortels. Parfaits de l'âme et du corps, ils se convenaient en tout: Eve avait été créée

20 pour Adam, et Adam pour Eve. S'ils n'ont pu toutefois se maintenir dans cet état de bonheur, quels couples le pourront après eux? Je ne vous parlerai point des mariages des premiers-nés des hommes, de ces unions ineffables, alors que la sœur était l'épouse du frère, que l'amour et l'amitié fraternelle se confondaient dans le même cœur et que la pureté de l'une augmentait

25 les délices de l'autre. Toutes ces unions ont été troublées: la jalousie s'est glissée à l'autel de gazon où l'on immolait le chevreau; elle a régné sous la tente d'Abraham et dans ces couches mêmes où les patriarches goûtaient tant de joie qu'ils oubliaient la mort de leurs mères.[108]

«Vous seriez-vous donc flattée, mon enfant, d'être plus innocente et plus

30 heureuse dans vos liens que ces saintes familles dont Jésus-Christ a voulu descendre? Je vous épargne les détails des soucis du ménage, les disputes, les reproches mutuels et toutes ces peines secrètes qui veillent sur l'oreiller du lit conjugal. La femme renouvelle ses douleurs chaque fois qu'elle est mère, et elle se marie en pleurant. Que de maux dans la seule perte d'un nouveau-né

35 à qui l'on donnait le lait, et qui meurt sur votre sein! La montagne a été pleine de gémissements, rien ne pouvait consoler Rachel,[109] parce que ses fils n'étaient plus. Ces amertumes attachées aux tendresses humaines sont si fortes, que j'ai vu dans ma patrie de grandes dames,[110] aimées par des rois, quitter la cour pour s'ensevelir dans des cloîtres et mutiler cette chair révoltée

40 dont les plaisirs ne sont que des douleurs.

«Mais peut-être direz-vous que ces derniers exemples ne vous regardent pas; que toute votre ambition se réduisait à vivre dans une obscure cabane

---

[107] See the *Oraison Funèbre d'Henriette d'Angleterre* by Bossuet. Chateaubriand is thinking here especially of the tragic fate of Louis XVI and Marie Antoinette.
[108] *Genesis* XXIV, 67.   [109] *Jeremiah* XXXI, 15 and *Matthew* II, 18.
[110] Mlle de la Vallière (1644–1710), favorite of Louis XIV, became a Carmelite sister.

avec l'homme de votre choix; que vous cherchiez moins les douceurs du
mariage que les charmes de cette folie que la jeunesse appelle amour? Illusion, chimère, vanité, rêve d'une imagination blessée! Et moi aussi, ma chère
fille, j'ai connu les troubles du cœur; cette tête n'a pas toujours été chauve
ni ce sein aussi tranquille qu'il vous le paraît aujourd'hui. Croyez-en mon   5
expérience; si l'homme, constant dans ses affections, pouvait sans cesse fournir
à un sentiment renouvelé sans cesse, sans doute la solitude et l'amour
l'égaleraient à Dieu même, car ce sont là les deux éternels plaisirs du grand
Être. Mais l'âme de l'homme se fatigue, et jamais elle n'aime longtemps le
même objet avec plénitude. Il y a toujours quelques points par où deux   10
cœurs ne se touchent pas, et ces points suffisent à la longue pour rendre la
vie insupportable. [111]

«Enfin, ma chère fille, le grand tort des hommes dans leur songe de
bonheur est d'oublier cette infirmité de la mort attachée à leur nature: il faut
en finir.   15

«Tôt ou tard, quelle qu'eût été votre félicité, ce beau visage se fût changé
en cette figure uniforme que le sépulcre donne à la famille d'Adam; l'œil
même de Chactas n'aurait pu vous reconnaître entre vos sœurs de la tombe.
L'amour n'étend point son empire sur les vers du cercueil. Que dis-je!
(ô vanité des vanités!) que parlé-je de la puissance des amitiés de la terre!   20
Voulez-vous, ma chère fille, en connaître l'étendue? Si un homme revenait
à la lumière quelques années après sa mort, je doute qu'il fût revu avec
joie par ceux-là même qui ont donné le plus de larmes à sa mémoire, tant on
forme vite d'autres liaisons, tant on prend facilement d'autres habitudes,
tant l'inconstance est naturelle à l'homme, tant notre vie est peu de chose,   25
même dans le cœur de nos amis!

«Remerciez donc la bonté divine, ma chère fille, qui vous retire si vite de
cette vallée de misère. Déjà le vêtement blanc et la couronne éclatante des
vierges se préparent pour vous sur les nuées; déjà j'entends la Reine des
Anges [112] qui vous crie: «Venez, ma digne servante, venez, ma colombe,   30
venez vous asseoir sur un trône de candeur,[113] parmi toutes ces filles [114] qui
ont sacrifié leur beauté et leur jeunesse au service de l'humanité, à l'éducation des enfants et aux chefs-d'œuvre de la pénitence. Venez, rose mystique,
vous reposer sur le sein de Jésus-Christ. Ce cercueil, lit nuptial que vous vous
êtes choisi, ne sera point trompé, et les embrassements de votre céleste   35
époux [115] ne finiront jamais!»

«Comme le dernier rayon du jour abat les vents et répand le calme dans
le ciel, ainsi la parole tranquille du vieillard apaisa les passions dans le sein
de mon amante. Elle ne parut plus occupée que de ma douleur et des moyens
de me faire supporter sa perte. Tantôt elle me disait qu'elle mourrait heureuse   40
si je lui promettais de sécher mes pleurs, tantôt elle me parlait de ma mère,
de ma patrie; elle cherchait à me distraire de la douleur présente en réveillant

---

[111] L'abbé Morellet (1727–1819), who disliked Chateaubriand, was indignant at the dis-
heartening doctrine expressed here.
[112] The Virgin Mary.   [113] "purity."
[114] "nuns," especially Sisters of Charity.   [115] Christ.

en moi une douleur passée. Elle m'exhortait à la patience, à la vertu: «Tu ne seras pas toujours malheureux, disait-elle. Si le ciel t'éprouve aujourd'hui, c'est seulement pour te rendre plus compatissant aux maux des autres. Le cœur, ô Chactas! est comme ces sortes d'arbres qui ne donnent leur baume
5 pour les blessures des hommes que lorsque le fer les a blessés eux-mêmes.»

«Quand elle avait ainsi parlé, elle se tournait vers le missionnaire, cherchait auprès de lui le soulagement qu'elle m'avait fait éprouver, et, tour à tour consolante et consolée, elle donnait et recevait la parole de la vie sur la couche de la mort.

10 «Cependant l'ermite redoublait de zèle. Ses vieux os s'étaient rallumés par l'ardeur de la charité et, toujours préparant des remèdes, rallumant le feu, rafraîchissant la couche, il faisait d'admirables discours sur Dieu et sur le bonheur des justes. Le flambeau de la religion à la main, il semblait pré-céder Atala dans la tombe, pour lui en montrer les secrètes merveilles.
15 L'humble grotte était remplie de la grandeur de ce trépas chrétien, et les esprits célestes étaient sans doute attentifs à cette scène où la religion luttait seule contre l'amour, la jeunesse et la mort.

«Elle triomphait, cette religion divine, et l'on s'apercevait de sa victoire, à une sainte tristesse qui succédait dans nos cœurs aux premiers transports des
20 passions. Vers le milieu de la nuit, Atala sembla se ranimer pour répéter des prières que le religieux prononçait au bord de sa couche. Peu de temps après, elle me tendit la main et, avec une voix qu'on entendait à peine, elle me dit: «Fils d'Outalissi, te rappelles-tu cette première nuit où tu me pris pour la Vierge des dernières amours? Singulier présage de notre destinée!» Elle
25 s'arrêta, puis elle reprit: «Quand je songe que je te quitte pour toujours, mon cœur fait un tel effort pour revivre, que je me sens presque le pouvoir de me rendre immortelle à force d'aimer. Mais, ô mon Dieu, que votre volonté soit faite!» Atala se tut pendant quelques instants; elle ajouta; «Il ne me reste plus qu'à vous demander pardon des maux que je vous ai causés. Je vous ai
30 beaucoup tourmenté par mon orgueil et mes caprices. Chactas, un peu de terre jeté sur mon corps va mettre tout un monde entre vous et moi et vous délivrer pour toujours du poids de mes infortunes.—Vous pardonner! répondis-je noyé de larmes: n'est-ce pas moi qui ai causé tous vos malheurs? —Mon ami, dit-elle en m'interrompant, vous m'avez rendue très heureuse,
35 et si j'étais à recommencer la vie, je préférerais encore le bonheur de vous avoir aimé quelques instants dans un exil infortuné à toute une vie de repos dans ma patrie.»

«Ici la voix d'Atala s'éteignit; les ombres de la mort se répandirent autour de ses yeux et de sa bouche; ses doigts errants cherchaient à toucher quelque
40 chose; elle conversait tout bas avec des esprits invisibles. Bientôt, faisant un effort, elle essaya, mais en vain, de détacher de son cou le petit crucifix; elle me pria de le dénouer moi-même et elle me dit:

«Quand je te parlai pour la première fois, tu vis cette croix briller à la lueur du feu sur mon sein; c'est le seul bien que possède Atala. Lopez, ton
45 père et le mien [116] l'envoya à ma mère peu de jours après ma naissance.

[116] Chactas called Lopez "father," though there was no blood relation between them.

Reçois donc de moi cet héritage, ô mon frère! conserve-le en mémoire de mes malheurs. Tu auras recours à ce Dieu des infortunés dans les chagrins de ta vie. Chactas, j'ai une dernière prière à te faire. Ami, notre union aurait été courte sur la terre, mais il est après cette vie une plus longue vie. Qu'il serait affreux d'être séparée de toi pour jamais! Je ne fais que te devancer aujour- 5
d'hui, et je te vais attendre dans l'empire céleste. Si tu m'as aimée, fais-toi instruire dans la religion chrétienne, qui préparera notre réunion. Elle fait sous tes yeux un grand miracle, cette religion, puisqu'elle me rend capable de te quitter sans mourir dans les angoisses du désespoir. Cependant, Chactas, je ne veux de toi qu'une simple promesse, je sais trop ce qu'il en coûte pour 10
te demander un serment. Peut-être ce vœu te séparerait-il de quelque femme plus heureuse que moi. . . . O ma mère! pardonne à ta fille. O Vierge! retenez votre courroux. Je retombe dans mes faiblesses, et je te dérobe, ô mon Dieu! des pensées qui ne devraient être que pour toi.»

«Navré de douleur, je promis à Atala d'embrasser un jour la religion 15
chrétienne. A ce spectacle, le solitaire, se levant d'un air inspiré et étendant les bras vers la voûte de la grotte: «Il est temps s'écria-t-il, d'appeler Dieu ici!»

«A peine a-t-il prononcé ces mots qu'une force surnaturelle me contraint de tomber à genoux et m'incline la tête au pied du lit d'Atala. Le prêtre ouvre un lieu secret[117] où était enfermée une urne d'or[118] couverte d'un 20
voile de soie; il se prosterne et adore profondément. La grotte parut soudain illuminée; on entendit dans les airs les paroles des anges et les gémissements des harpes célestes, et lorsque le solitaire tira le vase sacré de son tabernacle, je crus voir Dieu lui-même sortir du flanc de la montagne.

«Le prêtre ouvrit le calice;[119] il prit entre ses deux doigts une hostie[120] 25
blanche comme la neige, et s'approcha d'Atala en prononçant des mots mystérieux. Cette sainte avait les yeux levés au ciel en extase. Toutes ses douleurs parurent suspendues, toute sa vie se rassembla sur sa bouche; ses lèvres s'entr'ouvrirent et vinrent avec respect chercher le Dieu caché sous le pain mystique. Ensuite le divin vieillard trempe un peu de coton dans une 30
huile consacrée; il en frotte les tempes d'Atala, il regarde un moment la fille mourante, et tout à coup ces fortes paroles lui échappent: «Partez, âme chrétienne,[121] allez rejoindre votre Créateur.» Relevant alors ma tête abattue, je m'écriai en regardant le vase où était l'huile sainte:[122] «Mon père, ce remède rendra-t-il la vie à Atala?—Oui, mon fils, dit le vieillard en tombant 35
dans mes bras, la vie éternelle!» Atala venait d'expirer.

Dans cet endroit, pour la seconde fois depuis le commencement de son récit, Chactas fut obligé de s'interrompre. Ses pleurs l'inondaient, et sa voix ne laissait échapper que des mots entrecoupés. Le Sachem aveugle ouvrit son sein; il en tira le crucifix d'Atala. «Le voilà, s'écria-t-il, ce gage de l'ad- 40
versité! O René! mon fils! tu le vois, et moi je ne le vois plus! Dis-moi, après tant d'années, l'or n'en est-il point altéré? N'y vois-tu point la trace de mes larmes? Pourrais-tu reconnaître l'endroit qu'une sainte a touché de ses lèvres?

---

[117] A primitive tabernacle.   [118] Ciborium.   [119] "chalice."
[120] "host, consecrated bread."   [121] Words from prayers for the dying.
[122] Oil administered in extreme unction.

Comment Chactas n'est-il pas encore chrétien? Quelles frivoles raisons de
politique et de patrie l'ont jusqu'à présent retenu dans les erreurs de ses
pères? Non, je ne veux pas tarder plus longtemps. La terre me crie: Quand
donc redescendras-tu dans la tombe, et qu'attends-tu pour embrasser une
5 religion divine? . . . O terre! vous ne m'attendrez pas longtemps: aussitôt
qu'un prêtre aura rajeuni dans l'onde cette tête blanchie par les chagrins,
j'espère me réunir à Atala. . . . Mais achevons ce qui me reste à conter de
mon histoire.»

LES FUNÉRAILLES

«Je n'entreprendrai point, ô René! de te peindre aujourd'hui le désespoir
10 qui saisit mon âme lorsque Atala eut rendu le dernier soupir. Il faudrait
avoir plus de chaleur qu'il ne m'en reste; il faudrait que mes yeux fermés
se pussent rouvrir au soleil pour lui demander compte des pleurs qu'ils
versèrent à sa lumière. Oui, cette lune qui brille à présent sur nos têtes se
lassera d'éclairer les solitudes du Kentucky; oui, le fleuve qui porte main-
15 tenant nos pirogues [123] suspendra le cours de ses eaux, avant que mes larmes
cessent de couler pour Atala! Pendant deux jours entiers, je fus insensible
aux discours de l'ermite. En essayant de calmer mes peines, cet excellent
homme ne se servait point des vaines raisons de la terre, il se contentait de
me dire: «Mon fils, c'est la volonté de Dieu;» et il me pressait dans ses bras.
20 Je n'aurais jamais cru qu'il y eût tant de consolation dans ce peu de mots du
chrétien résigné, si je ne l'avais éprouvé moi-même.

«La tendresse, l'onction, l'inaltérable patience du vieux serviteur de Dieu
vainquirent enfin l'obstination de ma douleur. J'eus honte des larmes que je
lui faisais répandre. «Mon père, lui dis-je, c'en est trop: que les passions d'un
25 jeune homme ne troublent plus la paix de tes jours. Laisse-moi emporter
les restes de mon épouse; je les ensevelirai dans quelque coin du désert, et
si je suis encore condamné à la vie, je tâcherai de me rendre digne de ces
noces éternelles qui m'ont été promises par Atala.»

«A ce retour inespéré de courage, le bon père tressaillit de joie; il s'écria:
30 «O sang de Jésus-Christ, sang de mon divin Maître, je reconnais là tes
mérites! Tu sauveras sans doute ce jeune homme. Mon Dieu! achève ton
ouvrage; rends la paix à cette âme troublée, et ne lui laisse de ses malheurs que
d'humbles et utiles souvenirs!»

«Le juste refusa de m'abandonner le corps de la fille de Lopez; mais il
35 me proposa de faire venir ses néophytes et de l'enterrer avec toute la pompe
chrétienne. Je m'y refusai à mon tour. «Les malheurs et les vertus d'Atala,
lui dis-je, ont été inconnus des hommes: que sa tombe, creusée furtivement
par nos mains, partage cette obscurité.» Nous convînmes que nous partirions
le lendemain, au lever du soleil, pour enterrer Atala sous l'arche du pont
40 naturel, à l'entrée des Bocages de la mort. Il fut aussi résolu que nous pas-
serions la nuit en prière auprès du corps de cette sainte.

«Vers le soir, [124] nous transportâmes ses précieux restes à une ouverture

[123] "canoes."
[124] The scene that follows is the subject of a famous painting by Girodet, now in the Louvre.

de la grotte qui donnait vers le nord. L'ermite les avait roulés dans une pièce de lin d'Europe filé par sa mère: c'était le seul bien qui lui restât de sa patrie, et depuis longtemps il le destinait à son propre tombeau. Atala était couchée sur un gazon de sensitives des montagnes; ses pieds, sa tête, les épaules et une partie de son sein étaient découverts. On voyait dans ses cheveux une fleur de magnolia fanée, . . . celle-là même que j'avais déposée sur le lit de la vierge pour la rendre féconde. Ses lèvres, comme un bouton de rose cueilli depuis deux matins, semblaient languir et sourire. Dans ses joues, d'une blancheur éclatante, on distinguait quelques veines bleues. Ses beaux yeux étaient fermés, ses pieds modestes étaient joints, et ses mains d'albâtre pressaient sur son cœur un crucifix d'ébène; le scapulaire[125] de ses vœux était passé à son cou. Elle paraissait enchantée par l'Ange de la mélancolie et par le double sommeil de l'innocence et de la tombe: je n'ai rien vu de plus céleste. Quiconque eût ignoré que cette jeune fille avait joui de la lumière aurait pu la prendre pour la statue de la Virginité endormie.

«Le religieux ne cessa de prier toute la nuit. J'étais assis en silence au chevet du lit funèbre de mon Atala.

«Que de fois, durant son sommeil, j'avais supporté sur mes genoux cette tête charmante! Que de fois je m'étais penché sur elle pour entendre et pour respirer son souffle! Mais à présent aucun bruit ne sortait de ce sein immobile, et c'était en vain que j'attendais le réveil de la beauté!

«La lune prêta son pâle flambeau à cette veillée funèbre. Elle se leva au milieu de la nuit, comme une blanche vestale[126] qui vient pleurer sur le cercueil d'une compagne. Bientôt elle répandit dans les bois ce grand secret de mélancolie qu'elle aime à raconter aux vieux chênes et aux rivages antiques des mers. De temps en temps, le religieux plongeait un rameau fleuri dans une eau consacrée,[127] puis, secouant la branche humide, il parfumait la nuit des baumes du ciel. Parfois il répétait sur un air antique quelques vers d'un vieux poète nommé Job; il disait:

«J'ai passé comme une fleur; j'ai séché comme l'herbe des champs.[128]

«Pourquoi la lumière a-t-elle été donnée à un misérable et la vie à ceux qui sont dans l'amertume du cœur?»[129]

«Ainsi chantait l'ancien des hommes. Sa voix grave et un peu cadencée allait roulant dans le silence des déserts. Le nom de Dieu et du tombeau sortait de tous les échos, de tous les torrents, de toutes les forêts. Les roucoulements de la colombe de Virginie, la chute d'un torrent dans la montagne, les tintements de la cloche qui appelait les voyageurs, se mêlaient à ces chants funèbres, et l'on croyait entendre dans les Bocages de la mort le chœur lointain des décédés, qui répondait à la voix du solitaire.

«Cependant une barre d'or se forma dans l'orient. Les éperviers criaient sur les rochers et les martres rentraient dans le creux des ormes: c'était le signal du convoi d'Atala. Je chargeai le corps sur mes épaules; l'ermite marchait devant moi, une bêche à la main. Nous commençâmes à descendre de rocher

---

[125] "Scapular" (which Atala had worn since taking her vow of chastity).
[126] Vestal virgin, priestess of Vesta.   [127] "holy water."
[128] *Job* XIV, 2, and *Psalms* XC, 6 and CII, 11.   [129] *Job* III, 20.

en rocher; la vieillesse et la mort ralentissaient également nos pas. A la vue du chien qui nous avait trouvés dans la forêt, et qui, maintenant, bondissant de joie, nous traçait une autre route, je me mis à fondre en larmes. Souvent la longue chevelure d'Atala, jouet des brises matinales, étendait son voile d'or sur mes yeux; souvent, pliant sous le fardeau, j'étais obligé de le déposer sur la mousse et de m'asseoir auprès, pour reprendre des forces. Enfin, nous arrivâmes au lieu marqué par ma douleur; nous descendîmes sous l'arche du pont. O mon fils! il eût fallu voir un jeune sauvage et un vieil ermite à genoux l'un vis-à-vis de l'autre dans un désert, creusant avec leurs mains un tombeau pour une pauvre fille dont le corps était étendu près de là, dans la ravine desséchée d'un torrent.

«Quand notre ouvrage fut achevé, nous transportâmes la beauté dans son lit d'argile. Hélas! j'avais espéré de préparer une autre couche pour elle! Prenant alors un peu de poussière dans ma main et gardant un silence effroyable, j'attachai pour la dernière fois mes yeux sur le visage d'Atala. Ensuite, je répandis la terre du sommeil sur un front de dix-huit printemps: je vis graduellement disparaître les traits de ma sœur et ses grâces se cacher sous le rideau de l'éternité; son sein surmonta quelque temps le sol noirci, comme un lis blanc s'élève du milieu d'une sombre argile: «Lopez, m'écriai-je alors, vois ton fils inhumer ta fille!» Et j'achevai de couvrir Atala de la terre du sommeil.

«Nous retournâmes à la grotte, et je fis part au missionnaire du projet que j'avais formé de me fixer près de lui. Le saint, qui connaissait merveilleusement le cœur de l'homme, découvrit ma pensée et la ruse de ma douleur. Il me dit: «Chactas, fils d'Outalissi, tandis qu'Atala a vécu, je vous ai sollicité moi-même de demeurer auprès de moi; mais à présent votre sort est changé, vous vous devez à votre patrie. Croyez-moi, mon fils, les douleurs ne sont point éternelles; il faut tôt ou tard qu'elles finissent, parce que le cœur de l'homme est fini; [180] c'est une de nos grandes misères: nous ne sommes pas même capables d'être longtemps malheureux. Retournez au Meschacebé; allez consoler votre mère, qui vous pleure tous les jours et qui a besoin de votre appui. Faites-vous instruire dans la religion de votre Atala lorsque vous en trouverez l'occasion, et souvenez-vous que vous lui avez promis d'être vertueux et chrétien. Moi, je veillerai ici sur son tombeau. Partez, mon fils. Dieu, l'âme de votre sœur et le cœur de votre vieil ami vous suivront.»

«Telles furent les paroles de l'homme du rocher; son autorité était trop grande, sa sagesse trop profonde pour ne pas lui obéir. Dès le lendemain je quittai mon vénérable hôte, qui, me pressant sur son cœur, me donna ses derniers conseils, sa dernière bénédiction et ses dernières larmes. Je passai au tombeau; je fus surpris d'y trouver une petite croix qui se montrait au-dessus de la mort, comme on aperçoit encore le mât d'un vaisseau qui a fait naufrage. Je jugeai que le solitaire était venu prier au tombeau pendant la nuit; cette marque d'amitié et de religion fit couler mes pleurs en abondance. Je fus tenté de rouvrir la fosse et de voir encore une fois ma bien-aimée; une crainte

[180] "finite, limited."

religieuse me retint. Je m'assis sur la terre fraîchement remuée. Un coude appuyé sur mes genoux et la tête soutenue dans ma main, je demeurai enseveli dans la plus amère rêverie. O René! c'est là que je fis pour la première fois des réflexions sérieuses sur la vanité de nos jours et la plus grande vanité de nos projets. Eh! mon enfant, qui ne les a point faites, ces réflexions? Je ne suis plus qu'un vieux cerf blanchi par les hivers; mes ans [131] le disputent à ceux de la corneille: eh bien! malgré tant de jours accumulés sur ma tête, malgré une si longue expérience de la vie, je n'ai point encore rencontré d'homme qui n'eût été trompé dans ses rêves de félicité, point de cœur qui n'entretînt une plaie cachée. Le cœur le plus serein en apparence ressemble au puits naturel [132] de la savane Alachua: la surface en paraît calme et pure, mais quand vous regardez au fond du bassin, vous apercevez un large crocodile que le puits nourrit dans ses eaux.

«Ayant ainsi vu le soleil se lever et se coucher sur ce lieu de douleur, le lendemain, au premier cri de la cigogne, je me préparai à quitter la sépulture sacrée. J'en partis comme de la borne d'où je voulais m'élancer dans la carrière de la vertu. Trois fois j'évoquai l'âme d'Atala; trois fois le Génie du désert répondit à mes cris sous l'arche funèbre. Je saluai ensuite l'orient, et je découvris au loin, dans les sentiers de la montagne, l'ermite, qui se rendait à la cabane de quelque infortuné. Tombant à genoux et embrassant étroitement la fosse, je m'écriai: «Dors en paix dans cette terre étrangère, fille trop malheureuse! Pour prix de ton amour, de ton exil et de ta mort, tu vas être abandonnée, même de Chactas!» Alors, versant des flots de larmes, je me séparai de la fille de Lopez; alors je m'arrachai de ces lieux, laissant au pied du monument de la nature un monument plus auguste: l'humble tombeau de la vertu.»

Épilogue

Chactas, fils d'Outalissi le Natchez, a fait cette histoire à René l'Européen. Les pères l'ont redite aux enfants, et moi, voyageur aux terres lointaines, j'ai fidèlement rapporté ce que des Indiens m'en ont appris. Je vis dans ce récit le tableau du peuple chasseur et du peuple laboureur, la religion, première législatrice des hommes, les dangers de l'ignorance et de l'enthousiasme religieux opposés aux lumières, à la charité et au véritable esprit de l'Évangile, les combats des passions et des vertus dans un cœur simple, enfin le triomphe du christianisme sur le sentiment le plus fougueux et la crainte la plus terrible: l'amour et la mort.

Quand un Siminole me raconta cette histoire, je la trouvai fort instructive et parfaitement belle, parce qu'il y mit la fleur du désert, la grâce de la cabane et une simplicité à conter la douleur que je ne me flatte pas d'avoir conservées. Mais une chose me restait à savoir. Je demandais ce qu'était devenu le Père Aubry, et personne ne me le pouvait dire. Je l'aurais toujours ignoré, si la Providence, qui conduit tout, ne m'avait découvert ce que je cherchais. Voici comme la chose se passa:

[131] "I have lived almost as long as the crow lives."   [132] Natural springs (in Florida).

J'avais parcouru les rivages du Meschacebé,[133] qui formaient autrefois la barrière méridionale [134] de la Nouvelle-France, et j'étais curieux de voir, au nord, l'autre merveille de cet empire, la cataracte du Niagara.

J'étais arrivé tout près de cette chute, dans l'ancien pays des Agannonsioni
5 (les Iroquois), lorsqu'un matin, en traversant une plaine, j'aperçus une femme assise sous un arbre et tenant un enfant mort sur ses genoux. Je m'approchai doucement de la jeune mère, et je l'entendis qui disait:

«Si tu étais resté parmi nous, cher enfant, comme ta main eût bandé l'arc avec grâce! Ton bras eût dompté l'ours en fureur, et sur le sommet de la
10 montagne tes pas auraient défié le chevreuil à la course. Blanche hermine du rocher, si jeune être allé dans le pays des âmes! Comment feras-tu pour y vivre? Ton père n'y est point pour t'y nourrir de sa chasse. Tu auras froid, et aucun Esprit ne te donnera des peaux pour te couvrir. Oh! il faut que je me hâte de t'aller rejoindre pour te chanter des chansons et te présenter
15 mon sein.»

Et la jeune mère chantait d'une voix tremblante, balançait l'enfant sur ses genoux, humectait ses lèvres du lait maternel et prodiguait à la mort tous les soins qu'on donne à la vie.

Cette femme voulait faire sécher le corps de son fils sur les branches d'un
20 arbre, selon la coutume indienne, afin de l'emporter ensuite aux tombeaux de ses pères. Elle dépouilla donc le nouveau-né, et respirant quelques instants sur sa bouche, elle dit: «Ame de mon fils, âme charmante, ton père t'a créée jadis sur mes lèvres par un baiser. Hélas! les miens n'ont pas le pouvoir de te donner une seconde naissance.» Ensuite elle découvrit son sein et embrassa
25 ses restes glacés, qui se fussent ranimés au feu du cœur maternel si Dieu ne s'était réservé le souffle qui donne la vie.

Elle se leva et chercha des yeux un arbre sur les branches duquel elle pût exposer son enfant. Elle choisit un érable à fleurs rouges, festonné de guir-landes d'apios,[135] et qui exhalait les parfums les plus suaves. D'une main
30 elle en abaissa les rameaux inférieurs, de l'autre elle y plaça le corps; laissant alors échapper la branche, la branche retourna à sa position naturelle, empor-tant la dépouille de l'innocence cachée dans un feuillage odorant. Oh! que cette coutume indienne est touchante! Je vous ai vus dans vos campagnes désolées, pompeux monuments des Crassus [136] et des Césars, et je vous préfère encore
35 ces tombeaux aériens du sauvage, ces mausolées de fleurs et de verdure que parfume l'abeille, que balance le zéphyr, et où le rossignol bâtit son nid et fait entendre sa plaintive mélodie. Si c'est la dépouille d'une jeune fille que la main d'un amant a suspendue à l'arbre de la mort, si ce sont les restes d'un enfant chéri qu'une mère a placés dans la demeure des petits oiseaux,
40 le charme redouble encore. Je m'approchai de celle qui gémissait au pied de l'érable, je lui imposai les mains sur la tête en poussant les trois cris de douleur. Ensuite, sans lui parler, prenant comme elle un rameau, j'écartai

---

[133] Chateaubriand probably never went much farther west than Ohio.
[134] "southern."
[135] A twining vetch with purple flowers.
[136] Crassus: a Roman statesman (114–53 B. C.) notorious for his greed of gold.

les insectes qui bourdonnaient autour du corps de l'enfant. Mais je me donnai de garde [136a] d'effrayer une colombe voisine. L'Indienne lui disait: «Colombe, si tu n'es pas l'âme de mon fils qui s'est envolée,[137] tu es sans doute une mère qui cherche quelque chose pour faire un nid. Prends de ces cheveux, que je ne laverai plus dans l'eau d'esquine; [138] prends-en pour coucher tes petits; puisse le grand Esprit te les conserver!»

Cependant la mère pleurait de joie en voyant la politesse de l'étranger. Comme nous faisions ceci, un jeune homme approcha: «Fille de Céluta,[139] retire notre enfant; nous ne séjournerons pas plus longtemps ici et nous partirons au premier soleil.» Je dis alors: «Frère, je te souhaite un ciel bleu, beaucoup de chevreuils, un manteau de castor et l'espérance. Tu n'es donc pas de ce désert?—Non, répondit le jeune homme, nous sommes des exilés, et nous allons chercher une patrie.» En disant cela, le guerrier baissa la tête dans son sein et, avec le bout de son arc, il abattait la tête des fleurs. Je vis qu'il y avait des larmes au fond de cette histoire, et je me tus. La femme retira son fils des branches de l'arbre et elle le donna à porter à son époux. Alors je dis: «Voulez-vous me permettre d'allumer votre feu cette nuit?— Nous n'avons point de cabane, reprit le guerrier; si vous voulez nous suivre, nous campons au bord de la chute.—Je le veux bien,» répondis-je. Et nous partîmes ensemble.

Nous arrivâmes bientôt au bord de la cataracte, qui s'annonçait par d'affreux mugissements. Elle est formée par la rivière Niagara, qui sort du lac Erié et se jette dans le lac Ontario; sa hauteur perpendiculaire est de cent quarante-quatre pieds. Depuis le lac Erié jusqu'au Saut, le fleuve accourt par une pente rapide, et au moment de la chute c'est moins un fleuve qu'une mer, dont les torrents se pressent à la bouche béante d'un gouffre. La cataracte se divise en deux branches et se courbe en fer à cheval. Entre les deux chutes s'avance une île creusée en dessous, qui pend avec tous ses arbres sur le chaos des ondes. La masse du fleuve qui se précipite au midi s'arrondit en un vaste cylindre, puis se déroule en nappe de neige et brille au soleil de toutes les couleurs; celle qui tombe au levant descend dans une ombre effrayante; on dirait une colonne d'eau du déluge. Mille arcs-en-ciel se courbent et se croisent sur l'abîme. Frappant le roc ébranlé, l'eau rejaillit en tourbillons d'écume, qui s'élèvent au-dessus des forêts comme les fumées d'un vaste embrasement. Des pins, des noyers sauvages, des rochers taillés en forme de fantômes, décorent la scène. Des aigles, entraînés par le courant d'air, descendent en tournoyant au fond du gouffre, et des carcajous se suspendent par leurs queues flexibles au bout d'une branche abaissée, pour saisir dans l'abîme les cadavres brisés des élans et des ours.

Tandis qu'avec un plaisir mêlé de terreur je contemplais ce spectacle, l'Indienne et son époux me quittèrent. Je les cherchai en remontant le fleuve au-dessus de la chute, et bientôt je les trouvai dans un endroit convenable à leur deuil. Ils étaient couchés sur l'herbe, avec des vieillards, auprès de quelques ossements humains enveloppés dans des peaux de bêtes. Étonné de

[136a] "I took care not to."
[137] In mediaeval art the soul is often represented as a dove.   [138] "china-root."
[139] Céluta, in *Les Natchez*, is an Indian girl in love with René, the Frenchman.

tout ce que je voyais depuis quelques heures, je m'assis auprès de la jeune
mère et lui dis: «Qu'est-ce que tout ceci, ma sœur?» Elle me répondit: «Mon
frère, c'est la terre de la patrie, ce sont les cendres de nos aïeux qui nous
suivent dans notre exil.—Et comment, m'écriai-je, avez-vous été réduits à un
5 tel malheur?» La fille de Céluta repartit: Nous sommes les restes des
Natchez. Après le massacre [140] que les Français firent de notre nation pour
venger leurs frères, ceux de nos frères qui échappèrent aux vainqueurs trouvèrent un asile chez les Chikassas,[141] nos voisins. Nous y sommes demeurés
assez longtemps tranquilles; mais il y a sept lunes que les blancs de la Vir-
10 ginie se sont emparés de nos terres, en disant qu'elles leur ont été données par
un roi d'Europe.[142] Nous avons levé les yeux au ciel, et, chargés des restes de
nos aïeux, nous avons pris notre route à travers le désert. Je suis accouchée pendant la marche, et comme mon lait était mauvais, à cause de la douleur, il a
fait mourir mon enfant.» En disant cela, la jeune mère essuya ses yeux avec
15 sa chevelure. Je pleurais aussi.

Or je dis bientôt: «Ma sœur, adorons le grand Esprit, tout arrive par son
ordre. Nous sommes tous voyageurs, nos pères l'ont été comme nous; mais
il y a un lieu où nous nous reposerons. Si je ne craignais d'avoir la langue
aussi légère que celle d'un blanc, je vous demanderais si vous avez entendu
20 parler de Chactas le Natchez.» A ces mots, l'Indienne me regarda et me dit:
«Qui est-ce qui vous a parlé de Chactas le Natchez?» Je répondis: «C'est
la Sagesse.» L'Indienne reprit: «Je vous dirai ce que je sais, parce que vous
avez éloigné les mouches du corps de mon fils et que vous venez de dire de
belles paroles sur le grand Esprit. Je suis la fille de la fille de René l'Européen,
25 que Chactas avait adopté. Chactas, qui avait reçu le baptême, et René, mon
aïeul si malheureux, ont péri dans le massacre.—L'homme va toujours de
douleur en douleur, répondis-je en m'inclinant. Vous pourriez donc aussi
m'apprendre des nouvelles du Père Aubry?—Il n'a pas été plus heureux que
Chactas, dit l'Indienne. Les Chéroquois,[143] ennemis des Français, pénétrèrent
30 à sa mission; ils y furent conduits par le son de la cloche qu'on sonnait pour
secourir les voyageurs. Le Père Aubry se pouvait sauver, mais il ne voulut
pas abandonner ses enfants, et il demeura pour les encourager à mourir par
son exemple. Il fut brûlé avec de grandes tortures; jamais on ne put tirer
de lui un cri qui tournât à la honte de son Dieu ou au déshonneur de sa patrie.
35 Il ne cessa, durant le supplice, de prier pour ses bourreaux et de compatir
au sort des victimes. Pour lui arracher une marque de faiblesse, les Chéroquois amenèrent à ses pieds un sauvage chrétien qu'ils avaient horriblement
mutilé. Mais ils furent bien surpris quand ils virent le jeune homme se jeter
à genoux et baiser les plaies du vieil ermite, qui lui criait: «Mon enfant, nous
40 avons été mis en spectacle aux anges et aux hommes.» Les Indiens furieux
lui plongèrent un fer rouge dans la gorge pour l'empêcher de parler. Alors, ne
pouvant plus consoler les hommes, il expira.

---

[140] Fort Rosalie at Natchez was recaptured from the Indians in 1729.　　[141] Chickasaws.
[142] In 1764 all the Natchez territory was ceded to the British by Louis XV, following the
Treaty of Paris (1763).
[143] Cherokees.

«On dit que les Chéroquois, tout accoutumés qu'ils étaient à voir des sauvages souffrir avec constance, ne purent s'empêcher d'avouer qu'il y avait dans l'humble courage du Père Aubry quelque chose qui leur était inconnu et qui surpassait tous les courages de la terre. Plusieurs d'entre eux, frappés de cette mort, se sont faits chrétiens.

«Quelques années après, Chactas, à son retour de la terre des blancs, ayant appris les malheurs du chef de la prière, partit pour aller recueillir ses cendres et celles d'Atala. Il arriva à l'endroit où était située la mission, mais il put à peine le reconnaître. Le lac s'était débordé et la savane était changée en un marais; le pont naturel, en s'écroulant, avait enseveli sous ses débris le tombeau d'Atala et les Bocages de la mort. Chactas erra longtemps dans ce lieu; il visita la grotte du solitaire, qu'il trouva remplie de ronces et de framboisiers, et dans laquelle une biche allaitait son faon. Il s'assit sur le rocher de la Veillée de la mort, où il ne vit que quelques plumes tombées de l'aile de l'oiseau de passage. Tandis qu'il y pleurait, le serpent familier du missionnaire sortit des broussailles voisines et vint s'entortiller à ses pieds. Chactas réchauffa dans son sein ce fidèle ami, resté seul au milieu de ces ruines. Le fils d'Outalissi a raconté que plusieurs fois, aux approches de la nuit, il avait cru voir les ombres d'Atala et du Père Aubry s'élever dans la vapeur du crépuscule. Ces visions le remplirent d'une religieuse frayeur et d'une joie triste.

«Après avoir cherché vainement le tombeau de sa sœur et celui de l'ermite, il était près d'abandonner ces lieux, lorsque la biche de la grotte se mit à bondir devant lui. Elle s'arrêta au pied de la croix de la mission. Cette croix était alors à moitié entourée d'eau; son bois était rongé de mousse, et le pélican du désert aimait à se percher sur ses bras vermoulus. Chactas jugea que la biche reconnaissante l'avait conduit au tombeau de son hôte. Il creusa sous la roche qui jadis servait d'autel, et il y trouva les restes d'un homme et d'une femme. Il ne douta point que ce ne fussent ceux du prêtre et de la vierge, que les anges avaient peut-être ensevelis dans ce lieu. Il les enveloppa dans des peaux d'ours et reprit le chemin de son pays, emportant ces précieux restes, qui résonnaient sur ses épaules comme le carquois de la mort. La nuit, il les mettait sous sa tête et il avait des songes d'amour et de vertu. O étranger! tu peux contempler ici cette poussière avec celle de Chactas lui-même.»

Comme l'Indienne achevait de prononcer ces mots, je me levai; je m'approchai des cendres sacrées et me prosternai devant elles en silence. Puis, m'éloignant à grands pas, je m'écriai: «Ainsi passe sur la terre tout ce qui fut bon, vertueux, sensible! Homme, tu n'es qu'un songe rapide, un rêve douloureux; tu n'existes que par le malheur; tu n'es quelque chose que par la tristesse de ton âme et l'éternelle mélancolie de ta pensée!»

Ces réflexions m'occupèrent toute la nuit. Le lendemain, au point du jour, mes hôtes me quittèrent. Les jeunes guerriers ouvraient la marche et les épouses la fermaient; les premiers étaient chargés des saintes reliques; les secondes portaient leurs nouveau-nés; les vieillards cheminaient lentement au milieu, placés entre leurs aïeux et leur postérité, entre les souvenirs et l'espérance, entre la patrie perdue et la patrie à venir. Oh! que de larmes sont répandues lorsqu'on abandonne ainsi la terre natale, lorsque du haut de la colline de l'exil on découvre pour la dernière fois le toit où l'on fut nourri et le fleuve de la cabane qui continue à couler tristement à travers les champs solitaires de la patrie!

5   Indiens infortunés que j'ai vus errer dans les déserts du Nouveau Monde, avec les cendres de vos aïeux! vous qui m'aviez donné l'hospitalité malgré votre misère, je ne pourrais vous la rendre aujourd'hui, car j'erre, ainsi que vous, à la merci des hommes; et, moins heureux dans mon exil,[144] je n'ai point emporté les os de mes pères!

[144] When he wrote *Atala,* Chateaubriand was an *émigré* in England.

MADAME DE STAËL (1766–1817)

Madame de Staël (Germaine Necker, daughter of Jacques Necker, financier and minister of France), born in Paris and, even as a child taking a part in her mother's *salon,* was one of the most intelligent women and probably the most brilliant conversationalist of her time. Sufficiently confident of her capabilities to remark "I understand all that deserves to be understood," she was too masterful to be able to win Napoleon's favor, which for a time she had desired. Irritated by ideas and theories expressed in *De la Littérature* and *Delphine,* Napoleon exiled her from Paris. As a result Madame de Staël visited Germany where she met Goethe,* Schiller,* Fichte,* and Schlegel.* Later travels took her to Italy, Prussia, Sweden, and England. Strongly influenced in her own writings by Rousseau, she produced books that were to influence the development of the Romantic School. She was also the first great writer to treat literature from the national point of view.

"Mme de Staël et Chateaubriand ont cru n'avoir pas grand'chose de commun. En réalité, malgré l'opposition de leurs tempéraments et de leurs principes, ils ont poussé tous les deux la littérature dans le même sens. Mme de Staël a fourni aux romantiques des idées, des théories, une critique: de Chateaubriand ils ont reçu un idéal, des jouissances et des besoins: elle a défini, il a réalisé." (Lanson: *Histoire de la Littérature Française.*)

IMPORTANT WORKS:

Novels: *Delphine* (1802); *Corinne* (1807).
Criticism: *De la Littérature* (1800); *De l'Allemagne* (The first edition, published in 1810, was destroyed by Napoleon's order, but it was published again in 1812, in London).

DE LA LITTÉRATURE ET DES ARTS

CHAPITRE PREMIER

Pourquoi les Français ne rendent-ils pas justice à la littérature allemande?

En Allemagne, il n'y a de goût fixe sur rien, tout est indépendant, tout est individuel. L'on juge d'un ouvrage par l'impression qu'on en reçoit, et jamais par les règles, puisqu'il n'y en a point de généralement admises: chaque auteur est libre de se créer une sphère nouvelle. En France la plupart des lecteurs ne veulent jamais être émus, ni même s'amuser aux dépens de leur conscience littéraire: le scrupule s'est réfugié là. Un auteur allemand forme son public; en France, le public commande aux auteurs. Comme on trouve en France un beaucoup plus grand nombre de gens d'esprit qu'en

5

---

* Goethe (1749–1832), the most celebrated German poet and critic, author of *Faust, Werther,* etc.; Schiller (1759–1805), German tragic poet and historian, second only to Goethe, author of *Wallenstein, Wilhelm Tell,* etc.; Fichte (1762–1814), German philosopher, disciple of Kant. He called his philosophy "transcendental idealism." Schlegel, Friedrich (1772–1829), German philosopher and critic.

Allemagne, le public y est beaucoup plus imposant, tandis que les écrivains allemands, éminemment élevés au-dessus de leurs juges, les gouvernent au lieu d'en recevoir la loi. De là vient que ces écrivains ne se perfectionnent guère par la critique: l'impatience des lecteurs, ou celle des spectateurs, ne
5 les oblige point à retrancher les longueurs de leurs ouvrages, et rarement ils s'arrêtent à temps, parce qu'un auteur, ne se lassant presque jamais de ses propres conceptions, ne peut être averti que par les autres du moment où elles cessent d'intéresser. Les Français pensent et vivent dans les autres, au moins sous le rapport de l'amour-propre; et l'on sent, dans la plupart de leurs
10 ouvrages, que leur principal but n'est pas l'objet qu'ils traitent, mais l'effet qu'ils produisent. Les écrivains français sont toujours en société, alors même qu'ils composent; car ils ne perdent pas de vue les jugements, les moqueries et le goût à la mode, c'est à dire, l'autorité littéraire sous laquelle on vit, à telle ou telle époque.
15   La première condition pour écrire, c'est une manière de sentir vive et forte. Les personnes qui étudient dans les autres ce qu'elles doivent éprouver, et ce qu'il leur est permis de dire, littérairement parlant, n'existent pas. Sans doute, nos écrivains de génie (et quelle nation en possède plus que la France!) ne se sont asservis qu'aux liens qui ne nuisaient pas à leur origi-
20 nalité; mais il faut comparer les deux pays en masse, et dans le temps actuel, pour connaître à quoi tient leur difficulté de s'entendre.
   En France, on ne lit guère un ouvrage que pour en parler; en Allemagne, où l'on vit presque seul, on veut que l'ouvrage même tienne compagnie; et quelle société de l'âme peut-on faire avec un livre qui ne serait lui-même
25 que l'écho de la société! Dans le silence de la retraite, rien ne semble plus triste que l'esprit du monde. L'homme solitaire a besoin qu'une émotion intime lui tienne lieu du mouvement extérieur qui lui manque.
   La clarté passe en France pour l'un des premiers mérites d'un écrivain; car il s'agit, avant tout, de ne pas se donner de la peine, et d'attraper, en
30 lisant le matin, ce qui fait briller le soir en causant. Mais les Allemands savent que la clarté ne peut jamais être qu'un mérite relatif: un livre est clair selon le sujet, et selon le lecteur. Montesquieu[1] ne peut être compris aussi facilement que Voltaire, et néanmoins il est aussi lucide que l'objet de ses méditations le permet. Sans doute, il faut porter la lumière dans la pro-
35 fondeur; mais ceux qui s'en tiennent aux grâces de l'esprit, et aux jeux des paroles, sont bien plus sûrs d'être compris: ils n'approchent d'aucun mystère, comment donc seraient-ils obscurs? Les Allemands, par un défaut opposé, se plaisent dans les ténèbres; souvent ils remettent dans la nuit ce qui était au jour, plutôt que de suivre la route battue; ils ont un tel dégoût pour les
40 idées communes, que, lorsqu'ils se trouvent dans la nécessité de les retracer, ils les environnent d'une métaphysique abstraite qui peut les faire croire nouvelles jusqu'à ce qu'on les ait reconnues. Les écrivains allemands ne se gênent point avec leurs lecteurs; leurs ouvrages étant reçus et commentés

---

[1] Montesquieu (1689–1755), one of the *philosophes*, author of *Lettres persanes*, *l'Esprit des lois*, etc. He was more original and more profound than Voltaire (1694–1778), though the latter, who contributed to all literary genres, was more popular and played a larger rôle in his century.

comme des oracles, ils peuvent les entourer d'autant de nuages qu'il leur plaît; la patience ne manquera point pour écarter ces nuages; mais il faut qu'à la fin on aperçoive une divinité: car ce que les Allemands tolèrent le moins, c'est l'attente trompée; leurs efforts mêmes et leur persévérance leur rendent les grands résultats nécessaires. Dès qu'il n'y a pas dans un livre 5 des pensées fortes et nouvelles, il est bien vite dédaigné; et si le talent fait tout pardonner, l'on n'apprécie guère les divers genres d'adresse par lesquels on peut essayer d'y suppléer.

La prose des Allemands est trop souvent négligée. L'on attache beaucoup plus d'importance au style en France qu'en Allemagne; c'est une suite 10 naturelle de l'intérêt qu'on met à la parole, et du prix qu'elle doit avoir dans un pays où la société domine. Tous les hommes d'un peu d'esprit sont jugés de la justesse et de la convenance de telle ou telle phrase, tandis qu'il faut beaucoup d'attention et d'étude pour saisir l'ensemble et l'enchaînement d'un ouvrage. D'ailleurs les expressions prêtent bien plus à la plaisanterie que les 15 pensées, et dans tout ce qui tient aux mots, l'on rit avant d'avoir réfléchi. Cependant, la beauté du style n'est point, il faut en convenir, un avantage purement extérieur; car les sentiments vrais inspirent presque toujours les expressions les plus nobles et les plus justes; et, s'il est permis d'être indulgent pour le style d'un écrit philosophique, on ne doit pas l'être pour celui d'une 20 composition littéraire; dans la sphère des beaux-arts, la forme appartient autant à l'âme que le sujet même.

L'art dramatique offre un exemple frappant des facultés distinctes des deux peuples. Tout ce qui se rapporte à l'action, à l'intrigue, à l'intérêt des événements, est mille fois mieux combiné, mille fois mieux conçu chez les 25 Français: tout ce qui tient au développement des impressions du cœur, aux orages secrets des passions fortes, est beaucoup plus approfondi chez les Allemands.

Il faut, pour que les hommes supérieurs de l'un et de l'autre pays atteignent au plus haut point de perfection, que le Français soit religieux, et que 30 l'Allemand soit un peu mondain. La piété s'oppose à la dissipation d'âme, qui est le défaut et la grâce de la nation française; la connaissance des hommes et de la société donnerait aux Allemands, en littérature, le goût et la dextérité qui leur manquent. Les écrivains des deux pays sont injustes les uns envers les autres: les Français cependant se rendent plus coupables à cet 35 égard que les Allemands; ils jugent sans connaître, ou n'examinent qu'avec un parti pris: les Allemands sont plus impartiaux. L'étendue des connaissances fait passer sous les yeux tant de manières de voir diverses, qu'elle donne à l'esprit la tolérance qui naît de l'universalité.

Les Français gagneraient plus néanmoins à concevoir le génie allemand, 40 que les Allemands à se soumettre au bon goût français. Toutes les fois que, de nos jours, on a pu faire entrer dans la régularité française un peu de sève étrangère, les Français y ont applaudi avec transport. J.-J. Rousseau,[2] Ber-

---

[2] Romantic qualities such as emotion, the personal treatment of literature, the use of external nature, exotism were introduced by Rousseau (1712–1778) and carried on and developed by Bernardin de Saint-Pierre (1737–1814) and Chateaubriand.

nardin de Saint-Pierre, Chateaubriand, etc., dans quelques-uns de leurs ouvrages, sont tous, même à leur insu, de l'école germanique, c'est à dire qu'ils ne puisent leur talent que dans le fond de leur âme. Mais si l'on voulait discipliner les écrivains allemands d'après les lois prohibitives de la littérature
5 française, ils ne sauraient comment naviguer au milieu des écueils qu'on leur aurait indiqués; ils regretteraient la pleine mer, et leur esprit serait plus trouble qu'éclairé. Il ne s'ensuit pas qu'ils doivent tout hasarder, et qu'ils ne feraient pas bien de s'imposer quelquefois des bornes; mais il leur importe de les placer d'après leur manière de voir. Il faut, pour leur faire adopter de
10 certaines restrictions nécessaires, remonter au principe de ces restrictions, sans jamais employer l'autorité du ridicule, contre laquelle ils sont tout à fait révoltés.

Les hommes de génie de tous les pays sont faits pour se comprendre et pour s'estimer; mais le vulgaire des écrivains et des lecteurs allemands et
15 français rappelle cette fable de La Fontaine, où la cigogne ne peut manger dans le plat, ni le renard dans la bouteille. Le contraste le plus parfait se fait voir entre les esprits développés dans la solitude et ceux qui sont formés par la société. Les impressions du dehors et le recueillement de l'âme, la connaissance des hommes et l'étude des idées abstraites, l'action et la théorie
20 donnent des résultats tout à fait opposés. La littérature, les arts, la philosophie, la religion des deux peuples, attestent cette différence; et l'éternelle barrière du Rhin sépare deux régions intellectuelles qui, non moins que les deux contrées, sont étrangères l'une à l'autre.

De L'Allemagne; II, I.

LA LITTÉRATURE DU NORD ET LA LITTÉRATURE DU SUD

Il existe, ce me semble, deux littératures tout à fait distinctes, celle qui
25 vient du Midi et celle qui descend du Nord; celle dont Homère est la première source, celle dont Ossian [3] est l'origine. Les Grecs, les Latins, les Italiens, les Espagnols et les Français du siècle de Louis XIV appartiennent au genre de littérature que j'appellerai la littérature du Midi. Les ouvrages anglais, les ouvrages allemands, et quelques écrits des Danois et des Suédois,
30 doivent être classés dans la littérature du Nord, dans celle qui a commencé par les bardes écossais,[4] les fables islandaises,[5] et les poésies scandinaves. Avant de caractériser les écrivains anglais et les écrivains allemands, il me paraît nécessaire de considérer d'une manière générale les principales différences des deux hémisphères de la littérature.
35 Les Anglais et les Allemands ont, sans doute, souvent imité les anciens. Ils ont retiré d'utiles leçons de cette étude féconde; mais leurs beautés originales portant l'empreinte de la mythologie du Nord, ont une sorte de ressemblance, une certaine grandeur poétique dont Ossian est le premier type. Les poètes anglais, pourra-t-on dire, sont remarquables par leur esprit philoso-
40 phique; il se peint dans tous leurs ouvrages: mais Ossian n'a presque jamais

[3] See page 4, note 11.   [4] Ossian.   [5] The Icelandic *Eddas.*

d'idées réfléchies; il raconte une suite d'événements et d'impressions. Je réponds à cette objection que les images et les pensées les plus habituelles, dans Ossian, sont celles qui rappellent la brièveté de la vie, le respect pour les morts, l'illustration de leur mémoire, le culte de ceux qui restent envers ceux qui ne sont plus. Si le poète n'a réuni à ces sentiments ni des maximes de morale ni des réflexions philosophiques, c'est qu'à cette époque l'esprit humain n'était point encore susceptible de l'abstraction nécessaire pour concevoir beaucoup de résultats. Mais l'ébranlement que les chants ossianiques causent à l'imagination dispose la pensée aux méditations les plus profondes.

La poésie mélancolique est la poésie la plus d'accord avec la philosophie. La tristesse fait pénétrer bien plus avant dans le caractère et la destinée de l'homme que toute autre disposition de l'âme. Les poètes anglais qui ont succédé aux bardes écossais ont ajouté à leurs tableaux les réflexions et les idées que ces tableaux mêmes devaient faire naître; mais ils ont observé l'imagination du Nord, celle qui plaît sur le bord de la mer, au bruit des vents, dans les bruyères sauvages; celle enfin qui porte vers l'avenir, vers un autre monde, l'âme fatiguée de la destinée. L'imagination des hommes du Nord s'élance au delà de cette terre dont ils habitent les confins; elle s'élance à travers les nuages qui bordent leur horizon, et semblent représenter l'obscur passage de la vie à l'éternité. . . .

Le climat [6] est certainement l'une des raisons principales des différences qui existent entre les images qui plaisent dans le Nord et celles qu'on aime à se rappeler dans le Midi. Les rêveries des poètes peuvent enfanter des objets extraordinaires; mais les impressions d'habitude se retrouvent nécessairement dans tout ce que l'on compose. Eviter le souvenir de ces impressions, ce serait perdre le plus grand des avantages, celui de peindre ce qu'on a soi-même éprouvé. . . .

Les grands effets dramatiques des Anglais, et après eux des Allemands, ne sont point tirés des sujets grecs, ni de leurs dogmes mythologiques. Les Anglais et les Allemands excitent la terreur par d'autres superstitions plus analogues aux crédulités des derniers siècles. Ils ont su l'exciter surtout par la peinture du malheur que ces âmes énergiques et profondes ressentaient si douloureusement. C'est, comme je l'ai déjà dit, des opinions religieuses que dépend, en grande partie, l'effet que produit sur l'homme l'idée de la mort. Les bardes écossais ont eu, dans tous les temps, un culte plus sombre et plus spiritualisé que celui du Midi. La religion chrétienne, qui, séparée des inventions sacerdotales, est assez rapprochée du pur déisme,[7] a fait disparaître ce cortège d'imagination qui environnait l'homme aux portes du tombeau. La nature, que les anciens avaient peuplée d'êtres protecteurs qui habitaient les forêts et les fleuves, et présidaient à la nuit comme au jour; la nature est rentrée dans sa solitude, et l'effroi de l'homme s'en est accru. La

---

[6] The idea of the influence of climate on civilization had been popularized in the 18th century by Montesquieu.

[7] The highly intellectualized religion of the 18th century, based on morality rather than on dogma.

religion chrétienne, la plus philosophique de toutes, est celle qui livre le plus l'homme à lui-même. . . .

Les peuples septentrionaux, à en juger par les traditions qui nous restent et par les mœurs des Germains, ont eu de tout temps un respect pour les femmes inconnu aux peuples du Midi; elles jouissaient dans le Nord de l'indépendance, tandis qu'on les condamnait ailleurs à la servitude. C'est encore une des principales causes de la sensibilité qui caractérise la littérature du Nord.

L'histore de l'amour, dans tous les pays, peut être considérée sous un point de vue philosophique. Il semble que la peinture de ce sentiment devrait dépendre uniquement de ce qu'éprouve l'écrivain qui l'exprime. Et tel est cependant l'ascendant qu'exercent sur les écrivains les mœurs qui les environnent, qu'ils y soumettent jusqu'à la langue de leurs affections les plus intimes. Il se peut que Pétrarque [8] ait été plus amoureux dans sa vie que l'auteur de *Werther,*[9] que plusieurs poètes anglais, tels que Pope,[10] Thomson,[11] Otway.[12] Néanmoins ne croit-on pas, en lisant les écrivains du Nord, que c'est une autre nature, d'autres relations, un autre monde? . . .

Enfin, ce qui donne en général aux peuples modernes du Nord un esprit plus philosophique qu'aux habitants du Midi, c'est la religion protestante, que ces peuples ont presque tous adoptée. La Réformation est l'époque de l'histoire qui a le plus efficacement servi la perfectibilité de l'espèce humaine.[13] La religion protestante ne renferme dans son sein aucun germe actif de superstition, et donne cependant à la vertu tout l'appui qu'elle peut tirer des opinions sensibles. Dans les pays où la religion protestante est professée, elle n'arrête en rien les recherches philosophiques, et maintient efficacement la pureté des mœurs. Ce serait sortir de mon sujet que de développer davantage une pareille question; mais, je le demande aux penseurs éclairés, s'il existe un moyen de lier la morale à l'idée d'un Dieu, sans que jamais ce moyen puisse devenir un instrument de pouvoir dans la main des hommes, une religion ainsi conçue ne serait-elle pas le plus grand bonheur que l'on pût assurer à la nature humaine; à la nature humaine tous les jours plus aride, tous les jours plus à plaindre, et qui brise chaque jour quelques-uns des liens formés par la délicatesse, l'affection ou la bonté?

De la Littérature, I, 11.

DE LA POÉSIE CLASSIQUE ET DE LA POÉSIE ROMANTIQUE

Le nom de *romantique* a été introduit nouvellement en Allemagne pour désigner la poésie dont les chants des troubadours ont été l'origine, celle qui est née de la chevalerie et du christianisme. Si l'on n'admet pas que le paganisme et le christianisme, le Nord et le Midi, l'antiquité et le moyen

---

[8] Petrarch (1304–1374), Italian poet, who celebrated Laura in his famous *Sonnets.*
[9] Goethe.
[10] Alexander Pope (1688–1744), author of *Essay on Man, Satires,* etc.
[11] James Thomson (1700–1748), Scottish poet, author of the *Seasons.*
[12] Thomas Otway (1652–1685), English dramatic poet.
[13] Mme de Staël was a Protestant.

âge, la chevalerie et les institutions grecques et romaines se sont partagé l'empire de la littérature, l'on ne parviendra jamais à juger sous un point de vue philosophique le goût antique et le goût moderne.

On prend quelquefois le mot *classique* comme synonyme de perfection. Je m'en sers ici dans une autre acception, en considérant la poésie classique comme celle des anciens, et la poésie romantique comme celle qui tient de quelque manière aux traditions chevaleresques. Cette division se rapporte également aux deux ères du monde: celle qui a précédé l'établissement du christianisme, et celle qui l'a suivi. . . .

La nation française, la plus cultivée des nations latines, penche vers la poésie classique, imitée des Grecs et des Romains. La nation anglaise, la plus illustre des nations germaniques, aime la poésie romantique et chevaleresque, et se glorifie des chefs-d'œuvre qu'elle possède en ce genre. Je n'examinerai point ici lequel de ces deux genres de poésie mérite la préférence: il suffit de montrer que la diversité des goûts, à cet égard, dérive non seulement des causes accidentelles, mais aussi des sources primitives de l'imagination et de la pensée. . . .

. . . Les sources des effets de l'art sont donc différentes, à beaucoup d'égards, dans la poésie classique et dans la poésie romantique: dans l'une, c'est le sort qui règne; dans l'autre, c'est la providence; le sort ne compte pour rien les sentiments des hommes, la providence ne juge les actions que d'après les sentiments. Comment la poésie ne créerait-elle pas un monde d'une toute autre nature, quand il faut peindre l'œuvre d'un destin aveugle et sourd, toujours en lutte avec les mortels, ou cet ordre intelligent auquel préside un Être suprême, que notre cœur interroge, et qui répond à notre cœur!

La poésie païenne doit être simple et saillante comme les objets extérieurs; la poésie chrétienne a besoin des mille couleurs de l'arc-en-ciel pour ne pas se perdre dans les nuages. La poésie des anciens est plus pure comme art, celle des modernes fait verser plus de larmes; mais la question pour nous n'est pas entre la poésie classique et la poésie romantique, mais entre l'imitation de l'une et l'inspiration de l'autre. La littérature des anciens est chez les modernes une littérature transplantée: la littérature romantique ou chevaleresque est chez nous indigène, et c'est notre religion et nos institutions qui l'ont fait éclore. Les écrivains imitateurs des anciens se sont soumis aux règles du goût les plus sévères; car, ne pouvant consulter ni leur propre nature, ni leurs propres souvenirs, il a fallu qu'ils se conformassent aux lois d'après lesquelles les chefs-d'œuvre des anciens peuvent être adaptés à notre goût, bien que toutes les circonstances politiques et religieuses qui ont donné le jour à ces chefs-d'œuvre soient changées. Mais les poésies d'après l'antique, quelque parfaites qu'elles soient, sont rarement populaires, parce qu'elles ne tiennent, dans le temps actuel, à rien de national.

La poésie française, étant la plus classique de toutes les poésies modernes, est la seule qui ne soit pas répandue parmi le peuple. Les stances du Tasse [14] sont chantées par les gondoliers de Venise; les Espagnols et les Portugais de

[14] Tasso (1544–1595), celebrated Italian poet, author of *Jerusalem Delivered*.

toutes les classes savent par cœur les vers de Calderon [15] et de Camoëns.[15] Shakespeare est autant admiré par le peuple en Angleterre que par la classe supérieure. Des poèmes de Goethe et de Bürger [16] sont mis en musique, et vous les entendez répéter des bords du Rhin jusqu'à la Baltique. Nos poètes français sont admirés par tout ce qu'il y a d'esprits cultivés chez nous et dans le reste de l'Europe; mais ils sont tout à fait inconnus aux gens du peuple et aux bourgeois même des villes, parce que les arts en France ne sont pas, comme ailleurs, natifs du pays même où leurs beautés se développent.

Quelques critiques français ont prétendu que la littérature des peuples germaniques était encore dans l'enfance de l'art: cette opinion est tout à fait fausse; les hommes les plus instruits dans la connaissance des langues et des ouvrages des anciens n'ignorent certainement pas les inconvénients et les avantages du genre qu'ils adoptent, ou de celui qu'ils rejettent; mais leur caractère, leurs habitudes et leurs raisonnements les ont conduits à préférer la littérature fondée sur les souvenirs de la chevalerie, sur le merveilleux du moyen âge, à celle dont la mythologie des Grecs est la base. La littérature romantique est la seule qui soit susceptible encore d'être perfectionnée, parce qu'ayant ses racines dans notre propre sol, elle est la seule qui puisse croître et se vivifier de nouveau: elle exprime notre religion; elle rappelle notre histoire; son origine est ancienne, mais non antique.

La poésie classique doit passer par les souvenirs du paganisme pour arriver jusqu'à nous: la poésie des Germains est l'ère chrétienne des beaux-arts: elle se sert de nos impressions personnelles pour nous émouvoir: le génie qui l'inspire s'adresse immédiatement à notre cœur, et semble évoquer notre vie elle-même comme un fantôme, le plus puissant et le plus terrible de tous.

De l'Allemagne: II, 11.

[15] Calderon (1600–1681), celebrated Spanish dramatic poet. Camoëns (1525–1580), famous Portuguese epic poet, author of the *Lusiad*.
[16] Bürger (1747–1794), German poet, remembered especially for his ballads.

STENDHAL (1783-1842)

Henri Beyle, who wrote under the pseudonym of Stendhal, entered the army while quite young, and it was during Napoleon's Italian campaign that he first became acquainted with Italy. Upon the downfall of Napoleon, he went to Milan. Early imbued with the ideas of the ideologists, excessively vain, materialistic, and a great admirer of action, will, and energy, as represented by Napoleon, Stendhal sought to gratify his appetites without regard for conventions or prejudices. The world was his orange.

If one were to read only *Racine et Shakespeare,* one might suppose that he was an ardent, if at times misguided, Romanticist, but such was not the case. A natural dislike for conventions of any kind, perhaps, led him to attack the formal rules which French literature had received as its heritage from the 17th century. Romantic instincts Stendhal did have; like the hero of *Le Rouge et le Noir,* he would have liked to be a second Napoleon, or, failing in that, he would have been satisfied to be considered the greatest of Don Juans. It is not, however, for Romantic qualities that he is remembered, nor does he belong to the Romantic School. He thought that literature should reflect life as a mirror reflects what passes before it. Immense panoramas, such as Hugo evokes, he neglected for realistic detail. A comparison of the battle of Waterloo in *Les Misérables* with Stendhal's description of the same battle in *La Chartreuse de Parme* will show the difference in method. For Stendhal, observing, analyzing, understanding, were a source of pleasure. Style he cared nothing for, but he sought to understand and depict reality, and, to that end, accumulated *les petits faits significatifs,* which, later, were to become almost a watchword. His mania for collecting details and his interest in psychology, suggest the Naturalistic and analytical writers of the second half of the century. He was greatly admired by Taine, Bourget, and Barrès. He is rightly called a transition writer.

"On voit . . . que Stendhal a prépare une littérature d'égoïsme et d'analyse, une littérature de passion et de conquête, une littérature gouvernée uniquement par l'esprit positif et par l'observation réaliste. Or cette littérature n'apparaîtra guère qu'à la fin du second Empire et sous la troisième République; de là vient que Stendhal n'a trouvé qu'à cette époque un public et de vrais disciples; et d'ailleurs, par une mystérieuse prescience, il semblait avoir prévu l'avenir, lui qui annonçait qu'il ne serait lu et compris que vers 1880." (STROWSKI: *Tableau de la Littérature Française au XIXe Siècle et au XXe Siècle.*)

IMPORTANT WORKS:

Novel: *Le Rouge et le Noir* (1830); *La Chartreuse de Parme* (1839).
Criticism: *Racine et Shakespeare* (1823-1825).

CE QUE C'EST QUE LE ROMANTISME

Le *romantisme* est l'art de présenter aux peuples les œuvres littéraires qui, dans l'état actuel de leurs habitudes et de leurs croyances, sont susceptibles de leur donner le plus de plaisir possible.

Le *classicisme,* au contraire, leur présente la littérature qui donnait le plus grand plaisir possible à leurs arrière-grands-pères.

Sophocle [1] et Euripide [2] furent éminemment romantiques; ils donnèrent, aux Grecs rassemblés au théâtre d'Athènes, les tragédies qui, d'après les
5 habitudes morales de ce peuple, sa religion, ses préjugés sur ce qui fait la dignité de l'homme, devaient lui procurer le plus grand plaisir possible.

Imiter aujourd'hui Sophocle et Euripide, et prétendre que ces imitations ne feront pas bâiller le Français du dix-neuvième siècle, c'est du classicisme.

Je n'hésite pas à avancer que Racine [3] a été romantique; il a donné, aux
10 marquis de la cour de Louis XIV, une peinture des passions, tempérée par l'extrême dignité qui alors était de mode, et qui faisait qu'un duc de 1670, même dans les épanchements les plus tendres de l'amour paternel, ne manquait jamais d'appeler son fils: *Monsieur.* . . .

Ce qu'il y a d'antiromantique, c'est M. Legouvé,[4] dans sa tragédie de
15 *Henri IV,* ne pouvant pas reproduire le plus beau mot de ce roi patriote: «Je voudrais que le plus pauvre paysan de mon royaume pût du moins avoir la poule au pot le dimanche.» Ce mot vraiment français eût fourni une scène touchante au plus mince élève de Shakespeare. La tragédie racinienne [5] dit bien plus noblement:

20
> Je veux enfin qu'au jour marqué pour le repos,
> L'hôte laborieux des modestes hameaux
> Sur sa table moins humble ait, par ma bienfaisance,
> Quelques-uns de ces mets réservés à l'aisance.
>
> *La mort de Henri IV,* acte IV.

La comédie romantique d'abord ne nous montrerait pas ses personnages
25 en habits brodés; il n'y aurait pas perpétuellement des amoureux et un mariage à la fin de la pièce; les personnages ne changeraient pas de caractère tout juste au cinquième acte; on entreverrait quelquefois un amour qui ne peut être couronné par le mariage; le mariage, elle ne l'appellerait pas l'*hyménée* pour faire la rime. Qui ne ferait pas rire dans la société, en parlant
30 d'*hyménée?* . . .

Les romantiques ne conseillent à personne d'imiter directement les drames de Shakespeare. Ce qu'il faut imiter de ce grand homme, c'est la manière d'étudier le monde au milieu duquel nous vivons, et l'art de donner à nos contemporains précisément le genre de tragédie dont ils ont besoin, mais
35 qu'ils n'ont pas l'audace de réclamer, terrifiés qu'ils sont par la réputation du grand Racine.

Par hasard, la nouvelle tragédie française ressemblerait beaucoup à celle de Shakespeare. Mais ce serait uniquement parce que nos circonstances sont les mêmes que celles de l'Angleterre en 1590.[6] Nous aussi nous avons des

---

[1] Sophocles (about 496–406 B. C.), Greek tragic poet, a model of artistic excellence.
[2] Euripides (480–406 B. C.), Greek tragic poet.
[3] See page 4, note 6. Racine's plays are models of French Classical tragedy. Classicism reached its zenith in him.
[4] Legouvé (1764–1811), French poet and dramatist. His *Henri IV* was first played in 1806.
[5] Classical (in the Racinian manner).   [6] The height of the great Elizabethan period.

partis, des supplices, des conspirations. Tel qui rit dans un salon, en lisant cette brochure, sera en prison dans huit jours. Tel autre qui plaisante avec lui, nommera le jury qui le condamnera. . . .

Notre tragédie nouvelle ressemblera beaucoup à *Pinto,* le chef-d'œuvre de M. Lemercier.[7]

L'esprit français repoussera surtout le galimatias allemand que beaucoup de gens appellent *romantique* aujourd'hui.

Schiller [8] a *copié* [9] Shakespeare et sa rhétorique; il n'a pas eu l'esprit de donner à ses compatriotes la tragédie réclamée par leurs mœurs.

J'oubliais l'*unité de lieu;* elle sera emportée dans la déroute du *vers alex-* andrin. . . .

Si M. Chénier [10] eût vécu, cet homme d'esprit nous eût débarrassés de l'*unité de lieu* dans la tragédie, et par conséquent des *récits ennuyeux;* de l'*unité de lieu* qui rend à jamais impossible au théâtre les grands sujets nationaux: l'*Assassinat de Montereau,*[11] les *États de Blois,*[12] la *Mort de Henri III.*[13]

Pour *Henri III,* il faut absolument, d'un côté: Paris, la duchesse de Montpensier,[14] le cloître des Jacobins; de l'autre: Saint-Cloud, l'irrésolution, la faiblesse, les voluptés, et tout à coup la mort, qui vient tout terminer.

La tragédie *racinienne* ne peut jamais prendre que les trente-six dernières heures d'une action; donc jamais de développement des passions. Quelle conjuration a le temps de s'ourdir, quel mouvement populaire peut se développer en trente-six [15] heures?

Il est intéressant, il est beau de voir Othello,[16] si amoureux au premier acte, tuer sa femme au cinquième. Si ce changement a lieu en trente-six heures, il est absurde, et je méprise Othello.

Macbeth, honnête homme au premier acte, séduit par sa femme, assassine son bienfaiteur et son roi, et devient un monstre sanguinaire. Ou je me trompe

[7] Népomucène Lemercier (1771–1840), dramatic poet. His *Pinto* is sometimes referred to as a "precursor of historical comedy and Romantic drama."

[8] See page 47.   [9] Obviously Stendhal is inexact and unjust.

[10] Marie-Joseph Chenier (1764–1811), brother of the great poet André Chenier, author of satires and tragedies and of a *Tableau historique des progrès de la littérature française* (1808), etc.

[11] Jean sans Peur, duc de Bourgogne, was assassinated at Montereau in 1419.

[12] *Les États de Blois* (1576), exclusively Catholic, demanded the revocation of the "edict of pacification" granted to the Protestants by Henri III. The leader of the Catholic League was the duc de Guise (Henri). The second *États de Blois* (1588) was composed of members of the League determined to give the crown to the duc de Guise. Henri III had the Duke assassinated. Stendhal may have had either or both *États* in mind.

[13] Henri III (king of France 1574–1589) was intelligent, but unscrupulous, weak and effeminate. Protestants and Catholics were fighting almost continuously throughout his reign. At the time of his death he had joined forces with Henry of Navarre to besiege Paris. He was assassinated by a fanatical monk, Jacques Clément.

[14] Duchesse de Montpensier (1552–1596). The Duchess took an active part in the League against Henri III. She is said to have worn in her belt scissors with which she proposed to tonsure Henri III when he had been proved unfit to reign. It was said also—without proof—that she instigated the murder of the king. She was the sister of the Guises.

[15] The Classical unity of time is usually supposed to have allowed only one day for the action. Stendhal evidently interprets this as allowing a maximum of thirty-six hours.

[16] Othello and Macbeth, mentioned below, are the leading characters in Shakespeare's *Othello* and *Macbeth.*

fort, ou ces changements de passions dans le cœur humain sont ce que la poésie peut offrir de plus magnifique aux yeux des hommes, qu'elle touche et instruit à la fois . . .

Racine et Shakespeare—«Ce que c'est que le romantisme.»

   . . . Or, il me semble que rien n'est plus clair que ceci: *Une tragédie*
5 *romantique est écrite en prose, la succession des événements qu'elle présente aux yeux des spectateurs dure plusieurs mois, et ils se passent en des lieux différents.* Que le ciel nous envoie bientôt un homme à talent pour faire une telle tragédie. . . .

Racine et Shakespeare—Réponse; «Le Romantique au Classique.»

LAMARTINE (1790–1869)

As the son of aristocrats, born at Mâcon, in the first years of the French Revolution, Alphonse de Lamartine was, because of political conditions, denied a normal opportunity to develop and use his talents. In addition to school years at Lyon and Belley he spent much time by himself or in travel in Italy. His health suffered, and in 1816 he met, at Aix on the *Lac du Bourget*, Mme Charles, "Elvire," with whom he fell in love, only to lose her through death shortly after. This experience woke the best in him. With the publication of his *Méditations*, in 1820, Lamartine became immediately famous. After serving as secretary to the embassy at Florence, and making a long journey to southern Italy, Greece, Syria, and Palestine, he returned to Paris and, in 1833, became a deputy, thus beginning his active political career which he was to pursue until 1851. Although immensely popular, Lamartine was too generous, perhaps too much of a gentleman and not enough of a politician, to maintain his success. He withdrew from public life when Napoleon III came to the throne and was soon almost forgotten. Out of date among the Realists and Parnassians who were then occupying the center of the stage, the one-time political hero and favorite poet was reduced to passing the rest of his days in neglect and poverty. The government did finally grant him a pension, but only two years before he died.

In spite of the fact that Lamartine considered writing an avocation rather than a profession, to him goes the honor of being the first great lyric poet of the 19th century. He does not sing the ardors of passion like so many of the Romanticists. On the contrary, his love is idealistic; he refuses to see the sordid and the base, he holds constantly before him an ideal. More truly than any of his contemporaries he is a nature poet; he feels a deep bond of sympathy between man and nature. Death he considers not as a thing to be feared, but rather as the door to freedom. Sincere and spontaneous, Lamartine revised little, for he did not consider poetry to be an art to be labored over. The result is that he sometimes lacks the finish, the perfection of form, which is to be found in some of the later poets. In spite of technical defects, however, he did for poetry what Chateaubriand had done for prose; he revived lyric poetry which had been dormant, almost dead, for two centuries. Gautier said of him: "Lamartine was not only a poet, he was poetry itself."

As a prose writer, Lamartine is still a poet; his *Graziella* comes by direct descent from *Paul et Virginie* and *Atala*.

"Lamartine est sans aucune contestation non seulement un des plus grands auteurs et un des plus grands poètes, mais un des plus grands hommes qu'ait produits notre race." (Faguet: *Histoire de la Littérature Française*, II.)

IMPORTANT WORKS:

Poetry: *Méditations Poétiques* (1820); *Nouvelles Méditations* (1823); *Harmonies Poétiques et Religieuses* (1830); *Jocelyn* (1836).
Novel: *Graziella* (1852).
History: *Histoire des Girondins* (1847).

L'ISOLEMENT [1]

Souvent sur la montagne, à l'ombre du vieux chêne,
Au coucher du soleil, tristement je m'assieds;
Je promène au hasard mes regards sur la plaine,
Dont le tableau changeant se déroule à mes pieds.

Ici gronde le fleuve aux vagues écumantes;   5
Il serpente, et s'enfonce en un lointain obscur;
Là le lac immobile étend ses eaux dormantes
Où l'étoile du soir se lève dans l'azur.

Au sommet de ces monts couronnés de bois sombres,
Le crépuscule encor jette un dernier rayon;   10
Et le char vaporeux de la reine des ombres
Monte, et blanchit déjà les bords de l'horizon.

Cependant, s'élançant de la flèche gothique,
Un son religieux se répand dans les airs:
Le voyageur s'arrête, et la cloche rustique   15
Aux derniers bruits du jour mêle de saints concerts.

Mais à ces doux tableaux mon âme indifférente
N'éprouve devant eux ni charme ni transports;
Je contemple la terre ainsi qu'une ombre errante:
Le soleil des vivants n'échauffe plus les morts.   20

De colline en colline en vain portant ma vue,
Du sud à l'aquilon, de l'aurore au couchant,
Je parcours tous les points de l'immense étendue,
Et je dis: «Nulle part le bonheur ne m'attend.»

Que me font ces vallons, ces palais, ces chaumières,   25
Vains objets dont pour moi le charme est envolé?
Fleuves, rochers, forêts, solitudes si chères,
Un seul être vous manque, et tout est dépeuplé!

Que le tour du soleil ou commence ou s'achève,
D'un œil indifférent je le suis dans son cours;   30
En un ciel sombre ou pur qu'il se couche ou se lève,
Qu'importe le soleil? je n'attends rien des jours.

---

[1] «J'écrivis cette première méditation un soir du mois de septembre 1819, au coucher du soleil, sur la montagne qui domine la maison de mon père, à Milly. J'étais isolé depuis plusieurs mois dans cette solitude.»
«J'avais perdu l'année précédente, par une mort précoce, la personne (Mme Charles) que j'avais le plus aimée jusque-là.» *Commentaire.*

Quand je pourrais le suivre en sa vaste carrière,
Mes yeux verraient partout le vide et les déserts;
Je ne désire rien de tout ce qu'il éclaire,   35
Je ne demande rien à l'immense univers.

Mais peut-être au delà des bornes de sa sphère,
Lieux où le vrai soleil éclaire d'autres cieux,
Si je pouvais laisser ma dépouille à la terre,
Ce que j'ai tant rêvé paraîtrait à mes yeux!   40

Là, je m'enivrerais à la source où j'aspire,
Là, je retrouverais et l'espoir et l'amour,
Et ce bien idéal que toute âme désire,
Et qui n'a pas de nom au terrestre séjour!

Que ne puis-je, porté sur le char de l'Aurore,   45
Vague objet de mes vœux, m'élancer jusqu'à toi!
Sur la terre d'exil pourquoi resté-je encore?
Il n'est rien de commun entre la terre et moi.

Quand la feuille des bois tombe dans la prairie,
Le vent du soir s'élève et l'arrache aux vallons;   50
Et moi, je suis semblable à la feuille flétrie:
Emportez-moi comme elle, orageux aquilons!

Méditations Poétiques.

L'AUTOMNE [3]

Salut, bois couronnés d'un reste de verdure!
Feuillages jaunissants sur les gazons épars!
Salut, derniers beaux jours! le deuil de la nature
Convient à la douleur et plaît à mes regards.

Je suis d'un pas rêveur le sentier solitaire;   5
J'aime à revoir encore, pour la dernière fois,
Ce soleil pâlissant, dont la faible lumière
Perce à peine à mes pieds l'obscurité des bois.

Oui, dans ces jours d'automne où la nature expire,
A ses regards voilés je trouve plus d'attraits;   10
C'est l'adieu d'un ami, c'est le dernier sourire
Des lèvres que la mort va fermer pour jamais.

Ainsi, prêt à quitter l'horizon de la vie,
Pleurant de mes longs jours l'espoir évanoui,

[3] A beautiful poem, written in 1819, the year following the death of Mme Charles.

Je me retourne encore, et d'un regard d'envie   15
Je contemple ces biens dont je n'ai pas joui.

Terre, soleil, vallons, belle et douce nature,
Je vous dois une larme aux bords de mon tombeau!
L'air est si parfumé! la lumière est si pure!
Aux regards d'un mourant le soleil est si beau!   20

Je voudrais maintenant vider jusqu'à la lie
Ce calice mêlé de nectar et de fiel:
Au fond de cette coupe où je buvais la vie,
Peut-être restait-il une goutte de miel!

Peut-être l'avenir me gardait-il encore   25
Un retour de bonheur dont l'espoir est perdu!
Peut-être, dans la foule, une âme que j'ignore
Aurait compris mon âme, et m'aurait répondu! . . .

La fleur tombe en livrant ses parfumes au zéphire;
A la vie, au soleil, ce sont là ses adieux: 30
Moi, je meurs; et mon âme, au moment qu'elle expire,
S'exhale comme un son triste et mélodieux.

Méditations Poétiques.

L'IMMORTALITÉ [4]

Je te salue, ô mort! Libérateur céleste,
Tu ne m'apparais point sous cet aspect funeste
Que t'a prêté longtemps l'épouvante ou l'erreur;   15
Ton bras n'est point armé d'un glaive destructeur,
Ton front n'est point cruel, ton œil n'est point perfide;
Au secours des douleurs un Dieu clément te guide;
Tu n'anéantis pas, tu délivres! ta main,
Céleste messager, porte un flambeau divin;   20
Quand mon œil fatigué se ferme à la lumière,
Tu viens d'un jour plus pur inonder ma paupière;
Et l'espoir près de toi, rêvant sur un tombeau,
Appuyé sur la foi, m'ouvre un monde plus beau!

Viens donc, viens détacher mes chaînes corporelles!   25
Viens, ouvre ma prison; viens, prête-moi tes ailes!
Que tardes-tu? Parais; que je m'élance enfin
Vers cet être inconnu, mon principe [5] et ma fin! . . .

Méditations Poétiques.

---

[4] Only a small portion of the poem is given here, to show Lamartine's attitude towards death.
[5] "beginning," "origin."

LE LAC [6]

Ainsi, toujours poussés vers de nouveaux rivages,
Dans la nuit éternelle emportés sans retour,
Ne pourrons-nous jamais sur l'océan des âges
    Jeter l'ancre un seul jour?

O lac! l'année à peine a fini sa carrière,   5
Et près des flots chéris qu'elle devait revoir,
Regarde! je viens seul m'asseoir sur cette pierre
    Où tu la vis s'asseoir!

Tu mugissais ainsi sous ces roches profondes;
Ainsi tu te brisais sur leurs flancs déchirés;   10
Ainsi le vent jetait l'écume de tes ondes
    Sur ses pieds adorés.

Un soir, t'en souvient-il? nous voguions en silence;
On n'entendait au loin, sur l'onde et sous les cieux,
Que le bruit des rameurs qui frappaient en cadence   15
    Tes flots harmonieux.

Tout à coup des accents inconnus à la terre
Du rivage charmé frappèrent les échos;
Le flot fut attentif, et la voix qui m'est chère
    Laissa tomber ces mots: 20

«O temps, suspends ton vol! et vous, heures propices,
    Suspendez votre cours!
Laissez-nous savourer les rapides [7] délices
    Des plus beaux de nos jours!

«Assez de malheureux ici-bas vous implorent: 25
    Coulez, coulez pour eux;
Prenez avec leurs jours les soins qui les dévorent;
    Oubliez les heureux.

«Mais je demande en vain quelques moments encore,
    Le temps m'échappe et fuit;   30
Je dis à cette nuit: «Sois plus lente»; et l'aurore
    Va dissiper la nuit.

[6] The scene of *Le Lac* is le Lac du Bourget in Savoy; time: 1818. The heroine is Mme Charles, *Elvire.*

[7] "ephemeral."

«Aimons donc, aimons donc! de l'heure fugitive,[8]
    Hâtons-nous, jouissons!
L'homme n'a point de port, le temps n'a point de rive;   35
    Il coule, et nous passons!»

Temps jaloux, se peut-il que ces moments d'ivresse,
Où l'amour à longs flots nous verse le bonheur,
S'envolent loin de nous de la même vitesse
    Que les jours de malheur?   40

Hé quoi! n'en pourrons-nous fixer au moins la trace?
Quoi! passés pour jamais? quoi! tout entiers perdus?
Ce temps qui les donna, ce temps qui les efface,
    Ne nous les rendra plus?

Éternité, néant, passé, sombres abîmes,   45
Que faites-vous des jours que vous engloutissez?
Parlez: nous rendrez-vous ces extases sublimes
    Que vous nous ravissez?

O lac! rochers muets! grottes! forêt obscure!
Vous que le temps épargne ou qu'il peut rajeunir,   50
Gardez de cette nuit, gardez, belle nature,
    Au moins le souvenir!

Qu'il soit dans ton repos, qu'il soit dans tes orages,
Beau lac, et dans l'aspect de tes riants coteaux,
Et dans ces noirs sapins, et dans ces rocs sauvages   55
    Qui pendent sur tes eaux!

Qu'il soit dans le zéphyr qui frémit et qui passe,
Dans les bruits de tes bords par tes bords répétés,
Dans l'astre au front d'argent qui blanchit ta surface
    De ses molles clartés!   60

Que le vent qui gémit, le roseau qui soupire,
Que les parfums légers de ton air embaumé,
Que tout ce qu'on entend, l'on voit ou l'on respire,
    Tout dise: «Ils ont aimé!»

                                        Méditations Poétiques.

---

[8] "fleeting."

LE CRUCIFIX [9]

Toi que j'ai recueilli sur sa bouche expirante
Avec son dernier souffle et son dernier adieu,
Symbole deux fois saint, don d'une main mourante,
    Image de mon Dieu;

Que de pleurs ont coulé sur tes pieds que j'adore,   5
Depuis l'heure sacrée où, du sein d'un martyr,
Dans mes tremblantes mains tu passas, tiède encore
    De son dernier soupir!

Les saints flambeaux jetaient une dernière flamme;
Le prêtre murmurait ces doux chants de la mort,   10
Pareils aux chants plaintifs que murmure une femme
    A l'enfant qui s'endort.

De son pieux espoir son front gardait la trace,
Et sur ses traits, frappés d'une auguste beauté,
La douleur fugitive avait empreint sa grâce,   15
    La mort sa majesté.

Le vent qui caressait sa tête échevelée
Me montrait tour à tour ou me voilait ses traits,
Comme l'on voit flotter sur un blanc mausolée
    L'ombre des noirs cyprès.   20

Un de ses bras pendait de la funèbre couche;
L'autre, languissamment replié sur son cœur,
Semblait chercher encore et presser sur sa bouche
    L'image du Sauveur.

Ses lèvres s'entr'ouvraient pour l'embrasser encore;   25
Mais son âme avait fui dans ce divin baiser,
Comme un léger parfum que la flamme dévore
    Avant de l'embraser.

Maintenant tout dormait sur sa bouche glacée,
Le souffle se taisait dans son sein endormi,   30
Et sur l'œil sans regard la paupière affaissée
    Retombait à demi.

[9] Another poem inspired by Mme Charles. The crucifix used by Mme Charles on her death bed was brought to Lamartine by a friend. Observe that the poet describes the scene as vividly as though he had witnessed it himself.

Et moi, debout, saisi d'une terreur secrète,
Je n'osais m'approcher de ce reste adoré,
Comme si du trépas la majesté muette   35
   L'eût déjà consacré.

Je n'osais! . . . Mais le prêtre entendit mon silence,
Et, de ses doigts glacés prenant le crucifix:
«Voilà le souvenir, et voilà l'espérance:
   Emportez-les, mon fils!»   40

Oui, tu me resteras, ô funèbre héritage!
Sept fois, depuis ce jour, l'arbre que j'ai planté
Sur sa tombe sans nom a changé de feuillage:
   Tu ne m'as pas quitté.

Placé près de ce cœur, hélas! où tout s'efface,   45
Tu l'as contre le temps défendu de l'oubli,
Et mes yeux goutte à goutte ont imprimé leur trace
   Sur l'ivoire amolli.

O dernier confident de l'âme qui s'envole,
Viens, reste sur mon cœur! parle encore, et dis-moi   50
Ce qu'elle te disait quand sa faible parole
   N'arrivait plus qu'à toi;

A cette heure douteuse où l'âme recueillie,
Se cachant sous le voile épaissi sur nos yeux,
Hors de nos sens glacés pas à pas se replie,   55
   Sourds aux derniers adieux;

Alors qu'entre la vie et la mort incertaine,
Comme un fruit par son poids détaché du rameau,
Notre âme est suspendue et tremble à chaque haleine
   Sur la nuit du tombeau;   60

Quand des chants, des sanglots la confuse harmonie
N'éveille déjà plus notre esprit endormi,
Aux lèvres du mourant collé dans l'agonie,
   Comme un dernier ami:

Pour éclaircir l'horreur de cet étroit passage,   65
Pour relever vers Dieu son regard abattu,
Divin consolateur, dont nous baisons l'image,
   Réponds, que lui dis-tu?

Tu sais, tu sais mourir! et tes larmes divines,
Dans cette nuit terrible [10] où tu prias en vain,
De l'olivier sacré baignèrent les racines
    Du soir jusqu'au matin.

De la croix, où ton œil sonda ce grand mystère,
Tu vis ta mère en pleurs et la nature en deuil;
Tu laissas comme nous tes amis sur la terre,
    Et ton corps au cercueil!

Au nom de cette mort, que ma faiblesse obtienne
De rendre sur ton sein ce douloureux soupir:
Quand mon heure viendra, souviens-toi de la tienne,
    O toi qui sais mourir!

Je chercherai la place où sa bouche expirante
Exhala sur tes pieds l'irrévocable adieu,
Et son âme viendra guider mon âme errante
    Au sein du même Dieu.

Ah! puisse, puisse alors sur ma funèbre couche,
Triste et calme à la fois, comme un ange éploré,
Une figure [11] en deuil recueillir sur ma bouche
    L'héritage sacré!

Soutiens ses derniers pas, charme sa dernière heure;
Et, gage consacré d'espérance et d'amour,
De celui qui s'éloigne à celui qui demeure
    Passe ainsi tour à tour,

Jusqu'au jour où, des morts perçant la voûte sombre,
Une voix dans le ciel, les appelant sept fois,
Ensemble éveillera ceux qui dorment à l'ombre
    De l'éternelle croix!

Nouvelles Méditations.

LA MARSEILLAISE DE LA PAIX [12]

Roule libre et superbe entre tes larges rives,
Rhin, Nil de l'Occident, coupe des nations!
Et des peuples assis qui boivent tes eaux vives
Emporte les défis et les ambitions!

[10] The night Jesus spent in the garden of Gethsemane.   [11] A dear friend.
[12] Written in answer to a provocative poem, *Rheinlied,* by Becker.

Il ne tachera plus le cristal de ton onde,   5
Le sang rouge du Franc, le sang bleu du Germain;
Ils ne crouleront plus sous le caisson qui gronde,
Ces ponts qu'un peuple à l'autre étend comme une main!
Les bombes et l'obus, arc-en-ciel des batailles,
Ne viendront plus s'éteindre en sifflant sur tes bords;   10
L'enfant ne verra plus, du haut de tes murailles,
Flotter ces poitrails blonds qui perdent leurs entrailles,
          Ni sortir des flots ces bras morts!

Roule libre et limpide, en répétant [13] l'image
De tes vieux forts verdis sous leurs lierres épais,   15
Qui froncent tes rochers,[14] comme un dernier nuage
Fronce encor les sourcils sur un visage en paix.

Ces navires vivants dont la vapeur est l'âme
Déploieront sur ton cours la crinière du feu;
L'écume à coups pressés jaillira sous la rame;   20
La fumée en courant léchera ton ciel bleu.
Le chant des passagers, que ton doux roulis berce,
Des sept langues d'Europe étourdira tes flots,
Les uns tendant leurs mains avides de commerce,
Les autres allant voir, aux monts [15] où Dieu te verse,   25
          Dans quel nid le fleuve est éclos.

Roule libre et béni! Ce Dieu qui fond la voûte
Où la main d'un enfant pourrait te contenir,
Ne grossit pas ainsi ta merveilleuse goutte
Pour diviser ses fils, mais pour les réunir!   30

Pourquoi nous disputer la montagne ou la plaine?
Notre tente est légère, un vent va l'enlever;
La table où nous rompons le pain est encor pleine,
Que la mort, par nos noms, nous dit de nous lever!
Quand le sillon finit, le soc le multiplie;   35
Aucun œil du soleil ne tarit les rayons;
Sous le flot des épis la terre inculte plie:
Le linceul, pour couvrir la race ensevelie,
          Manque-t-il donc aux nations?

Roule libre et splendide à travers nos ruines,   40
Fleuve d'Arminius,[16] du Gaulois, du Germain!

13 "reflecting."   14 "make your rocks frown."   15 The Alps.
16 German chief who destroyed the Roman legions under Varus (9 A. D.)

Charlemagne [17] et César,[18] campés sur tes collines,
T'ont bu sans t'épuiser dans le creux de leur main.

Et pourquoi nous haïr, et mettre entre les races
Ces bornes ou ces eaux qu'abhorre l'œil de Dieu?   45
De frontières au ciel voyons-nous quelques traces?
Sa voûte a-t-elle un mur, une borne, un milieu?
Nations, mot pompeux pour dire barbarie,
L'amour s'arrête-t-il où s'arrêtent vos pas?
Déchirez ces drapeaux; une autre voix vous crie: 50
«L'égoïsme et la haine ont seuls une patrie;
        La fraternité n'en a pas!»

Roule libre et royal entre nous tous, ô fleuve!
Et ne t'informe pas, dans ton cours fécondant,
Si ceux que ton flot porte ou que ton urne abreuve   55
Regardent sur tes bords l'aurore ou l'occident.

Ce ne sont plus des mers, des degrés, des rivières,
Qui bornent l'héritage entre l'humanité:
Les bornes des esprits sont leurs seules frontières;
Le monde en s'éclairant s'élève à l'unité.   60
Ma patrie est partout où rayonne la France,
Où son génie éclate aux regards éblouis!
Chacun est du climat de son intelligence:
Je suis concitoyen de tout âme qui pense:
        La vérité, c'est mon pays!   65

Roule libre et paisible entre ces fortes races
Dont ton flot frémissant trempa l'âme et l'acier,
Et que leur vieux courroux, dans le lit que tu traces,
Fonde au soleil du siècle avec l'eau du glacier!

Vivent les nobles fils de la grave Allemagne!   70
Le sang-froid de leurs fronts couvre un foyer ardent;
Chevaliers tombés rois des mains de Charlemagne,
Leurs chefs sont les Nestors [19] des conseils d'Occident.
Leur langue a les grands plis du manteau d'une reine,
La pensée y descend dans un vague profond;   75
Leur cœur sûr est semblable au puits de la sirène,
Où tout ce que l'on jette, amour, bienfait ou haine,
        Ne remonte jamais du fond.

[17] Charlemagne became Emperor of the Empire of the West in 800; he ruled Germany as well as France.
[18] Julius Caesar (101–44 B. C.), celebrated for his conquest of Gaul (59–51).
[19] Nestor, King of Pylos, who took part in the siege of Troy, was famed for his wisdom and for the length of his speeches.

Roule libre et fidèle entre tes nobles arches,
O fleuve féodal, calme mais indompté! 80
Verdis le sceptre aimé de tes rois patriarches:
Le joug que l'on choisit est encor liberté!

Et vivent ces essaims de la ruche de France,
Avant-garde de Dieu, qui devancent ses pas!
Comme des voyageurs qui vivent d'espérance, 85
Ils vont semant la terre, et ne moissonnent pas . . .
Le sol qu'ils ont touché germe fécond et libre;
Ils sauvent sans salaire, ils blessent sans remord:
Fiers enfants, de leur cœur l'impatiente fibre
Est la corde de l'arc où toujours leur main vibre 90
    Pour lancer l'idée ou la mort!

Roule libre, et bénis ces deux sangs dans ta course;
Souviens-toi pour eux tous de la main d'où tu sors:
L'aigle et le fier taureau boivent l'onde à ta source;
Que l'homme approche l'homme, et qu'il boive aux deux bords! 95

Amis, voyez là-bas!—La terre est grande et plane!
L'Orient délaissé s'y déroule au soleil;
L'espace y lasse en vain la lente caravane,
La solitude y dort son immense sommeil!
Là, des peuples taris ont laissé leurs lits vides; 100
Là, d'empires poudreux les sillons sont couverts:
Là, comme un stylet d'or, l'ombre des Pyramides
Mesure l'heure morte à des sables livides
    Sur le cadran nu des déserts!

Roule libre à ces mers où va mourir l'Euphrate, 105
Des artères du globe enlace le réseau;
Rends l'herbe et la toison à cette glèbe ingrate:
Que l'homme soit un peuple, et les fleuves une eau!

Débordement armé des nations trop pleines,
Au souffle de l'aurore envolés les premiers, 110
Jetons les blonds essaims des familles humaines
Autour des nœuds des cèdres et du tronc des palmiers!
Allons, comme Joseph,[20] comme ses onze frères,
Vers les limons du Nil que labourait Apis,[21]
Trouvant de leurs sillons les moissons trop légères, 115
S'en allèrent jadis aux terres étrangères
    Et revinrent courbés d'épis!

[20] Joseph, son of Jacob—see *Genesis* XXXVII.
[21] Sacred bull, worshipped by the Egyptians.

Roule libre, et descends des Alpes étoilées
L'arbre pyramidal pour nous tailler nos mâts,
Et le chanvre et le lin de tes grasses vallées;   120
Tes sapins sont les ponts qui joignent les climats.[22]

Allons-y, mais sans perdre un frère dans la marche,
Sans vendre à l'oppresseur un peuple gémissant,
Sans montrer au retour aux yeux du patriarche,
Au lieu d'un fils qu'il aime, une robe de sang! [23]   125
Rapportons-en le blé, l'or, la laine et la soie,
Avec la liberté, fruit qui germe en tout lieu;
Et tissons de repos, d'alliance et de joie
L'étendard sympathique où le monde déploie
    L'unité, ce blason de Dieu!   130

Roule libre, et grossis tes ondes printanières,
Pour écumer d'ivresse autour de tes roseaux;
Et que les sept couleurs qui teignent nos bannières,
Arc-en-ciel de la paix, serpentent dans tes eaux!

Recueillements Poétiques.

LE LÉZARD

Sur Les Ruines de Rome.
1846.

Un jour, seul dans le Colisée,
Ruine de l'orgueil romain,
Sur l'herbe de sang arrosée
Je m'assis, Tacite [24] à la main.

Je lisais les crimes de Rome,   5
Et l'empire à l'encan vendu,
Et, pour élever un seul homme,
L'univers si bas descendu.

Je voyais la plèbe idolâtre,
Saluant les triomphateurs,   10
Baigner ses yeux sur le théâtre
Dans le sang des gladiateurs.

Sur la muraille qui l'incruste,
Je recomposais lentement

[22] *Tes sapins sont les ponts qui joignent les climats*—The meaning is not clear. Possibly the idea is that ships made of German pines visit all climes, or ships with German masts visit all parts of the world.
[23] Refers to Joseph's coat which was taken to Jacob stained with blood. (*Genesis* XXXVII, 32)
[24] Tacitus (55?–120?), a highly esteemed Roman historian.

Les lettres du nom de l'Auguste [25]   15
Qui dédia le monument.

J'en épelais le premier signe;
Mais, déconcertant mes regards,
Un lézard dormait sur la ligne
Où brillait le nom des Césars.   20

Seul héritier des sept collines,
Seul habitant de ces débris,
Il remplaçait sous ces ruines
Le grand flot des peuples taris.

Sorti des fentes des murailles,   25
Il venait, de froid engourdi,
Réchauffer ses vertes écailles
Au contact du bronze attiédi.

Consul, César, maître du monde,
Pontife, Auguste, égal aux dieux,   30
L'ombre de ce reptile immonde
Éclipsait ta gloire à mes yeux!

La nature a son ironie:
Le livre échappa de ma main.
O Tacite, tout ton génie   35
Raille moins fort l'orgueil humain!

Nouvelles Méditations.

[25] The Colosseum was not built during the reign of Augustus (27 B. C.–14 A. D.), but during the reigns of Vespasian (69–79) and his son, Titus (79–81). Lamartine is here using *Auguste* as synonymous with Caesar or Emperor.

VICTOR HUGO (1802–1885)

Victor Hugo, already dedicated to literature while in the *lycée,* published his first collection of *Odes* when he was only twenty. In 1827, upon publishing his celebrated *Préface de Cromwell,* he became the recognized leader of the Romantic group. With *Hernani* (1830) he won the victory for Romanticism on the stage. Having been made a peer of France in 1846, he took an active part in politics as a defender of liberal ideas. After the revolution of 1848, as a deputy, he used all his eloquence to defend democratic principles, only to be rewarded by exile when Napoleon III overthrew the republic. Until the second Empire ended, Hugo remained in exile on the islands of Jersey and Guernsey, and it was there that many of his best works were composed.

Hugo considered the poet to be the prophet, preacher, and leader of mankind, and himself the leader of both poets and mankind. He also considered himself to be a philosopher, but lacked depth and contributed little, if anything new, to philosophical thought. Indeed, he believed the poet should reflect *"la somme des idées de son temps,"* be the *écho sonore* of his time. He should guide the masses, holding up before them truth and hope. Although his works show some of the defects as well as many of the virtues of Romanticism, his service to poetry was great. Brilliant, supremely self-confident, possessed of incredible vigor, a master of rime and rhythm as well as of words, he brought into French poetry a freedom in both form and vocabulary which it had not enjoyed since "le tyran des mots et des syllabes," Malherbe, became the arbiter of French poetry. Hugo revived old and created new forms, and for *le mot noble* substituted *le mot propre.* His most striking quality is imagination, a quality which is so strong that it leads him to see images as ideas and ideas as images, and to make abusive use of antithesis. While he has written of home, fields, cities and social problems, he is greatest as an epic poet, visualizing and portraying events, not as they are to be found in history, but "touched with the warm glow of life" by his extraordinary imagination.

As a dramatist Hugo shows all the defects of the Romantic School. He uses all the tricks found in melodrama. His plots are complicated and improbable, following the whim of the author rather than logic or common sense. His characters are exceptional, imaginary beings, not people as we know them; they are puppets created according to the author's favorite formula of contrasts, and have no part in the working-out of their own destinies. "The author pulls the strings and they perform." One quality, however, Hugo's best dramas do possess to a high degree, and it is this quality, lyric beauty, which saves them. While one is listening to a performance of *Hernani,* one does not think of analyzing its "man of destiny" hero; one is carried away by the abundant lyric beauty, and it is only after the play is over that one realizes how impossible all the rest is.

Hugo's novels offer, in general, the same features that are to be found in his plays. Here his use of antithesis is just as striking as in the drama. (In *Notre Dame de Paris,* Quasimodo is physically hideous but has a beautiful soul; La Esmeralda is brought up among thieves and cut-throats but remains beautiful and pure; Claude Frollo offers a perfect contrast to Quasimodo; etc.) Consequently we need not look for sound psychological development. His novels live, however, animated as they are by the author's imagination and, in *Les Misérables*, by his very real social sympathy for the poor and oppressed. In *Notre Dame de Paris*, the Paris of Louis XI with its cathedral, its *cour des miracles*, the lair of the underworld of that time, and its mystery-play-loving crowd, is brought to life before our eyes. In *Quatre-Vingt-Treize* we occupy seats on the stage to witness the drama of the Reign of Terror and the struggle in La Vendée. In his best novels he shows the epic power which has contributed largely to the fame of *La Légende des Siècles*. Not only has he imagination and the power to visualize; he is never at a loss for a word or an expression; his descriptive power is equal to his imagination.

Hugo's influence upon drama was practically limited to the Romantic School, and his influence upon the novel was hardly more extensive. In poetry, however, it is scarcely an exaggeration to say that he dominated the 19th century. He was the avowed leader of the Romantic poets, and both the Parnassians and the Symbolists were able to claim him as an ancestor.

"Il est certain que l'œuvre de Victor Hugo est colossale et magnifique, et que le lecteur qui s'approche des *Misérables*, de *la Légende des Siècles*, de *Notre Dame de Paris*, est pris par le génie. Il est certain encore qu'aucun écrivain ne connaîtra les resources de la langue française s'il n'a profondément étudié Hugo, le maître des mots. Il est certain également que les mythes créés avec une admirable prodigalité par lui seront éternellement l'aliment des imaginations profondes et philosophiques. D'un autre côté, le XIXᵉ siècle changeant, ample, contradictoire, a eu en lui l'interprète le plus fidèle, le plus lucide, le plus sincère. Et puis cet optimisme, cette pitié pour les souffrances, et ce regard jeté sur l'abîme, et cette invincible foi spiritualiste, reconfortent merveilleusement nos cœurs. Si bien qu'en somme Hugo est grand parmi les grands . . ."

(Strowski: *Tableau de la Littérature Française au XIXᵉ Siècle et au XXᵉ Siècle.*)

IMPORTANT WORKS:

Poetry: *Les Orientales* (1829); *Les Feuilles d'Automne* (1831); *Les Voix Intérieures* (1837); *Les Châtiments* (1852); *Les Contemplations* (1856); *La Légende des Siècles* (1859, 1877, 1883).
Drama: *Hernani* (1830); *Le Roi s'amuse* (1832); *Ruy Blas* (1838).
Novel: *Notre Dame de Paris* (1831); *Les Misérables* (1862); *Quatre-Vingt-Treize* (1873).
Criticism: *Préface de Cromwell* (1827); *William Shakespeare* (1864).

PRÉFACE DE CROMWELL [1]

. . . Voilà donc une nouvelle religion, une société nouvelle; sur cette double base, il faut que nous voyions grandir une nouvelle poésie. . . . Le christianisme amène la poésie à la vérité. Comme lui, la muse moderne verra les choses d'un coup d'œil plus haut et plus large. Elle sentira que tout dans la création n'est pas humainement *beau*, que le laid y existe à côté du beau, le difforme près du gracieux, le grotesque au revers du sublime, le mal avec le bien, l'ombre avec la lumière. Elle se demandera si la raison étroite et relative

---

[1] The play, *Cromwell*, a historical drama, was never produced; it was entirely too long and "unplayable," but the preface came to be considered the manifesto of Romanticism. Only enough of the *Préface* has been given to bring out Hugo's ideas on Romanticism.

de l'artiste doit avoir gain de cause sur la raison infinie, absolue, du Créateur;
si c'est à l'homme à rectifier Dieu; si une nature mutilée en sera plus belle;
si l'art a le droit de dédoubler, pour ainsi dire, l'homme, la vie, la création; si
chaque chose marchera mieux quand on lui aura ôté son muscle et son ressort;
si, enfin, c'est le moyen d'être harmonieux que d'être incomplet. C'est alors 5
que, l'œil fixé sur des événements tout à la fois risibles et formidables, et sous
l'influence de cet esprit de mélancolie chrétienne et de critique philosophique
que nous observions tout à l'heure, la poésie fera un grand pas, un pas
décisif, un pas qui, pareil à la secousse d'un tremblement de terre, changera
toute la face du monde intellectuel. Elle se mettra à faire comme la nature, 10
à mêler dans ses créations, sans pourtant les confondre, l'ombre à la lumière,
le grotesque au sublime, en d'autres termes, le corps à l'âme, la bête à l'esprit;
car le point de départ de la religion est toujours le point de départ de la
poésie. Tout se tient. . . .

Du jour où le christianisme a dit à l'homme:—Tu es double, tu es composé 15
de deux êtres, l'un périssable, l'autre immortel, l'un charnel, l'autre éthéré,
l'un enchaîné par les appétits, les besoins et les passions, l'autre emporté sur
les ailes de l'enthousiasme et de la rêverie, celui-ci enfin toujours courbé vers
la terre, sa mère, celui-là sans cesse élancé vers le ciel, sa patrie;—de ce jour
le drame a été créé. Est-ce autre chose en effet que ce contraste de tous les 20
jours, que cette lutte de tous les instants entre deux principes opposés qui
sont toujours en présence dans la vie, et qui se disputent l'homme depuis le
berceau jusqu'à la tombe?

La poésie née du christianisme, la poésie de notre temps est donc le
drame; le caractère du drame est le réel; le réel résulte de la combinaison 25
toute naturelle de deux types, le sublime et le grotesque, qui se croisent dans
le drame, comme ils se croisent dans la vie et dans la création. Car la poésie
vraie, la poésie complète, est dans l'harmonie des contraires. Puis, il est temps
de le dire hautement, et c'est ici surtout que les exceptions confirmeraient la
règle, tout ce qui est dans la nature est dans l'art. 30

En se plaçant à ce point de vue pour juger nos petites règles convention-
nelles, pour débrouiller tous ces labyrinthes scolastiques, pour résoudre tous
ces problèmes mesquins que les critiques des deux derniers siècles ont la-
borieusement bâtis autour de l'art, on est frappé de la promptitude avec
laquelle la question du théâtre moderne se nettoie. Le drame n'a qu'à faire 35
un pas pour briser tous ces fils d'araignée dont les milices de Lilliput [2] ont
cru l'enchaîner dans son sommeil.

Ainsi, que des pédants étourdis (l'un n'exclut pas l'autre) prétendent que
le difforme, le laid, le grotesque, ne doit jamais être un objet d'imitation pour
l'art, on leur répond que le grotesque, c'est la comédie, et qu'apparemment 40
la comédie fait partie de l'art. Tartuffe [3] n'est pas beau, Pourceaugnac [4]
n'est pas noble; Pourceaugnac et Tartuffe sont d'admirables jets de l'art. . . .

[2] "Lilliputian soldiers." In Swift's *Gulliver's Travels*, Lilliput is an imaginary island peopled
by a race of tiny men. The imitators of the Classicists are mere pygmies compared with the
Romanticists.

[3] *Tartuffe*, a hypocrite, main character in Molière's play, *Tartuffe*.

[4] *Pourceaugnac*, a burlesque character in Molière's play, *M. de Pourceaugnac*.

Ce qu'il y a d'étrange, c'est que les routiniers prétendent appuyer leur règle des deux unités sur la vraisemblance, tandis que c'est précisément le réel qui la tue. Quoi de plus invraisemblable et de plus absurde en effet que ce vestibule, ce péristyle, cette antichambre, lieu banal où nos tragédies ont la complaisance de venir se dérouler, où arrivent, on ne sait comment, les conspirateurs pour déclamer contre le tyran, le tyran pour déclamer contre les conspirateurs, chacun à leur tour, comme s'ils s'étaient dit bucoliquement:

Alternis cantemus; amant alterna Camenæ [5]

Où a-t-on vu vestibule ou péristyle de cette sorte? Quoi de plus contraire, nous ne dirons pas à la vérité, les scolastiques [6] en font bon marché,[7] mais à la vraisemblance? Il résulte de là que tout ce qui est trop caractéristique, trop intime, trop local, pour se passer dans l'antichambre ou dans le carrefour, c'est-à-dire tout le drame, se passe dans la coulisse. Nous ne voyons en quelque sorte sur le théâtre que les coudes de l'action; ses mains sont ailleurs. Au lieu de scènes, nous avons des récits; au lieu de tableaux, des descriptions. De graves personnages placés, comme le chœur antique, entre le drame et nous, viennent nous raconter ce qui se fait dans le temple, dans le palais, dans la place publique, de façon que souventes fois [8] nous sommes tentés de leur crier:—Vraiment! mais conduisez-nous donc là-bas! On s'y doit bien amuser, cela doit être beau à voir! A quoi ils répondraient sans doute:—Il serait possible que cela vous amusât ou vous intéressât, mais ce n'est point là la question; nous sommes les gardiens de la dignité de la Melpomène [9] française.—Voilà. . . .

L'unité de temps n'est pas plus solide que l'unité de lieu. L'action, encadrée de force dans les vingt-quatre heures, est aussi ridicule qu'encadrée dans le vestibule. Toute action a sa durée propre comme son lieu particulier. Verser la même dose de temps à tous les événements! appliquer la même mesure sur tout! On rirait d'un cordonnier qui voudrait mettre le même soulier à tous les pieds. Croiser l'unité de temps à l'unité de lieu comme les barreaux d'une cage, et y faire pédantesquement entrer, de par Aristote,[10] tous ces faits, tous ces peuples, toutes ces figures que la providence déroule à si grandes masses dans la réalité! c'est mutiler hommes et choses, c'est faire grimacer l'histoire. Disons mieux; tout cela mourra dans l'opération; et c'est ainsi que les mutilateurs dogmatiques arrivent à leur résultat ordinaire: ce qui était vivant dans la chronique est mort dans la tragédie. Voilà pourquoi, bien souvent, la cage des unités ne renferme qu'un squelette.

Et puis si vingt-quatre heures peuvent être comprises dans deux, il sera logique que quatre heures puissent en contenir quarante-huit. L'unité de Shakespeare ne sera donc pas l'unité de Corneille. Pitié! . . .

Il suffirait enfin, pour démontrer l'absurdité de la règle des deux unités,

---

[5] "Let us sing in alternate verses; the muses love alternate verses." (Virgil's *Bucolics,* Eclogue III, line 59.) Hugo substitutes *cantemus* for the *dicetis* of Virgil.

[6] Partisans of the rules.   [7] "hold it (the truth) in scant esteem."

[8] *souvent,* old form.   [9] Melpomene, the muse of tragedy.

[10] "upon the authority of Aristotle." The unities of time and place, as well as that of action, were attributed to Aristotle by French Classical writers.

d'une dernière raison, prise dans les entrailles de l'art. C'est l'existence de la troisième unité, l'unité d'action, la seule admise de tous parce qu'elle résulte d'un fait : l'œil ni l'esprit humain ne sauraient saisir plus d'un ensemble à la fois. Celle-là est aussi nécessaire que les deux autres sont inutiles. C'est elle qui marque le point de vue du drame; or, par cela même, elle exclut les deux autres. Il ne peut pas plus y avoir trois unités dans le drame que trois horizons dans un tableau. Du reste, gardons-nous de confondre l'unité avec la simplicité d'action. L'unité d'ensemble ne répudie en aucune façon les actions secondaires sur lesquelles doit s'appuyer l'action principale. Il faut seulement que ces parties, savamment subordonnées au tout, gravissent sans cesse vers l'action centrale et se groupent autour d'elle aux différents étages ou plutôt sur les divers plans du drame. L'unité d'ensemble est la loi de perspective du théâtre. . . .

D'autres, ce nous semble, l'ont déjà dit, le drame est un miroir où se réfléchit la nature. Mais si ce miroir est un miroir ordinaire, une surface plane et finie, il ne renverra des objets qu'une image terne et sans relief, fidèle, mais décolorée; on sait ce que la couleur et la lumière perdent à la réflexion simple. Il faut donc que le drame soit un miroir de concentration qui, loin de les affaiblir, ramasse et condense les rayons colorants, qui fasse d'une lueur une lumière, d'une lumière une flamme. Alors seulement le drame est avoué de l'art.

Le théâtre est un point d'optique. Tout ce qui existe dans le monde, dans l'histoire, dans la vie, dans l'homme, tout doit et peut s'y réfléchir, mais sous la baguette magique de l'art.[11] L'art feuillette les siècles, feuillette la nature, interroge les chroniques, s'étudie à reproduire la réalité des faits, restaure ce que les annalistes ont tronqué, harmonise ce qu'ils ont dépouillé, devine leurs omissions et les répare, comble leurs lacunes par des imaginations qui aient la couleur du temps, groupe ce qu'ils ont laissé épars, rétablit le jeu des fils de la providence sous les marionnettes humaines, revêt le tout d'une forme poétique et naturelle à la fois, et lui donne cette vie de vérité et de saillie qui enfante l'illusion, ce prestige de réalité qui passionne le spectateur, et le poète le premier, car le poète est de bonne foi. Ainsi le but de l'art est presque divin: ressusciter, s'il fait de l'histoire; créer, s'il fait de la poésie. . . .

On conçoit que, pour une œuvre de ce genre, si le poète doit *choisir* dans les choses (et il le doit), ce n'est pas le *beau,* mais le *caractéristique.* Non qu'il convienne de faire, comme on dit aujourd'hui, *de la couleur locale,* c'est-à-dire d'ajouter après coup quelques touches criardes çà et là sur un ensemble du reste parfaitement faux et conventionnel. Ce n'est point à la surface du drame que doit être la couleur locale, mais au fond, dans le cœur même de l'œuvre,[12] d'où elle se répand au dehors, d'elle-même, naturellement, également, et, pour ainsi parler, dans tous les coins du drame, comme la sève qui monte de la racine à la dernière feuille de l'arbre. Le drame doit être

[11] Here Hugo is widely at variance with the later Naturalists.
[12] Hugo and the other Romantic dramatists too often failed to observe this excellent precept.

radicalement imprégné de cette couleur des temps; elle doit en quelque sorte y être dans l'air, de façon qu'on ne s'aperçoive qu'en y entrant et qu'en en sortant qu'on a changé de siècle et d'atmosphère. Il faut quelque étude, quelque labeur pour en venir là; tant mieux. Il est bon que les avenues de l'art
5 soient obstruées de ces ronces devant lesquelles tout recule, excepté les volontés fortes. C'est d'ailleurs cette étude, soutenue d'une ardente inspiration, qui garantira le drame d'un vice qui le tue, le *commun.* Le commun est le défaut des poètes à courte vue et à courte haleine. Il faut qu'à cette optique de la scène, toute figure soit ramenée à son trait le plus saillant, le plus individuel,
10 le plus précis. Le vulgaire et le trivial même doit avoir un accent. Rien ne doit être abandonné. Comme Dieu, le vrai poète est présent partout à la fois dans son œuvre. . . .

Que si nous avions le droit de dire quel pourrait être, à notre gré, le style du drame, nous voudrions un vers libre, franc, loyal, osant tout dire sans
15 pruderie, tout exprimer sans recherche; passant d'une naturelle allure de la comédie à la tragédie, du sublime au grotesque; tour à tour positif et poétique, tout ensemble artiste et inspiré, profond et soudain, large et vrai; sachant briser à propos et déplacer la césure pour déguiser sa monotonie d'alexandrin; plus ami de l'enjambement qui l'allonge que de l'inversion qui l'embrouille;
20 fidèle à la rime, cette esclave reine, cette suprême grâce de notre poésie, ce générateur de notre mètre; inépuisable dans la vérité de ses tours, insaisissable dans ses secrets d'élégance et de facture; prenant, comme Protée,[13] mille formes sans changer de type et de caractère; fuyant la *tirade;* se jouant dans le dialogue; se cachant toujours derrière le personnage; s'occupant avant tout
25 d'être à sa place, et lorsqu'il lui adviendrait d'être *beau,* n'étant beau en quelque sorte que par hasard, malgré lui et sans le savoir; lyrique, épique, dramatique, selon le besoin; pouvant parcourir toute la gamme poétique, aller de haut en bas, des idées les plus élevées aux plus vulgaires, des plus bouffonnes aux plus graves, des plus extérieures aux plus abstraites, sans
30 jamais sortir des limites d'une scène parlée; en un mot, tel que le ferait l'homme qu'une fée aurait doué de l'âme de Corneille et de la tête de Molière. Il nous semble que ce vers-là serait bien *aussi beau que de la prose.*[14]

LA FIANCÉE DU TIMBALIER

"Douce est la mort qui vient en bien aimant."
Desportes.[14a] *Sonnet.*

«Monseigneur le duc de Bretagne
A, pour les combats meurtriers,
Convoqué de Nante [15] à Mortagne,[16]

---

[13] Proteus, a mythological sea-god who had the power to assume different shapes.
[14] Note that Hugo is not in full accord with Stendhal. In reading Hugo's dramas, one should observe that the author often fails to follow his own precepts.
[14a] Poet of the early 17th century.
[15] Nantes, an important port on the lower Loire, W. France.
[16] Town in La Vendée, S. of Nantes.

Dans la plaine et sur la montagne,
L'arrière-ban [17] de ses guerriers.   5

«Ce sont des barons dont les armes
Ornent des forts ceints d'un fossé;
Des preux vieillis dans les alarmes,
Des écuyers, des hommes d'armes;
L'un d'entre eux est mon fiancé.   10

«Il est parti pour l'Aquitaine [18]
Comme timbalier, et pourtant
On le prend pour un capitaine,
Rien qu'à voir sa mine hautaine,
Et son pourpoint, d'or éclatant!   15

«Depuis ce jour l'effroi m'agite.
J'ai dit, joignant son sort au mien:
«Ma patronne, sainte Brigitte,[19]
Pour que jamais il ne le quitte,
Surveillez son ange gardien!»   20

«J'ai dit à notre abbé: «Messire,
Priez bien pour tous nos soldats!»
Et, comme on sait qu'il le désire,
J'ai brulé trois cierges de cire
Sur la châsse de saint Gildas.[20]   25

«A Notre-Dame de Lorette [21]
J'ai promis, dans mon noir chagrin,
D'attacher sur ma gorgerette,
Fermée à la vue indiscrète,
Les coquilles du pèlerin.   30

«Il n'a pu, par d'amoureux gages,
Absent, consoler mes foyers;
Pour porter les tendres messages,
La vassale n'a point de pages,
Le vassal n'a pas d'écuyers.   35

«Il doit aujourd'hui de la guerre
Revenir avec monseigneur;

---

[17] Mass conscription, taking all the men not included in the first conscription.
[18] An ancient duchy, later a kingdom; corresponded roughly to the basin of the Garonne in S.W. France.
[19] Saint Bridget (died 525), Irish saint popular in Brittany.
[20] Founder of the monastery of Saint-Gildas de Rhuis (Morbihan); died in 565.
[21] Loreto, Italy; the site of the sanctuary of the Blessed Virgin Mary, called the *Santa Casa*, supposedly the house in which the Virgin lived in Nazareth.

Ce n'est plus un amant vulgaire;
Je lève un front baissé naguère,
Et mon orgueil est du bonheur!   40

«Le duc triomphant nous rapporte
Son drapeau dans les champs froissé;
Venez tous sous la vieille porte
Voir passer la brillante escorte,
Et le prince, et mon fiancé!   45

«Venez voir pour ce jour de fête
Son cheval caparaçonné,
Qui sous son poids hennit, s'arrête,
Et marche en secouant la tête,
De plumes rouges couronné!   50

«Mes sœurs, à vous parer si lentes,
Venez voir près de mon vainqueur
Ces timbales étincelantes
Qui, sous sa main toujours tremblantes,
Sonnent et font bondir le cœur!   55

«Venez surtout le voir lui-même
Sous le manteau que j'ai brodé.
Qu'il sera beau! c'est lui que j'aime!
Il porte comme un diadème
Son casque de crins inondé!   60

«L'Égyptienne [22] sacrilège,
M'attirant derrière un pilier,
M'a dit hier (Dieu nous protège!)
Qu'à la fanfare du cortège
Il manquerait un timbalier.   65

«Mais j'ai tant prié, que j'espère!
Quoique, me montrant de la main
Un sépulcre, son noir repaire,
La vieille aux regards de vipère
M'ait dit: «Je t'attends là demain!»   70

«Volons! plus de noires pensées!
Ce sont les tambours que j'entends.
Voici les dames entassées,
Les tentes de pourpre dressées,
Les fleurs et les drapeaux flottants!   75

[22] "gypsy."

«Sur deux rangs le cortège ondoie:
D'abord, les piqueurs aux pas lourds;
Puis, sous l'étendard qu'on déploie,
Les barons, en robes de soie,
Avec leurs toques de velours.   80

«Voici les chasubles des prêtres,
Les hérauts sur un blanc coursier;
Tous, en souvenir des ancêtres,
Portent l'écusson de leurs maîtres,
Peint sur leur corselet d'acier.   85

«Admirez l'armure persane
Des templiers,[23] craints de l'enfer;
Et, sous la longue pertuisane,[24]
Les archers venus de Lausanne,[25]
Vêtus de buffle, armés de fer.   90

«Le duc n'est pas loin: ses bannières
Flottent parmi les chevaliers;
Quelques enseignes prisonnières,
Honteuses, passent les dernières! . . .
Mes sœurs! Voici les timbaliers! . . .»   95

Elle dit, et sa vue errante
Plonge, hélas! dans les rangs pressés;
Puis, dans la foule indifférente,
Elle tomba, froide et mourante . . .
Les timbaliers étaient passés.   100

Octobre 1825.   *Odes et Ballades.*

EXTASE

J'étais seul près des flots, par une nuit d'étoiles.
Pas un nuage aux cieux, sur les mers pas de voiles.
Mes yeux plongeaient plus loin que le monde réel.
Et les bois, et les monts, et toute la nature,
Semblaient interroger dans un confus murmure   5
    Les flots des mers, les feux du ciel.

Et les étoiles d'or, légions infinies,
A voix haute, à voix basse, avec mille harmonies,
Disaient, en inclinant leurs couronnes de feu;

[23] Knights Templars, military and religious order founded in 1118.
[24] "partisan" (halberd).   [25] On the north shore of Lake Geneva, Switzerland.

Et les flots bleus, que rien ne gouverne et n'arrête,   10
Disaient, en recourbant l'écume de leur crête:
—C'est le Seigneur, le Seigneur Dieu!

25 novembre 1828   *Les Orientales.*

LES DJINNS [26]

Murs, ville,
Et port,
Asile
De mort,
Mer grise   5
Où brise
La brise,
Tout dort.

Dans la plaine
Naît un bruit.   10
C'est l'haleine
De la nuit.
Elle brame
Comme une âme
Qu'une flamme   15
Toujours suit.

La voix plus haute
Semble un grelot.
D'un nain qui saute
C'est le galop.   20
Il fuit, s'élance,
Puis en cadence
Sur un pied danse
Au bout d'un flot.

La rumeur approche,   25
L'écho la redit.
C'est comme la cloche
D'un couvent maudit,
Comme un bruit de foule
Qui tonne et qui roule,   30
Et tantôt s'écroule,
Et tantôt grandit.

[26] *Djinns,* name given by the Arabs to either beneficent or maleficent beings, superior to men but inferior to angels. Hugo evidently has in mind "evil spirits."

Dieu! la voix sépulcrale
Des Djinns! . . . Quel bruit ils font!
Fuyons sous la spirale   35
De l'escalier profond!
Déjà s'éteint ma lampe,
Et l'ombre de la rampe,
Qui le long du mur rampe,
Monte jusqu'au plafond.   40

C'est l'essaim des Djinns qui passe
Et tourbillonne en sifflant.
Les ifs, que leur vol fracasse,
Craquent comme un pin brûlant.
Leur troupeau lourd et rapide,   45
Volant dans l'espace vide,
Semble un nuage livide
Qui porte un éclair au flanc.

Ils sont tout près!—Tenons fermée
Cette salle où nous les narguons.   50
Quel bruit dehors! Hideuse armée
De vampires et de dragons!
La poutre du toit descellée
Ploie ainsi qu'une herbe mouillée,
Et la vieille porte rouillée   55
Tremble à déraciner ses gonds.

Cris de l'enfer! voix qui hurle et qui pleure!
L'horrible essaim, poussé par l'aquilon,
Sans doute, ô ciel! s'abat sur ma demeure.
Le mur fléchit sous le noir bataillon.   60
La maison crie et chancelle penchée,
Et l'on dirait que, du sol arrachée,
Ainsi qu'il chasse une feuille séchée,
Le vent la roule avec leur tourbillon!

Prophète! [27] si ta main me sauve   65
De ces impurs démons des soirs,
J'irai prosterner mon front chauve
Devant tes sacrés encensoirs!
Fais que sur ces portes fidèles
Meure leur souffle d'étincelles,   70
Et qu'en vain l'ongle de leurs ailes
Grince et crie à ces vitraux noirs!

[27] Mahomet.

Ils sont passés!—Leur cohorte
S'envole et fuit, et leurs pieds
Cessent de battre ma porte   75
De leurs coups multipliés.
L'air est plein d'un bruit de chaînes,
Et dans les forêts prochaines
Frissonnent tous les grands chênes,
Sous leur vol de feu pliés!   80

De leurs ailes lointaines
Le battement décroit,
Si confus dans les plaines,
Si faible, que l'on croit
Ouïr la sauterelle   85
Crier d'une voix grêle,
Ou pétiller la grêle
Sur le plomb d'un vieux toit.

D'étranges syllabes
Nous viennent encore: 90
Ainsi, des Arabes
Quand sonne le cor,
Un chant sur la grève
Par instants s'élève,
Et l'enfant qui rêve   95
Fait des rêves d'or.

Les Djinns funèbres,
Fils du trépas,
Dans les ténèbres
Pressent leurs pas;   100
Leur essaim gronde:
Ainsi, profonde,
Murmure une onde
Qu'on ne voit pas.

Ce bruit vague   105
Qui s'endort,
C'est la vague
Sur le bord;
C'est la plainte
Presque éteinte   110
D'une sainte
Pour un mort.

On doute
La nuit . . .
J'écoute:—   115
Tout fuit,
Tout passe;
L'espace
Efface
Le bruit.   120

Les Orientales.

PASSÉ

C'était un grand château du temps de Louis treize.[28]
Le couchant rougissait ce palais oublié.
Chaque fenêtre au loin, transformée en fournaise,
Avait perdu sa forme et n'était plus que braise.
Le toit disparaissait dans les rayons noyé.   5

Sous nos yeux s'étendait, gloire antique abattue,
Un de ces parcs dont l'herbe inonde le chemin,
Où dans un coin, de lierre à demi revêtue,
Sur un piédestal gris, l'hiver, morne statue,
Se chauffe avec un feu de marbre sous sa main.   10

O deuil! le grand bassin dormait, lac solitaire.
Un Neptune[30] verdâtre y moisissait dans l'eau.
Les roseaux cachaient l'onde et l'eau rongeait la terre,
Et les arbres mêlaient leur vieux branchage austère,
D'où tombaient autrefois des rimes pour Boileau.[31]   15

On voyait par moments errer dans la futaie
De beaux cerfs qui semblaient regretter les chasseurs;[32]
Et, pauvres marbres blancs qu'un vieux tronc d'arbre étaie,
Seules, sous la charmille, hélas! changée en haie,
Soupirer Gabrielle[33] et Vénus, ces deux sœurs!   20

Les manteaux, relevés par la longue rapière,
Hélas! ne passaient plus dans ce jardin sans voix.
Les tritons[34] avaient l'air de fermer la paupière.

[28] Louis XIII (King of France 1610–1643), son of Henri IV.
[30] *Neptune,* god of the sea; a statue forming part of the fountain.
[31] *Boileau*—Despréaux (1636–1711)—French poet, critic, and satirist, called the *"législateur du Parnasse";* one of the leading figures of French Classicism, author of *L'Art Poétique.*
[32] Hunting was a favorite pastime with the French kings.
[33] *Gabrielle d'Estrées* (1573–1599), mistress of Henri IV.
[34] Triton was the son of Neptune— Here the tritons are statues or ornaments for the fountain.

Et, dans l'ombre, entr'ouvrant ses mâchoires de pierre
Un vieux antre ennuyé bâillait au fond du bois.   25

Et je vous dis alors:—Ce château dans son ombre
A contenu l'amour, frais comme en votre cœur,
Et la gloire, et le rire, et les fêtes sans nombre,
Et toute cette joie aujourd'hui le rend sombre,
Comme un vase noircit rouillé par sa liqueur.   30

Dans cet antre, où la mousse a recouvert la dalle,
Venait, les yeux baissés et le sein palpitant,
Ou la belle Caussade [35] ou la jeune Candale,
Qui, d'un royal amant conquête féodale,
En entrant disait Sire, et Louis en sortant.   35

Alors comme aujourd'hui, pour Candale ou Caussade,
La nuée au ciel bleu mêlait son blond duvet,
Un doux rayon dorait le toit grave et maussade,
Les vitres flamboyaient sur toute la façade,
Le soleil souriait, la nature rêvait!   40

Alors comme aujourd'hui, deux cœurs unis, deux âmes,
Erraient sous ce feuillage où tant d'amour a lui.
Il nommait sa duchesse un ange entre les femmes,
Et l'œil plein de rayons et l'œil rempli de flammes
S'éblouissaient l'un l'autre, alors comme aujourd'hui!   45

Au loin dans le bois vague on entendait des rires.
C'étaient d'autres amants, dans leur bonheur plongés.
Par moments un silence arrêtait leurs délires.
Tendre, il lui demandait: D'où vient que tu soupires?
Douce, elle répondait: D'où vient que vous songez?   50

Tous deux, l'ange et le roi, les mains entrelacées,
Ils marchaient, fiers, joyeux, foulant le vert gazon,
Ils mêlaient leurs regards, leur souffle, leurs pensées. . . .
O temps évanouis! ô splendeurs éclipsées!
O soleils descendus derrière l'horizon!   55

    1ᵉʳ avril 1835   *Les Voix Intérieures.*

[35] *Caussade; Candale*—well-known French aristocratic names.

TRISTESSE D'OLYMPIO [36]

Les champs n'étaient point noirs, les cieux n'étaient pas mornes.
Non, le jour rayonnait dans un azur sans bornes
    Sur la terre étendu,
L'air était plein d'encens et les prés de verdures
Quand il revit ces lieux où par tant de blessures   5
    Son cœur s'est répandu!

L'automne souriait; les coteaux vers la plaine
Penchaient leurs bois charmants qui jaunissaient à peine;
    Le ciel était doré;
Et les oiseaux, tournés vers celui que tout nomme,   10
Disant peut-être à Dieu quelque chose de l'homme,
    Chantaient leur chant sacré!

Il voulut tout revoir, l'étang près de la source,
La masure où l'aumône avait vidé leur bourse,
    Le vieux frêne plié,   15
Les retraites d'amour au fond des bois perdues,
L'arbre où dans les baisers leurs âmes confondues
    Avaient tout oublié!

Il chercha le jardin, la maison isolée,
La grille d'où l'œil plonge en une oblique allée,   20
    Les vergers en talus.
Pâle, il marchait.—Au bruit de son pas grave et sombre
Il voyait à chaque arbre, hélas! se dresser l'ombre
    Des jours qui ne sont plus!

Il entendait frémir dans la forêt qu'il aime   25
Ce doux vent qui, faisant tout vibrer en nous-même,
    Y réveille l'amour,
Et, remuant le chêne ou balançant la rose,
Semble l'âme de tout qui va sur chaque chose
    Se poser tour à tour!   30

Les feuilles qui gisaient dans le bois solitaire,
S'efforçant sous ses pas de s'élever de terre,
    Couraient dans le jardin;
Ainsi, parfois, quand l'âme est triste, nos pensées
S'envolent un moment sur leurs ailes blessées,   35
    Puis retombent soudain.

---

[36] Compare with *Le Lac* (Lamartine) and *Souvenir* (Musset). All three poems develop in a different way the Romantic themes of love, nature, and death or absence as found in the recollection of past experience.

Il contempla longtemps les formes magnifiques
Que la nature prend dans les champs pacifiques;
      Il rêva jusqu'au soir;
Tout le jour il erra le long de la ravine,   40
Admirant tour à tour le ciel, face divine,
      Le lac, divin miroir!

Hélas! se rappelant ses douces aventures,
Regardant, sans entrer, par-dessus les clôtures,
      Ainsi qu'un paria,   45
Il erra tout le jour. Vers l'heure où la nuit tombe,
Il se sentit le cœur triste comme une tombe,
      Alors il s'écria:

«O douleur! j'ai voulu, moi dont l'âme est troublée,
Savoir si l'urne encor conservait la liqueur,   50
Et voir ce qu'avait fait cette heureuse vallée
De tout ce que j'avais laissé là de mon cœur!

«Que peu de temps suffit pour changer toutes choses!
Nature au front serein, comme vous oubliez!
Et comme vous brisez dans vos métamorphoses   55
Les fils mystérieux où nos cœurs sont liés!

«Nos chambres de feuillage en halliers sont changées!
L'arbre où fut notre chiffre [37] est mort ou renversé;
Nos roses dans l'enclos ont été ravagées
Par les petits enfants qui sautent le fossé.   60

«Un mur clôt la fontaine où, par l'heure échauffée,
Folâtre, elle buvait en descendant des bois;
Elle prenait de l'eau dans sa main, douce fée,
Et laissait retomber des perles de ses doigts!

«On a pavé la route âpre et mal aplanie,   65
Où, dans le sable pur se dessinant si bien,
Et de sa petitesse étalant l'ironie,
Son pied charmant semblait rire à côté du mien!

«La borne [38] du chemin, qui vit des jours sans nombre,
Où jadis pour m'entendre elle aimait à s'asseoir,   70
S'est usée en heurtant, lorsque la route est sombre,
Les grands chars gémissants qui reviennent le soir.

---

[37] *notre chiffre*—(the tree on which) our initials (were carved).   [38] "mile-stone."

«La forêt ici manque et là s'est agrandie.
De tout ce qui fut nous presque rien n'est vivant;
Et, comme un tas de cendre éteinte et refroidie,   75
L'amas des souvenirs se disperse à tout vent!

«N'existons-nous donc plus? Avons-nous eu notre heure?
Rien ne la rendra-t-il à nos cris superflus?
L'air joue avec la branche au moment où je pleure;
Ma maison me regarde et ne me connaît plus.   80

«D'autres vont maintenant passer où nous passâmes.
Nous y sommes venus, d'autres vont y venir;
Et le songe qu'avaient ébauché nos deux âmes,
Ils le continueront sans pouvoir le finir!

«Car personne ici-bas ne termine et n'achève;   85
Les pires des humains sont comme les meilleurs;
Nous nous réveillons tous au même endroit du rêve.
Tout commence en ce monde et tout finit ailleurs.

«Oui, d'autres à leur tour viendront, couples sans tache,
Puiser dans cet asile heureux, calme, enchanté,   90
Tout ce que la nature à l'amour qui se cache
Mêle de rêverie et de solennité!

«D'autres auront nos champs, nos sentiers, nos retraites;
Ton bois, ma bien-aimée, est à des inconnus.
D'autres femmes viendront, baigneuses indiscrètes,   95
Troubler le flot sacré qu'ont touché tes pieds nus!

«Quoi donc! c'est vainement qu'ici nous nous aimâmes!
Rien ne nous restera de ces coteaux fleuris
Où nous fondions notre être en y mêlant nos flammes!
L'impassible nature a déjà tout repris.   100

«Oh! dites-moi, ravins, frais ruisseaux, treilles mûres,
Rameaux chargés de nids, grottes, forêts, buissons,
Est-ce que vous ferez pour d'autres vos murmures?
Est-ce que vous direz à d'autres vos chansons?

«Nous vous comprenions tant! doux, attentifs, austères,   105
Tous nos échos s'ouvraient si bien à votre voix!
Et nous prêtions si bien, sans troubler vos mystères,
L'oreille aux mots profonds que vous dites parfois!

«Répondez, vallon pur, répondez, solitude,
O nature abritée en ce désert si beau,   110

Lorsque nous dormirons tous deux dans l'attitude
Que donne aux morts pensifs la forme du tombeau,

«Est-ce que vous serez à ce point insensible
De nous savoir couchés, morts avec nos amours,
Et de continuer votre fête paisible,   115
Et de toujours sourire et de chanter toujours?

«Est-ce que, nous sentant errer dans vos retraites,
Fantômes reconnus par vos monts et vos bois,
Vous ne nous direz pas de ces choses secrètes
Qu'on dit en revoyant des amis d'autrefois?   120

«Est-ce que vous pourriez, sans tristesse et sans plainte,
Voir nos ombres flotter où marchèrent nos pas,
Et la voir m'entraîner, dans une morne étreinte,
Vers quelque source en pleurs qui sanglote tout bas?

«Et s'il est quelque part, dans l'ombre où rien ne veille,   125
Deux amants sous vos fleurs abritant leurs transports,
Ne leur irez-vous pas murmurer à l'oreille:
—Vous qui vivez, donnez une pensée aux morts!

«Dieu nous prête un moment les prés et les fontaines,
Les grands bois frissonnants, les rocs profonds et sourds,   130
Et les cieux azurés et les lacs et les plaines,
Pour y mettre nos cœurs, nos rêves, nos amours;

«Puis il nous les retire. Il souffle notre flamme;
Il plonge dans la nuit l'antre où nous rayonnons;
Et dit à la vallée, où s'imprima notre âme,   135
D'effacer notre trace et d'oublier nos noms.

«Eh bien! oubliez-nous, maison, jardin, ombrages!
Herbe, use notre seuil! Ronce, cache nos pas!
Chantez, oiseaux! ruisseaux, coulez! croissez, feuillages!
Ceux que vous oubliez ne vous oublieront pas.   140

«Car vous êtes pour nous l'ombre de l'amour même!
Vous êtes l'oasis qu'on rencontre en chemin!
Vous êtes, ô vallon, la retraite suprême
Où nous avons pleuré nous tenant par la main!

«Toutes les passions s'éloignent avec l'âge,   145
L'une emportant son masque et l'autre son couteau,[39]

[39] The mask and the knife stand for the comedy and tragedy of life.

Comme un essaim chantant d'histrions en voyage
Dont le groupe décroît derrière le coteau.

«Mais toi, rien ne t'efface, amour! toi qui nous charmes,
Toi qui, torche ou flambeau, luis dans notre brouillard!   150
Tu nous tiens par la joie, et surtout par les larmes;
Jeune homme on te maudit, on t'adore vieillard.

«Dans ces jours où la tête au poids des ans s'incline,
Où l'homme, sans projets, sans but, sans visions,
Sent qu'il n'est déjà plus qu'une tombe en ruine   155
Où gisent ses vertus et ses illusions;

«Quand notre âme en rêvant descend en nos entrailles,
Comptant dans notre cœur, qu'enfin la glace atteint,
Comme on compte les morts sur un champ de batailles,
Chaque douleur tombée et chaque songe éteint,   160

«Comme quelqu'un qui cherche en tenant une lampe,
Loin des objets réels, loin du monde rieur,
Elle arrive à pas lents par une obscure rampe [40]
Jusqu'au fond désolé du gouffre intérieur;

«Et là, dans cette nuit qu'aucun rayon n'étoile,   165
L'âme, en un repli sombre où tout semble finir,
Sent quelque chose encor palpiter sous un voile . . . —
C'est toi qui dors dans l'ombre, ô sacré souvenir!»

    21 Octobre 1837   *Les Rayons et les Ombres.*

OCEANO NOX *

Oh! combien de marins, combien de capitaines
Qui sont partis joyeux pour des courses lointaines,
Dans ce morne horizon se sont évanouis!
Combien ont disparu, dure et triste fortune!
Dans une mer sans fond, par une nuit sans lune,   5
Sous l'aveugle océan à jamais enfouis!

Combien de patrons morts avec leurs équipages!
L'ouragan de leur vie a pris toutes les pages,
Et d'un souffle il a tout dispersé sur les flots!
Nul ne saura leur fin dans l'abîme plongée.   10
Chaque vague en passant d'un butin s'est chargée;
L'une a saisi l'esquif, l'autre les matelots!

---

[40] "flight of steps."   * "night on the ocean."

Nul ne sait votre sort, pauvres têtes perdues!
Vous roulez à travers les sombres étendues,
Heurtant de vos fronts morts des écueils inconnus.   15
Oh! que de vieux parents, qui n'avaient plus qu'un rêve,
Sont morts en attendant tous les jours sur la grève
   Ceux qui ne sont pas revenus!

On s'entretient de vous parfois dans les veillées.
Maint joyeux cercle, assis sur des ancres rouillées,   20
Mêle encor quelque temps vos noms d'ombre couverts
Aux rires, aux refrains, aux récits d'aventures,
Aux baisers qu'on dérobe à vos belles futures,
   Tandis que vous dormez dans les goémons verts!

On demande:—Où sont-ils? sont-ils rois dans quelque île?   25
Nous ont-ils délaissés pour un bord plus fertile?—
Puis votre souvenir même est enseveli.
Le corps se perd dans l'eau, le nom dans la mémoire.
Le temps, qui sur toute ombre en verse une plus noire,
   Sur le sombre océan jette le sombre oubli.   30

Bientôt des yeux de tous votre ombre est disparue.
L'un n'a-t-il pas sa barque et l'autre sa charrue?
Seules, durant ces nuits où l'orage est vainqueur,
Vos veuves aux fronts blancs, lasses de vous attendre,
Parlent encore de vous en remuant la cendre   35
   De leur foyer et de leur cœur!

Et quand la tombe enfin a fermé leur paupière,
Rien ne sait plus vos noms, pas même une humble pierre
Dans l'étroit cimetière où l'écho nous répond,
Pas même un saule vert qui s'effeuille à l'automne,   40
Pas même la chanson naïve et monotone
   Que chante un mendiant à l'angle d'un vieux pont!

Où sont-ils, les marins sombrés dans les nuits noires?
O flots, que vous savez de lugubres histoires!
Flots profonds redoutés des mères à genoux!   45
Vous vous les racontez en montant les marées,
Et c'est ce qui vous fait ces voix désespérées
   Que vous avez le soir quand vous venez vers nous!

 Juillet 1836   *Les Rayons et les Ombres.*

L'EXPIATION [41]

I

Il neigeait. On était vaincu par sa conquête.
Pour la première fois l'aigle baissait la tête.
Sombres jours! l'empereur revenait lentement,
Laissant derrière lui brûler Moscou [42] fumant.
Il neigeait. L'âpre hiver fondait en avalanche.   5
Après la plaine blanche une autre plaine blanche.
On ne connaissait plus les chefs ni le drapeau.
Hier la grande armée, et maintenant troupeau.
On ne distinguait plus les ailes ni le centre.
Il neigeait. Les blessés s'abritaient dans le ventre   10
Des chevaux morts; au seuil des bivouacs désolés
On voyait des clairons à leur poste gelés,
Restés debout, en selle et muets, blancs de givre,
Collant leur bouche en pierre aux trompettes de cuivre.
Boulets, mitraille, obus, mêlés aux flocons blancs,   15
Pleuvaient; les grenadiers, surpris d'être tremblants,
Marchaient pensifs, la glace à leur moustache grise.
Il neigeait, il neigeait toujours! La froide bise
Sifflait; sur le verglas, dans des lieux inconnus,
On n'avait pas de pain et l'on allait pieds nus.   20
Ce n'étaient plus des cœurs vivants, des gens de guerre:
C'était un rêve errant dans la brume, un mystère,
Une procession d'ombres sous le ciel noir.
La solitude vaste, épouvantable à voir,
Partout apparaissait, muette vengeresse.   25
Le ciel faisait sans bruit avec la neige épaisse
Pour cette immense armée un immense linceul.
Et chacun se sentant mourir, on était seul.
—Sortira-t-on jamais de ce funeste empire?
Deux ennemis! le czar, le nord. Le nord est pire.   30
On jetait les canons pour brûler les affûts. [43]
Qui se couchait, mourait. Groupe morne et confus,
Ils fuyaient; le désert dévorait le cortège.
On pouvait, à des plis qui soulevaient la neige,

---

[41] This is one of the most powerful of the *Châtiments*, a collection of poems in which Hugo, an admirer of Napoleon Bonaparte, vents his wrath upon Napoleon III for overthrowing the Second Republic. Eighty odd lines, which are not necessary for understanding the poem, have been omitted.

[42] *Moscow*—The French seized Moscow, but the Russians set fire to the city and destroyed the supplies which Napoleon had counted upon to sustain his army during the winter of 1812. Napoleon was forced to retreat.

[43] "gun carriages."

Voir que des régiments s'étaient endormis là.   35
O chutes d'Annibal! lendemains d'Attila!
Fuyards, blessés, mourants, caissons, brancards, civières,
On s'écrasait aux ponts pour passer les rivières,
On s'endormait dix mille, on se réveillait cent.
Ney,[44] que suivait naguère une armée, à présent   40
S'évadait, disputant sa montre à trois cosaques.
Toutes les nuits, qui vive! alerte! assauts! attaques!
Ces fantômes prenaient leurs fusils, et sur eux
Ils voyaient se ruer, effrayants, ténébreux,
Avec des cris pareils aux voix des vautours chauves,   45
D'horribles escadrons, tourbillons d'hommes fauves.[45]
Toute une armée ainsi dans la nuit se perdait.
L'empereur était là, debout, qui regardait.
Il était comme un arbre en proie à la cognée.
Sur ce géant, grandeur jusqu'alors épargnée,   50
Le malheur, bûcheron sinistre, était monté;
Et lui, chêne vivant, par la hache insulté,
Tressaillant sous le spectre aux lugubres revanches,
Il regardait tomber autour de lui ses branches.
Chefs, soldats, tous mouraient. Chacun avait son tour.   55
Tandis qu'environnant sa tente avec amour,
Voyant son ombre aller et venir sur la toile,
Ceux qui restaient, croyant toujours à son étoile,
Accusaient le destin de lèse-majesté,
Lui se sentit soudain dans l'âme épouvanté.   60
Stupéfait du désastre et ne sachant que croire,
L'empereur se tourna vers Dieu; l'homme de gloire
Trembla; Napoléon comprit qu'il expiait
Quelque chose peut-être, et, livide, inquiet,
Devant ses légions sur la neige semées: 65
«Est-ce le châtiment, dit-il, Dieu des armées?»
Alors il s'entendit appeler par son nom
Et quelqu'un qui parlait dans l'ombre lui dit: Non.

II

Waterloo! Waterloo! Waterloo! morne plaine!
Comme une onde qui bout dans une urne trop pleine,   70
Dans ton cirque de bois, de coteaux, de vallons,
La pâle mort mêlait les sombres bataillons.
D'un côté c'est l'Europe et de l'autre la France.
Choc sanglant! des héros Dieu trompait l'espérance;

---

[44] Marshal Ney (1769–1815), one of Napoleon's ablest generals. Napoleon called him *"le brave des braves."* He was executed by a firing squad, in 1815, for having aided Napoleon in his attempt to regain the throne.
[45] Cossacks.

Tu désertais, victoire, et le sort était las.   75
O Waterloo! je pleure et je m'arrête, hélas!
Car ces derniers soldats de la dernière guerre
Furent grands; ils avaient vaincu toute la terre,
Chassé vingt rois, passé les Alpes et le Rhin,
Et leur âme chantait dans les clairons d'airain!   80

Le soir tombait; la lutte était ardente et noire.
Il avait l'offensive et presque la victoire;
Il tenait Wellington acculé sur un bois.
Sa lunette à la main, il observait parfois
Le centre du combat, point obscur où tressaille   85
La mêlée, effroyable et vivante broussaille,
Et parfois l'horizon, sombre comme la mer.
Soudain, joyeux, il dit: Grouchy! [46]—C'était Blücher.[47]
L'espoir changea de camp, le combat changea d'âme,
La mêlée en hurlant grandit comme une flamme.   90
La batterie anglaise écrasa nos carrés.
La plaine, où frissonnaient les drapeaux déchirés,
Ne fut plus, dans les cris des mourants qu'on égorge,
Qu'un gouffre flamboyant, rouge comme une forge;
Gouffre où les régiments, comme des pans de murs,   95
Tombaient, où se couchaient comme des épis mûrs
Les hauts tambours-majors aux panaches énormes,
Où l'on entrevoyait des blessures difformes!
Carnage affreux! moment fatal! L'homme inquiet
Sentit que la bataille entre ses mains pliait.   100
Derrière un mamelon la garde était massée.
La garde, espoir suprême et suprême pensée!
«Allons! faites donner la garde!» cria-t-il.
Et, lanciers, grenadiers aux guêtres de coutil,
Dragons que Rome eût pris pour des légionnaires,   105
Cuirassiers, canonniers qui traînaient des tonnerres,
Portant le noir colback [48] ou le casque poli,
Tous, ceux de Friedland [49] et ceux de Rivoli,[50]
Comprenant qu'ils allaient mourir dans cette fête,
Saluèrent leur dieu, debout dans la tempête.   110
Leur bouche, d'un seul cri, dit: vive l'empereur!
Puis, à pas lents, musique en tête, sans fureur,

[46] Grouchy (1766–1847), French marshal, ordered by Napoleon to pursue the Prussians and prevent their joining the English. He has been severely censured for failing. The Prussians arrived just in time to turn the tide of battle against Napoleon.
[47] Blücher (1742–1819), Prussian general who succeeded in evading Grouchy and bringing the Prussian army to reinforce Wellington.
[48] "bearskin."
[49] Scene of a battle in E. Prussia, where, June 14, 1807, Napoleon defeated the Prussians.
[50] An Italian village where Napoleon defeated the Austrians in 1797.

Tranquille, souriant à la mitraille anglaise,
La garde impériale entra dans la fournaise.
Hélas! Napoléon, sur sa garde penché,　　　　　　　115
Regardait, et, sitôt qu'ils avaient débouché
Sous les sombres canons crachant des jets de soufre,
Voyait, l'un après l'autre, en cet horrible gouffre,
Fondre ces régiments de granit et d'acier
Comme fond une cire au souffle d'un brasier.　　　　120
Ils allaient, l'arme au bras,[51] front haut, graves, stoïques.
Pas un ne recula. Dormez, morts héroïques!
Le reste de l'armée hésitait sur leurs corps [52]
Et regardait mourir la garde.—C'est alors
Qu'élevant tout à coup sa voix désespérée,　　　　　125
La Déroute, géante à la face effarée,
Qui, pâle, épouvantant les plus fiers bataillons,
Changeant subitement les drapeaux en haillons,
A de certains moments, spectre fait de fumées,
Se lève grandissante au milieu des armées,　　　　　130
La Déroute apparut au soldat qui s'émeut,
Et, se tordant les bras, cria: Sauve qui peut! [53]
Sauve qui peut!—affront! horreur!—toutes les bouches
Criaient; à travers champs, fous, éperdus, farouches,
Comme si quelque souffle avait passé sur eux,　　　　135
Parmi les lourds caissons et les fourgons poudreux,
Roulant dans les fossés, se cachant dans les seigles,
Jetant shakos, manteaux, fusils, jetant les aigles,[54]
Sous les sabres prussiens, ces vétérans, ô deuil!
Tremblaient, hurlaient, pleuraient, couraient.—En un clin d'œil, 140
Comme s'envole au vent une paille enflammée,
S'évanouit ce bruit qui fut la grande armée,
Et cette plaine, hélas, où l'on rêve aujourd'hui,
Vit fuir ceux devant qui l'univers avait fui!
Quarante ans sont passés, et ce coin de la terre,　　145
Waterloo, ce plateau funèbre et solitaire,
Ce champ sinistre où Dieu mêla tant de néants,
Tremble encor d'avoir vu la fuite des géants!

Napoléon les vit s'écouler comme un fleuve;
Hommes, chevaux, tambours, drapeaux;—et dans l'épreuve　150
Sentant confusément revenir son remords,
Levant les mains au ciel, il dit: «Mes soldats morts,
Moi vaincu! mon empire est brisé comme verre.
Est-ce le châtiment cette fois, Dieu sévère?»

---

[51] Their rifles in a perpendicular position, against the right side.
[52] "hesitated upon seeing the dead bodies of their comrades strewn over the ground."
[53] "every man for himself."　　　　　　　　　[54] Napoleon's standards.

Alors parmi les cris, les rumeurs, le canon,   155
Il entendit la voix qui lui répondait: Non!

III

Il croula. Dieu changea la chaîne [55] de l'Europe.

Il est, au fond des mers que la brume enveloppe,
Un roc [56] hideux, débris des antiques volcans.
Le Destin prit des clous, un marteau, des carcans,   160
Saisit, pâle et vivant, ce voleur du tonnerre,
Et, joyeux, s'en alla sur le pic centenaire
Le clouer, excitant par son rire moqueur
Le vautour [57] Angleterre à lui ronger le cœur.[58]

Évanouissement d'une splendeur immense!   165
Du soleil qui se lève à la nuit qui commence,
Toujours l'isolement, l'abandon, la prison;
Un soldat rouge au seuil, la mer à l'horizon,
Des rochers nus, des bois affreux, l'ennui, l'espace,
Des voiles s'enfuyant comme l'espoir qui passe,   170
Toujours le bruit des flots, toujours le bruit des vents!
Adieu, tente de pourpre aux panaches mouvants,
Adieu, le cheval blanc [59] que César éperonne!
Plus de tambours battant aux champs, plus de couronne,
Plus de rois prosternés dans l'ombre avec terreur,   175
Plus de manteau traînant sur eux, plus d'empereur!
Napoléon était retombé Bonaparte.
Comme un Romain blessé par la flèche du Parthe,[60]
Saignant, morne, il songeait à Moscou qui brûla.
Un caporal anglais lui disait: halte-là!   180
Son fils [61] aux mains des rois! sa femme [62] aux bras d'un autre!
Plus vil que le pourceau qui dans l'égout se vautre,
Son sénat qui l'avait adoré l'insultait.
Au bord des mers, à l'heure où la bise se tait,

[55] Napoleon's power having been broken, kings were restored to their thrones.
[56] The island of Saint Helena, in the south Atlantic, where Napoleon Bonaparte was guarded in exile, by the British, from 1815 until his death in 1821.
[57] Le vautour Angleterre—An example of the use of a noun as an adjective, a favorite construction with Hugo.
[58] Allusion to the punishment of Prometheus for stealing fire from heaven.
[59] Napoleon usually rode a white horse.
[60] The Parthians, who lived S.E. of the Caspian Sea, were famous for their method of fighting. While feigning retreat, they would shoot their arrows at the enemy. Possibly Hugo has in mind the defeat of the Roman general, Crassus, by the Parthians (59 B. C.).
[61] Napoleon's son, François-Charles-Joseph Bonaparte, Napoleon II (1811–1832), spent his whole life with his grandfather, Emperor Francis II of Austria, under the name of the duc de Reichstadt. His last years have been treated dramatically by Rostand in L'Aiglon.
[62] Empress Marie-Louise (1791–1847), after Napoleon's death, married Count Neipperg, and then Count de Bombelles.

Sur les escarpements croulant en noirs décombres,   185
Il marchait, seul, rêveur, captif des vagues sombres.
Sur les monts, sur les flots, sur les cieux, triste et fier,
L'œil encore ébloui des batailles d'hier,
Il laissait sa pensée errer à l'aventure.
Grandeur, gloire, ô néant! calme de la nature!   190
Les aigles qui passaient ne le connaissaient pas.
Les rois, ses guichetiers, avaient pris un compas
Et l'avaient enfermé dans un cercle inflexible.
Il expirait. La mort de plus en plus visible
Se levait dans sa nuit et croissait à ses yeux   195
Comme le froid matin d'un jour mystérieux.
Son âme palpitait, déjà presque échappée.
Un jour enfin il mit sur son lit son épée,
Et se coucha près d'elle, et dit: c'est aujourd'hui!
On jeta le manteau de Marengo [63] sur lui.   200
Ses batailles du Nil, du Danube, du Tibre,[64]
Se penchaient sur son front, il dit: «Me voici libre!
Je suis vainqueur! je vois mes aigles accourir!»
Et, comme il retournait sa tête pour mourir,
Il aperçut, un pied dans la maison déserte,   205
Hudson Lowe [65] guettant par la porte entr'ouverte.
Alors, géant broyé sous le talon des rois,
Il cria: «La mesure est comble cette fois!
Seigneur! c'est maintenant fini! Dieu que j'implore,
Vous m'avez châtié!» La voix dit: Pas encore!   210

IV

O noirs événements, vous fuyez dans la nuit!
L'empereur mort tomba sur l'empire détruit.
Napoléon alla s'endormir sous le saule.
Et les peuples alors, de l'un à l'autre pôle,
Oubliant le tyran, s'éprirent du héros.[66]   215
Les poètes, marquant au front [67] les rois bourreaux,
Consolèrent, pensifs, cette gloire abattue.
A la colonne [68] veuve on rendit sa statue.
Quand on levait les yeux, on le voyait debout
Au-dessus de Paris, serein, dominant tout,   220

[63] Marengo, in northern Italy, where Napoleon defeated the Austrians (June 14, 1800).
[64] His victories in Egypt, in Central Europe and in Italy.
[65] Hudson Lowe (1769–1844), an English general, Napoleon's jailor on the island of Saint Helena.
[66] Allusion to the growth of the "Napoleonic legend."
[67] *marquant au front*—Compare: "And the Lord set a mark upon Cain, lest any finding him should kill him."
[68] *La Colonne Vendôme*, or *la Colonne de la Grande Armée*. Napoleon's statue was removed from the Column in 1814, but a new one was placed upon it in 1831.

Seul, le jour dans l'azur et la nuit dans les astres.
Panthéons, on grava son nom sur vos pilastres!
On ne regarda plus qu'un seul côté du temps;
On ne se souvint plus que des jours éclatants;
Cet homme étrange avait comme enivré l'histoire;   225
La justice à l'œil froid disparut sous sa gloire;
On ne vit plus qu'Essling,[69] Ulm,[69] Arcole,[69] Austerlitz;[69]
Comme dans les tombeaux des Romains abolis,
On se mit à fouiller dans ces grandes années;
Et vous applaudissiez, nations inclinées,   230
Chaque fois qu'on tirait de ce sol souverain
Ou le consul [70] de marbre ou l'empereur d'airain!

.   .   .   .

VI

Enfin, mort triomphant, il vit sa délivrance,
Et l'océan rendit son cercueil à la France.

L'homme, depuis douze ans, sous le dôme doré [71]
Reposait, par l'exil et par la mort sacré.[72]
En paix!—Quand on passait près du monument sombre,   285
On se le figurait, couronne au front, dans l'ombre,
Dans son manteau semé d'abeilles d'or,[73] muet,
Couché sous cette voûte où rien ne remuait,
Lui, l'homme qui trouvait la terre trop étroite,
Le sceptre en sa main gauche et l'épée en sa droite,   290
A ses pieds son grand aigle ouvrant l'œil à demi,
Et l'on disait: C'est là qu'est César endormi!

Laissant dans la clarté marcher l'immense ville,
Il dormait; il dormait confiant et tranquille.

VII

Une nuit,—c'est toujours la nuit dans le tombeau,—   295
Il s'éveilla. Luisant comme un hideux flambeau,
D'étranges visions emplissaient sa paupière;
Des rires éclataient sous son plafond de pierre;
Livide, il se dressa; la vision grandit;
O terreur! une voix qu'il reconnut, lui dit: 300

[69] *Essling,* etc.—battles won by Napoleon.
[70] Napoleon was first Consul (1799–1802), then "Consul for life" (1802–1804), before becoming Emperor (1804–1814).
[71] The dome of the *Hôtel des Invalides,* a monument in Paris, under which Napoleon's tomb is located. Napoleon's remains were brought back to France and placed here in 1840. Napoleon III became Emperor of France in 1852.
[72] "made sacred by exile and death."   [73] Emblem of Napoleon.

—Réveille-toi. Moscou, Waterloo, Sainte-Hélène,
L'exil, les rois geôliers, l'Angleterre hautaine
Sur ton lit accoudée à ton dernier moment,
Sire, cela n'est rien. Voici le châtiment:
La voix alors devint âpre, amère, stridente,　　　　　　305
Comme le noir sarcasme et l'ironie ardente;
C'était le rire amer mordant un demi-dieu.

—Sire! on t'a retiré de ton Panthéon bleu!
Sire! on t'a descendu de ta haute colonne!
Regarde. Des brigands, dont l'essaim tourbillonne,　　　310
D'affreux bohémiens, des vainqueurs de charnier
Te tiennent dans leurs mains et t'ont fait prisonnier.
A ton orteil d'airain leur patte infâme touche.
Ils t'ont pris. Tu mourus, comme un astre se couche,
Napoléon le Grand, empereur; tu renais　　　　　　315
Bonaparte, écuyer du cirque Beauharnais.[74]
Te voilà dans leurs rangs, on t'a, l'on te harnache.
Ils t'appellent tout haut grand homme, entre eux, ganache.
Ils traînent, sur Paris qui les voit s'étaler,
Des sabres qu'au besoin ils sauraient avaler.[75]　　　320
Aux passants attroupés devant leur habitacle,
Ils disent, entends-les:—Empire à grand spectacle!
Le pape est engagé dans la troupe; c'est bien,
Nous avons mieux; le czar en est; mais ce n'est rien,
Le czar n'est qu'un sergent, le pape n'est qu'un bonze.　　325
Nous avons avec nous le bonhomme de bronze!
Nous sommes les neveux du grand Napoléon!—[76]

．　　．　　．　　．　　．　　．　　．　　．　　．

L'horrible vision s'éteignit. L'empereur,
Désespéré, poussa dans l'ombre un cri d'horreur,
Baissant les yeux, dressant ses mains épouvantées.
Les Victoires de marbre à la porte sculptées,
Fantômes blancs debout hors du sépulcre obscur,　　　375
Se faisaient du doigt signe, et, s'appuyant au mur,
Écoutaient le titan pleurer dans les ténèbres.
Et lui, cria: «Démon aux visions funèbres,
Toi qui me suis partout, que jamais je ne vois,
Qui donc es-tu?—Je suis ton crime,» dit la voix.　　　380

---

[74] Napoleon III was the son of Louis Bonaparte and Hortense de Beauharnais. His father was the brother of Napoleon I and his mother was the daughter of the Empress Josephine, by her first husband.

[75] Hugo considers Napoleon III and his followers to be cheap showmen capable of performing any sort of juggling trick.

[76] Napoleon's expiation is then, according to Hugo, having a degenerate successor like Napoleon III, who merely exploits his uncle's reputation.

La tombe alors s'emplit d'une lumière étrange
Semblable à la clarté de Dieu quand il se venge;
Pareils aux mots que vit resplendir Balthazar,[77]
Deux mots dans l'ombre écrits flamboyaient sur César;
Bonaparte, tremblant comme un enfant sans mère,   385
Leva sa face pâle et lut:—Dix-huit Brumaire![78]

30 novembre (1852), Jersey   *Les Châtiments.*

OH! JE FUS COMME FOU DANS LE PREMIER MOMENT[79]

Oh! je fus comme fou dans le premier moment,
Hélas! et je pleurai trois jours amèrement.
Vous tous à qui Dieu prit votre chère espérance,
Pères, mères, dont l'âme a souffert ma souffrance,
Tout ce que j'éprouvais, l'avez-vous éprouvé?   5
Je voulais me briser le front sur le pavé;
Puis je me révoltais, et, par moments, terrible,
Je fixais mes regards sur cette chose horrible,
Et je n'y croyais pas, et je m'écriais: Non!
—Est-ce que Dieu permet de ces malheurs sans nom   10
Qui font que dans le cœur le désespoir se lève?—
Il me semblait que tout n'était qu'un affreux rêve,
Qu'elle ne pouvait pas m'avoir ainsi quitté,
Que je l'entendais rire en la chambre à côté,
Que c'était impossible enfin qu'elle fût morte,   15
Et que j'allais la voir entrer par cette porte!

Oh! que de fois j'ai dit: Silence! elle a parlé!
Tenez! voici le bruit de sa main sur la clé!
Attendez! elle vient! Laissez-moi, que j'écoute!
Car elle est quelque part dans la maison sans doute!   20

Jersey, Marine-Terrace, 4 septembre 1852   *Les Contemplations.*

PAROLES SUR LA DUNE

Maintenant que mon temps décroît comme un flambeau,
    Que mes tâches sont terminées;
Maintenant que voici que je touche au tombeau
    Par les deuils et par les années,

---

[77] Belshazzar—see *Daniel* V. 25–28.
[78] *Dix-huit Brumaire* (calendar of the Revolutionary period), November 9, 1799, the date upon which Napoleon I overthrew the Directorate and had himself made Consul, thereby destroying the liberty won by the Revolution.
[79] Hugo had lost his daughter, Léopoldine, who was drowned with her husband, in 1843.

Et qu'au fond de ce ciel que mon essor [80] rêva,   5
    Je vois fuir, vers l'ombre entraînées,
Comme le tourbillon du passé qui s'en va,
    Tant de belles heures sonnées;

Maintenant que je dis:—Un jour, nous triomphons;
    Le lendemain, tout est mensonge!—   10
Je suis triste, et je marche au bord des flots profonds,
    Courbé comme celui qui songe.

Je regarde, au-dessus du mont et du vallon,
    Et des mers sans fin remuées,
S'envoler, sous le bec du vautour [81] aquilon,   15
    Toute la toison des nuées;

J'entends le vent dans l'air, la mer sur le récif,
    L'homme liant la gerbe mûre;
J'écoute, et je confronte en mon esprit pensif
    Ce qui parle à ce qui murmure;   20

Et je reste parfois couché sans me lever
    Sur l'herbe rare de la dune,
Jusqu'à l'heure où l'on voit apparaître et rêver
    Les yeux sinistres de la lune.

Elle monte, elle jette un long rayon dormant   25
    A l'espace, au mystère, au gouffre;
Et nous nous regardons tous les deux fixement,
    Elle qui brille et moi qui souffre.

Où donc s'en sont allés mes jours évanouis?
    Est-il quelqu'un qui me connaisse?   30
Ai-je encor quelque chose en mes yeux éblouis
    De la clarté de ma jeunesse?

Tout s'est-il envolé? Je suis seul, je suis las;
    J'appelle sans qu'on me réponde;
O vents! ô flots! ne suis-je aussi qu'un souffle, hélas!   35
    Hélas! ne suis-je aussi qu'une onde?

Ne verrai-je plus rien de tout ce que j'aimais?
    Au dedans de moi le soir tombe.
O terre, dont la brume efface les sommets,
    Suis-je le spectre, et toi la tombe?   40

[80] "enthusiasm."   [81] Another example of the adjectival use of a noun.

Ai-je donc vidé tout, vie, amour, joie, espoir?
　　　　J'attends, je demande, j'implore;
Je penche tour à tour mes urnes pour avoir
　　　　De chacune une goutte encore!

Comme le souvenir est voisin du remord!　　　　　45
　　　　Comme à pleurer tout nous ramène!
Et que je te sens froide en te touchant, ô mort,
　　　　Noir verrou de la porte humaine!

Et je pense, écoutant gémir le vent amer,
　　　　Et l'onde aux plis infranchissables;　　　50
L'été rit, et l'on voit sur le bord de la mer
　　　　Fleurir le chardon bleu des sables.
5 août 1854, anniversaire de mon arrivée à Jersey　　*Les Contemplations.*

PASTEURS ET TROUPEAUX [82]

Le vallon où je vais tous les jours est charmant,
Serein, abandonné, seul sous le firmament,
Plein de ronces en fleur; c'est un sourire triste.
Il vous fait oublier que quelque chose existe,
Et, sans le bruit des champs remplis de travailleurs,　　5
On ne saurait plus là si quelqu'un vit ailleurs.
Là, l'ombre fait l'amour; l'idylle naturelle
Rit; le bouvreuil [83] avec le verdier [83] s'y querelle,
Et la fauvette [84] y met de travers son bonnet;
C'est tantôt l'aubépine et tantôt le genêt;　　　　10
De noirs granits bourrus, puis des mousses riantes;
Car Dieu fait un poème avec des variantes;
Comme le vieil Homère, il rabâche parfois,
Mais c'est avec les fleurs, les monts, l'onde et les bois!
Une petite mare est là, ridant sa face,　　　　　15
Prenant des airs de flot pour la fourmi qui passe,
Ironie étalée au milieu du gazon,
Qu'ignore l'océan grondant à l'horizon.
J'y rencontre parfois sur la roche hideuse
Un doux être; quinze ans, yeux bleus, pieds nus, gardeuse　　20
De chèvres, habitant, au fond d'un ravin noir,
Un vieux chaume croulant qui s'étoile le soir;
Ses sœurs sont au logis et filent leur quenouille;

[82] An excellent example of Hugo's effective use of the image.
[83] Two species of finch.　　　　　　　[84] "warbler."

Elle essuie aux roseaux ses pieds que l'étang mouille;
Chèvres, brebis, béliers, paissent; quand, sombre esprit,   25
J'apparais, le pauvre ange a peur, et me sourit;
Et moi, je la salue, elle étant l'innocence.
Ses agneaux, dans le pré plein de fleurs qui l'encense,
Bondissent, et chacun, au soleil s'empourprant,
Laisse aux buissons, à qui la bise le reprend,   30
Un peu de sa toison, comme un flocon d'écume.
Je passe; enfant, troupeau, s'effacent dans la brume;
Le crépuscule étend sur les longs sillons gris
Ses ailes de fantôme et de chauve-souris;
J'entends encore au loin dans la plaine ouvrière   35
Chanter derrière moi la douce chevrière,
Et, là-bas, devant moi, le vieux gardien pensif
De l'écume, du flot, de l'algue, du récif,
Et des vagues sans trêve et sans fin remuées,
Le pâtre [85] promontoire au chapeau de nuées,   40
S'accoude et rêve au bruit de tous les infinis,
Et, dans l'ascension des nuages bénis,
Regarde se lever la lune triomphale,
Pendant que l'ombre tremble, et que l'âpre rafale
Disperse à tous les vents avec son souffle amer   45
La laine des moutons sinistres de la mer. [86]

Jersey, Grouville, avril 1855   *Les Contemplations.*

LA CONSCIENCE [87]

Lorsque avec ses enfants vêtus de peaux de bêtes,
Échevelé, livide au milieu des tempêtes,
Caïn se fut enfui de devant Jéhovah,
Comme le soir tombait, l'homme sombre arriva
Au bas d'une montagne en une grande plaine;   5
Sa femme fatiguée et ses fils hors d'haleine
Lui dirent: «Couchons-nous sur la terre, et dormons.»
Caïn, ne dormant pas, songeait au pied des monts.
Ayant levé la tête, au fond des cieux funèbres,
Il vit un œil, tout grand ouvert dans les ténèbres,   10
Et qui le regardait dans l'ombre fixement.
«Je suis trop près,» dit-il avec un tremblement.
Il réveilla ses fils dormant, sa femme lasse,
Et se remit à fuir sinistre dans l'espace.
Il marcha trente jours, il marcha trente nuits.   15
Il allait, muet, pâle et frémissant aux bruits,

[85] Another example of the use of nouns in an adjectival sense.
[86] The foam of the white caps.   [87] This poem was first published under the title *Caïn*.

Furtif, sans regarder derrière lui, sans trêve,
Sans repos, sans sommeil. Il atteignit la grève
Des mers dans le pays qui fut depuis Assur.[88]
«Arrêtons-nous, dit-il, car cet asile est sûr. 20
Restons-y. Nous avons du monde atteint les bornes.»
Et, comme il s'asseyait, il vit dans les cieux mornes
L'œil à la même place au fond de l'horizon.
Alors il tressaillit en proie au noir frisson.
«Cachez-moi!» cria-t-il; et, le doigt sur la bouche, 25
Tous ses fils regardaient trembler l'aïeul farouche.
Caïn dit à Jabel, père de ceux qui vont
Sous des tentes de poil dans le désert profond:
«Étends de ce côté la toile de la tente.»
Et l'on développa la muraille flottante; 30
Et, quand on l'eut fixée avec des poids de plomb:
«Vous ne voyez plus rien?» dit Tsilla, [89] l'enfant blond,
La fille de ses fils, douce comme l'aurore;
Et Caïn répondit: «Je vois cet œil encore!»
Jubal,[90] père de ceux qui passent dans les bourgs 35
Soufflant dans des clairons et frappant des tambours,
Cria: «Je saurai bien construire une barrière.»
Il fit un mur de bronze et mit Caïn derrière.
Et Caïn dit: «Cet œil me regarde toujours!»
Hénoch [91] dit: «Il faut faire une enceinte de tours 40
Si terrible, que rien ne puisse approcher d'elle.
Bâtissons une ville avec sa citadelle,
Bâtissons une ville, et nous la fermerons.»
Alors Tubalcaïn,[92] père des forgerons,
Construisit une ville énorme et surhumaine. 45
Pendant qu'il travaillait, ses frères, dans la plaine,
Chassaient les fils d'Énos [93] et les enfants de Seth; [94]
Et l'on crevait les yeux à quiconque passait;
Et, le soir, on lançait des flèches aux étoiles.
Le granit remplaça la tente aux murs de toiles, 50
On lia chaque bloc avec des nœuds de fer,
Et la ville semblait une ville d'enfer;
L'ombre des tours faisait la nuit dans les campagnes;
Ils donnèrent aux murs l'épaisseur des montagnes;
Sur la porte on grava: «Défense à Dieu d'entrer.» 55
Quand ils eurent fini de clore et de murer,
On mit l'aïeul au centre en une tour de pierre;
Et lui restait lugubre et hagard. «O mon père!

---

88 "Assyria." 89 Mother of Tubalcain. Hugo changes her into a young girl.
90 "The father of all such as handle the harp and organ" (*Genesis*, IV, 21).
91 Enoch, son of Cain.
92 "An instructor of every artificer in brass and iron" (*Genesis*, IV, 22).
93 Grandson of Adam 94 Son of Adam.

L'œil a-t-il disparu?» dit en tremblant Tsilla.
Et Caïn répondit: «Non, il est toujours là.»   60
Alors il dit: «Je veux habiter sous la terre
Comme dans son sépulcre un homme solitaire;
Rien ne me verra plus, je ne verrai plus rien.»
On fit donc une fosse, et Caïn dit: «C'est bien!»
Puis il descendit seul sous cette voûte sombre.   65
Quand il se fut assis sur sa chaise dans l'ombre
Et qu'on eut sur son front fermé le souterrain,
L'œil était dans la tombe et regardait Caïn.

La Légende des Siècles.

BOOZ ENDORMI [95]

Booz s'était couché de fatigue accablé;
Il avait tout le jour travaillé dans son aire; [96]
Puis avait fait son lit à sa place ordinaire;
Booz dormait auprès des boisseaux pleins de blé.

Ce vieillard possédait des champs de blés et d'orge;   5
Il était, quoique riche, à la justice enclin;
Il n'avait pas de fange en l'eau de son moulin;
Il n'avait pas d'enfer dans le feu de sa forge.

Sa barbe était d'argent comme un ruisseau d'avril.
Sa gerbe n'était point avare ni haineuse;   10
Quand il voyait passer quelque pauvre glaneuse:
«Laissez tomber exprès des épis,» disait-il.

Cet homme marchait pur loin des sentiers obliques,
Vêtu de probité candide et de lin blanc;
Et, toujours du côté des pauvres ruisselant,   15
Ses sacs de grains semblaient des fontaines publiques.

Booz était bon maître et fidèle parent;
Il était généreux, quoiqu'il fût économe;
Les femmes regardaient Booz plus qu'un jeune homme,
Car le jeune homme est beau, mais le vieillard est grand.   20

Le vieillard, qui revient vers la source première,
Entre aux jours éternels et sort des jours changeants;

---

[95] *Booz*—Boaz. In connection with this poem the student should read the book of *Ruth*.
[96] "threshing-floor."

Et l'on voit de la flamme aux yeux des jeunes gens,
Mais dans l'œil du vieillard on voit de la lumière.

*

Donc, Booz dans la nuit dormait parmi les siens. 25
Près des meules,[97] qu'on eût prises pour des décombres,
Les moissonneurs couchés faisaient des groupes sombres;
Et ceci se passait dans des temps très anciens.

Les tribus d'Israël avaient pour chef un juge;
La terre, où l'homme errait sous la tente, inquiet 30
Des empreintes de pieds de géants qu'il voyait,
Était mouillée encor et molle du déluge.

*

Comme dormait Jacob,[98] comme dormait Judith,[99]
Booz, les yeux fermés, gisait sous la feuillée;
Or, la porte du ciel s'étant entre-bâillée 35
Au-dessus de sa tête, un songe en descendit.

Et ce songe était tel, que Booz vit un chêne [100]
Qui, sorti de son ventre, allait jusqu'au ciel bleu;
Une race y montait comme une longue chaîne;
Un roi [101] chantait en bas, en haut mourait un Dieu.[102] 40

Et Booz murmurait avec la voix de l'âme:
«Comment se pourrait-il que de moi ceci vînt?
Le chiffre de mes ans a passé quatre-vingt,
Et je n'ai pas de fils, et je n'ai plus de femme.

«Voilà longtemps que celle avec qui j'ai dormi, 45
O Seigneur! a quitté ma couche pour la vôtre;
Et nous sommes encor tout mêlés l'un à l'autre,
Elle à demi vivante et moi mort à demi.

«Une race naîtrait de moi! Comment le croire?
Comment se pourrait-il que j'eusse des enfants? 50
Quand on est jeune, on a des matins triomphants;
Le jour sort de la nuit comme d'une victoire;

«Mais, vieux, on tremble ainsi qu'à l'hiver le bouleau;
Je suis veuf, je suis seul, et sur moi le soir tombe,

---

[97] "shocks of wheat."   [98] *Jacob*—Read *Genesis*, XVIII, 12–15.
[99] *Judith*, heroine of the book of the same name in the Apocrypha.
[100] The famous *tree* of Jesse, grandson of Ruth and Boaz, father of David and ancestor of Christ.
[101] David.   [102] Christ.

Et je courbe, ô mon Dieu! mon âme vers la tombe,   55
Comme un bœuf ayant soif penche son front vers l'eau.»

Ainsi parlait Booz dans le rêve et l'extase,
Tournant vers Dieu ses yeux par le sommeil noyés;
Le cèdre ne sent pas une rose à sa base,
Et lui ne sentait pas une femme à ses pieds.   60

*

Pendant qu'il sommeillait, Ruth,[103] une Moabite,
S'était couchée aux pieds de Booz, le sein nu,
Espérant on ne sait quel rayon inconnu
Quand viendrait du réveil la lumière subite.

Booz ne savait point qu'une femme était là,   65
Et Ruth ne savait point ce que Dieu voulait d'elle.
Un frais parfum sortait des touffes d'asphodèle;
Les souffles de la nuit flottaient sur Galgala.[104]

L'ombre était nuptiale, auguste et solennelle;
Les anges y volaient sans doute obscurément,   70
Car on voyait passer dans la nuit, par moment,
Quelque chose de bleu qui paraissait une aile.

La respiration de Booz qui dormait
Se mêlait au bruit sourd des ruisseaux sur la mousse.
On était dans le mois où la nature est douce,   75
Les collines ayant des lys sur leur sommet.

Ruth songeait et Booz dormait, l'herbe était noire;
Les grelots des troupeaux palpitaient vaguement;
Une immense bonté tombait du firmament;
C'était l'heure tranquille où les lions vont boire.   80

Tout reposait dans Ur [105] et dans Jérimadeth; [106]
Les astres émaillaient le ciel profond et sombre;
Le croissant fin et clair parmi ces fleurs de l'ombre
Brillait à l'occident, et Ruth se demandait,

Immobile, ouvrant l'œil à moitié sous ses voiles,   85
Quel dieu, quel moissonneur de l'éternel été,
Avait, en s'en allant, négligemment jeté
Cette faucille [107] d'or dans le champ des étoiles.

I ᵉʳ mai 1859   *La Légende des Siècles.*

---

[103] Ruth was to become the wife of Boaz.   [104] Gilgal, Palestine.
[105] City in Babylonia.   [106] A name probably invented by Hugo.
[107] "sickle," referring to the shape of the crescent moon.

PREMIÈRE RENCONTRE DU CHRIST
AVEC LE TOMBEAU [108]

En ce temps-là, Jésus était dans la Judée;
Il avait délivré la femme possédée,
Rendu l'ouïe aux sourds et guéri les lépreux;
Les prêtres l'épiaient et parlaient bas entre eux.
Comme il s'en retournait vers la ville bénie,　　　　　　5
Lazare, homme de bien, mourut à Béthanie.
Marthe et Marie étaient ses sœurs; Marie, un jour,
Pour laver les pieds nus du maître plein d'amour,
Avait été chercher son parfum le plus rare.
Or Jésus aimait Marthe et Marie et Lazare.　　　　　　10
Quelqu'un lui dit: «Lazare est mort.»

　　　　　　　　　　　　　Le lendemain,
Comme le peuple était venu sur son chemin,
Il expliquait la loi, les livres, les symboles,
Et comme Élie [109] et Job, parlait par paraboles.
Il disait: «Qui me suit, aux anges est pareil.　　　　　　15
Quand un homme a marché tout le jour au soleil
Dans un chemin sans puits et sans hôtellerie,
S'il ne croit pas, quand vient le soir, il pleure, il crie;
Il est las: sur la terre il tombe haletant;
S'il croit en moi, qu'il prie, il peut au même instant　　　　20
Continuer sa route avec des forces triples.»
Puis il s'interrompit, et dit à ses disciples:
«Lazare, notre ami, dort; je vais l'éveiller.»
Eux dirent: «Nous irons, maître, où tu veux aller.»
Or, de Jérusalem, où Salomon mit l'arche,　　　　　　25
Pour gagner Béthanie, il faut trois jours de marche.
Jesus partit. Durant cette route souvent,
Tandis qu'il marchait seul et pensif en avant,
Son vêtement parut blanc comme la lumière.

Quand Jésus arriva, Marthe vint la première,　　　　　　30
Et, tombant à ses pieds, s'écria tout d'abord:
«Si nous t'avions eu, maître, il ne serait pas mort.»
Puis reprit en pleurant: «Mais il a rendu l'âme.
Tu viens trop tard.» Jésus lui dit: «Qu'en sais-tu, femme?
Le moissonneur est seul maître de la moisson.»　　　　　　35

Marie était restée assise à la maison.

---

[108] For the events related here, read: *John* XI, *1*–50, and XII, *1*–*10*.　　　　[109] Elijah.

Marthe lui cria: «Viens, le maître te réclame.»
Elle vint. Jésus dit: «Pourquoi pleures-tu, femme?»
Et Marie à genoux lui dit: «Toi seul es fort.
Si nous t'avions eu, maître, il ne serait pas mort.»   40
Jésus reprit: «Je suis la lumière et la vie.
Heureux celui qui voit ma trace et l'a suivie!
Qui croit en moi vivra, fût-il mort et gisant.»
Et Thomas, appelé Didyme, était présent.
Et le Seigneur, dont Jean et Pierre [110] suivaient l'ombre,   45
Dit aux Juifs accourus pour le voir en grand nombre:
«Où donc l'avez-vous mis?" Ils répondirent: «Vois,»
Lui montrant de la main, dans un champ, près d'un bois,
A côté d'un torrent qui dans les pierres coule,
Un sépulcre.
            Et Jésus pleura.
                              Sur quoi la foule   50
Se prit à s'écrier: «Voyez comme il l'aimait!
Lui qui chasse, dit-on, Satan et le soumet,
Eût-il, s'il était Dieu, comme on nous le rapporte,
Laissé mourir quelqu'un qu'il aimait de la sorte?»

Or, Marthe conduisait au sépulcre Jésus.   55
Il vint. On avait mis une pierre dessus.
«Je crois en vous, dit Marthe, ainsi que Jean et Pierre;
Mais voilà quatre jours qu'il est sous cette pierre.»

Et Jésus dit: «Tais-toi, femme, car c'est le lieu
Où tu vas, si tu crois, voir la gloire de Dieu.»   60
Puis il reprit: «Il faut que cette pierre tombe.»
La pierre ôtée, on vit le dedans de la tombe.

Jésus leva les yeux au ciel et marcha seul
Vers cette ombre où le mort gisait dans son linceul,
Pareil au sac d'argent qu'enfouit un avare.   65
Et, se penchant, il dit à haute voix: «Lazare!»

Alors le mort sortit du sépulcre; ses pieds
Des bandes du linceul étaient encore liés.
Il se dressa debout le long de la muraille;
Jésus dit: «Déliez cet homme, et qu'il s'en aille.»   70
Ceux qui virent cela crurent en Jésus-Christ.
Or, les prêtres, selon qu'au livre il est écrit,
S'assemblèrent, troublés, chez le préteur de Rome;
Sachant que Christ avait ressuscité cet homme,

[110] Disciples of Jesus.

Et que tous avaient vu le sépulcre s'ouvrir, 75
Ils dirent: «Il est temps de le faire mourir.»

La Légende des Siècles.

LA ROSE DE L'INFANTE [111]

Elle est toute petite; une duègne la garde.
Elle tient à la main une rose et regarde.
Quoi! que regarde-t-elle? Elle ne sait pas. L'eau;
Un bassin qu'assombrit le pin et le bouleau;
Ce qu'elle a devant elle; un cygne aux ailes blanches, 5
Le bercement des flots sous la chanson des branches,
Et le profond jardin rayonnant et fleuri.
Tout ce bel ange a l'air dans la neige pétri.[112]
On voit un grand palais comme au fond d'une gloire,[113]
Un parc, de clairs viviers où les biches vont boire, 10
Et des paons étoilés sous les bois chevelus.
L'innocence est sur elle une blancheur de plus;
Toutes ses grâces font comme un faisceau qui tremble.
Autour de cette enfant l'herbe est splendide et semble
Pleine de vrais rubis et de diamants fins; 15
Un jet de saphirs sort des bouches des dauphins.[114]
Elle se tient au bord de l'eau; sa fleur l'occupe;
Sa basquine est en point [115] de Gênes; sur sa jupe
Une arabesque, errant dans les plis du satin,
Suit les mille détours d'un fil d'or florentin. 20
La rose épanouie et toute grande ouverte,
Sortant du frais bouton comme d'une urne verte,
Charge la petitesse exquise de sa main;
Quand l'enfant, allongeant ses lèvres de carmin,
Fronce, en la respirant, sa riante narine, 25
La magnifique fleur, royale et purpurine,
Cache plus qu'à demi ce visage charmant,
Si bien que l'œil hésite, et qu'on ne sait comment
Distinguer de la fleur ce bel enfant qui joue,
Et si l'on voit la rose ou si l'on voit la joue. 30
Ses yeux bleus sont plus beaux sous son pur sourcil brun.
En elle tout est joie, enchantement, parfum;
Quel doux regard, l'azur! et quel doux nom, Marie!
Tout est rayon; son œil éclaire et son nom prie.[116]
Pourtant, devant la vie et sous le firmament, 35

---

[111] This is one of Hugo's masterpieces. A portion of the poem, describing Philip II, has been omitted.
[112] "Seems moulded of snow."   [113] "halo of glory."
[114] "dolphins"; here, part of the fountain.   [115] "Point lace."
[116] "invites to prayer" (because of its association with the Virgin).

Pauvre être! elle se sent très grande vaguement;
Elle assiste au printemps, à la lumière, à l'ombre,
Au grand soleil couchant horizontal et sombre,
A la magnificence éclatante du soir,
Aux ruisseaux murmurants qu'on entend sans les voir,   40
Aux champs, à la nature éternelle et sereine,
Avec la gravité d'une petite reine;
Elle n'a jamais vu l'homme que se courbant;
Un jour, elle sera duchesse de Brabant; [117]
Elle gouvernera la Flandre ou la Sardaigne.   45
Elle est l'infante, elle a cinq ans, elle dédaigne.
Car les enfants des rois sont ainsi; leurs fronts blancs
Portent un cercle d'ombre, et leurs pas chancelants
Sont des commencements de règne. Elle respire
Sa fleur en attendant qu'on lui cueille un empire;   50
Et son regard, déjà royal, dit: C'est à moi.
Il sort d'elle un amour mêlé d'un vague effroi.
Si quelqu'un, la voyant si tremblante et si frêle,
Fût-ce pour la sauver, mettait la main sur elle,
Avant qu'il eût pu faire un pas ou dire un mot,   55
Il aurait sur le front l'ombre de l'échafaud. [118]

La douce enfant sourit, ne faisant autre chose
Que de vivre et d'avoir dans la main une rose,
Et d'être là devant le ciel, parmi les fleurs.

Le jour s'éteint; les nids chuchotent, querelleurs;   60
Les pourpres du couchant sont dans les branches d'arbre;
La rougeur monte au front des déesses de marbre
Qui semblent palpiter sentant venir la nuit;
Et tout ce qui planait redescend; plus de bruit,
Plus de flamme; le soir mystérieux recueille   65
Le soleil sous la vague et l'oiseau sous la feuille.

Pendant que l'enfant rit, cette fleur à la main,
Dans le vaste palais [119] catholique romain
Dont chaque ogive semble au soleil une mitre,
Quelqu'un de formidable est derrière la vitre;   70
On voit d'en bas une ombre, au fond d'une vapeur,
De fenêtre en fenêtre errer, et l'on a peur;
Cette ombre au même endroit, comme en un cimetière,
Parfois est immobile une journée entière;

---

[117] Brabant—Formerly a Spanish province, part of which is now in Holland and part in Belgium.
[118] According to the old Spanish law, members of the royal family were inviolable.
[119] The Escorial, built by Philip II, 1563–1584.

C'est un être effrayant qui semble ne rien voir;   75
Il rôde d'une chambre à l'autre, pâle et noir;
Il colle aux vitraux blancs son front lugubre, et songe;
Spectre blême! Son ombre aux feux du soir s'allonge;
Son pas funèbre est lent comme un glas de beffroi;
Et c'est la Mort, à moins que ce ne soit le Roi.[120]   80

C'est lui; l'homme en qui vit et tremble le royaume.
Si quelqu'un pouvait voir dans l'œil de ce fantôme
Debout en ce moment l'épaule contre un mur,
Ce qu'on apercevrait dans cet abîme obscur,
Ce n'est pas l'humble enfant, le jardin, l'eau moirée   85
Reflétant le ciel d'or d'une claire soirée,
Les bosquets, les oiseaux se becquetant entre eux,
Non: au fond de cet œil comme l'onde vitreux,
Sous ce fatal sourcil qui dérobe à la sonde
Cette prunelle autant que l'océan profonde,   90
Ce qu'on distinguerait, c'est, mirage mouvant,
Tout un vol de vaisseaux en fuite dans le vent,[121]
Et, dans l'écume, au pli des vagues, sous l'étoile,
L'immense tremblement d'une flotte à la voile,
Et, là-bas, sous la brume, une île, un blanc rocher,[122]   95
Écoutant sur les flots ces tonnerres marcher.

Telle est la vision qui, dans l'heure où nous sommes,
Emplit le froid cerveau de ce maître des hommes,
Et qui fait qu'il ne peut rien voir autour de lui.

．　　．　　．　　．　　．　　．　　．　　．　　．

Cependant, sur le bord du bassin, en silence,
L'infante tient toujours sa rose gravement,
Et, doux ange aux yeux bleus, la baise par moment.
Soudain un souffle d'air, une de ces haleines   225
Que le soir frémissant jette à travers les plaines,
Tumultueux zéphyr effleurant l'horizon,
Trouble l'eau, fait frémir les joncs, met un frisson
Dans les lointains massifs de myrte et d'asphodèle,
Vient jusqu'au bel enfant tranquille, et, d'un coup d'aile, 230
Rapide, et secouant même l'arbre voisin,
Effeuille brusquement la fleur dans le bassin.
Et l'infante n'a plus dans la main qu'une épine.

[120] Philip II (1527–1598), son of Charles V. A devout Catholic, he made every effort possible to destroy Protestantism. When he died, he left Spain exhausted and its power and influence reduced.
[121] *L'armada*—The Invincible Armada which Philip II sent against the English (1588). It was largely destroyed by storms.
[122] The chalk cliffs of England.

Elle se penche, et voit sur l'eau cette ruine;
Elle ne comprend pas; qu'est-ce donc? Elle a peur;   235
Et la voilà qui cherche au ciel avec stupeur
Cette brise qui n'a pas craint de lui déplaire.
Que faire? le bassin semble plein de colère;
Lui, si clair tout à l'heure, il est noir maintenant;
Il a des vagues; c'est une mer bouillonnant;   240
Toute la pauvre rose est éparse sur l'onde;
Ses cent feuilles, que noie et roule l'eau profonde,
Tournoyant, naufrageant, s'en vont de tous côtés
Sur mille petits flots par la brise irrités;
On croit voir dans un gouffre une flotte qui sombre.[123]   245
«Madame, dit la duègne avec sa face d'ombre
A la petite fille étonnée et rêvant,
Tout sur terre appartient aux princes, hors le vent.»
23 mai 1859   *La Légende des Siècles.*

SAISON DES SEMAILLES. LE SOIR [124]

C'est le moment crépusculaire.
J'admire, assis sous un portail,
Ce reste de jour dont s'éclaire
La dernière heure du travail.

Dans les terres, de nuit baignées,   5
Je contemple, ému, les haillons
D'un vieillard qui jette à poignées
La moisson future aux sillons.

Sa haute silhouette noire
Domine les profonds labours.   10
On sent à quel point il doit croire
A la fuite utile des jours.

Il marche dans la plaine immense,
Va, vient, lance la graine au loin,
Rouvre sa main, et recommence,   15
Et je médite, obscur témoin,

Pendant que, déployant ses voiles,
L'ombre, où se mêle une rumeur,
Semble élargir jusqu'aux étoiles
Le geste auguste du semeur.   20

Les Chansons des Rues et des Bois.

[123] Here Hugo makes beautiful use of the Infanta's rose to suggest the destruction of the Armada.
[124] This poem was inspired by Millet's painting, *Le Semeur.*

ALFRED DE VIGNY (1797–1863)

Alfred de Vigny was born at Loches. In 1814 he entered military service, attached to the king's household, but tiring of inaction and slow promotion he resigned in 1828. The following year he was married to a woman of feeble health. His first *Poèmes,* published in 1822, gave him his entrée to the Romantic *Cénacle.* In 1846 he was elected to the Academy. He made two attempts to enter politics (1848, 1849), but failed. The remainder of his life he spent in solitude at his chateau or in Paris.

Although best known as a poet, Vigny wrote one of the first successful historical novels, *Cinq-Mars,* as well as other novels and stories. In the drama, his translation of *Othello, Le More de Venise,* was highly significant, played as it was, in 1829, when the young Romanticists were striving for recognition on the stage. *Chatterton,* an original play, an internally motivated drama of concentration, conforming in general to Classical rules, but Romantic in philosophy, is one of the few Romantic dramas that have true dramatic interest. Vigny's sense of the dramatic is to be observed in his novels and poetry as well as in his plays. Another feature of his writings which is to be found in novels, drama, and poetry, is his extraordinary fondness for and use of symbols. His style, free from Romantic extravagance, is almost Classical in its sober power.

Disappointed by the tame military life of the period following the Napoleonic Era, disappointed in love, little read as a poet, this proud, sensitive, reserved author suffered from a very real *mal du siècle.* Lacking the faculty of making friends, he withdrew within himself and lived alone, as lonely as his *Moïse.* It was only natural that he should become pessimistic and stoical. He considered nature to be indifferent, if not hostile, to man and he saw no sympathy nor hope in God. He pitied mankind in his own impersonal way, but his was no weak pity filled with tears. He felt that man should face life stoically, uncomplainingly, but energetically performing his task to the end. Highly intelligent, he was also the most genuinely philosophical of the Romantic poets. Compared to the others of his group he wrote little; he lacked facility and spontaneity. What he wrote was sincere and reserved. Both the Parnassians and the Symbolists were influenced by him. Never a popular favorite, he has grown continuously in favor with the more discriminating.

"Ce poète puissant et sombre, singulièrement captivant, qu'on n'aime pas à demi, qu'on aime trop quand on l'aime, philosophe, dramatiste, artiste, et artiste souvent étonnant par la précision énergique de la forme ou l'invention des symboles (*la Maison du Berger, la Bouteille à la mer*), a été compté en son temps pour un très grand poète; à la fin du XIXe siècle il s'en est fallu de peu qu'il ne comptât pour le plus grand poète du XIXe siècle. L'admiration n'est que juste; l'engouement est peut-être de trop. Il restera définitivement dans l'estime des hommes comme un des poètes les plus originaux et les plus pénétrants que nous ayons eus depuis la seconde renaissance des lettres, c'est-à-dire depuis 1800." (Faguet: *Histoire de la Littérature Française.*)

IMPORTANT WORKS:

Poetry: *Poèmes* (1822); *Les Destinées* (1864).
Novel: *Cinq-Mars* (1826); *Servitude et Grandeur Militaires* (1835).
Drama: *Le More de Venise* (1830); *Chatterton* (1835).

MOÏSE [1]

Le soleil prolongeait sur la cime des tentes
Ces obliques rayons, ces flammes éclatantes,
Ces larges traces d'or qu'il laisse dans les airs,
Lorsqu'en un lit de sable il se couche aux déserts.
La pourpre et l'or semblaient revêtir la campagne.   5
Du stérile Nébo [2] gravissant la montagne,
Moïse, homme de Dieu, s'arrête, et, sans orgueil,
Sur le vaste horizon promène un long coup d'œil.
Il voit d'abord Phasga, que des figuiers entourent;
Puis, au delà des monts [3] que ses regards parcourent,   10
S'étend tout Galaad, Éphraïm, Manassé,
Dont le pays fertile à sa droite est placé;
Vers le Midi, Juda, grand et stérile, étale
Ses sables où s'endort la mer occidentale;
Plus loin, dans un vallon que le soir a pâli,   15
Couronné d'oliviers, se montre Nephtali;
Dans des plaines de fleurs magnifiques et calmes,
Jéricho s'aperçoit: c'est la ville des palmes;
Et, prolongeant ses bois, des plaines de Phogor,
Le lentisque touffu s'étend jusqu'à Ségor.   20
Il voit tout Chanaan, et la terre promise,
Où sa tombe, il le sait, ne sera point admise.
Il voit; sur les Hébreux étend sa grande main,
Puis vers le haut du mont il reprend son chemin.

Or, des champs de Moab [4] couvrant la vaste enceinte,   25
Pressés au large pied de la montagne sainte, [5]
Les enfants d'Israël s'agitaient au vallon
Comme les blés épais qu'agite l'aquilon.
Dès l'heure où la rosée humecte l'or des sables
Et balance sa perle au sommet des érables,   30
Prophète centenaire, environné d'honneur,
Moïse était parti pour trouver le Seigneur.

[1] *Moïse*—This poem brings out Vigny's idea of the loneliness of genius, as well as his conviction that the mission of the poet is a serious one; while Moses symbolizes the tragedy of leadership or genius, he represents particularly Vigny himself.

[2] The English forms of the proper names used below are, in the order in which they occur: Nebo, Pisgah, Gilead, Ephraim, Manasseh, Judah, Naphtali, Peor, Zoar, Canaan.

[3] The Lebanon group of mountains.

[4] A Semitic region at the southeast end of the Dead Sea.   [5] Mount Sinai.

On le suivait des yeux aux flammes de sa tête,
Et, lorsque du grand mont il atteignit le faîte,
Lorsque son front perça le nuage de Dieu   35
Qui couronnait d'éclairs la cime du haut lieu,
L'encens brûla partout sur les autels de pierre.
Et six cent mille Hébreux, courbés dans la poussière,
A l'ombre du parfum [6] par le soleil doré,
Chantèrent d'une voix le cantique sacré;   40
Et les fils de Lévi,[7] s'élevant sur la foule,
Tels qu'un bois de cyprès sur le sable qui roule,
Du peuple avec la harpe accompagnant les voix,
Dirigeaient vers le ciel l'hymne du Roi des Rois.

Et, debout devant Dieu, Moïse ayant pris place,   45
Dans le nuage obscur lui parlait face à face.

Il disait au Seigneur: «Ne finirai-je pas?
Où voulez-vous encor que je porte mes pas?
Je vivrai donc toujours puissant et solitaire?
Laissez-moi m'endormir du sommeil de la terre.—   50
Que vous ai-je donc fait pour être votre élu?
J'ai conduit votre peuple où vous avez voulu.
Voilà que son pied touche à la terre promise.
De vous à lui qu'un autre accepte l'entremise,
Au coursier d'Israël qu'il attache le frein;   55
Je lui lègue mon livre et la verge d'airain.

«Pourquoi vous fallut-il tarir mes espérances,
Ne pas me laisser homme avec mes ignorances,
Puisque du mont Horeb [8] jusques au mont Nébo [9]
Je n'ai pas pu trouver le lieu de mon tombeau?   60
Hélas! vous m'avez fait sage parmi les sages!
Mon doigt du peuple errant a guidé les passages.
J'ai fait pleuvoir le feu sur la tête des rois; [10]
L'avenir à genoux adorera mes lois; [11]
Des tombes des humains j'ouvre la plus antique,[12]   65
La mort trouve à ma voix une voix prophétique,
Je suis très grand, mes pieds sont sur les nations,
Ma main fait et défait les générations.—
Hélas! je suis, Seigneur, puissant et solitaire,
Laissez-moi m'endormir du sommeil de la terre!   70

---

[6] "incense."   [7] Priests belonging to the family of Levi.
[8] In the Sinai group of mountains: it was here that God revealed to Moses his mission through the burning bush.
[9] In the land of Moab, the scene of Moses' death.
[10] One of the plagues inflicted upon Egypt.   [11] The Decalogue.
[12] The editors have been unable to find a satisfactory explanation for lines 65, 66.

«Hélas! je sais aussi tous les secrets des cieux,
Et vous m'avez prêté la force de vos yeux.
Je commande à la nuit de déchirer ses voiles;
Ma bouche par leur nom a compté les étoiles,
Et, dès qu'au firmament mon geste l'appela,   75
Chacune s'est hâtée en disant: «Me voilà.»
J'impose mes deux mains sur le front des nuages
Pour tarir dans leurs flancs la source des orages;
J'engloutis les cités sous les sables mouvants;
Je renverse les monts sous les ailes des vents;   80
Mon pied infatigable est plus fort que l'espace;
Le fleuve aux grandes eaux se range quand je passe,[13]
Et la voix de la mer se tait devant ma voix.
Lorsque mon peuple souffre, ou qu'il lui faut des lois,
J'élève mes regards, votre esprit me visite;   85
La terre alors chancelle et le soleil hésite,
Vos anges sont jaloux et m'admirent entre eux.—
Et cependant, Seigneur, je ne suis pas heureux;
Vous m'avez fait vieillir puissant et solitaire,
Laissez-moi m'endormir du sommeil de la terre!   90

«Sitôt que votre souffle a rempli le berger,[14]
Les hommes se sont dit: «Il nous est étranger»;
Et les yeux se baissaient devant mes yeux de flamme,
Car ils venaient, hélas! d'y voir plus que mon âme.
J'ai vu l'amour s'éteindre et l'amitié tarir;   95
Les vierges se voilaient et craignaient de mourir.
M'enveloppant alors de la colonne noire,[15]
J'ai marché devant tous, triste et seul dans ma gloire,
Et j'ai dit dans mon cœur: «Que vouloir à présent?»
Pour dormir sur un sein mon front est trop pesant,   100
Ma main laisse l'effroi sur la main qu'elle touche,
L'orage est dans ma voix, l'éclair est sur ma bouche;
Aussi, loin de m'aimer, voilà qu'ils tremblent tous,
Et, quand j'ouvre les bras, on tombe à mes genoux.
O Seigneur! j'ai vécu puissant et solitaire,   105
Laissez-moi m'endormir du sommeil de la terre!»

Or, le peuple attendait, et, craignant son courroux,
Priait sans regarder le mont du Dieu jaloux;
Car, s'il levait les yeux, les flancs noirs du nuage
Roulaient et redoublaient les foudres de l'orage,   110
Et le feu des éclairs, aveuglant les regards,

---

[13] Allusion to the passage of the Red Sea.
[14] Moses was a shepherd before being called to lead the Children of Israel out of Egypt.
[15] The pillar of smoke which guided the Israelites in the desert.

Enchaînait tous les fronts courbés de toutes parts.
Bientôt le haut du mont reparut sans Moïse.—
Il fut pleuré.—Marchant vers la terre promise.
Josué s'avançait pensif, et pâlissant,   115
Car il était déjà l'élu du Tout-Puissant.[16]
Écrit en 1822.

LE COR [17]

I

J'aime le son du Cor, le soir, au fond des bois,
Soit qu'il chante les pleurs de la biche aux abois,
Ou l'adieu du chasseur que l'écho faible accueille,
Et que le vent du nord porte de feuille en feuille.

Que de fois, seul, dans l'ombre à minuit demeuré,   5
J'ai souri de l'entendre, et plus souvent pleuré!
Car je croyais ouïr de ces bruits prophétiques
Qui précédaient la mort des Paladins [18] antiques.

O montagne d'azur! ô pays adoré!
Rocs de la Frazona, cirque du Marboré,[19]   10
Cascades qui tombez des neiges entraînées,
Sources, gaves,[20] ruisseaux, torrents des Pyrénées;

Monts gelés et fleuris, trône des deux saisons,
Dont le front est de glace et le pied de gazons!
C'est là qu'il faut s'asseoir, c'est là qu'il faut entendre   15
Les airs lointains d'un Cor mélancolique et tendre.

Souvent un voyageur, lorsque l'air est sans bruit,
De cette voix d'airain fait retentir la nuit;
A ses chants cadencés autour de lui se mêle
L'harmonieux grelot du jeune agneau qui bêle.   20

Une biche attentive, au lieu de se cacher,
Se suspend immobile au sommet du rocher,

[16] Joshua feels the weight of responsibility Moses had borne descending upon him.
[17] *Le Cor*—In this poem, Vigny tells again the story of the *Chanson de Roland* (11th? century), the greatest French epic of the Middle Ages. The principal event described in the original epic is the destruction of Charlemagne's rear guard, commanded by his nephew, Roland, at the pass of Roncevaux, in the Pyrenees, in 778.
[18] Just before dying, Roland blew his horn, which he would not blow earlier, to inform Charlemagne of the disaster that had overtaken him and his companions, the peers.
[19] Central mass of the Pyrenees which forms an amphitheater of peaks around the *Cirque de Gavarnie*.
[20] "torrent" (in the Pyrenees).

Et la cascade unit, dans une chute immense,
Son éternelle plainte aux chants de la romance.[21]

Ames des Chevaliers,[22] revenez-vous encor?   25
Est-ce vous qui parlez avec la voix du Cor?
Roncevaux! Roncevaux! dans ta sombre vallée
L'ombre du grand Roland n'est donc pas consolée!

II

Tous les preux [23] étaient morts, mais aucun n'avait fui.
Il reste seul debout, Olivier [24] près de lui;   30
L'Afrique [25] sur le mont l'entoure et tremble encore.
«Roland, tu vas mourir, rends-toi, criait le More;

«Tous tes pairs sont couchés dans les eaux des torrents.»—
Il rugit comme un tigre, et dit: «Si je me rends,
Africain, ce sera lorsque les Pyrénées   3:
Sur l'onde avec leurs corps rouleront entraînées.»

—«Rends-toi donc, répond-il, ou meurs, car les voilà.»
Et du plus haut des monts un grand rocher roula.
Il bondit, il roula jusqu'au fond de l'abîme,
Et de ses pins, dans l'onde, il vint briser la cime.   40

—«Merci, cria Roland; tu m'as fait un chemin.»
Et jusqu'au pied des monts le roulant d'une main,
Sur le roc affermi comme un géant s'élance,
Et, prête à fuir, l'armée à ce seul pas balance.

III

Tranquilles cependant, Charlemagne et ses preux   45
Descendaient la montagne et se parlaient entre eux.
A l'horizon déjà, par leurs eaux signalées,
De Luz et d'Argelès [26] se montraient les vallées.

L'armée applaudissait. Le luth du troubadour
S'accordait pour chanter les saules de l'Adour;[27]   50
Le vin français coulait dans la coupe étrangère;
Le soldat, en riant, parlait à la bergère.

Roland gardait les monts; tous passaient sans effroi.
Assis nonchalamment sur un noir palefroi

---

[21] "ballad, song."   [22] "knights" (the twelve peers of Charlemagne).
[23] "valiant knights."   [24] Roland's friend, next to him in prowess.
[25] The Moslem host.   [26] Valleys in the Pyrenees.   [27] A stream in S.W. France.

Qui marchait revêtu de housses violettes,   55
Turpin [28] disait, tenant les saintes amulettes:

«Sire, on voit dans le ciel des nuages de feu;
Suspendez votre marche; il ne faut tenter Dieu.
Par monsieur saint Denis,[29] certes ce sont des âmes
Qui passent dans les airs sur ces vapeurs de flammes.   60

«Deux éclairs ont relui, puis deux autres encor.»
Ici l'on entendit le son lointain du Cor.—
L'Empereur étonné, se jetant en arrière,
Suspend du destrier la marche aventurière.

«Entendez-vous? dit-il.—Oui, ce sont des pasteurs   65
Rappelant les troupeaux épars sur les hauteurs,
Répondit l'archevêque, ou la voix étouffée
Du nain vert Obéron,[30] qui parle avec sa Fée.»

Et l'Empereur poursuit; mais son front soucieux
Est plus sombre et plus noir que l'orage des cieux.   70
Il craint la trahison,[31] et, tandis qu'il y songe,
Le Cor éclate et meurt, renaît et se prolonge.

«Malheur! c'est mon neveu! malheur! car, si Roland
Appelle à son secours, ce doit être en mourant.
Arrière, chevaliers, repassons la montagne!   75
Tremble encor sous nos pieds, sol trompeur de l'Espagne!»

IV

Sur le plus haut des monts s'arrêtent les chevaux;
L'écume les blanchit; sous leurs pieds, Roncevaux
Des feux mourants du jour à peine se colore.
A l'horizon lointain fuit l'étendard du More.   80

—«Turpin, n'as-tu rien vu dans le fond du torrent?
—J'y vois deux chevaliers: l'un mort, l'autre expirant.
Tous deux sont écrasés sous une roche noire;
Le plus fort, dans sa main, élève un Cor d'ivoire,
Son âme en s'exhalant nous appela deux fois.»   85

[28] Archbishop of Reims. In the *Chanson de Roland* he is one of the twelve peers with Roland.
[29] Patron saint of France.
[30] King of the fairies, mentioned in almost all European literature, but not found in the *Chanson de Roland*.
[31] In the *Chanson de Roland*, the blame for the destruction of the rear guard and the death of Roland is laid upon Ganelon, whose name has become synonymous with traitor.

Dieu! que le son du Cor est triste au fond des bois!
Écrit à Pau, en 1825.

LA MAISON DU BERGER [82]

Éva,[33] j'aimerai tout dans les choses créées,
Je les contemplerai dans ton regard rêveur   275
Qui partout répandra ses flammes colorées,
Son repos gracieux, sa magique saveur:
Sur mon cœur déchiré viens poser ta main pure,
Ne me laisse jamais seul avec la Nature;
Car je la connais trop pour n'en pas avoir peur.   280

Elle me dit: «Je suis l'impassible théâtre
Que ne peut remuer le pied de ses acteurs;
Mes marches d'émeraude et mes parvis d'albâtre,
Mes colonnes de marbre ont les dieux pour sculpteurs.
Je n'entends ni vos cris ni vos soupirs; à peine   285
Je sens passer sur moi la comédie humaine
Qui cherche en vain au ciel ses muets spectateurs.

Je roule avec dédain, sans voir et sans entendre,
A côté des fourmis les populations;
Je ne distingue pas leur terrier de leur cendre,   290
J'ignore en les portant les noms des nations.
On me dit une mère, et je suis une tombe.
Mon hiver prend vos morts comme son hécatombe,
Mon printemps ne sent pas vos adorations.

«Avant vous, j'étais belle et toujours parfumée,   295
J'abandonnais aux vents mes cheveux tout entiers:
Je suivais dans les cieux ma route accoutumée,
Sur l'axe harmonieux des divins balanciers;
Après vous, traversant l'espace où tout s'élance,
J'irai seule et sereine, en un chaste silence   300
Je fendrai l'air du front et de mes seins altiers.»

C'est là ce que me dit sa voix triste et superbe,
Et dans mon cœur alors je la hais, et je vois
Notre sang dans son onde et nos morts sous son herbe
Nourrissant de leurs sucs la racine des bois.   305

---

[82] "The (rolling) Shepherd's Hut." Only a few strophes of this important poem are given here, to show Vigny's attitude towards nature.
[33] *Éva*, in this poem, refers to a beloved woman and, at the same time to poetry, the poet's muse.

Et je dis à mes yeux qui lui trouvaient des charmes :
«Ailleurs tous vos regards, ailleurs toutes vos larmes,
Aimez ce que jamais on ne verra deux fois.» [34]

Oh! qui verra deux fois ta grâce et ta tendresse,
Ange doux et plaintif qui parle en soupirant?   310
Qui naîtra comme toi portant une caresse
Dans chaque éclair tombé de ton regard mourant,
Dans les balancements de ta tête penchée,
Dans ta taille dolente et mollement couchée,
Et dans ton pur sourire amoureux et souffrant?   315

Vivez, froide Nature, et revivez sans cesse,
Sous nos pieds, sur nos fronts, puisque c'est votre loi;
Vivez, et dédaignez, si vous êtes déesse,
L'homme, humble passager, qui dut [35] vous être un roi;
Plus que tout votre règne et que ses splendeurs vaines,   320
J'aime la majesté des souffrances humaines;
Vous ne recevrez pas un cri d'amour de moi.

Published in 1844.

LA MORT DU LOUP [36]

I

Les nuages couraient sur la lune enflammée
Comme sur l'incendie on voit fuir la fumée,
Et les bois étaient noirs jusques [37] à l'horizon.
Nous marchions, sans parler, dans l'humide gazon,
Dans la bruyère épaisse et dans les hautes brandes, [38]   5
Lorsque, sous des sapins pareils à ceux des Landes, [39]
Nous avons aperçu les grands ongles marqués
Par les loups voyageurs que nous avions traqués.
Nous avons écouté, retenant notre haleine
Et le pas suspendu.—Ni le bois ni la plaine   10
Ne poussaient un soupir dans les airs; seulement
La girouette en deuil criait au firmament;
Car le vent, élevé bien au-dessus des terres,
N'effleurait de ses pieds que les tours solitaires,
Et les chênes d'en bas, contre les rocs penchés,   15
Sur leurs coudes semblaient endormis et couchés.
Rien ne bruissait donc, lorsque, baissant la tête,

[34] *l'homme.*   [35] *aurait dû.*   [36] Perhaps the best expression of Vigny's stoicism.
[37] The *e* of *jusque* may be elided or an *s* added, before a vowel, as here it is added to gain an extra syllable.
[38] "heather."   [39] Region in southwest France, famous for its pine forests.

Le plus vieux des chasseurs qui s'étaient mis en quête
A regardé le sable en s'y couchant; bientôt,
Lui que jamais ici l'on ne vit en défaut,   20
A déclaré tout bas que ces marques récentes
Annonçaient la démarche et les griffes puissantes
De deux grands loup-cerviers [40] et de deux louveteaux.
Nous avons tous alors préparé nos couteaux,
Et, cachant nos fusils et leurs lueurs trop blanches,   25
Nous allions pas à pas en écartant les branches.
Trois s'arrêtent, et moi, cherchant ce qu'ils voyaient,
J'aperçois tout à coup deux yeux qui flamboyaient,
Et je vois au delà quatre formes légères
Qui dansaient sous la lune au milieu des bruyères,   30
Comme font chaque jour, à grand bruit sous nos yeux,
Quand le maître revient, les lévriers joyeux.
Leur forme était semblable et semblable la danse;
Mais les enfants du Loup se jouaient en silence,
Sachant bien qu'à deux pas, ne dormant qu'à demi,   35
Se couche dans ses murs l'homme, leur ennemi.
Le père était debout, et plus loin, contre un arbre,
Sa louve reposait comme celle de marbre
Qu'adoraient les Romains, et dont les flancs velus
Couvaient les demi-dieux Rémus et Romulus. [41]   40
Le Loup vient et s'assied, les deux jambes dressées,
Par leurs ongles crochus dans le sable enfoncées.
Il s'est jugé perdu, puisqu'il était surpris,
Sa retraite coupée et tous ses chemins pris;
Alors il a saisi, dans sa gueule brûlante,   45
Du chien le plus hardi la gorge pantelante,
Et n'a pas desserré ses mâchoires de fer,
Malgré nos coups de feu, qui traversaient sa chair,
Et nos couteaux aigus qui, comme des tenailles,
Se croisaient en plongeant dans ses larges entrailles,   50
Jusqu'au dernier moment où le chien étranglé,
Mort longtemps avant lui, sous ses pieds a roulé.
Le Loup le quitte alors et puis il nous regarde.
Les couteaux lui restaient au flanc jusqu'à la garde,
Le clouaient au gazon tout baigné dans son sang;   55
Nos fusils l'entouraient en sinistre croissant.
Il nous regarde encore, ensuite il se recouche,
Tout en léchant le sang répandu sur sa bouche,

[40] The meaning Littré gives for *loup-cervier* is *lynx*. Vigny uses the name here as synonymous with *loup*.

[41] Romulus, the legendary founder and king of Rome, and his twin brother, Remus, were believed to have been rescued from the Tiber, into which they had been thrown, and suckled and reared by a she-wolf.

Et, sans daigner savoir comment il a péri,
Refermant ses grands yeux, meurt sans jeter un cri.   60

II

J'ai reposé mon front sur mon fusil sans poudre,
Me prenant à penser, et n'ai pu me résoudre
A poursuivre sa Louve et ses fils, qui, tous trois,
Avaient voulu l'attendre, et, comme je le crois,
Sans ses deux louveteaux, la belle et sombre veuve   65
Ne l'eût pas laissé seul subir la grande épreuve;
Mais son devoir était de les sauver, afin
De pouvoir leur apprendre à bien souffrir la faim,
A ne jamais entrer dans le pacte des villes
Que l'homme a fait avec les animaux serviles   70
Qui chassent devant lui, pour avoir le coucher,
Les premiers possesseurs du bois et du rocher.

III

Hélas! ai-je pensé, malgré ce grand nom d'Hommes,
Que j'ai honte de nous, débiles que nous sommes!
Comment on doit quitter la vie et tous ses maux,   75
C'est vous qui le savez, sublimes animaux!
A voir ce que l'on fut sur terre et ce qu'on laisse,
Seul le silence est grand; tout le reste est faiblesse.
—Ah! je t'ai bien compris, sauvage voyageur,
Et ton dernier regard m'est allé jusqu'au cœur!   80
Il disait: «Si tu peux, fais que ton âme arrive,
A force de rester studieuse et pensive,
Jusqu'à ce haut degré de stoïque fierté
Où, naissant dans les bois, j'ai tout d'abord monté.
Gémir, pleurer, prier, est également lâche.   85
Fais énergiquement ta longue et lourde tâche
Dans la voie où le sort a voulu t'appeler,
Puis, après, comme moi, souffre et meurs sans parler.»
Écrit au château du M——, 1843.

LA BOUTEILLE A LA MER [42]

(Conseil à un Jeune Homme Inconnu)

Courage, ô faible enfant de qui ma solitude
Reçoit ces chants plaintifs, sans nom, que vous jetez

[42] Only that half of the poem is given here which presents its central idea.

Sous mes yeux ombragés du camail [43] de l'étude.
Oubliez les enfants par la mort arrêtés;
Oubliez Chatterton,[44] Gilbert [45] et Malfilâtre; [46]   5
De l'œuvre d'avenir saintement idolâtre,
Enfin, oubliez l'homme en vous-même.—Écoutez:

Quand un grave marin voit que le vent l'emporte [47]
Et que les mâts brisés pendent tous sur le pont,
Que dans son grand duel la mer est la plus forte   10
Et que par des calculs l'esprit en vain répond;
Que le courant l'écrase et le roule en sa course,
Qu'il est sans gouvernail et, partant [48] sans ressource,
Il se croise les bras dans un calme profond.

Il voit les masses d'eau, les toise et les mesure,   15
Les méprise [49] en sachant qu'il en est écrasé,
Soumet son âme au poids de la matière impure
Et se sent mort ainsi que son vaisseau rasé.
—A de certains moments, l'âme est sans résistance;
Mais le penseur s'isole et n'attend d'assistance   20
Que de la forte foi dont il est embrasé.

.   .   .   .

Son sacrifice est fait; mais il faut que la terre
Recueille du travail le pieux monument.   30
C'est le journal savant, le calcul solitaire,
Plus rare que la perle et que le diamant;
C'est la carte des flots faite dans la tempête,
La carte de l'écueil qui va briser sa tête:
Aux voyageurs futurs sublime testament.   35

.   .   .   .

Puis, immobile et froid, comme le cap des brumes [50]
Qui sert de sentinelle au détroit Magellan,[51]
Sombre comme ces rocs au front chargé d'écumes,   45

---

43 "hood."

44 *Chatterton,* Thomas (1752–1770), an English poet who, falling into poverty, committed suicide. Vigny has made him the symbol of the misunderstood and discouraged poet in his play *Chatterton* (1835).

45 *Gilbert,* Nicolas J. L. (1751–1780), a French poet. His *Adieu à la vie* has become a classic.

46 *Malfilâtre,* Jacques C. L. (1732–1767), another French poet who died in poverty in his youth, author of *Narcisse.*

47 "is getting the better of him"; "is stronger than he."   48 "therefore."

49 This reminds one of Pascal's thought: "Mais quand l'univers l'écraserait, l'homme serait encore plus noble que ce qui le tue, parce qu'il sait qu'il meurt, et l'avantage que l'univers a sur lui; l'univers n'en sait rien."

50 Cape Horn.   51 Strait of Magellan—southernmost part of South America.

Ces pics noirs dont chacun porte un deuil castillan,[52]
Il ouvre une bouteille et la choisit très forte,
Tandis que son vaisseau que le courant emporte
Tourne en un cercle étroit comme un vol de milan.

   .   .   .   .

Le capitaine encor jette un regard au pôle
Dont il vient d'explorer les détroits inconnus.
L'eau monte à ses genoux et frappe son épaule;
Il peut lever au ciel l'un de ses deux bras nus.   95
Son navire est coulé, sa vie est révolue:
Il lance la Bouteille à la mer, et salue
Les jours de l'avenir qui pour lui sont venus.

Il sourit en songeant que ce fragile verre
Portera sa pensée et son nom jusqu'au port;   100
Que d'une île inconnue il agrandit la terre;
Qu'il marque un nouvel astre et le confie au sort!
Que Dieu peut bien permettre à des eaux insensées
De perdre des vaisseaux, mais non pas des pensées;
Et qu'avec un flacon il a vaincu la mort.   105

Tout est dit. A présent, que Dieu lui soit en aide!
Sur le brick englouti l'onde a pris son niveau.
Au large flot de l'est le flot de l'ouest succède,
Et la Bouteille roule en son vaste berceau.
Seule dans l'Océan la frêle passagère   110
N'a pas pour se guider une brise légère;
Mais elle vient de l'arche [53] et porte le rameau.

   .   .   .   .

Seule dans l'Océan, seule toujours!—Perdue
Comme un point invisible en un mouvant désert,   135
L'aventurière passe errant dans l'étendue,
Et voit tel cap secret qui n'est pas découvert.
Tremblante voyageuse à flotter condamnée,
Elle sent sur son col [54] que depuis une année
L'algue et les goémons [55] lui font un manteau vert.   140

Un soir enfin, les vents qui soufflent des Florides
L'entraînent vers la France et ses bords pluvieux.
Un pêcheur accroupi sous des rochers arides

---

[52] This dangerous region was first explored by Spanish adventurers, many of whom lost their lives.
[53] Vigny compares the bottle to the dove sent out of the Ark by Noah.
[54] "neck."   [55] "algae and sea-weed."

Tire dans ses filets le flacon précieux.
Il court, cherche un savant et lui montre sa prise,   145
Et, sans l'oser ouvrir, demande qu'on lui dise
Quel est cet élixir noir et mystérieux.

Quel est cet élixir? Pêcheur, c'est la science,
C'est l'élixir divin que boivent les esprits,
Trésor de la pensée et de l'expérience;   150
Et si tes lourds filets, ô pêcheur, avaient pris
L'or qui toujours serpente aux veines du Mexique,
Les diamants de l'Inde et les perles d'Afrique,
Ton labeur de ce jour aurait eu moins de prix.

.   .   .   .

Souvenir éternel! gloire à la découverte
Dans l'homme ou la nature, égaux en profondeur,
Dans le Juste et le Bien, source à peine entr'ouverte,
Dans l'Art inépuisable, abîme de splendeur!   165
Qu'importe oubli, morsure, injustice insensée,
Glaces et tourbillons de notre traversée?
Sur la pierre des morts croît l'arbre de grandeur.

.   .   .   .

Le vrai Dieu, le Dieu fort, est le Dieu des idées.[56]
Sur nos fronts où le germe est jeté par le sort,
Répandons le Savoir en fécondes ondées;
Puis, recueillant le fruit tel que de l'âme il sort,
Tout empreint du parfum des saintes solitudes,   180
Jetons l'œuvre à la mer, la mer des multitudes:
—Dieu la prendra du doigt pour la conduire au port.

Au Maine-Giraud, octobre 1853.

[56] Cf. Pascal's "Pensée fait la grandeur de l'homme" and "Toute la dignité de l'homme est en la pensée."

ALFRED DE MUSSET (1810–1857)

Born in Paris, Musset was a brilliant student but too eager to drain life's cup; dissipation undermined his health while he was yet a youth. When he was only eighteen he was introduced to the *Cénacle*. In 1833 he met George Sand and they were soon on their way to Italy together. It was not long, however, before Dr. Pagello took Musset's place in George Sand's heart, and Musset returned to Paris alone, in 1834. After an unhappy attempt to revive their love they finally separated. Echoes of the affair are to be found in *La Confession d'un Enfant du Siècle, les Nuits* and *Souvenir*. After this liaison Musset produced his best works, but he also returned to his life of dissipation which, "like the robe of Nessus," was not to be shaken off. He was, perhaps, even more of a Romanticist in his life than in his works; he had not the force of character to resist his mad longing for pleasures. He died at the age of forty-seven.

The "enfant terrible" of Romanticism, Musset deliberately carried to an extreme some of the pet theories of the Romanticists; his enthusiasm could not blind him to the absurdity of many of their tenets. Abandoning the doctrines which they accepted, "dehugotizing himself," as his father put it, he followed his own inspiration and genius. He would not write by rules and formulas, for, to him, poetry meant the sincere outpouring of the heart which has suffered. He does not preach nor does he declaim. He is subtle, ingenuous, whimsical, playful, bantering, or serious, according to his mood. He may present to us airy nothings in the lightest tone of badinage, or he may pour out his heart in such serious and sincere confession that he wins our sympathy. No deep philosophy is to be found in him; in fact he is interested in only one subject, love. Love is all; to have loved—even though one has suffered as a result— is to have lived. He is called "the poet of youth and love."

As a dramatist, Musset ranks highest among the Romanticists. His first play, *La Nuit Vénitienne* (1830), having failed, he stopped writing for the stage and followed his own fancy, free from rules and conventions. When his plays were put on the boards later, however, they were found to be easily adaptable to stage presentation, and the best of them are still presented in Paris. His subject is still love, but it would be difficult to find greater variety of treatment than Musset offers. *Fantasio* is pure fancy, *On ne badine pas avec l'amour* is a love tragedy mingled with Musset's own type of comedy, whereas *Lorenzaccio,* his attempt at a *Hamlet* play, while quite unlike *Hamlet,* is, perhaps, the Romantic play which most deserves to be compared to Shakespeare; it is a serious character study. Musset's plots are far more satisfactory and his characters far more human and real than those generally found in Romantic writers, and his style has a simple charm which approaches the classical.

In addition to poetry and drama, Musset has written delightful stories and one novel which show the same general features that are to be found in his other works. His *Lettres de Dupuis et de Cotonet* are critical essays written in such an informal airy manner, touched with such good humored irony that they are delightful reading. Musset led no school, and no one has succeeded in imitating him, but he is today, probably, the most read and the best loved of the Romantic writers.

". . . Quand il est ému, il est du XIXe siècle plus que personne, nerveux, douloureux, passionné et saignant, criant sa misère et son désespoir 'en vers immortels qui sont de purs sanglots'; quand il est calme, il est le plus admirable, le plus spirituel, le plus léger et le plus charmant des conteurs, des humoristes et des faiseurs de petits vers du XVIIIe siècle . . ." (Faguet: *Histoire de la Littérature Française*.)

IMPORTANT WORKS:

Poetry: *Premières Poésies* (1829–1835); *Poésies Nouvelles* (1836–1852); *Rolla, Nuit de Décembre, Nuit de Mai* (1835); *Nuit d'Août* (1836); *Nuit d'Octobre* (1837); *Souvenir* (1841).
Drama: *Fantasio* (1833); *On ne badine pas avec l'amour, Lorenzaccio* (1834); *Il ne faut jurer de rien* (1836).
Novel and Stories: *La Confession d'un Enfant du Siècle* (1836); *Contes et Nouvelles* (1838–1853).
Criticism: *Lettres de Dupuis et de Cotonet* (1836–1837).

LETTRES DE DUPUIS ET DE COTONET

[The following brief extract from the *Lettres de Dupuis et de Cotonet* will show how lightly Musset disposes of some of the Romantic ideas and theories. The gentlemen who write the letters have been greatly puzzled by all they have read about Romanticism in the Paris papers and have been trying to find out "what it is all about." Having sought the meaning of Romanticism in vain, they call upon the *clerc*, who came from Paris, and pretended to know all about it.]

MOI

Monsieur, je vous prie de m'expliquer ce que c'est que le romantisme. Est-ce le mépris des unités établies par Aristote, et respectées par les auteurs français?

LE CLERC

Assurément. Nous nous soucions bien d'Aristote! faut-il qu'un pédant [1] de collège, mort il y a deux ou trois mille ans. . . .

COTONET

5   Comment le romantisme serait-il le mépris des unités, puisque le romantisme s'applique à mille autres choses qu'aux pièces de théâtre?

LE CLERC

C'est vrai; le mépris des unités n'est rien; pure bagatelle! ne nous y arrêtons pas.

MOI

En ce cas, serait-ce l'alliance du comique et du tragique?

LE CLERC

10   Vous l'avez dit; c'est cela même; vous l'avez nommé par son nom.

[1] Aristotle hardly deserved to have the *clerc* (student) call him a *pédant de collège*.

COTONET

Monsieur, il y a longtemps qu'Aristote est mort, mais il y a tout aussi longtemps qu'il existe des ouvrages où le comique est allié au tragique. D'ailleurs Ossian,[2] votre Homère nouveau, est sérieux d'un bout à l'autre, il n'y a, ma foi, pas de quoi rire. Pourquoi l'appelez-vous donc romantique? Homère est beaucoup plus romantique que lui. 5

LE CLERC

C'est juste; je vous prie de m'excuser; le romantisme est bien autre chose.

MOI

Serait-ce l'imitation ou l'inspiration de certaines littératures étrangères, ou, pour m'expliquer en un seul mot, serait-ce tout, hors les Grecs et les Romains?

LE CLERC

N'en doutez pas. Les Grecs et les Romains sont à jamais bannis de France; un vers spirituel et mordant. . . . 10

COTONET

Alors le romantisme n'est qu'un plagiat, un simulacre, une copie; c'est honteux, monsieur, c'est avilissant. La France n'est ni anglaise ni allemande, pas plus qu'elle n'est grecque ni romaine, et plagiat pour plagiat, j'aime mieux un beau plâtre pris sur la Diane chasseresse qu'un monstre de bois vermoulu décroché d'un grenier gothique.[3] 15

LE CLERC

Le romantisme n'est pas un plagiat, et nous ne voulons imiter personne; non, l'Angleterre ni l'Allemagne n'ont rien à faire dans notre pays.

COTONET, *vivement*

Qu'est-ce donc alors que le romantisme? Est-ce l'emploi des mots crus? Est-ce la haine des périphrases? Est-ce l'usage de la musique au théâtre à l'entrée d'un personnage principal? Mais on en a toujours agi ainsi dans les 20 mélodrames, et nos pièces nouvelles ne sont pas autre chose. Pourquoi changer les termes? *Mélos*, musique, et *drama*, drame. *Calas*[4] et le *Joueur* sont deux modèles en ce genre. Est-ce l'abus des noms historiques? Est-ce la forme des costumes? Est-ce le choix de certaines époques à la mode, comme la Fronde[5] ou le règne de Charles IX?[6] Est-ce la manie du suicide et l'héroïsme à la 25

[2] Ossian: see page 4, note 11. The Gaelic poems of the so-called Ossian were taken very seriously by the Romanticists.

[3] Allusion to the vogue of ultra-romantic themes borrowed from England and Germany.

[4] *Calas* and *Trente ans ou la vie d'un joueur*, melodramas by Victor Ducange (1783–1833).

[5] Name given to the civil war between the Court faction and the Parlement supporters during the minority of Louis XIV (1648–1653).

[6] The reign of Charles IX (1560–1574) was a turbulent one, marked by such events as the massacres of Wassy (1562) and Saint Bartholomew's day (Aug. 23, 1572), the first and second religious wars, etc. To get a picture of conditions in France at that time, the student should

Byron? [7] Sont-ce les néologismes, le néo-christianisme, et pour appeler d'un nom nouveau une peste nouvelle, tous les *néosophismes* [8] de la terre? Est-ce de jurer par écrit? Est-ce de choquer le bon sens et la grammaire? Est-ce quelque chose enfin, ou n'est-ce rien qu'un mot sonore et l'orgueil à vide qui se bat
5 les flancs?

LE CLERC

Le romantisme, mon cher Monsieur! Non, à coup sûr, ce n'est ni le mépris des unités, ni l'alliance du comique et du tragique, ni rien au monde que vous puissiez dire; vous saisiriez vainement l'aile du papillon, la poussière qui le colore vous resterait dans les doigts. Le romantisme, c'est l'étoile qui pleure,
10 c'est le vent qui vagit, c'est la nuit qui frissonne, la fleur qui vole et l'oiseau qui embaume; [9] c'est le jet inespéré, l'extase allanguie, la citerne sous les palmiers, et l'espoir vermeil et ses mille amours, l'ange et la perle, la robe blanche des saules, ô la belle chose, Monsieur! C'est l'infini et l'étoilé, le chaud, le rompu, le désenivré, et pourtant en même temps le plein et le rond, le diamétral, le
15 pyramidal, l'oriental, le nu à vif, l'étreint, l'embrassé, le tourbillonnant; quelle science nouvelle! C'est la philosophie providentielle géométrisant les faits accomplis, puis s'élançant dans le vague des expériences pour y ciseler les fibres secrètes. . . .

PORTRAITS DE DEUX ENFANTS
(Style romantique)

«Aucun souci précoce n'avait ridé leur front naïf, aucune intempérance
20 n'avait corrompu leur jeune sang; aucune passion malheureuse n'avait dépravé leur cœur enfantin, fraîche fleur à peine entr'ouverte; l'amour candide, l'innocence aux yeux bleus, la suave piété, développaient chaque jour la beauté sereine de leur âme radieuse en grâces ineffables, dans leurs souples attitudes et leurs harmonieux mouvements.»

TEXTE

25 «Aucun souci n'avait ridé leur front, aucune intempérance n'avait corrompu leur sang; aucune passion malheureuse n'avait dépravé leur cœur; l'amour, l'innocence, la piété, développaient chaque jour la beauté de leur âme en grâces ineffables, dans leurs traits, leurs attitudes et leurs mouvements.» [10]
30 Ce second texte, monsieur, est tiré de *Paul et Virginie*. Vous savez que Quintilien [11] compare une phrase trop chargée d'adjectifs à une armée où

read Merimée's *Chronique du Règne de Charles IX,* which Musset probably alludes to in this passage.

[7] Byron (1788–1824), Scott, and Shakespeare, were the English authors most admired by the French Romanticists.

[8] *Sophisme* means: "false reasoning," used with the intention of leading into error. *Néo* means "new."

[9] While jesting at the expense of the Romanticists, Musset is here making fun of his own youthful audacities.

[10] The second passage, though more sober than the first, is quite Romantic also.

[11] Roman rhetorician and critic of the first century.

chaque soldat aurait derrière lui son valet de chambre. Nous voilà arrivés au sujet de cette lettre; c'est que nous pensons qu'on met trop d'adjectifs dans ce moment-ci. Vous apprécierez, nous l'espérons, la réserve de cette dernière amplification; il y a juste le nécessaire; mais notre opinion concluante est que si on rayait tous les adjectifs des livres qu'on fait aujourd'hui, il n'y aurait 5 qu'un volume au lieu de deux, et donc, il n'en coûterait que sept livres dix sous au lieu de quinze francs, ce qui mérite réflexion. Les auteurs vendraient mieux leurs ouvrages, selon toute apparence. Vous vous souvenez, monsieur, des *âcres* baisers de Julie, dans *la Nouvelle Héloïse;* [12] ils ont produit de l'effet dans leur temps; mais il nous semble que dans celui-ci ils n'en produiraient 10 guère, car il faut une grande sobriété dans un ouvrage, pour qu'une épithète se remarque. Il n'y a guère de romans maintenant où l'on n'ait rencontré autant d'épithètes au bout de trois pages, et plus violentes, qu'il n'y en a dans tout Montesquieu.[13] Pour en finir, nous croyons que le romantisme consiste à employer tous ces adjectifs, et non en autre chose. Sur quoi, nous vous 15 saluons bien cordialement, et signons ensemble.

AU LECTEUR

Ce livre est toute ma jeunesse;
Je l'ai fait sans presque y songer.
Il y paraît, je le confesse,
Et j'aurais pu le corriger.

Mais quand l'homme change sans cesse, 5
Au passé pourquoi rien changer?
Va-t'en, pauvre oiseau passager,
Que Dieu te mène à ton adresse!

Qui que tu sois, qui me liras,
Lis-en le plus que tu pourras, 10
Et ne me condamne qu'en somme.

Mes premiers vers sont d'un enfant,
Les seconds d'un adolescent,
Les derniers à peine d'un homme.

Premières Poésies.

SONNET [14]

Béatrix Donato fut le doux nom de celle
Dont la forme terrestre eut ce divin contour.

[12] *La Nouvelle Héloïse* (1761), novel by Rousseau, a literary landmark, packed with impassioned Romantic sentiment and love of nature.

[13] Montesquieu (1689–1755)—see page 48, note 1. Musset admired his prose.

[14] This sonnet, which is found in a story, *Le Fils du Titien*, by Musset, sums up the whole life of the author. The finest work of art—whether poem or painting—is not worth "un baiser du modèle."

Dans sa blanche poitrine était un cœur fidèle,
Et dans son corps sans tache un esprit sans détour.

Le fils du Titien, pour la rendre immortelle,   5
Fit ce portrait, témoin d'un mutuel amour;
Puis il cessa [15] de peindre à compter de ce jour,
Ne voulant de sa main illustrer d'autre qu'elle.

Passant, qui que tu sois, si ton cœur sait aimer,
Regarde ma maîtresse avant de me blâmer,   10
Et dis si, par hasard, la tienne est aussi belle.

Vois donc combien c'est peu que la gloire ici-bas,
Puisque, tout beau qu'il est, ce portrait ne vaut pas
(Crois-m'en sur ma parole) un baiser du modèle.

Poésies Nouvelles.

LA NUIT DE MAI [16]

La Muse

Poète, prends ton luth et me donne un baiser;
La fleur de l'églantier sent ses bourgeons éclore.
Le printemps naît ce soir; les vents vont s'embraser;
Et la bergeronnette,[17] en attendant l'aurore,
Aux premiers buissons verts commence à se poser.   5
Poète, prends ton luth, et me donne un baiser.

Le Poète

Comme il fait noir dans la vallée!
J'ai cru qu'une forme voilée
Flottait là-bas sur la forêt.
Elle sortait de la prairie;   10
Son pied rasait l'herbe fleurie;
C'est une étrange rêverie;
Elle s'efface et disparaît.

La Muse

Poète, prends ton luth; la nuit, sur la pelouse,
Balance le zéphyr dans son voile odorant.   15
La rose, vierge encor, se referme jalouse

---

[15] In Musset's story, Titian's son refused to paint anything more after he had painted a portrait of his mistress.

[16] *La Nuit de Mai* (1835), one of Musset's finest poems, was inspired by his liaison with George Sand. It was written in two days' time.

[17] "wagtail."

Sur le frelon nacré qu'elle enivre en mourant.
Écoute! tout se tait; songe à ta bien-aimée.
Ce soir, sous les tilleuls, à la sombre ramée
Le rayon du couchant laisse un adieu plus doux. 20
Ce soir, tout va fleurir: l'immortelle nature
Se remplit de parfums, d'amour et de murmure,
Comme le lit joyeux de deux jeunes époux.

Le Poète

Pourquoi mon cœur bat-il si vite?
Qu'ai-je donc en moi qui s'agite, 25
Dont je me sens épouvanté?
Ne frappe-t-on pas à ma porte?
Pourquoi ma lampe à demi morte
M'éblouit-elle de clarté?
Dieu puissant! tout mon corps frissonne. 30
Qui vient? qui m'appelle?—Personne.
Je suis seul; c'est l'heure qui sonne;
O solitude! ô pauvreté!

La Muse

Poète, prends ton luth; le vin de la jeunesse
Fermente cette nuit dans les veines de Dieu. 35
Mon sein est inquiet; la volupté l'oppresse,
Et les vents altérés m'ont mis la lèvre en feu.
O paresseux enfant! regarde, je suis belle.
Notre premier baiser, ne t'en souviens-tu pas,
Quand je te vis si pâle au toucher de mon aile, 40
Et que, les yeux en pleurs, tu tombas dans mes bras?
Ah! je t'ai consolé d'une amère souffrance!
Hélas! bien jeune encor, tu te mourais d'amour.
Console-moi ce soir, je me meurs d'espérance;
J'ai besoin de prier pour vivre jusqu'au jour. 45

Le Poète

Est-ce toi dont la voix m'appelle,
O ma pauvre Muse, est-ce toi?
O ma fleur, ô mon immortelle!
Seul être pudique et fidèle
Où vive encor l'amour de moi! 50
Oui, te voilà, c'est toi, ma blonde,
C'est toi, ma maîtresse et ma sœur!
Et je sens, dans la nuit profonde,

De ta robe d'or qui m'inonde
Les rayons glisser dans mon cœur.   55

La Muse

Poète, prends ton luth; c'est moi, ton immortelle,
Qui t'ai vu cette nuit triste et silencieux,
Et qui, comme un oiseau que sa couvée appelle,
Pour pleurer avec toi descends du haut des cieux.
Viens, tu souffres, ami. Quelque ennui solitaire   60
Te ronge; quelque chose a gémi dans ton cœur;
Quelque amour t'est venu, comme on en voit sur terre,
Une ombre de plaisir, un semblant de bonheur.
Viens, chantons devant Dieu; chantons dans tes pensées,
Dans tes plaisirs perdus, dans tes peines passées;   65
Partons, dans un baiser, pour un monde inconnu.
Éveillons au hasard les échos de ta vie,
Parlons-nous de bonheur, de gloire et de folie,
Et que ce soit un rêve, et le premier venu.
Inventons quelque part des lieux où l'on oublie;   70
Partons, nous sommes seuls, l'univers est à nous.
Voici la verte Écosse et la brune Italie,
Et la Grèce, ma mère, où le miel est si doux,
Argos,[18] et Ptéléon, ville des hécatombes,
Et Messa, la divine, agréable aux colombes,   75
Et le front chevelu du Pélion changeant,
Et le bleu Titarèse, et le golfe d'argent
Qui montre dans ses eaux, où le cygne se mire,
La blanche Oloossone à la blanche Camyre.
Dis-moi, quel songe d'or nos chants vont-ils bercer?   80
D'où vont venir les pleurs que nous allons verser?
Ce matin, quand le jour a frappé ta paupière,
Quel séraphin pensif, courbé sur ton chevet,
Secouait des lilas dans sa robe légère,
Et te contait tout bas les amours qu'il rêvait?   85
Chanterons-nous [19] l'espoir, la tristesse ou la joie?
Tremperons-nous de sang les bataillons d'acier?
Suspendrons-nous l'amant sur l'échelle de soie?
Jetterons-nous au vent l'écume du coursier?
Dirons-nous quelle main, dans les lampes sans nombre   90
De la maison céleste, allume nuit et jour
L'huile sainte de vie et d'éternel amour?

[18] The Greek names are: *Argos*, city in the Peloponnesus; Pteleon, city in Achaia; *Messa*, city in Laconia. *Pelion*, mountain in Thessaly; *Titarèse* (Titaressus), a river in Thessaly; *Oloossone*, city in Thessaly; *Camyros*, on the island of Rhodes. The chalky clay of the region accounts for the *blanche*.
[19] The Muse begins, here, to suggest various kinds of poetry.

Crierons-nous à Tarquin: [20] «Il est temps, voici l'ombre!»
Descendrons-nous cueillir la perle au fond des mers?
Mènerons-nous la chèvre aux ébéniers amers?   95
Montrerons-nous le ciel à la Mélancolie?
Suivrons-nous le chasseur sur les monts escarpés?
La biche le regarde; elle pleure et supplie;
Sa bruyère l'attend; ses faons sont nouveau-nés;
Il se baisse, il l'égorge, il jette à la curée [21]   100
Sur les chiens en sueur son cœur encor vivant.
Peindrons-nous une vierge à la joue empourprée,
S'en allant à la messe, un page la suivant,
Et d'un regard distrait, à côté de sa mère,
Sur sa lèvre entr'ouverte oubliant sa prière?   105
Elle écoute en tremblant, dans l'écho du pilier,
Résonner l'éperon d'un hardi cavalier.
Dirons-nous aux héros des vieux temps de la France
De monter tout armés aux créneaux de leurs tours,
Et de ressusciter la naïve romance [22]   110
Que leur gloire oubliée apprit aux troubadours?
Vêtirons-nous de blanc une molle élégie?
L'homme de Waterloo [23] nous dira-t-il sa vie,
Et ce qu'il a fauché du troupeau des humains
Avant que l'envoyé de la nuit éternelle   115
Vînt sur son tertre vert [24] l'abattre d'un coup d'aile,
Et sur son cœur de fer lui croiser les deux mains?
Clouerons-nous au poteau d'une satire altière
Le nom sept fois vendu d'un pâle pamphlétaire,
Qui, poussé par la faim, du fond de son oubli   120
S'en vient, tout grelottant d'envie et d'impuissance,
Sur le front du génie insulter l'espérance
Et mordre le laurier que son souffle a sali?
Prends ton luth! prends ton luth! je ne peux plus me taire.
Mon aile me soulève au souffle du printemps.   125
Le vent va m'emporter; je vais quitter la terre.
Une larme de toi! Dieu m'écoute; il est temps.

LE POÈTE

S'il ne te faut, ma sœur chérie,
Qu'un baiser d'une lèvre amie
Et qu'une larme de mes yeux,   130
Je te les donnerai sans peine;

[20] Tarquinius Sextus, son of Tarquinius Superbus, who ravished the virtuous Lucretia, thereby causing the Tarquin family to be expelled from Rome.
[21] "to encourage the dogs, he throws them the heart," etc.
[22] "ballad."   [23] Napoleon Bonaparte.   [24] Saint-Helena.

De nos amours qu'il te souvienne,
Si tu remontes dans les cieux.
Je ne chante ni l'espérance,
Ni la gloire, ni le bonheur,   135
Hélas! pas même la souffrance.
La bouche garde le silence
Pour écouter parler le cœur.

La Muse

Crois-tu donc que je sois comme le vent d'automne,
Qui se nourrit de pleurs jusque sur un tombeau,   140
Et pour qui la douleur n'est qu'une goutte d'eau?
O poète! un baiser, c'est moi qui te le donne.
L'herbe que je voulais arracher de ce lieu,
C'est ton oisiveté; ta douleur est à Dieu.
Quel que soit le souci que ta jeunesse endure,   145
Laisse-la s'élargir, cette sainte blessure
Que les noirs séraphins t'ont faite au fond du cœur;
Rien ne nous rend si grands qu'une grande douleur.
Mais, pour en être atteint, ne crois pas, ô poète,
Que ta voix ici-bas doive rester muette.   150
Les plus désespérés sont les chants les plus beaux,[25]
Et j'en sais d'immortels qui sont de purs sanglots.
Lorsque le pélican,[26] lassé d'un long voyage,
Dans les brouillards du soir retourne à ses roseaux,
Ses petits affamés courent sur le rivage   155
En le voyant au loin s'abattre sur les eaux.
Déjà, croyant saisir et partager leur proie,
Ils courent à leur père avec des cris de joie
En secouant leurs becs sur leurs goîtres hideux.
Lui, gagnant à pas lents une roche élevée,   160
De son aile pendante abritant sa couvée,
Pêcheur mélancolique, il regarde les cieux.
Le sang coule à longs flots de sa poitrine ouverte;
En vain il a des mers fouillé la profondeur:
L'Océan était vide, et la plage déserte;   165
Pour toute nourriture il apporte son cœur.
Sombre et silencieux, étendu sur la pierre,
Partageant à ses fils ses entrailles de père,
Dans son amour sublime il berce sa douleur,
Et, regardant couler sa sanglante mamelle,   170
Sur son festin de mort il s'affaisse et chancelle,

---

[25] Compare Shelley's line: "Our sweetest songs are those that tell of saddest thought" (*To a Skylark*).
[26] This passage is one of the best known in French poetry.

Ivre de volupté, de tendresse et d'horreur.
Mais parfois, au milieu du divin sacrifice,
Fatigué de mourir dans un trop long supplice,
Il craint que ses enfants ne le laissent vivant;   175
Alors il se soulève, ouvre son aile au vent,
Et se frappant le cœur avec un cri sauvage,
Il pousse dans la nuit un si funèbre adieu,
Que les oiseaux des mers désertent le rivage,
Et que le voyageur attardé sur la plage,   180
Sentant passer la mort, se recommande à Dieu.
Poète, c'est ainsi que font les grands poètes.
Ils laissent s'égayer ceux qui vivent un temps;
Mais les festins humains qu'ils servent à leurs fêtes
Ressemblent la plupart à ceux des pélicans.   185
Quand ils parlent ainsi d'espérances trompées,
De tristesse et d'oubli, d'amour et de malheur,
Ce n'est pas un concert à dilater le cœur.
Leurs déclamations sont comme des épées:
Elles tracent dans l'air un cercle éblouissant,   190
Mais il y pend toujours quelque goutte de sang.[27]

Le Poète

O Muse! spectre insatiable,
Ne m'en demande pas si long.
L'homme n'écrit rien sur le sable
A l'heure où passe l'aquilon.   195
J'ai vu le temps où ma jeunesse
Sur mes lèvres était sans cesse
Prête à chanter comme un oiseau;
Mais j'ai souffert un dur martyre,
Et le moins que j'en pourrais dire,   200
Si je l'essayais sur ma lyre,
La briserait comme un roseau.

Mai 1835.   *Poésies Nouvelles.*

LA NUIT D'OCTOBRE [28]

La Muse

Apaise-toi, je t'en conjure;
Tes paroles m'ont fait frémir.

[27] This description of lyric poetry applies perfectly to Musset's best poems.

[28] Only a few fragments of this poem are given. It is the last of the *Nuits*, the final sequel to the *Nuit de Mai*, "le dernier mot d'une grande douleur, et la plus légitime comme la plus accablante des vengeances, le pardon" (Paul de Musset, *Alfred de Musset*).

O mon bien-aimé! ta blessure
Est encore prête à se rouvrir.   155
Hélas! elle est donc bien profonde?
Et les misères de ce monde
Sont si lentes à s'effacer!
Oublie, enfant, et de ton âme
Chasse le nom de cette femme,   160
Que je ne veux pas prononcer.

Le Poète

Honte à toi qui la première
M'as appris la trahison,
Et d'horreur et de colère
M'as fait perdre la raison!   165
Honte à toi, femme à l'œil sombre,[29]
Dont les funestes amours
Ont enseveli dans l'ombre
Mon printemps et mes beaux jours!
C'est ta voix, c'est ton sourire,   170
C'est ton regard corrupteur,
Qui m'ont appris à maudire
Jusqu'au semblant du bonheur;
C'est ta jeunesse et tes charmes
Qui m'ont fait désespérer,   175
Et si je doute des larmes,
C'est que je t'ai vu pleurer.
Honte à toi! j'étais encore
Aussi simple qu'un enfant;
Comme une fleur à l'aurore,   180
Mon cœur s'ouvrait en t'aimant.
Certes, ce cœur sans défense
Put sans peine être abusé;
Mais lui laisser l'innocence
Était encor plus aisé.   185
Honte à toi! tu fus la mère
De mes premières douleurs,
Et tu fis de ma paupière
Jaillir la source des pleurs!
Elle coule, sois-en sûre,   190
Et rien ne la tarira;
Elle sort d'une blessure
Qui jamais ne guérira;
Mais dans cette source amère

[29] George Sand.

Du moins je me laverai, 195
Et j'y laisserai, j'espère,
Ton souvenir abhorré!

La Muse

Poète, c'est assez. Auprès d'une infidèle
Quand ton illusion n'aurait duré qu'un jour,
N'outrage pas ce jour lorsque tu parles d'elle: 200
Si tu veux être aimé, respecte ton amour.
Si l'effort est trop grand pour la faiblesse humaine
De pardonner les maux qui nous viennent d'autrui,
Épargne-toi du moins le tourment de la haine;
A défaut du pardon, laisse venir l'oubli. 205
Les morts dorment en paix dans le sein de la terre,
Ainsi doivent dormir nos sentiments éteints.
Ces reliques du cœur ont aussi leur poussière;
Sur leurs restes sacrés ne portons pas les mains.
Pourquoi, dans ce récit d'une vive souffrance, 210
Ne veux-tu voir qu'un rêve et qu'un amour trompé?
Est-ce donc sans motif qu'agit la Providence?
Et crois-tu donc distrait le Dieu qui t'a frappé?
Le coup dont tu te plains t'a préservé peut-être,[30]
Enfant; car c'est par là que ton cœur s'est ouvert. 215
L'homme est un apprenti, la douleur est son maître,
Et nul ne se connaît tant qu'il n'a pas souffert.
C'est une dure loi, mais une loi suprême,
Vieille comme le monde et la fatalité,
Qu'il nous faut du malheur recevoir le baptême, 220
Et qu'à ce triste prix tout doit être acheté.
Les moissons, pour mûrir, ont besoin de rosée;
Pour vivre et pour sentir, l'homme a besoin des pleurs;
La joie a pour symbole une plante brisée,
Humide encor de pluie et couverte de fleurs. 225
Ne te disais-tu pas guéri de ta folie?
N'es-tu pas jeune, heureux, partout le bienvenu,
Et ces plaisirs légers qui font aimer la vie,
Si tu n'avais pleuré, quel cas en ferais-tu?
Lorsqu'au déclin du jour, assis sur la bruyère, 230
Avec un vieil ami tu bois en liberté,
Dis-moi, d'aussi bon cœur lèverais-tu ton verre,
Si tu n'avais senti le prix de la gaîté?
Aimerais-tu les fleurs, les prés et la verdure,
Les sonnets de Pétrarque [31] et le chant des oiseaux, 235

[30] By turning Musset into the singer of sincere emotion.   [31] Petrarch—see page 52, note 8.

Michel-Ange [32] et les arts, Shakspeare et la nature,
Si tu n'y retrouvais quelques anciens sanglots?
Comprendrais-tu des cieux l'ineffable harmonie,
Le silence des nuits, le murmure des flots,
Si quelque part là-bas la fièvre et l'insomnie   240
Ne t'avaient fait songer à l'éternel repos?

Octobre 1837.   *Poésies Nouvelles.*

SOUVENIR [33]

J'espérais bien pleurer, mais je croyais souffrir
En osant te revoir, place à jamais sacrée,
O la plus chère tombe et la plus ignorée
          Où dorme un souvenir!

Que redoutiez-vous donc de cette solitude,   5
Et pourquoi, mes amis, me preniez-vous la **main,**
Alors qu'une si douce et si vieille habitude
          Me montrait ce chemin?

Les voilà, ces coteaux, ces bruyères chéries,
Et ces pas argentins sur le sable muet,   10
Ces sentiers amoureux, remplis de causeries,
          Où son bras m'enlaçait.

Les voilà, ces sapins à la sombre verdure,
Cette gorge [34] profonde aux nonchalants **détours,**
Ces sauvages amis, dont l'antique murmure   15
          A bercé mes beaux jours.

Les voilà, ces buissons où toute ma jeunesse,
Comme un essaim d'oiseaux, chante au bruit de mes pas.
Lieux charmants, beau désert où passa ma maîtresse,
          Ne m'attendiez-vous pas?   20

Ah! laissez-les couler, elles me sont bien chères,
Ces larmes que soulève un cœur encore blessé!
Ne les essuyez pas, laissez sur mes paupières
          Ce voile du passé!

---

[32] Michael-Angelo (1475–1564), Italian painter, sculptor, architect, and poet; one of the world's greatest artists.

[33] This poem, written eight years after they became acquainted, and inspired by a chance meeting at the theater, gives us the conclusion, for Musset, of his love affair with George Sand. *Souvenir* is one of Musset's finest pieces of verse. It should be compared with *Le Lac* of Lamartine and Hugo's *Tristesse d'Olympio.*

[34] The famous *gorge de Franchart,* in the forest of Fontainebleau.

Je ne viens point jeter un regret inutile 25
Dans l'écho de ces bois témoins de mon bonheur.
Fière est cette forêt dans sa beauté tranquille,
    Et fier aussi mon cœur.

Que celui-là se livre à des plaintes amères,
Qui s'agenouille et prie au tombeau d'un ami. 30
Tout respire en ces lieux; les fleurs des cimetières
    Ne poussent point ici.

Voyez! la lune monte à travers ces ombrages.
Ton regard tremble encor, belle reine des nuits;
Mais du sombre horizon déjà tu te dégages, 35
    Et tu t'épanouis.

Ainsi de cette terre, humide encor de pluie,
Sortent, sous tes rayons, tous les parfums du jour;
Aussi calme, aussi pur, de mon âme attendrie
    Sort mon ancien amour. 40

Que sont-ils devenus, les chagrins de ma vie?
Tout ce qui m'a fait vieux est bien loin maintenant;
Et, rien qu'en regardant cette vallée amie,
    Je redeviens enfant.

O puissance du temps! ô légères années! 45
Vous emportez nos pleurs, nos cris et nos regrets;
Mais la pitié vous prend, et sur nos fleurs fanées
    Vous ne marchez jamais.

Tout mon cœur te bénit, bonté consolatrice!
Je n'aurais jamais cru que l'on pût tant souffrir 50
D'une telle blessure, et que sa cicatrice
    Fût si douce à sentir.

Loin de moi les vains mots, les frivoles pensées,
Des vulgaires douleurs linceul accoutumé,
Que viennent étaler sur leurs amours passées 55
    Ceux qui n'ont point aimé!

Dante,[35] pourquoi dis-tu qu'il n'est pire misère
Qu'un souvenir heureux dans les jours de douleur?
Quel chagrin t'a dicté cette parole amère,
    Cette offense au malheur? 60

[35] See the *Inferno*, V, 121–123. Also Tennyson's "But a sorrow's crown of sorrows is remembering happier things." See also Santayana's *Three Philosophical Poets*.

En est-il donc moins vrai que la lumière existe,
Et faut-il l'oublier du moment qu'il fait nuit?
Est-ce bien toi, grande âme immortellement triste,
　　　　Est-ce toi qui l'as dit?

Non, par ce pur flambeau dont la splendeur m'éclaire,　　65
Ce blasphème vanté ne vient pas de ton cœur.
Un souvenir heureux est peut-être sur terre
　　　　Plus vrai que le bonheur.

Eh quoi! l'infortuné qui trouve une étincelle
Dans la cendre brûlante où dorment ses ennuis,　　70
Qui saisit cette flamme et qui fixe sur elle
　　　　Ses regards éblouis;

Dans ce passé perdu quand son âme se noie,
Sur ce miroir brisé lorsqu'il rêve en pleurant,
Tu lui dis qu'il se trompe, et que sa faible joie　　75
　　　　N'est qu'un affreux tourment!

Et c'est à ta Françoise,[36] à ton ange de gloire,
Que tu pouvais donner ces mots à prononcer,
Elle qui s'interrompt, pour conter son histoire,
　　　　D'un éternel baiser!　　80

Qu'est-ce donc, juste Dieu, que la pensée humaine,
Et qui pourra jamais aimer la vérité,
S'il n'est joie ou douleur si juste et si certaine
　　　　Dont quelqu'un n'ait douté?

Comment vivez-vous donc, étranges créatures?　　85
Vous riez, vous chantez, vous marchez à grands pas;
Le ciel et sa beauté, le monde et ses souillures
　　　　Ne vous dérangent pas;

Mais, lorsque par hasard le destin vous ramène
Vers quelque monument d'un amour oublié,　　90
Ce caillou vous arrête, et cela vous fait peine
　　　　Qu'il vous heurte le pié.

Et vous criez alors que la vie est un songe;
Vous vous tordez les bras comme en vous réveillant,
Et vous trouvez fâcheux qu'un si joyeux mensonge　　95
　　　　Ne dure qu'un instant.

---

[36] *Francesca da Rimini*—Her husband having discovered her guilty love for his brother, killed both of them. Dante treats the theme in his *Inferno*, V.

Malheureux! cet instant où votre âme engourdie
A secoué les fers qu'elle traîne ici-bas,
Ce fugitif instant fut toute votre vie;
    Ne le regrettez pas! 100

Regrettez la torpeur qui vous cloue à la terre,
Vos agitations dans la fange et le sang,
Vos nuits sans espérance et vos jours sans lumière:
    C'est là qu'est le néant!

Mais que vous revient-il de vos froides doctrines? 105
Que demandent au ciel ces regrets inconstants
Que vous allez semant sur vos propres ruines,
    A chaque pas du Temps?

Oui, sans doute, tout meurt; ce monde est un grand rêve;
Et le peu de bonheur qui nous vient en chemin, 110
Nous n'avons pas plus tôt ce roseau dans la main,
    Que le vent nous l'enlève.

Oui, les premiers baisers,[37] oui, les premiers serments
Que deux êtres mortels échangèrent sur terre,
Ce fut au pied d'un arbre effeuillé par les vents, 115
    Sur un roc en poussière.

Ils prirent à témoin de leur joie éphémère
Un ciel toujours voilé qui change à tout moment,
Et des astres sans nom que leur propre lumière
    Dévore incessamment. 120

Tout mourait autour d'eux, l'oiseau dans le feuillage,
La fleur entre leurs mains, l'insecte sous leurs piés,
La source desséchée où vacillait l'image
    De leurs traits oubliés;

Et sur tous ces débris joignant leurs mains d'argile, 125
Étourdis des éclairs d'un instant de plaisir,
Ils croyaient échapper à cet Être immobile
    Qui regarde mourir!

—Insensés! dit le sage.—Heureux! dit le poète.
Et quels tristes amours as-tu donc dans le cœur, 130
Si le bruit du torrent te trouble et t'inquiète,
    Si le vent te fait peur?

[37] This strophe, and the three following ones are paraphrased from a fine passage in Diderot's *Supplément au Voyage de Bougainville.*

J'ai vu sous le soleil tomber bien d'autres choses
Que les feuilles des bois et l'écume des eaux,
Bien d'autres s'en aller que le parfum des roses   135
  Et le chant des oiseaux.

Mes yeux ont contemplé des objets plus funèbres
Que Juliette morte au fond de son tombeau,
Plus affreux que le toast à l'ange des ténèbres
  Porté par Roméo.[38]   140

J'ai vu ma seule amie, à jamais la plus chère,
Devenue elle-même un sépulcre blanchi,[39]
Une tombe vivante où flottait la poussière
  De notre mort chéri,

De notre pauvre amour, que, dans la nuit profonde,   145
Nous avions sur nos cœurs si doucement bercé!
C'était plus qu'une vie, hélas! c'était un monde
  Qui s'était effacé!

Oui, jeune et belle encor, plus belle, osait-on dire,
Je l'ai vue, et ses yeux brillaient comme autrefois.   150
Ses lèvres s'entr'ouvraient, et c'était un sourire,
  Et c'était une voix;

Mais non plus cette voix, non plus ce doux langage,
Ces regards adorés dans les miens confondus;
Mon cœur, encor plein d'elle, errait sur son visage,   155
  Et ne la trouvait plus.

Et pourtant j'aurais pu marcher alors vers elle,
Entourer de mes bras ce sein vide et glacé,
Et j'aurais pu crier: «Qu'as-tu fait, infidèle,
  Qu'as-tu fait du passé?»   160

Mais non: il me semblait qu'une femme inconnue
Avait pris par hasard cette voix et ces yeux;
Et je laissai passer cette froide statue
  En regardant les cieux.

Eh bien! ce fut sans doute une horrible misère   165
Que ce riant adieu d'un être inanimé.
Eh bien! qu'importe encore? O nature! ô ma mère!
  En ai-je moins aimé?

[38] Romeo toasts Juliette, not the angel of death (*Romeo and Juliet*, V, 3).
[39] *Matthew*, XXIII, 27.

La foudre maintenant peut tomber sur ma tête;
Jamais ce souvenir ne peut m'être arraché!   170
Comme le matelot brisé par la tempête,
     Je m'y tiens attaché.

Je ne veux rien savoir, ni si les champs fleurissent,
Ni ce qu'il adviendra du simulacre humain,
Ni si ces vastes cieux éclaireront demain   175
     Ce qu'ils ensevelissent.

Je me dis seulement: «A cette heure, en ce lieu,
Un jour, je fus aimé, j'aimais, elle était belle.»
J'enfouis ce trésor dans mon âme immortelle,
     Et je l'emporte à Dieu!   180
Février 1841   *Poésies Nouvelles.*

TRISTESSE

     J'ai perdu ma force et ma vie,
     Et mes amis et ma gaîté;
     J'ai perdu jusqu'à la fierté
     Qui faisait croire à mon génie.

     Quand j'ai connu la Vérité,   5
     J'ai cru que c'était une amie;
     Quand je l'ai comprise et sentie,
     J'en étais déjà dégoûté.

     Et pourtant elle est éternelle,
     Et ceux qui se sont passés d'elle   10
     Ici-bas ont tout ignoré.

     Dieu parle, il faut qu'on lui réponde.
     Le seul bien qui me reste au monde
     Est d'avoir quelquefois pleuré.
Bury, 14 juin 1840   *Poésies Nouvelles.*

UNE SOIRÉE PERDUE

J'étais seul, l'autre soir, au Théâtre-Français,
Ou presque seul; l'auteur n'avait pas grand succès.
Ce n'était que Molière,[40] et nous savons de reste
Que ce grand maladroit, qui fit un jour *Alceste,*[41]

---

[40] Musset is writing ironically of course. The whole poem is a delightful blend of fantasy and satire, and typical of Musset.
[41] Leading character in Molière's *Le Misanthrope* (1666).

Ignora le bel art [42] de chatouiller l'esprit   5
Et de servir à point un dénoûment bien cuit.
Grâce à Dieu, nos auteurs ont changé de méthode,
Et nous aimons bien mieux quelque drame à la mode
Où l'intrigue, enlacée et roulée en feston,
Tourne comme un rébus autour d'un mirliton.[43]   10

J'écoutais cependant cette simple harmonie,
Et comme le bon sens fait parler le génie.[44]
J'admirais quel amour pour l'âpre vérité
Eut cet homme si fier en sa naïveté,
Quel grand et vrai savoir des choses de ce monde,   15
Quelle mâle gaîté, si triste et si profonde
Que, lorsqu'on vient d'en rire, on devrait en pleurer!
Et je me demandais: «Est-ce assez d'admirer?
Est-ce assez de venir, un soir, par aventure,
D'entendre au fond de l'âme un cri de la nature,   20
D'essuyer une larme, et de partir ainsi,
Quoi qu'on fasse d'ailleurs, sans en prendre souci?»
Enfoncé que j'étais dans cette rêverie,
Çà et là, toutefois, lorgnant la galerie,
Je vis que, devant moi, se balançait gaîment   25
Sous une tresse noire un cou svelte et charmant;
Et, voyant cet ébène enchâssé dans l'ivoire,
Un vers d'André Chénier [45] chanta dans ma mémoire,
Un vers presque inconnu, refrain inachevé,
Frais comme le hasard, moins écrit que rêvé.   30
J'osai m'en souvenir, même devant Molière;
Sa grande ombre, à coup sûr, ne s'en offensa pas;
Et, tout en écoutant, je murmurais tout bas,
Regardant cette enfant, qui ne s'en doutait guère:
«Sous votre aimable tête, un cou blanc, délicat,   35
Se plie, et de la neige effacerait l'éclat.» [46]

Puis je songeais encore (ainsi va la pensée)
Que l'antique franchise,[47] à ce point délaissée,
Avec notre finesse et notre esprit moqueur,
Ferait croire, après tout, que nous manquons de cœur;   40
Que c'était une triste et honteuse misère

---

[42] In the following lines, Musset may have had in mind Eugène Scribe (1791–1861), one of the most popular playwrights of the period, but whose dramas have little literary value. His name is associated with the *pièce bien faite*.

[43] "reed-pipe," a popular toy of the time.

[44] An excellent characterization of Molière's work.

[45] André Chénier (1762–1794)—Greatest of eighteenth century poets.

[46] Last verses of Chenier's unfinished poem, *Les Colombes*.

[47] Alceste wished everyone to be perfectly frank, always tell the truth, but met with so little encouragement that he decided to withdraw from this world of sham and mockery.

Que cette solitude à l'entour de Molière,
Et qu'il est *pourtant temps,* comme dit la chanson,
De sortir de ce siècle ou d'en avoir raison;
Car à quoi comparer cette scène embourbée,[48]   45
Et l'effroyable honte où la muse est tombée?
La lâcheté nous bride, et les sots vont disant
Que, sous ce vieux soleil, tout est fait à présent;
Comme si les travers de la famille humaine
Ne rajeunissaient pas chaque an, chaque semaine.   50
Notre siècle a ses mœurs, partant [49] sa vérité;
Celui qui l'ose dire est toujours écouté.

Ah! j'oserais parler, si je croyais bien dire,
J'oserais ramasser le fouet de la satire,
Et l'habiller de noir, cet homme aux rubans verts,[50]   55
Qui se fâchait jadis pour quelques mauvais vers.
S'il rentrait aujourd'hui dans Paris, la grand'ville,[51]
Il y trouverait mieux pour émouvoir sa bile
Qu'une méchante femme [52] et qu'un méchant sonnet;
Nous avons autre chose à mettre au cabinet.[53]   60
O notre maître à tous! si ta tombe est fermée,
Laisse-moi dans ta cendre, un instant ranimée,
Trouver une étincelle, et je vais t'imiter!
J'en aurai fait assez si je puis le tenter.
Apprends-moi de quel ton, dans ta bouche hardie,   65
Parlait la vérité, ta seule passion,
Et, pour me faire entendre, à défaut du génie,
J'en aurai le courage et l'indignation!

Ainsi je caressais une folle chimère.
Devant moi, cependant, à côté de sa mère,   70
L'enfant restait toujours, et le cou svelte et blanc
Sous les longs cheveux noirs se berçait mollement.
Le spectacle fini, la charmante inconnue
Se leva. Le beau cou, l'épaule à demi nue,
Se voilèrent, la main glissa dans le manchon;   75
Et, lorsque je la vis au seuil de sa maison
S'enfuir, je m'aperçus que je l'avais suivie.
Hélas! mon cher ami, c'est là toute ma vie.
Pendant que mon esprit cherchait sa volonté,
Mon corps avait la sienne et suivait la beauté;   80

---

[48] "miry."   [49] "consequently," "therefore."   [50] Alceste.
[51] Words recalling Alceste's song in Act I of *Le Misanthrope.*
[52] Célimène, the coquette with whom Alceste is in love.
[53] "pigeonhole" or "throw away." Musset has in mind Alceste's suggestion for the disposition of the *"méchant sonnet."* "Franchement, il est bon à mettre au cabinet." *Misanthrope:* I, 2.

Et, quand je m'éveillai de cette rêverie,
Il ne m'en restait plus que l'image chérie:
«Sous votre aimable tête, un cou blanc, délicat,
Se plie, et de la neige effacerait l'éclat.»

Juillet 1840   *Poésies Nouvelles.*

CHANSON

Quand on perd, par triste occurrence,
  Son espérance
   Et sa gaîté,
Le remède au mélancolique,
  C'est la musique   5
   Et la beauté!

Plus oblige et peut davantage
  Un beau visage
   Qu'un homme armé,
Et rien n'est meilleur que d'entendre   10
  Air doux et tendre
   Jadis aimé!

        Poésies Nouvelles.

LUCIE [54]

Mes chers amis, quand je mourrai,
Plantez un saule au cimetière.
J'aime son feuillage éploré,
La pâleur m'en est douce et chère,
Et son ombre sera légère   5
A la terre où je dormirai.

Mai 1835   *Poésies Nouvelles.*

[54] These lines are found at the beginning and at the end of the poem. They are carved upon Musset's tomb in the *Cimetière Père-Lachaise*, Paris.

THÉOPHILE GAUTIER (1811–1872)

Gautier was born at Tarbes in the south of France, but came to Paris as a child. He first studied painting but soon identified himself with the poets of the Romantic group. Financial necessity, which was to shackle his artistic soul throughout life, led him to write weekly theatrical reviews and reviews of art *salons* for such newspapers as *la Presse* and *le Moniteur.* Listening to worthless plays and "grinding out" *la copie,* as he called it, was exceedingly irksome to this kindly, sensitive man, who longed to explore the exotic beauties of distant lands or delve into the mysteries of the remote past. He was an ardent supporter of Hugo; the flowing tie and the famous red vest he wore at the *bataille d'Hernani* have passed into literary history. Indeed, despite the fact that as early as 1833, in *les Jeunes France,* he showed that he was not blind to the amusing side of Romanticism, Gautier remained a Romanticist to the end of his days. Yet he preached a new poetic doctrine, *L'Art pour l'art,* and became the literary father of the whole Parnassian group, for, first of all, he was an artist, an artist for whom "the visible world alone existed." Far from seeking the "useful," he said, "Il n'y a de vraiment beau que ce qui ne peut servir à rien." He sought perfection of form: ". . . j'aimerais mieux avoir mon soulier décousu que mon vers mal rimé, et je me passerais plus volontiers de bottes que de poèmes." Whether writing prose or poetry, he saw and felt as a plastic artist. It is not surprising, then, that he is impersonal and that each of his poems is a perfectly carved, highly polished gem. It is not surprising either that his poems are primarily descriptive. No detail escapes his eye, not even the specks of mica glistening in the barren rock of a sunscorched Spanish mountain. One may look with him at a landscape, a ballet, or a famous painting and learn something about form, movement, and coloring that one never before suspected.

While Romantic at heart, Gautier was too realistic and too impersonal to be classified simply as a Romanticist. Through his cult of form, his realism and his impersonality he prepared the way for Parnassianism in poetry, and for Flaubert in prose. He was a transition writer. Lacking profound thought and deep feeling, he has never been widely popular. His poems, however, are so carefully wrought that his name will always be associated with this type of scrupulous craftsmanship. "Il n'avait pas une philosophie, il n'avait pas une psychologie, il n'avait pas le don de l'observation morale; mais il avait des yeux d'artiste et une plume incomparable. Il savait 'voir le monde extérieur', et il savait écrire aussi bien que Victor Hugo et mieux que tous les autres écrivains du siècle." (Faguet: *Histoire de la Littérature française.*)

IMPORTANT WORKS:

Poetry: *Émaux et Camées* (1852).
Novel: *Le Capitaine Fracasse* (1863).
Criticism: *Les Grotesques* (1833).

PASTEL [1]

J'aime à vous voir en vos cadres ovales,
Portraits jaunis des belles du vieux temps,
Tenant en main des roses un peu pâles,
Comme il convient à des fleurs de cent ans.

Le vent d'hiver, en vous touchant la joue,   5
A fait mourir vos œillets et vos lis,
Vous n'avez plus que des mouches [2] de boue,
Et sur les quais [3] vous gisez tout salis.

Il est passé, le doux règne des belles;
La Parabère [4] avec la Pompadour [5]   10
Ne trouveraient que des sujets rebelles,
Et sous leur tombe est enterré l'amour.

Vous, cependant, vieux portraits qu'on oublie,
Vous respirez vos bouquets sans parfums,
Et souriez avec mélancolie   15
Au souvenir de vos galants défunts.

                                        Poésies Diverses.
1835

LE POT DE FLEURS

Parfois un enfant trouve une petite graine,
Et tout d'abord, charmé de ses vives couleurs,
Pour la planter, il prend un pot de porcelaine
Orné de dragons bleus et de bizarres fleurs.

Il s'en va. La racine en couleuvres s'allonge,   5
Sort de terre, fleurit et devient arbrisseau;
Chaque jour, plus avant son pied chevelu plonge
Tant qu'il fasse éclater le ventre du vaisseau.

L'enfant revient; surpris, il voit la plante grasse [6]
Sur les débris du pot brandir ses verts poignards;   10
Il la veut arracher, mais sa tige est tenace;
Il s'obstine, et ses doigts s'ensanglantent aux dards.

[1] One of the poems that show Gautier's interest in art and the past.   [2] "beauty spots."
[3] The stalls or shops along the quays in Paris, where old prints and pictures as well as old
books may be bought.
[4] *Comtesse de Parabère* (1693–1750?), mistress of the Regent, Philippe d'Orléans.
[5] *La Marquise de Pompadour* (1721–1764), mistress of Louis XV, who practically ruled
France through her influence over the king.
[6] "rich," "luxuriant."

Ainsi germa l'amour dans mon âme surprise:
Je croyais ne semer qu'une fleur de printemps;
C'est un grand aloès dont la racine brise   15
Le pot de porcelaine aux dessins éclatants.

Poésies Diverses.

IN DESERTO [7]

Les pitons des sierras,[8] les dunes du désert,
Où ne pousse jamais un seul brin d'herbe vert;
Les monts aux flancs zébrés de tuf,[9] d'ocre [10] et de marne,[11]
Et que l'éboulement de jour en jour décharne,
Le grès [12] plein de micas papillotant aux yeux,   5
Le sable sans profit buvant les pleurs des cieux,
Le rocher refrogné dans sa barbe de ronce,
L'ardente solfatare [13] avec la pierre ponce,[14]
Sont moins secs et moin morts aux végétations
Que le roc de mon cœur ne l'est aux passions.   10
Le soleil de midi sur le sommet aride
Répand à flots plombés sa lumière livide,
Et rien n'est plus lugubre et désolant à voir
Que ce grand jour frappant sur ce grand désespoir.
Le lézard pâmé [15] bâille, et parmi l'herbe cuite   15
On entend résonner les vipères en fuite.
Là, point de marguerite au cœur étoilé d'or,
Point de muguet prodigue égrenant son trésor;
Là, point de violette ignorée et charmante,
Dans l'ombre se cachant comme une pâle amante;   20
Mais la broussaille rousse et le tronc d'arbre mort,
Que le genou du vent, comme un arc, plie et tord:
Là, point d'oiseau chanteur, ni d'abeille en voyage,
Pas de ramier plaintif déplorant son veuvage;
Mais bien quelque vautour, quelque aigle montagnard,   25
Sur le disque enflammé fixant son œil hagard,
Et qui, du haut du pic où son pied prend racine,
Dans l'or fauve du soir durement se dessine.
Tel était le rocher [16] que Moïse, au désert,
Toucha de sa baguette, et dont le flanc ouvert,   30
Tressaillant tout à coup, fit jaillir en arcade
Sur les lèvres du peuple une fraîche cascade.
Ah! s'il venait à moi, dans mon aridité,

---

[7] This poem was inspired by a trip through an extremely arid portion of the province of Toledo, Spain. It is an excellent example of Gautier's descriptive poetry.
[8] "peaks of the mountain ranges."   [9] "tufa."   [10] "ochre."   [11] "marl."
[12] "sandstone."   [13] "solfatra" (volcanic area giving off vapors and gases).
[14] "pumice."   [15] "swooning" (with pleasure).   [16] See *Exodus* XVII, 6.

Quelque reine des cœurs, quelque divinité,
Une magicienne, un Moïse femelle,   35
Traînant dans le désert les peuples après elle,
Qui frappât le rocher dans mon cœur endurci!
Comme de l'autre roche, on en verrait aussi
Sortir en jets d'argent des eaux étincelantes,
Où viendraient s'abreuver les racines des plantes;   40
Où les pâtres errants conduiraient leurs troupeaux
Pour se coucher à l'ombre et prendre le repos;
Où, comme en un vivier, les cigognes fidèles
Plongeraient leurs grands becs et laveraient leurs ailes.
La Guardia.   *España.*

DANS LA SIERRA

J'aime d'un fol amour les monts fiers et sublimes!
Les plantes n'aiment pas poser leurs pieds frileux
Sur le linceul d'argent qui recouvre leurs cimes;
Le soc s'émousserait à leurs pics anguleux;

Ni vigne aux bras lascifs, ni blés dorés, ni seigles;   5
Rien qui rappelle l'homme et le travail maudit.
Dans leur air libre et pur nagent des essaims d'aigles,
Et l'écho du rocher siffle l'air du bandit.

Ils ne rapportent rien et ne sont pas utiles;
Ils n'ont que leur beauté, je le sais, c'est bien peu;   10
Mais, moi, je les préfère aux champs gras et fertiles,
Qui sont si loin du ciel qu'on n'y voit jamais Dieu!
Sierra Nevada, 1840.   *España.*

A ZURBARAN [17]

Moines de Zurbaran, blancs chartreux [18] qui, dans l'ombre,
Glissez silencieux sur les dalles des morts,
Murmurant des *Pater* [19] et des *Ave* [19] sans nombre,

Quel crime expiez-vous par de si grands remords?
Fantômes tonsurés, bourreaux à face blême,   5
Pour le traiter ainsi, qu'a donc fait votre corps?

---

[17] *Francisco Zurbaran* (1598–1662)—Spanish painter, author of beautifully colored and boldly realistic religious paintings. Gautier considered the human body a thing of beauty and could not understand anyone's being willing to mutilate it, as the austere Carthusians did. The metre of the poem is the *terza rima* of Dante, employed but seldom in French poetry.
[18] "Carthusians."   [19] *Pater*—the Lord's Prayer; *Ave—Ave Maria,* "Hail Mary."

Votre corps, modelé par le doigt de Dieu [20] même,
Que Jésus-Christ, son fils, a daigné revêtir,
Vous n'avez pas le droit de lui dire: «Anathème!»

Je conçois les tourments et la foi du martyr,   [10]
Les jets de plomb fondu, les bains de poix [21] liquide,
La gueule des lions prête à vous engloutir,

Sur un rouet de fer les boyaux qu'on dévide,
Toutes les cruautés des empereurs romains;
Mais je ne comprends pas ce morne suicide!   [15]

Pourquoi donc, chaque nuit, pour vous seuls inhumains,
Déchirer votre épaule à coups de discipline,[22]
Jusqu'à ce que le sang ruisselle sur vos reins?

Pourquoi ceindre toujours la couronne d'épine,
Que Jésus sur son front ne mit que pour mourir,   [20]
Et frapper à plein poing votre maigre poitrine?

Croyez-vous donc que Dieu s'amuse à voir souffrir,
Et que ce meurtre lent, cette froide agonie,
Fassent pour vous le ciel plus facile à s'ouvrir?

Cette tête de mort entre vos doigts jaunie,   [25]
Pour ne plus en sortir, qu'elle rentre au charnier! [23]
Que votre fosse [24] soit par un autre finie!

L'esprit est immortel, on ne peut le nier;
Mais dire, comme vous, que la chair est infâme,
Statuaire divin,[25] c'est te calomnier!   [30]

Pourtant quelle énergie et quelle force d'âme
Ils avaient, ces chartreux, sous leur pâle linceul,
Pour vivre, sans amis, sans famille et sans femme,

Tout jeunes, et déjà plus glacés qu'un aïeul,
N'ayant pour horizon qu'un long cloître en arcades,   [35]
Avec une pensée, en face de Dieu seul!

Tes moines, Lesueur,[26] près de ceux-là sont fades:
Zurbaran de Séville a mieux rendu que toi
Leurs yeux plombés d'extase et leurs têtes malades,

[20] See *Genesis* I, 26, 27.   [21] "pitch."
[22] "whip" (used by the monks to flagellate themselves).   [23] "charnel house."
[24] "grave." The Carthusians dig their own graves.   [25] God.
[26] *Eustache Lesueur* (1616-1655)—French painter, author of a succession of compositions on the *Vie de Saint Bruno* (Louvre). His paintings show delicate and profound sensibility as well as exact design.

Le vertige divin, l'enivrement de foi   40
Qui les fait rayonner d'une clarté fiévreuse,
Et leur aspect étrange, à vous donner l'effroi.

Comme son dur pinceau les laboure et les creuse!
Aux pleurs du repentir comme il ouvre des lits
Dans les rides sans fond de leur face terreuse!   45

Comme du froc sinistre il allonge les plis;
Comme il sait lui donner les pâleurs du suaire,
Si bien que l'on dirait des morts ensevelis!

Qu'il vous peigne en extase au fond du sanctuaire,
Du cadavre divin baisant les pieds sanglants,   50
Fouettant votre dos bleu comme un fléau bat l'aire,[27]

Vous promenant rêveurs le long des cloîtres blancs,
Par file assis à table au frugal réfectoire,
Toujours il fait de vous des portraits ressemblants.

Deux teintes seulement, clair livide, ombre noire;   55
Deux poses, l'une droite et l'autre à deux genoux,
A l'artiste ont suffi pour peindre votre histoire.

Forme, rayon, couleur, rien n'existe pour vous;
A tout objet réel vous êtes insensibles,
Car le ciel vous enivre et la croix vous rend fous,   60

Et vous vivez muets, inclinés sur vos bibles,
Croyant toujours entendre aux plafonds entr'ouverts
Éclater brusquement les trompettes terribles!

O moines! maintenant, en tapis frais et verts,
Sur les fosses par vous à vous-mêmes creusées,   65
L'herbe s'étend.—Eh bien! que dites-vous aux vers?

Quels rêves faites-vous? quelles sont vos pensées?
Ne regrettez-vous pas d'avoir usé vos jours
Entre ces murs étroits, sous ces voûtes glacées?

Ce que vous avez fait, le feriez-vous toujours? . . .   70
Séville, 1844   *España.*

---

[27] "threshing floor."

LES AFFRES DE LA MORT [28]

Sur les Murs d'une Chartreuse [29]

O toi qui passes par ce cloître,
Songe à la mort!—Tu n'es pas sûr
De voir s'allonger et décroître,
Une autre fois, ton ombre au mur.

Frère, peut-être cette dalle   5
Qu'aujourd'hui, sans songer aux morts,
Tu soufflettes de ta sandale,
Demain pèsera sur ton corps!

La vie est un plancher qui couvre
L'abîme de l'éternité: 10
Une trappe soudain s'entr'ouvre
Sous le pécheur épouvanté;

Le pied lui manque, il tombe, il glisse!
Que va-t-il trouver? le ciel bleu,
Ou l'enfer rouge? le supplice,   15
Ou la palme? Satan, ou Dieu? . . .

Souvent sur cette idée affreuse
Fixe ton esprit éperdu:
Le teint jaune et la peau terreuse,
Vois-toi sur un lit étendu;   20

Vois-toi brûlé, transi de fièvre,
Tordu comme un bois vert au feu,
Le fiel crevé, l'âme à la lèvre,
Sanglotant le suprême adieu,

Entre deux draps, dont l'un doit être   25
Le linceul où l'on te coudra,
Triste habit que nul ne veut mettre,
Et que pourtant chacun mettra.

Représente-toi bien l'angoisse
De ta chair flairant le tombeau,   30
Tes pieds crispés, ta main qui froisse
Tes couvertures en lambeau.

[28] *The Terrors of Death*, one of the poems which show Gautier's physical horror of death.
[29] "monastery."

En pensée, écoute le râle,
Bramant comme un cerf aux abois,
Pousser sa note sépulcrale   35
Par ton gosier rauque et sans voix.

Le sang quitte tes jambes roides,
Les ombres gagnent ton cerveau,
Et sur ton front les perles froides
Coulent comme aux murs d'un caveau.   40

Les prêtres à soutane noire,
Toujours en deuil de nos péchés,
Apportent l'huile et le ciboire,[30]
Autour de ton grabat penchés.

Tes enfants, ta femme et tes proches   45
Pleurent en se tordant les bras,
Et déjà le sonneur aux cloches
Se suspend pour sonner ton glas.

Le fossoyeur a pris sa bêche
Pour te creuser ton dernier lit,   50
Et d'une terre brune et fraîche
Bientôt ta fosse se remplit.

Ta chair délicate et superbe
Va servir de pâture aux vers,
Et tu feras pousser de l'herbe   55
Plus drue avec des brins plus verts.

Donc, pour n'être pas surpris, frère,
Aux transes du dernier moment,
Réfléchis!—La mort est amère
A qui vécut trop doucement.   60

Sur ce, frère, que Dieu t'accorde
De trépasser en bon chrétien,
Et te fasse miséricorde;
Ici-bas, nul ne peut plus rien!
1843   *España.*

PREMIER SOURIRE DU PRINTEMPS

Tandis qu'à leurs œuvres perverses
Les hommes courent haletants,

[30] "pyx."

Mars qui rit, malgré les averses,
Prépare en secret le printemps.

Pour les petites pâquerettes,   5
Sournoisement lorsque tout dort,
Il repasse [31] des collerettes
Et cisèle des boutons d'or.

Dans le verger et dans la vigne,
Il s'en va, furtif perruquier,   10
Avec une houppe [32] de cygne,
Poudrer à frimas [33] l'amandier.

La nature au lit se repose;
Lui, descend au jardin désert
Et lace les boutons de rose   15
Dans leur corset de velours vert.

Tout en composant des solfèges,
Qu'aux merles il siffle à mi-voix,
Il sème aux prés les perce-neiges
Et les violettes aux bois.   20

Sur le cresson de la fontaine
Où le cerf boit, l'oreille au guet,
De sa main cachée il égrène
Les grelots d'argent du muguet.

Sous l'herbe, pour que tu la cueilles,   25
Il met la fraise au teint vermeil,
Et te tresse un chapeau de feuilles
Pour te garantir du soleil.

Puis, lorsque sa besogne est faite,
Et que son règne va finir,   30
Au seuil d'avril tournant la tête,
Il dit: «Printemps, tu peux venir!»

Émaux et Camées.

VIEUX DE LA VIEILLE [34]

15 DÉCEMBRE

Par l'ennui chassé de ma chambre,
J'errais le long du boulevard:

[31] "irons out collars."   [32] "powder-puff."   [33] "white frost."
[34] *Veterans of the Old Guard,* a picture inspired by one of the military sketches of Raffet.

Il faisait un temps de décembre,
Vent froid, fine pluie et brouillard;

Et là je vis, spectacle étrange,   5
Échappés du sombre séjour,
Sous la bruine[35] et dans la fange,
Passer des spectres en plein jour.

Pourtant c'est la nuit que les ombres,
Par un clair de lune allemand,   10
Dans les vieilles tours en décombres,
Reviennent ordinairement;

C'est la nuit que les Elfes sortent
Avec leur robe humide au bord,
Et sous les nénuphars emportent   15
Leur valseur de fatigue mort;

C'est la nuit qu'a lieu la revue
Dans la ballade de Zedlitz,[36]
Où l'Empereur,[37] ombre entrevue,
Compte les ombres d'Austerlitz.[38]   20

Mais des spectres près du Gymnase,[39]
A deux pas des Variétés,[39]
Sans brume ou linceul qui les gaze,[40]
Des spectres mouillés et crottés!

Avec ses dents jaunes de tartre,   25
Son crâne de mousse verdi,
A Paris, boulevard Montmartre,
Mob[41] se montrant en plein midi!

La chose vaut qu'on la regarde:
Trois fantômes de vieux grognards,   30
En uniformes de l'ex-garde,
Avec deux ombres de hussards!

On eût dit la lithographie
Où, dessinés par un rayon,

---

[35] "drizzle."
[36] Zedlitz, Josef Christian (1770–1862), Austrian poet, author of *Nächtliche Heerschau* (Nocturnal Review).
[37] Napoleon.   [38] *Austerlitz*, perhaps Napoleon's greatest victory (1805).
[39] Paris theaters.   [40] "conceals" (like a veil).   [41] *Mob*—often used by Gautier for Death.

Les morts que Raffet [42] déifie,   35
Passent, criant: Napoléon!

Ce n'étaient pas les morts qu'éveille
Le son du nocturne tambour,[43]
Mais bien quelques *vieux de la vieille*
Qui célébraient le grand retour.[44]   40

Depuis la suprême bataille,[45]
L'un a maigri, l'autre a grossi;
L'habit jadis fait à leur taille
Est trop grand ou trop rétréci.

Nobles lambeaux, défroque épique,   45
Saints haillons, qu'étoile une croix,[46]
Dans leur ridicule héroïque
Plus beaux que des manteaux de rois;

Un plumet énervé palpite
Sur leur kolbach [47] fauve et pelé;   50
Près des coups de balle, la mite
A rongé leur dolman [48] criblé;

Leur culotte de peau trop large
Fait mille plis sur leur fémur;
Leur sabre rouillé, lourde charge,   55
Creuse le sol et bat le mur;

Ou bien un embonpoint grotesque,
Avec grand'peine boutonné,
Fait un poussah,[49] dont on rit presque,
Du vieux héros tout chevronné.   60

Ne les raillez pas, camarade;
Saluez plutôt chapeau bas
Ces Achilles [50] d'une Iliade
Qu'Homère n'inventerait pas.

Respectez leur tête chenue! [51]   65
Sur leur front par vingt cieux bronzé,

---

[42] Raffet (1804–1860), French artist remembered for his lithographs of soldiers of the Revolution and the Empire.

[43] In the ballad of Zedlitz the soldiers rise from their graves at the sound of a drum.

[44] The return of Napoleon's remains to France in 1840.   [45] Waterloo.

[46] *croix* (*de la Légion d'Honneur*), given in recognition of military and civil services. The "Order" was created by Napoleon in 1802.

[47] "bearskin."   [48] "hussar's jacket."   [49] "fat man," "grotesque figure."

[50] The most famous of the heroes of Homer's *Iliad*.   [51] "hoary."

La cicatrice continue
Le sillon que l'âge a creusé.

Leur peau, bizarrement noircie,
Dit l'Égypte [52] aux soleils brûlants;   70
Et les neiges de la Russie [53]
Poudrent encor leurs cheveux blancs.

Si leurs mains tremblent, c'est sans doute
Du froid de la Bérésina; [54]
Et s'ils boitent, c'est que la route   75
Est longue du Caire à Wilna; [55]

S'ils sont perclus,[56] c'est qu'à la guerre
Les drapeaux étaient leurs seuls draps;
Et si leur manche ne va guère,
C'est qu'un boulet a pris leur bras.   80

Ne nous moquons pas de ces hommes
Qu'en riant le gamin poursuit;
Ils furent le jour dont nous sommes
Le soir et peut-être la nuit.

Quand on oublie, ils se souviennent!   85
Lancier rouge et grenadier bleu,
Au pied de la colonne,[57] ils viennent
Comme à l'autel de leur seul dieu.

Là, fiers de leur longue souffrance,
Reconnaissants des maux subis,   90
Ils sentent le cœur de la France
Battre sous leur pauvres habits.

Aussi les pleurs trempent le rire
En voyant ce saint carnaval,
Cette mascarade d'empire,   95
Passer comme un matin de bal;

Et l'aigle de la grande armée
Dans le ciel qu'emplit son essor,

---

[52] The Egyptian campaign (1798).   [53] The Russian campaign (1812).
[54] The Berezina river, Russia.
[55] *Cairo*, captured by Napoleon in 1798; *Wilna*, Russia (now in Poland), captured in 1812. Geographically remote from each other, Cairo and Wilna also represent the beginning of Napoleon's rise to power and his decline.
[56] "crippled by rheumatism."
[57] *la Colonne Vendôme*, Paris, which is surmounted by a statue of Napoleon, see page 98.

Du fond d'une gloire [58] enflammée,
Étend sur eux ses ailes d'or!   100

Émaux et Camées.

L'ART [59]

Oui, l'œuvre sort plus belle
D'une forme au travail
    Rebelle,
Vers, marbre, onyx, émail.

Point de contraintes fausses!   5
Mais que pour marcher droit
    Tu chausses,
Muse, un cothurne [60] étroit.

Fi du rhythme commode,
Comme un soulier trop grand,   10
    Du mode [61]
Que tout pied quitte et prend! [62]

Statuaire, repousse
L'argile que pétrit
    Le pouce   15
Quand flotte ailleurs l'esprit;

Lutte avec le carrare, [63]
Avec le paros [64] dur
    Et rare,
Gardiens du contour pur;   20

Emprunte à Syracuse [65]
Son bronze où fermement
    S'accuse [66]
Le trait fier et charmant;

D'une main délicate   25
Poursuis dans un filon
    D'agate
Le profil d'Apollon.

---

[58] "halo."   [59] This most famous of Gautier's poems presents his ideas on art.
[60] "buskin" (*cothurnus*), shoes with thick soles worn by Greek tragedians to make them seem taller; symbol of tragedy.
[61] "last."   [62] "which any foot can wear."   [63] White statuary marble from Carrara, Italy.
[64] Fine marble from Paros in the Ægean Sea.
[65] City of Sicily, famous in antiquity for its bronze workers.   [66] "stands out."

Peintre, fuis l'aquarelle,
Et fixe la couleur   30
    Trop frêle
Au four de l'émailleur.[67]

Fais les sirènes bleues,
Tordant de cent façons
    Leurs queues,   35
Les monstres des blasons; [68]

Dans son nimbe trilobe [69]
La Vierge et son Jésus,
    Le globe
Avec la croix dessus.   40

Tout passe.—L'art robuste
Seul a l'éternité;
    Le buste
Survit à la cité.[70]

Et la médaille austère   45
Que trouve un laboureur
    Sous terre
Révèle un empereur.

Les dieux eux-mêmes meurent,
Mais les vers souverains   50
    Demeurent
Plus forts que les airains.[71]

Sculpte, lime, cisèle;
Que ton rêve flottant
    Se scelle   55
Dans le bloc résistant! [72]

                              Émaux et Camées.

[67] "enameller."   [68] "heraldic monsters."
[69] "nimbus" (halo), in three parts (to represent the Trinity).
[70] "state."   [71] "bronze statues."
[72] To be lasting art must have perfection of form. For Gautier form in poetry is far more important than content.

GEORGE SAND (1804–1876)

Lucile Aurore Dupin, who wrote under the pen-name of George Sand, was born in Nohant, in the province of Berry, which she made known through her pastoral stories. Married off in 1822 to the Baron Dudevant, an undistinguished and somewhat boorish country gentleman who failed to understand her, she left him, in 1830, to go to Paris, where she became a sincere and determined advocate of the new Romantic ideals of freedom in literature and life. Jules Sandeau, whose name suggested her pseudonym and with whom she was living at the time, collaborated with her in writing her first novel, *Rose et Blanche*. In 1831 she published *Indiana,* the first of over a hundred volumes that were to flow from her pen. She was now very much a "man of letters" even to her habits and costume. Her well-known love affair with Musset (1833–1835)—her side of which is given in *Elle et Lui* (1859)—was only one of several attempts to find happiness in "free love." After her first novels of romantic revolt, she came under the influence of Michel de Bourges and Pierre Leroux, and wrote novels of social philosophy, and, in her desire to reform society, interested herself in politics in behalf of the peasant and the working masses. After the failure of the Second French Republic, the rest of her life was spent quietly, for the most part at Nohant. Because of her responsiveness to generous currents of thought and feeling, Renan called her "the Æolian Harp of the nineteenth century."

In the first half of her life George Sand was, perhaps, a more complete Romanticist than any of the poets. Feeling herself to be *une femme incomprise,* but not easily discouraged in her search for happiness, she wrote novels idealizing passion and advocating what she considered to be woman's rights in a better social order. Her novels of passion and her socialistic novels are of less interest today, but she will always be remembered for the simpler, less ambitious stories of peasant life which followed them. Her novels are usually divided into four groups: (1) novels of romantic passion, attacking social institutions; (2) socialistic novels; (3) pastoral novels; and (4) idealized novels of manners. It is in the third group that her greatest masterpieces are to be found. Here, putting aside social theories, toning down exaggerated emotions, and portraying the simple life of the Berry peasant whom she knew and loved so well, she displayed to the full her simple poetic charm. She understood the peasant attached to the soil that his fathers had cultivated, his manners, his superstitions, his loves, his hates, his simple aspirations, as well as the aspects of nature that were familiar to him, and was able to use his language with delightful simplicity. She idealizes and poetizes while remaining realistic enough to satisfy. Faguet says of her: "Quoi qu'elle ait écrit du reste, elle eut toujours une sorte de *distinction* naturelle, un éloignement naturel de toute vulgarité, une imagination souriante et aimable, une sorte de sympathie qui se répandait de son cœur dans ses écrits, un don de faire aimer sans aucun effort tous les personnages à qui elle s'attachait elle-même, une grâce enveloppante, qui séduit et caresse comme maternellement le lecteur, toutes qualités qui sont infiniment rares en littérature, qui l'étaient particulièrement de son temps et dont un demi-siècle entier a été comme enchanté." (*Histoire de la Lit-térature Française*)

IMPORTANT WORKS:

Novels: Group I: *Indiana* (1832); *Lélia* (1833); *Jacques* (1834).
    " II: *Consuelo* (1842–1844); *Le Meunier d'Angibault* (1845).
    " III: *La Mare au Diable* (1846); *La Petite Fadette* (1848); *François le Champi* (1850); *Les Maîtres Sonneurs* (1853).
    " IV: *Le Marquis de Villemer* (1861); *Jean de la Roche* (1860).

The only selection from George Sand's works that is given here is her introduction to *La Mare au Diable* in which she expresses her ideas upon literature.

LA MARE AU DIABLE

L'Auteur au Lecteur

A la sueur de ton visaige
Tu gaigneras ta pauvre vie,
Après long travail et usaige,
Voicy la *mort* qui te convie.[1]

5   Le quatrain en vieux français, placé au-dessous d'une composition d'Holbein,[2] est d'une tristesse profonde dans sa naïveté. La gravure représente un laboureur conduisant sa charrue au milieu d'un champ. Une vaste campagne s'étend au loin, on y voit de pauvres cabanes; le soleil se couche derrière la colline. C'est la fin d'une rude journée de travail. Le paysan est vieux, trapu,
10 couvert de haillons. L'attelage de quatre chevaux qu'il pousse en avant est maigre, exténué; le soc s'enfonce dans un fonds raboteux et rebelle.[3] Un seul être est allègre et ingambe[4] dans cette scène *de sueur et usaige*. C'est un personnage fantastique, un squelette armé d'un fouet, qui court dans le sillon à côté des chevaux effrayés et les frappe, servant ainsi de valet de
15 charrue au vieux laboureur. C'est la mort, ce spectre qu'Holbein a introduit allégoriquement dans la succession de sujets philosophiques et religieux, à la fois lugubres et bouffons, intitulée les *Simulachres de la Mort*.[5]
    Dans cette collection, ou plutôt dans cette vaste composition où la mort, jouant son rôle à toutes les pages, est le lien et la pensée dominante, Holbein
20 a fait comparaître les souverains, les pontifes, les amants, les joueurs, les ivrognes, les nonnes, les brigands, les pauvres, les guerriers, les moines, les juifs, les voyageurs, tout le monde de son temps et du nôtre; et partout le spectre de la mort raille, menace et triomphe. D'un seul tableau elle est absente. C'est celui où le pauvre Lazare,[6] couché sur un fumier à la porte du
25 riche, déclare qu'il ne la craint pas, sans doute parce qu'il n'a rien à perdre et que sa vie est une mort anticipée.

---

[1] "By the sweat of thy brow shalt thou gain a wretched living; after long labor and wear behold death invites you."
[2] Holbein (1490?–1543), born at Augsburg, spent most of his life in Switzerland and England; able portrait painter. His celebrated *Dance of Death* was first published at Lyons, France, in 1538.
[3] "rough, hard soil."   [4] "gay and lively."
[5] The title of the series of paintings is *The Dance of Death*.   [6] *Luke* XVI, 20.

Cette pensée stoïcienne du christianisme demi-païen de la Renaissance est-elle bien consolante, et les âmes religieuses y trouvent-elles leur compte? [7] L'ambitieux, le fourbe, le tyran, le débauché, tous ces pécheurs superbes [8] qui abusent de la vie, et que la mort tient par les cheveux, vont être punis, sans doute; mais l'aveugle, le mendiant, le fou, le pauvre paysan, sont-ils dédommagés [9] de leur longue misère par la seule réflexion que la mort n'est pas un mal pour eux? Non! Une tristesse implacable, une effroyable fatalité pèse sur l'œuvre de l'artiste. Cela ressemble à une malédiction amère lancée sur le sort de l'humanité.

C'est bien là la satire douloureuse, la peinture vraie de la société qu'Holbein avait sous les yeux. Crime et malheur, voilà ce qui le frappait; mais nous, artistes d'un autre siècle, que peindrons-nous? Chercherons-nous dans la pensée de la mort la rémunération de l'humanité présente? l'invoquerons-nous comme le châtiment de l'injustice et le dédommagement de la souffrance?

Non, nous n'avons plus affaire à la mort, mais à la vie. Nous ne croyons plus ni au néant de la tombe, ni au salut acheté par un renoncement forcé; nous voulons que la vie soit bonne, parce que nous voulons qu'elle soit féconde. Il faut que Lazare quitte son fumier, afin que le pauvre ne se réjouisse plus de la mort du riche. Il faut que tous soient heureux, afin que le bonheur de quelques-uns ne soit pas criminel et maudit de Dieu. Il faut que le laboureur, en semant son blé, sache qu'il travaille à l'œuvre de la vie, et non qu'il se réjouisse de ce que la mort marche à ses côtés. Il faut enfin que la mort ne soit plus ni le châtiment de la prospérité, ni la consolation de la détresse. Dieu ne l'a destinée ni à punir, ni à dédommager de la vie; car il a béni la vie, et la tombe ne doit pas être un refuge où il soit permis d'envoyer ceux qu'on ne veut pas rendre heureux.

Certains artistes de notre temps,[10] jetant un regard sérieux sur ce qui les entoure, s'attachent à peindre la douleur, l'abjection de la misère, le fumier de Lazare. Ceci peut être du domaine de l'art et de la philosophie; mais, en peignant la misère si laide, si avilie, parfois si vicieuse et si criminelle, leur but est-il atteint, et l'effet en est-il salutaire, comme ils le voudraient? Nous n'osons pas nous prononcer là-dessus. On peut nous dire qu'en montrant ce gouffre creusé sous le sol fragile de l'opulence, ils effraient le mauvais riche, comme, au temps de la *danse macabre*,[11] on lui montrait sa fosse béante et la mort prête à l'enlacer dans ses bras immondes. Aujourd'hui on lui montre le bandit crochetant [12] sa porte et l'assassin guettant son sommeil. Nous confessons que nous ne comprenons pas trop comment on le réconciliera avec l'humanité qu'il méprise, comment on le rendra sensible aux douleurs du pauvre qu'il redoute, en lui montrant ce pauvre sous la forme du forçat évadé et du rôdeur de nuit. L'affreuse mort, grinçant des dents et jouant du violon dans les images d'Holbein et de ses devanciers,[13] n'a pas trouvé moyen,

---

[7] "what they seek."   [8] "proud."   [9] "compensated."
[10] The Realists of the middle of the nineteenth century.
[11] The *Dance of Death*, an allegory popular in the Middle Ages.   [12] "breaking open."
[13] The painters of the Middle Ages.

sous cet aspect, de convertir les pervers et de consoler les victimes. Est-ce que
notre littérature ne procéderait pas un peu en ceci comme les artistes du
moyen âge et de la Renaissance?

5 Les buveurs d'Holbein remplissent leurs coupes avec une sorte de fureur
pour écarter l'idée de la mort, qui, invisible pour eux, leur sert d'échanson.[14]
Les mauvais riches d'aujourd'hui demandent des fortifications et des canons
pour écarter l'idée d'une jacquerie,[15] que l'art leur montre travaillant dans
l'ombre, en détail, en attendant le moment de fondre[16] sur l'état social.
L'Église du moyen âge répondait[17] aux terreurs des puissants de la
10 terre par la vente des indulgences.[18] Le gouvernement d'aujourd'hui calme
l'inquiétude des riches en leur faisant payer beaucoup de gendarmes et de
geôliers, de baïonnettes et de prisons.

Albert Dürer,[19] Michel-Ange, Holbein, Callot,[19] Goya,[19] ont fait de
puissantes satires des maux de leur siècle et de leur pays. Ce sont des œuvres
15 immortelles, des pages historiques d'une valeur incontestable; nous ne voulons
donc pas dénier aux artistes le droit de sonder les plaies de la société et de
les mettre à nu sous nos yeux; mais n'y a-t-il pas autre chose à faire maintenant que la peinture d'épouvante et de menace? Dans cette littérature de
mystères d'iniquité, que le talent et l'imagination ont mise à la mode, nous
20 aimons mieux les figures douces et suaves que les scélérats à effet dramatique.
Celles-là peuvent entreprendre et amener des conversions, les autres font peur,
et la peur ne guérit pas l'égoïsme, elle l'augmente.

Nous croyons[20] que la mission de l'art est une mission de sentiment et
d'amour, que le roman d'aujourd'hui devrait remplacer la parabole et
25 l'apologue des temps naïfs, et que l'artiste a une tâche plus large et plus
poétique que celle de proposer quelques mesures de prudence et de concilia-
tion pour atténuer l'effroi qu'inspirent ses peintures. Son but devrait être de
faire aimer les objets de sa sollicitude, et au besoin, je ne lui ferais pas un
reproche de les embellir un peu. L'art n'est pas une étude de la réalité posi-
30 tive; c'est une recherche de la vérité idéale, et le *Vicaire de Wakefield*[21] fut
un livre plus utile et plus sain à l'âme que le *Paysan perverti*[22] et les *Liaisons
dangereuses*.[23]

Lecteur, pardonnez-moi ces réflexions, et veuillez les accepter en manière de
préface. Il n'y en aura point dans l'historiette[24] que je vais vous raconter, et
35 elle sera si courte et si simple que j'avais besoin de m'en excuser d'avance, en
vous disant ce que je pense des histoires terribles. . . .

---

[14] "cup-bearer."

[15] Insurrection of French peasants (*Jacques*), beginning May 28, 1358. The insurrection was
pitilessly suppressed by the nobles.

[16] "to fall upon."   [17] "allayed," "met."

[18] One of the abuses against which Martin Luther protested.

[19] *Albert Dürer* (1471–1528): most celebrated German painter of his time. *Michelangelo:*
author of "The Last Judgment"; see page 142. *Callot* (1592–1635): French painter and engraver, who often depicted suffering. *Goya* (1746–1828): Spanish painter celebrated for his
coloring, boldness of design, originality and variety of types. Many of his subjects also show
suffering.

[20] George Sand's credo of artistic idealism.   [21] Idealistic novel by Oliver Goldsmith.

[22] Drastically realistic novel by Restif de la Bretonne (1724–1806).

[23] Licentious, but powerful novel by Laclos (1741–1803).   [24] *La Mare au Diable.*

HONORÉ DE BALZAC (1799–1850)

Born at Tours, Balzac received his early education at the Collège Vendôme and later was sent to Paris to study law. He had, however, no desire to become a lawyer nor to follow the profession of *notaire*. His one interest was literature, which he finally persuaded his family to allow him to try, but success was too slow in coming. Seeking to make money by other means, he became engaged in a printing venture which yielded only debts that were to harass him throughout his entire life. Several other financial schemes turned out little better; his inventive imagination was superior to his business sense. Just before his death he was married to Mme Hanska, a Polish lady, with whom he had been corresponding for more than fifteen years (*Lettres à l'Étrangère*).

As early as 1822 Balzac began publishing novels under pseudonyms, but not until 1829 did he produce anything that he considered worth putting into the *Comédie Humaine,* a general title adopted in 1842, covering all his recognized works. In his *Avant-Propos* to the *Comédie Humaine,* most of which is given below, Balzac outlines the main divisions of his work and at the same time expresses his ideas upon literature.

Balzac has the Romanticist's love of the unusual, the striking, the grandiose; he likes to picture men making fortunes and "breaking into society," and he has the imagination required for inventing schemes to carry out such purposes. He is credulous, naïf, in his belief in magic and the supernatural, and he has written a few novels that might almost have been signed by the elder Dumas or by Eugène Sue. He is not, however, to be classed as a writer of melodramatic novels nor as a Romanticist. His composition is often lumbering, labored, awkward, tedious. Nevertheless, his characters like Père Goriot, Cousin Pons, Cousine Bette, old Grandet, and others, would have been recognized by Molière, and are still as much alive today as they were a century ago.

Portraits of innocence, grace, delicacy, refinement, breeding, culture, "high society," are not his forte. He did not understand the true aristocrats who lived in the "faubourg Saint-Germain," but in the pictures he paints of the bourgeoisie and of *le peuple,* he is upon familiar ground and has no peer. He is at home in the world of finance and of intrigue; he knows the pawnbroker, the concierge, the peasant, the notary, and a thousand other familiar types. He is excellent in showing character and happiness undermined and destroyed by excessive ambition or perversity. All his life he was a keen and profound observer and made mental notes of all he saw, so that when he wished to write a novel, he did not need to take out a notebook—as did the Naturalists, his followers—he had the picture in his mind ready to be transferred to the written page. Balzac is given to philosophical and sociological digression and at times seems to lose himself in description. But he is the first of the great nineteenth century Realists, in that he understood the importance of environment and actually made it play a part in his novels. He gives a portrait of Grandet (*E.G.*) which overlooks no detail, from the stammering he affects when driving a bargain, to the "knowing wen" upon the end of his nose. He leads us into the "maison Vauquer" (*P.G.*) through the courtyard in order that he may have an opportunity to point out the drain leading from the kitchen sink by way of preparation for the musty boarding-house smell and the faded hangings and upholstery that greet us as we cross the threshold. His characters, the surroundings in which they live, the servants, the shopkeepers, the friends with whom they come in contact, are in turn thrown upon the canvas. Then come the mannerisms, idiosyncrasies, speech, and actions, and all of these fit to a nicety the characters portrayed, and serve as a framework in which we watch the effect of a dominating passion which rides rough-shod over domestic and social duties, over even self-interest. The outstanding features of Balzac are his imagination, his power and depth of observation, and his ability to create characters that live. With all his limitations, Balzac remains the greatest of the Realists and the dominating figure of the nineteenth century French novel.

". . . Balzac n'est ni un métaphysicien ni un poète; il n'est même pas romanesque au sens où l'on prend d'ordinaire ce mot. Victor Hugo a dit de lui: 'Tous ses livres ne forment qu'un livre, livre vivant, lumineux, profond, où l'on voit aller, venir, marcher et mouvoir, avec je ne sais quoi d'effaré et de terrible mêlé au réel, toute notre civilisation contemporaine.' Toute notre civilisation, en effet, avec la multiplicité des passions et des drames qu'elle engendre, avec sa soif de l'or, son individualisme et son esprit positif qui ne s'exalte que pour conquérir, voilà ce que Balzac a peint en traits de feu, dans une création merveilleusement semblable à la réalité." (Strowski: *Tableau de la Littérature Française au 19ᵉ Siècle et au 20ᵉ Siècle.*)

IMPORTANT WORKS:

Novels: *Gobseck* (1830); *Eugénie Grandet* (1833); *Père Goriot* (1834); *Cousine Bette* (1846); *Cousin Pons* (1847).

AVANT-PROPOS DE "LA COMÉDIE HUMAINE"

En donnant à une œuvre entreprise depuis bientôt treize ans le titre de *La Comédie humaine,* il est nécessaire d'en dire la pensée, d'en raconter l'origine, d'en expliquer brièvement le plan, en essayant de parler de ces choses comme si je n'y étais pas intéressé. Ceci n'est pas aussi difficile que le
5 public pourrait le penser. Peu d'œuvres donne beaucoup d'amour-propre, beaucoup de travail donne infiniment de modestie. Cette observation rend compte des examens[1] que Corneille, Molière et autres grands auteurs faisaient de leurs ouvrages: s'il est impossible de les égaler dans leurs belles conceptions, on peut vouloir leur ressembler en ce sentiment. . . .
10 Cette idée vint d'une comparaison entre l'Humanité et l'Animalité.

Ce serait une erreur de croire que la grande querelle qui, dans ces derniers temps, s'est émue entre Cuvier[2] et Geoffroi Saint-Hilaire,[3] reposait sur une

---

[1] "critical discussions."

[2] Cuvier (1769–1832), celebrated French naturalist, whose name is associated with the early development of comparative anatomy and paleontology; called the "creator of the science of comparative anatomy."

[3] Geoffroi Saint-Hilaire (1772–1844), famous French naturalist, professor of zoology, did pioneering work in embryology. Saint-Hilaire was an early believer in the theory of evolution, whereas Cuvier held that the species as they exist today go back to the creation of things. This fundamental difference of opinion led, about 1830, to a great controversy between the two scientists, to which Balzac refers in this passage.

innovation scientifique. *L'unité de composition* occupait déjà sous d'autres termes les plus grands esprits des deux siècles précédents. . . . Le créateur ne s'est servi que d'un seul et même patron pour tous les êtres organisés. L'animal est un principe qui prend sa forme extérieure, ou, pour parler plus exactement, les différences de sa forme, dans les milieux où il est appelé à se développer. Les Espèces Zoologiques résultent de ces différences. La proclamation et le soutien de ce système, en harmonie d'ailleurs avec les idées que nous nous faisons de la puissance divine, sera l'éternel honneur de Geoffroi Saint-Hilaire, le vainqueur de Cuvier sur ce point de la haute science, et dont le triomphe a été salué par le dernier article qu'écrivit le grand Goethe.[4]

Pénétré de ce système bien avant les débats auxquels il a donné lieu, je vis que, sous ce rapport, la Société ressemblait à la Nature. La Société ne fait-elle pas de l'homme, suivant les milieux où son action se déploie, autant d'hommes différents qu'il y a de variétés en zoologie?

Les différences entre un soldat, un ouvrier, un administrateur, un avocat, un oisif, un savant, un homme d'état, un commerçant, un marin, un poète, un pauvre, un prêtre, sont, quoique plus difficiles à saisir, aussi considérables que celles qui distinguent le loup, le lion, l'âne, le corbeau, le requin, le veau marin, la brebis, etc. Il a donc existé, il existera donc de tout temps des Espèces Sociales comme il y a des Espèces Zoologiques. Si Buffon[5] a fait un magnifique ouvrage en essayant de représenter dans un livre l'ensemble de la zoologie, n'y avait-il pas une œuvre de ce genre à faire pour la Société? Mais la Nature a posé, pour les variétés animales, des bornes entre lesquelles la Société ne devait pas se tenir. Quand Buffon peignait le lion, il achevait la lionne en quelques phrases; tandis que dans la Société la femme ne se trouve pas toujours être la femelle du mâle. Il peut y avoir deux êtres parfaitement dissemblables dans un ménage. La femme d'un marchand est quelquefois digne d'être celle d'un prince, et souvent celle d'un prince ne vaut pas celle d'un artiste. L'État Social a des hasards que ne se permet pas la Nature, car c'est la Nature plus la Société. La description des Espèces Sociales était donc au moins double de celle des Espèces Animales, à ne considérer que les deux sexes. Enfin, entre les animaux, il y a peu de drames, la confusion ne s'y met guère; ils courent bien aussi les uns sur les autres; mais leur plus ou moins d'intelligence rend le combat autrement compliqué. Si quelques savants n'admettent pas encore que l'Animalité se transborde dans l'Humanité par un immense courant de vie, l'épicier devient certainement pair de France, et le noble descend parfois au dernier rang social. Puis, Buffon a trouvé la vie excessivement simple chez les animaux. L'animal a peu de mobilier, il n'a ni arts ni sciences; tandis que l'homme, par une loi qui est à rechercher, tend à représenter ses mœurs, sa pensée et sa vie dans tout ce qu'il approprie à ses besoins. . . . Les habitudes de chaque animal sont, à nos yeux du moins, constamment semblables en tout temps; tandis

[4] Greatest German man of letters (1749–1832). The reference may be to *Die Wirkung der Metamorphosenlehre* (1830).

[5] Buffon (1707–1788), French naturalist, author of *Histoire Naturelle* (1771–1789); one of the great pioneers in the scientific movement.

que les habitudes, les vêtements, les paroles, les demeures d'un prince, d'un banquier, d'un artiste, d'un bourgeois, d'un prêtre et d'un pauvre sont entièrement dissemblables et changent au gré des [6] civilisations.

    Ainsi l'œuvre à faire devait avoir une triple forme: les hommes, les femmes et les choses, c'est-à-dire les personnes et la représentation matérielle qu'ils donnent de leur pensée; enfin l'homme et la vie, car la vie est notre vêtement.

    En lisant les sèches et rebutantes nomenclatures de faits appelées *histoires,* qui ne s'est pas aperçu que les écrivains ont oublié, dans tous les temps, en Egypte, en Perse, en Grèce, à Rome, de nous donner l'histoire des mœurs. Le morceau de Pétrone [7] sur la vie privée des Romains irrite plutôt qu'il ne satisfait notre curiosité. Après avoir remarqué cette immense lacune dans le champ de l'histoire, l'abbé Barthélemy [8] consacra sa vie à refaire les mœurs grecques dans *Anacharsis.*

    Mais comment rendre intéressant le drame à trois ou quatre mille personnages que présente une Société? comment plaire à la fois au poète, au philosophe et aux masses qui veulent la poésie et la philosophie sous de saisissantes images? Si je concevais l'importance et la poésie de cette histoire du cœur humain, je ne voyais aucun moyen d'exécution; car, jusqu'à notre époque, les plus célèbres conteurs avaient dépensé leur talent à créer un ou deux personnages typiques, à peindre une face de la vie. Ce fut avec cette pensée que je lus les œuvres de Walter Scott. . . .

    Walter Scott élevait . . . à la valeur philosophique de l'histoire le roman, cette littérature qui, de siècle en siècle, incruste d'immortels diamants la couronne poétique des pays où se cultivent les lettres. Il y mettait l'esprit des anciens temps, il y réunissait à la fois le drame, le dialogue, le portrait, le paysage, la description; il y faisait entrer le merveilleux et le vrai, ces éléments de l'épopée, il y faisait coudoyer la poésie par la familiarité des plus humbles langages. Mais, ayant moins imaginé un système que trouvé sa manière dans le feu du travail ou par la logique de ce travail, il n'avait pas songé à relier ses compositions l'une à l'autre de manière à coordonner une histoire complète, dont chaque chapitre eût été un roman, et chaque roman une époque.

    En apercevant ce défaut de liaison, qui d'ailleurs ne rend pas l'Écossais moins grand, je vis à la fois le système favorable à l'exécution de mon ouvrage et la possibilité de l'exécuter. Quoique, pour ainsi dire, ébloui par la fécondité surprenante de Walter Scott, toujours semblable à lui-même et toujours original, je ne fus pas désespéré, car je trouvai la raison de ce talent dans l'infinie variété de la nature humaine. Le hasard est le plus grand romancier du monde: pour être fécond, il n'y a qu'à l'étudier. La Société française allait être l'historien, je ne devais être que le secrétaire. En dressant l'inventaire des vices et des vertus, en rassemblant les principaux faits des passions, en peignant les caractères, en choisissant les événements principaux de la Société,

---

    [6] "according to," "with."

    [7] Gaius Petronius, author of a satire, *Satyricon Petronii Arbitri,* which gives a unique description of Roman life in the first century.

    [8] *L'abbé Barthélemy* (1716–1795), French scholar, author of *Voyage du Jeune Anacharsis en Grèce* (1788).

en composant des types par la réunion des traits de plusieurs caractères homogènes, peut-être pouvais-je arriver à écrire l'histoire oubliée par tant d'historiens, celle des mœurs. Avec beaucoup de patience et de courage, je réaliserais, sur la France, au dix-neuvième siècle, ce livre que nous regrettons tous, que Rome, Athènes, Tyr,[9] Memphis,[10] la Perse, l'Inde, ne nous ont 5 malheureusement pas laissé sur leurs civilisations, et qu'à l'instar de [11] l'abbé Barthélemy, le courageux et patient Monteil [12] avait essayé pour le Moyen-Age, mais sous une forme peu attrayante.

Ce travail n'était rien encore. S'en tenant [13] à cette reproduction rigoureuse, un écrivain pouvait devenir un peintre plus ou moins fidèle, plus ou moins 10 heureux, patient ou courageux des types humains, le conteur des drames de la vie intime, l'archéologue du mobilier social, le nomenclateur des professions, l'enregistreur du bien et du mal; mais, pour mériter les éloges que doit ambitionner tout artiste, ne devais-je pas étudier les raisons ou la raison de ces effets sociaux, surprendre le sens caché dans cet immense assemblage de figures, de 15 passions et d'événements? Enfin, après avoir cherché, je ne dis pas trouvé, cette raison, ce moteur social, ne fallait-il pas méditer sur les principes naturels et voir en quoi les Sociétés s'écartent ou se rapprochent de la règle éternelle, du vrai, du beau? Malgré l'étendue des prémisses, qui pouvaient être à elles seules un ouvrage, l'œuvre, pour être entière, voulait une conclusion. Ainsi dépeinte, 20 la Société devait porter avec elle la raison de son mouvement.

La loi de l'écrivain, ce qui le fait tel, ce qui, je ne crains pas de le dire, le rend égal et peut-être supérieur à l'homme d'état, est une décision quelconque sur les choses humaines, un dévouement absolu à des principes. . . .

L'homme n'est ni bon ni méchant, il naît avec des instincts et des aptitudes; 25 la Société, loin de le dépraver, comme l'a prétendu Rousseau,[14] le perfectionne, le rend meilleur; mais l'intérêt [15] développe alors énormément ses penchants mauvais. Le christianisme, et surtout le catholicisme, étant, comme je l'ai dit dans *Le Médecin de Campagne,*[16] un système complet de répression des tendances dépravées de l'homme, est le plus grand élément d'Ordre 30 Social.

En lisant attentivement le tableau de la Société, moulée, pour ainsi dire, sur le vif avec tout son bien et tout son mal, il en résulte cet enseignement que si la pensée, ou la passion, qui comprend la pensée et le sentiment, est l'élément social, elle en est aussi l'élément destructeur. En ceci, la vie sociale ressemble à 35 la vie humaine. On ne donne aux peuples de longévité qu'en modérant leur action vitale. L'enseignement, ou mieux, l'éducation par des Corps Religieux est donc le grand principe d'existence pour les peuples, le seul moyen de diminuer la somme du mal et d'augmenter la somme du bien dans toute

---

[9] Tyre, chief city of Phoenicia.
[10] Capital of the first Egyptian empire. [11] "in imitation of."
[12] Monteil (1769–1850), French historian, author of *Histoire des Français des Divers Etats* (1828–1844).
[13] "confining himself."
[14] Rousseau was convinced that civilization has been a curse rather than a blessing to mankind.
[15] "self-interest."   [16] One of Balzac's more idealistic novels.

Société. La pensée, principe des maux et des biens, ne peut être préparée, domptée, dirigée que par la religion. . . . Le Christianisme a créé les peuples modernes, il les conservera. De là sans doute la nécessité du principe monarchique. Le Catholicisme et la Royauté [17] sont deux principes jumeaux. Quant aux limites dans lesquelles ces deux principes doivent être enfermés par des Institutions afin de ne pas les laisser se développer absolument, car tout absolu est mauvais, chacun sentira qu'une préface aussi succincte que doit l'être celle-ci, ne saurait devenir un traité politique. Aussi ne dois-je entrer ni dans les dissensions religieuses ni dans les dissensions politiques du moment. J'écris à la lueur de deux Vérités éternelles: la Religion, la Monarchie, deux nécessités que les événements contemporains proclament, et vers lesquelles tout écrivain de bon sens doit essayer de ramener notre pays. Sans être l'ennemi de l'Élection,[18] principe excellent pour constituer la loi, je repousse l'Élection *prise comme unique moyen social,* et surtout aussi mal organisée qu'elle l'est aujourd'hui, car elle ne représente pas d'imposantes minorités aux idées, aux intérêts desquelles songerait un gouvernement monarchique. L'Élection, étendue à tout, nous donne le gouvernement par les masses, le seul qui ne soit point responsable, et où la tyrannie est sans bornes, car elle s'appelle *la loi.* Aussi regardé-je la Famille et non l'Individu comme le véritable élément social. . . .

Les écrivains qui ont un but, fût-ce un retour aux principes qui se trouvent dans le passé par cela même qu'ils sont éternels, doivent toujours déblayer [19] le terrain. Or, quiconque apporte sa pierre dans le domaine des idées, quiconque signale un abus, quiconque marque d'un signe le mauvais pour être retranché, celui-là passe toujours pour être immoral. Le reproche d'immoralité, qui n'a jamais failli à l'écrivain courageux, est d'ailleurs le dernier qui reste à faire quand on n'a plus rien à dire à un poète. Si vous êtes vrai dans vos peintures; si, à force de travaux diurnes et nocturnes, vous parvenez à écrire la langue la plus difficile du monde, on vous jette alors le mot immoral à la face. . . .[20]

En copiant toute la Société, la saisissant dans l'immensité de ses agitations, il arrive, il devait arriver que telle composition offrait plus de mal que de bien, que telle partie de la fresque représentait un groupe coupable, et la critique de crier à l'immoralité, sans faire observer la moralité de telle autre partie destinée à former un contraste parfait. Comme la critique ignorait le plan général, je lui pardonnais d'autant mieux qu'on ne peut pas plus empêcher la critique qu'on ne peut empêcher la vue, le langage et le jugement de s'exercer. Puis le temps de l'impartialité n'est pas encore venu pour moi. D'ailleurs, l'auteur qui ne sait pas se résoudre à essuyer le feu de la critique ne doit pas plus se mettre à écrire qu'un voyageur ne doit se mettre en route en comptant sur un ciel toujours serein. Sur ce point, il me reste à faire observer que les moralistes les plus consciencieux doutent fort que la Société puisse offrir autant de bonnes que de mauvaises actions, et dans le tableau que j'en fais, il se trouve

---

[17] The two principles, at least in theory, of Balzac's sociological system.
[18] Balzac was several times an unsuccessful candidate for the office of *député*.   [19] "clear."
[20] This accusation has actually been levelled at certain drastically realistic novels of Balzac.

plus de personnages vertueux que de personnages répréhensibles. Les actions blâmables, les fautes, les crimes, depuis les plus légers jusqu'aux plus graves, y trouvent toujours leur punition humaine ou divine, éclatante ou secrète. J'ai mieux fait que l'historien, je suis plus libre. . . . L'histoire n'a pas pour loi, comme le roman, de tendre vers le beau idéal. L'histoire est ou devrait 5 être ce qu'elle fut; tandis que *le roman doit être le monde meilleur*, a dit madame Necker,[21] un des esprits les plus distingués du dernier siècle. Mais le roman ne serait rien si, dans cet auguste mensonge, il n'était pas vrai dans les détails. Obligé de se conformer aux idées d'un pays essentiellement hypocrite, Walter Scott a été faux, relativement à l'humanité, dans la peinture de 10 la femme, parce que ses modèles étaient des schismatiques.[22] La femme protestante n'a pas d'idéal. Elle peut être chaste, pure, vertueuse; mais son amour sans expansion sera toujours calme et rangé comme un devoir accompli. Il semblerait que la Vierge Marie ait refroidi le cœur des sophistes qui la bannissaient du ciel, elle et ses trésors de miséricorde. Dans le protestantisme, il 15 n'y a plus rien de possible pour la femme après la faute; tandis que dans l'Église catholique, l'espoir du pardon la rend sublime. Aussi n'existe-t-il qu'une seule femme pour l'écrivain protestant, tandis que l'écrivain catholique trouve une femme nouvelle dans chaque nouvelle situation. . . . La passion est toute l'humanité. Sans elle, la religion, l'histoire, le roman, l'art seraient 20 inutiles.

En me voyant amasser tant de faits et les peindre comme ils sont, avec la passion pour élément, quelques personnes ont imaginé, bien à tort, que j'appartenais à l'école sensualiste et matérialiste, deux faces du même fait, le panthéisme. Mais peut-être pouvait-on, devait-on, s'y tromper. Je ne partage 25 point la croyance à un progrès indéfini, quant aux Sociétés; je crois aux progrès de l'homme sur lui-même. . . .[23]

Dans certains fragments de ce long ouvrage, j'ai tenté de populariser les faits étonnants, je puis dire les prodiges de l'électricité qui se métamorphose chez l'homme en une puissance incalculée; mais en quoi les phénomènes 30 cérébraux et nerveux qui démontrent l'existence d'un nouveau monde moral dérangent-ils les rapports certains et nécessaires entre les mondes et Dieu? en quoi les dogmes catholiques en seraient-ils ébranlés? Si, par des faits incontestables, la pensée est rangée un jour parmi les fluides qui ne se révèlent que par leurs effets et dont la substance échappe à nos sens encore agrandis par 35 tant de moyens mécaniques, il en sera de ceci comme de la sphéricité de la terre observée par Christophe Colomb, comme de sa rotation démontrée par Galilée.[24] Notre avenir restera la même. . . .[25]

En saisissant bien le sens de cette composition, on reconnaîtra que j'accorde

[21] Madame Necker (1739–1794), a brilliant woman, mother of Mme de Staël, wife of Jacques Necker, minister of finance under Louis XVI.

[22] Balzac, as a good Catholic, blames the over-idealization of Scott's heroines on the puritanism of their creator's religion.

[23] Balzac believes in the power of the human will.

[24] Galileo (1564–1642), celebrated Italian mathematician, physicist, and astronomer, confirmed the Copernican theory.

[25] New scientific discoveries will not alter the essential place of religion in the world.

aux faits constants, quotidiens, secrets ou patents, aux actes de la vie individuelle, à leurs causes et à leurs principes autant d'importance que jusqu'alors
les historiens en ont attaché aux événements de la vie publique des nations.
La bataille inconnue qui se livre dans une vallée de l'Indre [26] entre *madame*
de Mortsauf [27] et la passion est peut-être aussi grande que la plus illustre
des batailles connues (LE LYS DANS LA VALLÉE). Dans celle-ci, la gloire d'un conquérant est en jeu; dans l'autre, il s'agit du ciel. Les infortunes des *Birotteau*,
le prêtre [28] et le parfumeur,[29] sont pour moi celles de l'humanité. *La Fosseuse*
(MÉDECIN DE CAMPAGNE), et *madame Graslin* (CURÉ DE VILLAGE), sont presque
toute la femme. Nous souffrons tous les jours ainsi. J'ai eu cent fois à faire ce
que Richardson [30] n'a fait qu'une seule fois. Lovelace [30] a mille formes, car
la corruption sociale prend les couleurs de tous les milieux où elle se développe. Au contraire, Clarisse,[30] cette belle image de la vertu passionnée, a
des lignes d'une pureté désespérante. Pour créer beaucoup de vierges, il faut
être Raphaël.[31] La littérature est peut-être, sous ce rapport, au-dessous de la
peinture. Aussi peut-il m'être permis de faire remarquer combien il se trouve
de figures irréprochables (comme vertu) dans les portions publiées de cet
ouvrage; Pierrette Lorrain,[32] Ursule Mirouët, Constance Birotteau, la Fosseuse, Eugénie Grandet, Marguerite Claës, Pauline de Villenoix, madame
Jules, madame de La Chanterie, Ève Chardon, mademoiselle d'Èsgrignon,
madame Firmiani, Agathe Rouget, Renée de Maucombe; enfin bien des
figures du second plan, qui pour être moins en relief que celles-ci, n'en offrent
pas moins au lecteur la pratique des vertus domestiques. Joseph Lebas, Genes-
tas, Benassis, le curé Bonnet, le médecin Minoret, Pillerault, David Séchard,
les deux Birotteau, le curé Chaperon, le juge Popinot, Bourgeat, les Sauviat,
les Tascheron, et bien d'autres ne résolvent-ils pas le difficile problème littéraire qui consiste à rendre intéressant un personnage vertueux.

Ce n'était pas une petite tâche que de peindre les deux ou trois mille figures saillantes d'une époque, car telle est, en définitive, la somme des types
que présente chaque génération et que *La Comédie Humaine* comportera.
Ce nombre de figures, de caractères, cette multitude d'existences exigeaient
des cadres, et, qu'on me pardonne cette expression, des galeries. De là, les
divisions si naturelles, déjà connues, de mon ouvrage en *Scènes de la vie*
privée, de province, parisienne, politique, militaire et de campagne. Dans ces
six livres sont classées toutes les *Études de mœurs* qui forment l'histoire générale de la Société, la collection de tous ses faits et gestes, eussent dit nos
ancêtres. Ces six livres répondent d'ailleurs à des idées générales. Chacun
d'eux a son sens, sa signification, et formule une époque de la vie humaine.
Je répéterai là, mais succinctement, ce qu'écrivit, après s'être enquis de mon

[26] River flowing into the Loire west of Tours.
[27] Mme de Mortsauf (*Le Lys dans la Vallée*), and others mentioned below, are characters and works of Balzac.
[28] Chief character in the *Curé de Tours.*
[29] Hero of *Grandeur et Décadence de César Birotteau.*
[30] Richardson (1689–1761), important English novelist, in whose best work, *Clarissa Harlowe,* the well-known characters, Clarissa Harlowe and Lovelace, are found.
[31] Raphaël (1483–1520), world-famous Italian painter, noted for his numerous madonnas.
[32] Pierrette Lorrain, and following, are women characters in Balzac's novels.

plan, Félix Davin,[33] jeune talent ravi aux lettres par une mort prématurée. Les *Scènes de la vie privée* représentent l'enfance, l'adolescence et leurs fautes, comme les *Scènes de la vie de province* représentent l'âge des passions, des calculs, des intérêts et de l'ambition. Puis les *Scènes de la vie parisienne* offrent le tableau des goûts, des vices et de toutes les choses effrénées qu'excitent les mœurs particulières aux capitales où se rencontrent à la fois l'extrême bien et l'extrême mal. Chacune de ces trois parties a sa couleur locale: Paris et la province, cette antithèse sociale a fourni ses immenses ressources. Non seulement les hommes, mais encore les événements principaux de la vie, se formulent par des types. Il y a des situations qui se représentent dans toutes les existences, des phases typiques, et c'est là l'une des exactitudes que j'ai le plus cherchées. J'ai tâché de donner une idée des différentes contrées [34] de notre beau pays. Mon ouvrage a sa géographie comme il a sa généalogie et ses familles, ses lieux et ses choses, ses personnes et ses faits; comme il a son armorial, ses nobles et ses bourgeois, ses artisans et ses paysans, ses politiques et ses dandies, son armée, tout son monde enfin!

Après avoir peint dans ces trois livres la vie sociale, il restait à montrer les existences d'exception qui résument les intérêts de plusieurs ou de tous, qui sont en quelque sorte hors la loi commune: de là les *Scènes de la vie politique.* Cette vaste peinture de la société finie et achevée, ne fallait-il pas la montrer dans son état le plus violent; se portant hors de chez elle, soit pour la défense, soit pour la conquête? De là les *Scènes de la vie militaire,* la portion la moins complète encore de mon ouvrage,[35] mais dont la place sera laissée dans cette édition, afin qu'elle en fasse partie quand je l'aurai terminée. Enfin, les *Scènes de la vie de campagne* sont en quelque sorte le soir de cette longue journée, s'il m'est permis de nommer ainsi le drame social. Dans ce livre, se trouvent les plus purs caractères et l'application des grands principes d'ordre, de politique, de moralité.

Telle est l'assise pleine de figures, pleine de comédies et de tragédies sur laquelle s'élèvent les *Études philosophiques,* Seconde Partie de l'ouvrage, où le moyen social de tous les effets se trouve démontré, où les ravages de la pensée sont peints, sentiment à sentiment, et dont le premier ouvrage, LA PEAU DE CHAGRIN, relie en quelque sorte les *Études de mœurs* aux *Études philosophiques* par l'anneau d'une fantaisie presque orientale où la Vie elle-même est peinte aux prises avec le Désir, principe de toute Passion.

Au-dessus, se trouveront les *Études analytiques,* desquelles je ne dirai rien, car il n'en a été publié qu'une seule, LA PHYSIOLOGIE DU MARIAGE.

D'ici à quelque temps, je dois donner deux autres ouvrages de ce genre. D'abord la PATHOLOGIE DE LA VIE SOCIALE, puis l'ANATOMIE DES CORPS ENSEIGNANTS et la MONOGRAPHIE DE LA VERTU.[36] . . .

---

[33] Félix Davin (1807–1836) French journalist and novelist.
[34] "regions."
[35] And which was destined to remain almost unrepresented in the *Comédie Humaine.*
[36] These works were never completed.
Balzac's classification of his works is not to be taken literally. It should be interpreted as an expression of his ideal rather than of his accomplishment. His interest in the various branches of

JÉSUS-CHRIST EN FLANDRE [37]

A Marceline Desbordes-Valmore [38]

A une époque assez indéterminée de l'histoire brabançonne,[39] les relations
entre l'île de Cadzant [40] et les côtes de la Flandre [41] étaient entretenues par
une barque destinée au passage des voyageurs. Capitale de l'île, Middel-
bourg,[42] plus tard si célèbre dans les annales du protestantisme,[43] comptait à
5   peine deux ou trois cents feux. La riche Ostende [44] était un havre inconnu,
flanqué d'une bourgade [45] chétivement peuplée par quelques pêcheurs, par
de pauvres négociants et par des corsaires impunis. Néanmoins, le bourg
d'Ostende, composé d'une vingtaine de maisons et de trois cents cabanes,
chaumines ou taudis construits avec des débris de navires naufragés, jouissait
10   d'un gouverneur, d'une milice, de fourches patibulaires,[46] d'un couvent,
d'un bourgmestre,[47] enfin de tous les organes d'une civilisation avancée. Qui
régnait alors en Brabant, en Flandre, en Belgique? Sur ce point, la tradition
est muette. Avouons-le: cette histoire se ressent [48] étrangement du vague, de
l'incertitude, du merveilleux que les orateurs favoris des veillées flamandes
15   se sont amusés maintes fois à répandre dans leurs gloses, aussi diverses de
poésie que contradictoires par les détails. Dit d'âge en âge, répétée de foyer
en foyer par les aïeules, par les conteurs de jour et de nuit, cette chronique a
reçu de chaque siècle une teinte différente. Semblable à ces monuments ar-
rangés suivant le caprice des architectures de chaque époque, mais dont les
20   masses noires et frustes [49] plaisent aux poètes, elle ferait le désespoir des com-
mentateurs, des éplucheurs [50] de mots, de faits et de dates. Le narrateur y
croit, comme tous les esprits superstitieux de la Flandre y ont cru, sans en
être ni plus doctes ni plus infirmes. Seulement, dans l'impossibilité de mettre
en harmonie toutes les versions, voici le fait, dépouillé peut-être de sa naïveté
25   romanesque impossible à reproduire, mais avec ses hardiesses que l'histoire
désavoue, avec sa moralité que la religion approuve, son fantastique, fleur
d'imagination, son sens caché dont peut s'accommoder [51] le sage. A chacun sa
pâture et le soin de trier le bon grain de l'ivraie.[52]

La barque qui servait à passer les voyageurs de l'île de Cadzant à Ostende
30   allait quitter le village. Avant de détacher la chaîne de fer qui retenait sa cha-

loupe [53] à une pierre de la petite jetée où l'on s'embarquait, le patron donna [54] du cor à plusieurs reprises, afin d'appeler les retardataires, car ce voyage était son dernier. La nuit approchait, les feux affaiblis du soleil couchant permettaient à peine d'apercevoir les côtes de Flandre et de distinguer dans l'île les passagers attardés, errant soit le long des murs en terre dont les champs étaient environnés, soit parmi les hauts joncs des marais. La barque était pleine, un cri s'éleva:

—Qu'attendez-vous? Partons!

En ce moment, un homme apparut à quelques pas de la jetée; le pilote, qui ne l'avait entendu ni venir ni marcher, fut assez surpris de le voir. Ce voyageur semblait s'être levé de terre tout à coup, comme un paysan qui se serait couché dans un champ en attendant l'heure du départ et que la trompette aurait réveillé. Était-ce un voleur? était-ce quelque homme de douane ou de police? Quand il arriva sur la jetée où la barque était amarrée, sept personnes placées debout à l'arrière de la chaloupe s'empressèrent de s'asseoir sur les bancs, afin de s'y trouver seules et de ne pas laisser l'étranger se mettre avec elles. Ce fut une pensée instinctive et rapide, une de ces pensées d'aristocrates qui viennent au cœur des gens riches. Quatre de ces personnages appartenaient à la plus haute noblesse des Flandres. D'abord un jeune cavalier, accompagné de deux beaux lévriers et portant sur ses cheveux longs une toque ornée de pierreries, faisait retentir ses éperons dorés et frisait de temps en temps sa moustache avec impertinence, en jetant des regards dédaigneux au reste de l'équipage. Une altière demoiselle tenait un faucon sur son poing et ne parlait qu'à sa mère ou à un ecclésiastique de haut rang, leur parent sans doute. Ces personnes faisaient grand bruit et conversaient ensemble comme si elles eussent été seules dans la barque. Néanmoins, auprès d'elles se trouvait un homme très important dans le pays, un gros bourgeois de Bruges,[55] enveloppé dans un grand manteau. Son domestique, armé jusqu'aux dents, avait mis près de lui deux sacs pleins d'or. A côté d'eux se trouvait encore un homme de science, docteur à l'université de Louvain,[56] flanqué de son clerc.[57] Ces gens, qui se méprisaient les uns les autres, étaient séparés de l'avant par le banc des rameurs.

Lorsque le passager en retard mit le pied dans la barque, il jeta un regard rapide sur l'arrière, n'y vit pas de place, et alla en demander une à ceux qui se trouvaient sur l'avant du bateau. Ceux-là étaient de pauvres gens. A l'aspect d'un homme à la tête nue, dont l'habit et le haut-de-chausses en camelot [58] brun, dont le rabat [59] en toile de lin empesé, n'avaient aucun ornement, qui ne tenait à la main ni toque ni chapeau, sans bourse ni épée à la ceinture, tous le prirent pour un bourgmestre sûr de son autorité, bourgmestre bon homme et doux comme quelques-uns de ces vieux Flamands dont la nature et le caractère ingénus nous ont été si bien conservés par les peintres du pays. Les pauvres passagers accueillirent alors l'inconnu par des démonstrations respec-

---

[53] "large rowboat." [54] "blew."
[55] Capital of West Flanders, Belgium, once an important commercial center.
[56] City in the province of Brabant, Belgium, famous for its university.
[57] "clerk" (in holy orders). [58] "camlet" (a kind of coarse cloth). [59] "neck-band."

tueuses qui excitèrent des railleries chuchotées entre les gens de l'arrière. Un
vieux soldat, homme de peine et de fatigue, donna sa place sur le banc à
l'étranger, s'assit au bord de la barque, et s'y maintint en équilibre par la
manière dont il appuya ses pieds contre une de ces traverses de bois qui,
5 semblables aux arêtes d'un poisson, servent à lier les planches des bateaux.
Une jeune femme, mère d'un petit enfant, et qui paraissait appartenir à la
classe ouvrière d'Ostende, se recula pour faire assez de place au nouveau venu.
Ce mouvement n'accusa [60] ni servilité ni dédain, ce fut un de ces témoignages
d'obligeance par lesquels les pauvres gens, habitués à connaître le prix d'un
10 service et les délices de la fraternité, révèlent la franchise et le naturel de leurs
âmes, si naïves dans l'expression de leurs qualités et de leurs défauts; aussi
l'étranger les remercia-t-il par un geste plein de noblesse. Puis il s'assit
entre cette jeune mère et le vieux soldat. Derrière lui se trouvaient un
paysan et son fils, âgé de dix ans. Une pauvresse [61] ayant un bissac presque
15 vide, vieille et ridée, en haillons, type de malheur et d'insouciance, gisait
sur le bec de la barque, accroupie dans un gros paquet de cordages. Un des
rameurs, vieux marinier, qui l'avait connue belle et riche, l'avait fait entrer,
suivant l'admirable dicton du peuple, *pour l'amour de Dieu.*

—Grand merci, Thomas, avait dit la vieille; je dirai pour toi ce soir deux
20 *Pater* et deux *Ave* dans ma prière.

Le patron donna du cor une dernière fois, regarda la campagne muette,
jeta la chaîne dans son bateau, courut le long du bord jusqu'au gouvernail,
en prit la barre, resta debout; puis, après avoir contemplé le ciel, il dit d'une
voix forte à ses rameurs, quand ils furent en pleine mer:

25 —Ramez, ramez fort, et dépêchons! La mer sourit à un mauvais grain,[62]
la sorcière! Je sens la houle [63] au mouvement du gouvernail, et l'orage à mes
blessures.

Ces paroles, dites en termes de marine, espèce de langue intelligible seulement pour des oreilles accoutumées au bruit des flots, imprimèrent aux rames
30 un mouvement précipité, mais toujours cadencé; mouvement unanime, différent de la manière de ramer précédente, comme le trot d'un cheval l'est de
son galop. Le beau monde assis à l'arrière prit plaisir à voir tous ces bras
nerveux, ces visages bruns aux yeux de feu, ces muscles tendus et ces différentes forces humaines agissant de concert pour leur faire traverser le détroit
35 moyennant un faible péage.[64] Loin de déplorer cette misère, ces gens se
montrèrent les rameurs en riant des expressions grotesques que la manœuvre
imprimait à leurs physionomies tourmentées. A l'avant, le soldat, le paysan et
la vieille contemplaient les mariniers avec cette espèce de compassion naturelle
aux gens qui, vivant de labeur, connaissent les rudes angoisses et les fiévreuses
40 fatigues du travail. Puis, habitués à la vie en plein air, tous avaient compris, à
l'aspect du ciel, le danger qui les menaçait, tous étaient donc sérieux. La jeune
mère berçait son enfant, en lui chantant une vieille hymne d'église pour
l'endormir.

---

[60] "indicated."
[61] "beggar-woman."
[62] "The sea is preparing a nasty squall."
[63] "swell."
[64] "small fee."

—Si nous arrivons, dit le soldat au paysan, le bon Dieu aura mis de l'entête-ment [65] à nous laisser en vie.

—Ah! il est le maître, répliqua la vieille; mais je crois que son bon plaisir est de nous appeler près de lui. Voyez là-bas cette lumière! . . .

Et, par un geste de tête, elle montrait le couchant, où des bandes de feu tranchaient vivement sur des nuages bruns nuancés de rouge qui semblaient bien près de déchaîner quelque vent furieux. La mer faisait entendre un murmure sourd, une espèce de mugissement intérieur, assez semblable à la voix d'un chien quand il ne fait que gronder. Après tout, Ostende n'était pas loin. En ce moment, le ciel et la mer offraient un de ces spectacles auxquels il est peut-être impossible à la peinture, comme à la poésie, de donner plus de durée qu'ils n'en ont réellement. Les créations humaines veulent des contrastes puissants. Aussi les artistes demandent-ils ordinairement à la nature ses phénomènes les plus brillants, désespérant sans doute de rendre la grande et belle poésie de son allure ordinaire, quoique l'âme humaine soit souvent aussi profondément remuée dans le calme que dans le mouvement, et par le silence autant que par la tempête. Il y eut un moment où, sur la barque, chacun se tut et contempla la mer et le ciel, soit par pressentiment, soit pour obéir à cette mélancolie religieuse qui nous saisit presque tous à l'heure de la prière, à la chute du jour, à l'instant où la nature se tait, où les cloches parlent. La mer jetait une lueur blanche et blafarde, mais changeante et semblable aux couleurs de l'acier. Le ciel était généralement grisâtre. A l'ouest, de longs espaces étroits simulaient des flots de sang, tandis qu'à l'orient des lignes étincelantes, marquées comme par un pinceau fin, étaient séparées par des nuages plissés comme des rides sur le front d'un vieillard. Ainsi, la mer et le ciel offraient partout un fond terne, tout en demi-teintes, qui faisait ressortir les feux sinistres du couchant. Cette physionomie de la nature inspirait un sentiment terrible. S'il était permis de glisser les audacieux tropes [66] du peuple dans la langue écrite, on répéterait ce que disait le soldat, que le temps était en déroute, ou, ce que lui répondit le paysan, que le ciel avait la mine d'un bourreau. Le vent s'éleva tout à coup vers le couchant, et le patron, qui ne cessait de consulter la mer, la voyant s'enfler à l'horizon, s'écria:

—Hau! [67] hau!

A ce cri, les matelots s'arrêtèrent aussitôt et laissèrent nager leurs rames.

—Le patron a raison, dit froidement Thomas quand la barque, portée en haut d'une énorme vague, redescendit comme au fond de la mer entr'ouverte.

A ce mouvement extraordinaire, à cette colère soudaine de l'Océan, les gens de l'arrière devinrent blêmes et jetèrent un cri terrible:

—Nous périssons!

—Oh! pas encore, leur répondit tranquillement le patron.

En ce moment, les nuées se déchirèrent sous l'effort du vent, précisément au-dessus de la barque. Les masses grises s'étant étalées avec une sinistre promptitude à l'orient et au couchant, la lueur du crépuscule y tomba

---

[65] "(it will be because) God is determined to let us live."
[66] "figures of speech."   [67] "stop!" (whoa!).

d'aplomb par une crevasse due au vent d'orage, et permit d'y voir les visages. Les passagers, nobles ou riches, mariniers et pauvres, restèrent un moment surpris à l'aspect du dernier venu. Ses cheveux d'or, partagés en deux bandeaux sur son front tranquille et serein, retombaient en boucles nombreuses sur ses épaules, en découpant sur la grise atmosphère une figure sublime de douceur et où rayonnait l'amour divin. Il ne méprisait pas la mort, il était certain de ne pas périr. Mais, si d'abord les gens de l'arrière oublièrent un instant la tempête dont l'implacable fureur les menaçait, ils revinrent bientôt à leurs sentiments d'égoïsme et aux habitudes de leur vie.

— Est-il heureux, ce stupide bourgmestre, de ne pas s'apercevoir du danger que nous courons tous! Il est là comme un chien, et mourra sans agonie, dit le docteur.

A peine avait-il prononcé cette phrase assez judicieuse, que la tempête déchaîna ses légions. Les vents soufflèrent de tous les côtés, la barque tournoya comme une toupie, et la mer y entra. . . .

— Oh! mon pauvre enfant! mon pauvre enfant! . . . Qui sauvera mon enfant? s'écria la mère d'une voix déchirante.

— Vous-même, répondit l'étranger.

Le timbre de cet organe [68] pénétra le cœur de la jeune femme, il y mit un espoir; elle entendit cette suave parole malgré les sifflements de l'orage, malgré les cris poussés par les passagers.

— Sainte Vierge de Bon-Secours, qui êtes à Anvers,[69] je vous promets mille livres de cire et une statue, si vous me tirez de là! s'écria le bourgeois à genoux sur ses sacs d'or.

— La Vierge n'est pas plus à Anvers qu'ici, lui répondit le docteur.

— Elle est dans le ciel, répliqua une voix qui semblait sortir de la mer.

— Qui donc a parlé?

— C'est le diable! s'écria le domestique, il se moque de la Vierge d'Anvers.

— Laissez-moi donc là votre sainte Vierge, dit le patron aux passagers. Empoignez-moi les écopes [70] et videz-moi l'eau de la barque. Et vous autres, reprit-il en s'adressant aux matelots, ramez ferme! Nous avons un moment de répit, au nom du diable qui vous laisse en ce monde, soyons nous-mêmes notre providence. . . . Ce petit canal [71] est furieusement dangereux, on le sait, voilà trente ans que je le traverse. Est-ce de ce soir que je me bats avec la tempête? [72]

Puis, debout à son gouvernail, le patron continua de regarder alternativement sa barque, la mer et le ciel.

— Il se moque toujours de tout, le patron, dit Thomas à voix basse.

— Dieu nous laissera-t-il mourir avec ces misérables? demanda l'orgueilleuse jeune fille au beau cavalier.

— Non, non, noble demoiselle. Écoutez-moi!

Il l'attira par la taille, et, lui parlant à l'oreille:

— Je sais nager, n'en dites rien! Je vous prendrai par vos beaux cheveux,

---

[68] "The sound of this voice." . . .   [69] Antwerp, chief commercial city of Belgium.
[70] "Lay hold of the scoops" (for bailing). *moi*—old ethical dative.   [71] "channel."
[72] "Is this evening the first time that I have fought a storm?"

et vous conduirai doucement au rivage; mais je ne puis sauver que vous.

La demoiselle regarda sa vieille mère. La dame était à genoux et demandait quelque absolution à l'évêque, qui ne l'écoutait pas. Le chevalier lut dans les yeux de sa belle maîtresse un faible sentiment de piété filiale, et lui dit d'une voix sourde: 5

—Soumettez-vous aux volontés de Dieu! S'il veut appeler votre mère à lui, ce sera sans doute pour son bonheur . . . en l'autre monde, ajouta-t-il d'une voix encore plus basse.—Et pour le nôtre en celui-ci, pensa-t-il.

La dame de Rupelmonde possédait sept fiefs, outre la baronnie de Gâvres.[73] La demoiselle écouta la voix de sa vie, les intérêts de son amour parlant par 10 la bouche du bel aventurier, jeune mécréant[74] qui hantait les églises, où il cherchait une proie, une fille à marier ou de beaux deniers comptants. L'évêque bénissait les flots, et leur ordonnait de se calmer en désespoir de cause.[75] . . . Loin de songer aux pouvoirs de la sainte Église, et de consoler ces chrétiens en les exhortant à se confier à Dieu, l'évêque pervers mêlait des regrets 15 mondains et des paroles d'amour aux saintes paroles du bréviaire. La lueur qui éclairait ces pâles visages permit de voir leurs diverses expressions quand la barque, enlevée dans les airs par une vague, puis rejetée au fond de l'abîme, puis secouée comme une feuille frêle, jouet de la bise en automne, craqua dans sa coque et parut près de se briser. Ce fut alors des cris horribles, suivis 20 d'affreux silences. L'attitude des personnes assises à l'avant du bateau contrasta singulièrement avec celle des gens riches ou puissants. La jeune mère serrait son enfant contre son sein chaque fois que les vagues menaçaient d'engloutir la fragile embarcation;[76] mais elle croyait à l'espérance que lui avait jetée au cœur la parole dite par l'étranger; chaque fois, elle tournait ses 25 regards vers cet homme, et puisait dans son visage une foi nouvelle, la foi forte d'une femme faible, la foi d'une mère. Vivant par la parole divine, par la parole d'amour échappée à cet homme, la naïve créature attendait avec confiance l'exécution de cette espèce de promesse, et ne redoutait presque plus le péril. Cloué sur le bord de la chaloupe, le soldat ne cessait de contempler cet 30 être singulier, sur l'impassibilité duquel il modelait sa figure rude et basanée en déployant son intelligence et sa volonté, dont les puissants ressorts[77] s'étaient peu viciés pendant le cours d'une vie passive et machinale; jaloux[78] de se montrer tranquille et calme autant que ce courage supérieur, il finit par s'identifier, à son insu peut-être, avec le principe secret de cette puissance 35 intérieure. Puis son admiration devint un fanatisme instinctif, un amour sans bornes, une croyance en cet homme, semblable à l'enthousiasme que les soldats ont pour leur chef, quand il est homme de pouvoir, environné par l'éclat des victoires, et qu'il marche au milieu des éclatants prestiges du génie.

La vieille pauvresse disait à voix basse: 40

—Ah! pécheresse infâme que je suis! ai-je souffert assez pour expier les plaisirs de ma jeunesse? Ah! pourquoi, malheureuse, as-tu mené la belle vie d'une galloise,[79] as-tu mangé le bien de Dieu[80] avec des gens d'Église, le

---

[73] Near Ghent. [74] "unbeliever." [75] "in desperation."
[76] "craft." [77] "springs." [78] "anxious."
[79] "woman of easy morals." [80] "wasted what belonged to God."

bien des pauvres avec les torçonniers et maltôtiers? [81] Ah! j'ai eu grand tort.
O mon Dieu! mon Dieu! laissez-moi finir mon enfer sur cette terre de malheur.

Ou bien:

5   —Sainte Vierge, mère de Dieu, prenez pitié de moi!

—Consolez-vous, la mère; le bon Dieu n'est pas un lombard.[82] Quoique j'aie tué, peut-être à tort et à travers, les bons et les mauvais, je ne crains pas la résurrection.

—Ah! monsieur l'anspessade,[83] sont-elles heureuses, ces belles dames, d'être
10   auprès d'un évêque, d'un saint homme! reprit la vieille, elles auront l'absolution de leurs péchés. Oh! si je pouvais entendre la voix d'un prêtre me disant: «Vos péchés vous seront remis,» je le croirais!

L'étranger se tourna vers elle, et son regard charitable la fit tressaillir.

—Ayez la foi, lui dit-il, et vous serez sauvée.

15   —Que Dieu vous récompense, mon bon seigneur, lui répondit-elle. Si vous dites vrai, j'irai pour vous et pour moi en pèlerinage à Notre-Dame de Lorette,[84] pieds nus.

Les deux paysans, le père et le fils, restaient silencieux, résignés et soumis à la volonté de Dieu, en gens accoutumés à suivre instinctivement, comme les
20   animaux, le branle[85] donné à la nature. Ainsi, d'un côté, les richesses, l'orgueil, la science, la débauche, le crime, toute la société humaine telle que la font les arts, la pensée, l'éducation, le monde et ses lois; mais aussi, de ce côté seulement, les cris, la terreur, mille sentiments divers combattus par des doutes affreux; là, seulement, les angoisses de la peur. Puis, au-dessus de ces
25   existences, un homme puissant, le patron de la barque, ne doutant de rien, le chef, le roi fataliste, se faisant sa propre providence en criant: «Sainte Ecope!
. . . » et non pas: «Sainte Vierge! . . . » enfin, défiant l'orage et luttant avec la mer corps à corps. A l'autre bout de la nacelle,[86] des faibles! . . . la mère berçant dans son sein un petit enfant qui souriait à l'orage; une fille, [87] jadis
30   joyeuse, maintenant livrée à d'horribles remords; un soldat criblé de blessures, sans autre récompense que sa vie mutilée pour prix d'un dévouement infatigable: il avait à peine un morceau de pain trempé de pleurs; néanmoins, il se riait de tout et marchait sans soucis, heureux quand il noyait sa gloire au fond d'un pot de bière ou qu'il la racontait à des enfants qui l'admiraient; il com-
35   mettait gaiement à Dieu le soin de son avenir; enfin, deux paysans, gens de peine et de fatigue, le travail incarné, le labeur dont vivait le monde. Ces simples créatures étaient insouciantes de la pensée et de ses trésors, mais prêtes à les abîmer dans une croyance, ayant la foi d'autant plus robuste, qu'elles n'avaient jamais rien discuté ni analysé; natures vierges où la conscience était
40   restée pure et le sentiment puissant; le remords, le malheur, l'amour, le travail, avaient exercé, purifié, concentré, décuplé[88] leur volonté, la seule chose

---

[81] "extortionists and cruel tax-collectors."
[82] "usurer." In the Middle Ages the Lombards of northern Italy were famous as bankers and pawnbrokers.
[83] "non-commissioned officer" (corporal's aide).   [84] See page 79, note 21.
[85] "impulse."   [86] "frail vessel" (skiff).   [87] "prostitute."   [88] "increased ten fold."

qui, dans l'homme, ressemble à ce que les savants nomment une âme.

Quand la barque, conduite par la miraculeuse adresse du pilote, arriva presque en vue d'Ostende, à cinquante pas du rivage, elle en fut repoussée par une convulsion de la tempête, et chavira [89] soudain. L'étranger au lumineux visage dit alors à ce petit monde de douleur:

—Ceux qui ont la foi seront sauvés; qu'ils me suivent!

Cet homme se leva, marcha d'un pas ferme sur les flots. Aussitôt la jeune mère prit son enfant dans ses bras et marcha près de lui sur la mer. Le soldat se dressa soudain en disant dans son langage de naïveté:

—Ah! nom d'une pipe! je te suivrais au diable. . . .

Puis, sans paraître étonné, il marcha sur la mer. La vieille pécheresse, croyant à la toute-puissance de Dieu, suivit l'homme et marcha sur la mer. Les deux paysans se dirent:

—Puisqu'ils marchent sur l'eau, pourquoi ne ferions-nous pas comme eux?

Ils se levèrent et coururent après eux en marchant sur la mer. Thomas voulut les imiter; mais, sa foi chancelant, il tomba plusieurs fois dans la mer, se releva; puis, après trois épreuves, il marcha sur la mer. L'audacieux pilote s'était attaché comme un rémora [90] sur le plancher de sa barque. L'avare avait eu la foi et s'était levé; mais il voulut emporter son or, et son or l'emporta au fond de la mer. Se moquant du charlatan et des imbéciles qui l'écoutaient, au moment où il vit l'inconnu proposant aux passagers de marcher sur la mer, le savant se prit à rire et fut englouti par l'Océan. La jeune fille fut entraînée dans l'abîme par son amant. L'évêque et la vieille dame allèrent au fond, lourds de crimes peut-être, mais plus lourds encore d'incrédulité, de confiance en de fausses images, lourds de dévotion, légers d'aumônes et de vraie religion.

La troupe fidèle qui foulait d'un pied ferme et sec la plaine des eaux courroucées entendait autour d'elle les horribles sifflements de la tempête. D'énormes lames venaient se briser sur son chemin. Une force invincible coupait l'Océan. A travers le brouillard ces fidèles apercevaient dans le lointain, sur le rivage, une petite lumière faible qui tremblotait par la fenêtre d'une cabane de pêcheur. Chacun, en marchant courageusement vers cette lueur, croyait entendre son voisin criant à travers les mugissements de la mer: «Courage!» Et cependant, attentif à son danger, personne ne disait mot. Ils atteignirent ainsi le bord de la mer. Quand ils furent tous assis au foyer du pêcheur, ils cherchèrent en vain leur guide lumineux. Assis sur le haut d'un rocher, au bas duquel l'ouragan jeta le pilote attaché sur sa planche par cette force que déploient les marins aux prises avec [91] la mort, l'HOMME descendit, recueillit le naufragé presque brisé; puis il dit en étendant une main secourable sur sa tête:

—Bon pour cette fois-ci, mais n'y revenez plus, ce serait d'un trop mauvais exemple.

Il prit le marin sur ses épaules et le porta jusqu'à la chaumière du pêcheur. Il frappa pour le malheureux, afin qu'on lui ouvrît la porte de ce modeste asile, puis le Sauveur disparut. En cet endroit fut bâti, pour les marins, le couvent

---

[89] "began to sink" (capsized).   [90] "remora" (sucking-fish).   [91] "struggling with."

de la *Merci,* où se vit longtemps l'empreinte que les pieds de Jésus-Christ avaient, dit-on, laissée sur le sable. En 1793, lors de l'entrée des Français en Belgique,[92] des moines emportèrent cette précieuse relique, l'attestation de la dernière visite que Jésus ait faite sur la terre.

.   .   .   .

[92] The French Republicans invaded the Low Countries in 1793.

JULES MICHELET (1798–1874)

Thanks to his father's faith in education, in spite of poverty, Michelet was placed in the *Collège Charlemagne,* where he became one of the ablest students of his class. He was hardly out of the *collège* when he decided to devote himself to history. In 1831 he was appointed head of the historical section of the *Archives nationales,* and in 1838 became a professor in the Collège de France. His deep democratic convictions made it impossible for him to accept the *coup d'état* of Napoleon III in 1851 and he was driven out of both positions. The rest of his life he lived in retirement.

As a historian, Michelet is sometimes carried away by his feelings and fails to give an entirely accurate account of events. However, few historians have been greater interpreters of, or have given greater life to, the past. He is a poet of the Romantic type, at the same time that he is a historian.

". . . Il aborda son travail d'historien dans un élan d'amour pour les masses anonymes dans lesquelles la France avait successivement vécu, et par qui elle s'était faite. Il avait 'le don des larmes,' une âme frémissante, qui partout aimait, partout sentait, partout mettait la vie. A cette sensibilité extrême il unissait tous les plus rares dons de l'artiste: la puissance d'évocation, l'imagination 'visionnaire,' qui obéissait à toutes les suggestions d'une sympathie effrénée, l'expression intense et solide, qui fixait le caractère en dégageant la beauté. Ce style de Michelet, âpre, saccadé, violent, ou bien délicat, pénétrant, tendre, en fait un des deux ou trois écrivains supérieurs de notre siècle.

"Michelet a cru s'éloigner des romantiques. . . . En réalité, son histoire est un chef-d'œuvre de l'art romantique. . . . Nous lisons notre histoire dans l'âme lyrique de Michelet, ce sont les réactions subjectives du narrateur qui nous livrent la réalité objective des faits." (Lanson: *Histoire de la Littérature Française.*)

IMPORTANT WORKS:

Histoire de France: Moyen Age (1833–1843); *Révolution* (1847–1853); *Renaissance et Temps Modernes* (1855–1867); *Histoire du XIXᵉ Siècle* (1876).

LA DÉCOUVERTE DE L'ITALIE

Un événement immense s'était accompli. Le monde était changé. Pas un état européen, même des plus immobiles, qui ne se trouvât lancé dans un mouvement tout nouveau.

Quoi donc! qu'avons-nous vu? Une jeune armée, un jeune roi [1] qui, dans leur parfaite ignorance et d'eux-mêmes et de l'ennemi, ont traversé l'Italie au galop, touché barre [2] au détroit, puis non moins vite et sans avoir rien fait (sauf le coup de Fornoue),[3] sont revenus conter l'histoire aux dames.

[1] Charles VIII (king of France, 1483–1498). He led an army into Italy in 1494 to make good the French claim to the kingdom of Naples. A general uprising forced him to abandon his efforts.

[2] *toucher barre:* "to arrive and return immediately."

[3] Fornovo, on the Taro, where the French won a brilliant victory over the Italians (1495).

Rien que cela, c'est vrai. Mais l'événement n'en est pas moins immense et décisif. La découverte de l'Italie eut infiniment plus d'effet sur le xvie siècle que celle de l'Amérique. Toutes les nations viennent derrière la France, elles s'initient à leur tour, elles voient clair à ce soleil nouveau.

5 «N'avait-on pas cent fois passé les Alpes?» Cent fois, mille fois. Mais ni les voyageurs, ni les marchands, ni les bandes militaires n'avaient rapporté l'impression révélatrice. Ici, ce fut la France entière, une petite France complète (de toute province et de toute classe), qui fut portée dans l'Italie, qui la vit et qui la sentit et se l'assimila, par ce singulier magnétisme que n'a jamais 10 l'individu. Cette impression fut si rapide que cette armée, comme on va voir, se faisant italienne et prenant parti dans les vieilles luttes intérieures du pays, y agit pour son compte, même malgré le roi, et d'un élan tout populaire.

Rare et singulier phénomène! la France arriérée en tout (sauf un point, le matériel de la guerre), la France était moins avancée pour les arts de la paix 15 qu'au xive siècle. L'Italie, au contraire, profondément mûrie par ses souffrances mêmes, ses factions, ses révolutions, était déjà en plein xvie siècle, même au delà, par ses prophètes (Vinci [4] et Michel-Ange [5]). Cette barbarie étourdiment heurte un matin cette haute civilisation; c'est le choc de deux mondes, mais bien plus, de deux âges qui semblaient si loin l'un de l'autre; 20 le choc et l'étincelle; et de cette étincelle, la colonne de feu qu'on appela la Renaissance.

Que deux mondes se heurtent, cela se voit et se comprend; mais que deux âges, deux siècles différents, séparés ainsi par le temps, se trouvent brusquement contemporains; que la chronologie soit démentie et le temps supprimé, 25 cela paraît absurde, contre toute logique. Il ne fallait pas moins que cette absurdité, ce violent miracle contre la nature et la vraisemblance, pour enlever l'esprit humain hors du vieux sillon scolastique, hors des voies raisonneuses, stériles et plates, et le lancer sur des ailes nouvelles dans la haute sphère de la raison.

30 Quand Dieu enjambe ainsi les siècles et procède par secousse, c'est un cas rare. Nous ne l'avons revu qu'en 89.[6]

. . . Ce qui retardait la Renaissance et la rendait presque impossible, du treizième au seizième siècle, ce n'était pas qu'on eût par le fer et le feu détruit tout jet puissant qui se manifestait; d'autres auraient surgi du même fonds. 35 Mais on avait créé, par-dessus ce fonds productif, un monde artificiel, de médiocrité pesante, monde de plomb, qui tenait submergés toute noblesse de vie et de pensée, toute grandeur et tout *ingegno*.[7] Le vieux principe, dans sa caducité, avait engendré malheureusement, engendré des fils de vieillesse, maladifs, rachitiques et pâles. Quels fils? nous l'avons dit, la stérilité scolas-40 tique. Quels fils? Toutes les fausses sciences, la vraie étant proscrite. Quels fils? la médiocrité bourgeoise et la petite prudence.

---

[4] Leonardo da Vinci (1452-1519), Italian painter, sculptor, architect, and engineer; author of the *Last Supper* and the *Mona Lisa;* distinguished in all branches of art and science.
[5] Michelangelo: see page 142, note 32.   [6] 1789, the beginning of the French Revolution.
[7] *ingegno* (Italian): "natural talent."

Pour résumer l'obstacle, ce n'était pas qu'il n'y eût rien, qu'on n'eût rien fait pendant deux siècles. C'était qu'on eût fait quelque chose, créé, fondé la platitude, la sottise, la faiblesse en tout.

La France de Charles V,[8] tristement aplatie dans la *sagesse* et dans la prose, la France de Louis XI[9] et de l'avocat Patelin,[10] radicalement bourgeoise, rieuse et méprisante de toute grandeur, sont si parfaitement médiocres, qu'elles ne savent même plus ce que c'est que la médiocrité.

Il n'est pas facile de deviner, quand cela eût fini, si elle n'eût pourtant, dans un vif mouvement de jeunesse et d'instinct, sauté le mur des Alpes, et ne se fût jetée dans un monde de beauté, tout au moins de lumière, où rien n'était médiocre. Elle retrouva, à ce contact, quelque chose de sa nature originaire; elle y reprit la faculté du grand.

Rien n'était plat en Italie, rien prosaïque, rien bourgeois. Le laid même et le monstrueux (il y en avait beaucoup au quinzième siècle) étaient élevés à la hauteur de l'art. Machiavel,[11] Léonard de Vinci, ont pris plaisir à dessiner des crocodiles et des serpents.

Milan n'était pas médiocre sous Vinci et Sforza,[12] dans son bassin sublime, cerné des Alpes, Alpe elle-même par sa cathédrale de neige, éblouissante de statues; Milan sur le trône des eaux lombardes, dans sa centralisation royale des arts, des fleuves et des cultures.

Rome n'était pas médiocre sous Borgia.[13] L'ennuyeuse Rome moderne, bâtie des pierres du Colisée[14] par les neveux des papes, n'existait pas encore, ni la petite hypocrisie, le vice masqué de décence. Rome était une ruine païenne, où l'on cherchait le christianisme sans le trouver. Rome était une chose barbare et sauvage, mêlée de guerres, d'assassinats, de bouviers brigands des marais Pontins[15] et des fêtes de Sodome.[16] Au milieu, un banquier,[17] entouré de Maures et de Juifs: c'était le pape,[18] et sa Lucrezia[19] tenant les sceaux de l'Église.

Cela n'était pas médiocre. Quand notre armée rentra, elle rapporta de Rome une histoire peu commune, propre à faire oublier tout ce que la France

[8] Charles V, king of France (1364–1380), called *le Sage,* took back from the English most of the territory they had conquered; ruled wisely.

[9] Louis XI, king of France (1461–1483), an unscrupulous but very able ruler; one of the founders of French national unity.

[10] Principal character in the farce of *Maître Patelin* (about 1470).

[11] Machiavelli (1469–1527), an able historian and writer and a great patriot, best known for *Il Principe,* "The Prince."

[12] Sforza, celebrated Italian family of the fifteenth and sixteenth centuries. One of them became Duke of Milan in 1450.

[13] Pope Alexander VI (1492–1503), an eminent politician who warred pitilessly with the great Italian nobles. In his private life, his duplicity, his nepotism, he was much more a Renaissance prince than a pope.

[14] "Colosseum."   [15] Pontine marshes, between Rome and Naples.

[16] Sodom, one of the cities destroyed by fire from heaven, because of its depravity.

[17] Alexander VI. Michelet speaks of the papacy under him as a "banque d'échange entre l'or de ce monde et les biens du monde à venir."

[18] Alexander VI.

[19] The daughter of Alexander VI, "qui a été chantée par les poètes de l'époque."

gauloise trouvait piquant, tous les enfantillages des Cent-Nouvelles [20] et des vieux fabliaux.[21]

Ils essayèrent à Naples de jouer cette histoire sur les tréteaux. Mais il y avait là un grandiose dans le mal, qu'on ne pouvait jouer et que l'innocence 5 des nôtres n'était pas faite pour atteindre.

On attendit trente ans pour trouver le vrai nom d'un tel monde. Ni Luther [22] ni Calvin [23] n'y atteignirent. Rabelais [24] seul, le bouffon colossal, y réussit. *Antiphysis,* c'est le mot propre, qu'il a seul deviné (l'envers de la nature).

10 Par le beau, par le laid, le monde fut illuminé; et il rentra dans le sens poétique, dans le sens de la vérité, des réalités hautes et de la grande invention.

Cette vision de Rome, effrayante, apocalyptique, du pape siégeant avec le Turc,[25] la scène la plus forte que l'on eût vue depuis mille ans, jeta le monde dans un océan de rêveries et de pensées.

15 En ce mensonge des mensonges, en ce vice des vices, les raisonneurs trouvèrent l'*Antiphysis,* l'envers de la nature, l'envers de l'idéal, que la raison n'eût pas donné, monstruosité instructive qui les éclaira par contraste, et sans autre recherche indiqua la voie du bon sens et le retour à la nature.

D'autre part, les mystiques, ivres d'étonnement, dans ce monstre à deux 20 têtes crurent voir le signe de la Bête [26] et la face de l'Antéchrist. Ils fuirent à reculons contre le cours des siècles et jusqu'au berceau des âges chrétiens.

Dès ce jour, deux grands courants électriques commencent dans le monde: Renaissance et Réformation.

L'un par Rabelais, Voltaire, par la révolution du droit, la révolution politi-25 que, va s'éloignant du christianisme.

L'autre, par Luther et Calvin, les puritains, les méthodistes, s'efforce de s'en rapprocher.

Mouvements mêlés en apparence, le plus souvent contraires. Le jeu de leur action, leurs alliances et leurs disputes, sont l'intime mystère de l'histoire, dont 30 leur lutte commune contre le moyen âge occupe le premier plan, le côté extérieur.

Histoire de France, Vol. VII.

[20] *Cent Nouvelles Nouvelles,* stories in imitation of Boccaccio, most, possibly all, of which were written by Antoine de la Sale (1390–1464).

[21] French popular stories, in verse, written in the twelfth and thirteenth centuries.

[22] Martin Luther (1483–1546), leader of the Reformation in Germany.

[23] John Calvin (1509–1564), head of the Reformation in France and Switzerland.

[24] Rabelais (1494?–1553), author of *Gargantua* and *Pantagruel;* one of the greatest and most original geniuses of the Renaissance. He visited Italy three times.

[25] «Il était en correspondance intime avec le Turc, et recevait pension de lui pour garder prisonnier son frère, le sultan Gem.» (Michelet.)

[26] The Beast with seven heads and ten horns of the *Apocalypse:* Antichrist. See *Revelation* XII.-XVII.

PROSPER MÉRIMÉE (1803–1870)

A native Parisian, highly intelligent and an accomplished man of the world, Mérimée was almost the exact opposite of George Sand. He was a friend of Stendhal and like the author of *Le Rouge et le Noir,* admired energy, was an accurate and interested observer, and detested the commonplace as well as Romantic enthusiasm. Mérimée was not lacking in feeling, but distrusted his emotions; he seems to have lived in constant fear of appearing ridiculous and, as a result, drew around himself a blanket of cold aloofness and detachment. He sometimes treats Romantic subjects, but is essentially realistic and artistic. It would be difficult to find more realistic passages than certain parts of *la Chronique du Règne de Charles IX,* particularly those depicting the army life of the period. It would be difficult also to find an author who describes horrible scenes more dispassionately and at the same time more artistically. He strives to be entirely impersonal. He possesses an almost incredible power of concentration; in a few lines he paints a landscape, with a word or a gesture he portrays a character, in a short story he writes a novel. His impeccable style is classic in its simplicity.

. . . "Hugo faisait du roman tantôt une vision historique, tantôt un poème symbolique. George Sand l'inondait de lyrisme. Balzac y poursuivait une enquête sociologique. Stendhal l'employait comme un instrument d'observation psychologique. Mérimée, lui, est purement artiste: son œuvre relève de la théorie de *l'art pour l'art.* Morale, philosophie, histoire, il l'a tout subordonné à l'effet artistique. Ainsi en un sens il tient dans le roman la place que tiennent au théâtre Scribe, Gautier dans la poésie. Mais il est infiniment supérieur à Scribe, et il ne donne jamais cette sensation de perfection vide que Gautier nous procure parfois." (Lanson: *Histoire de la Littérature Française.*)

Because of his impersonality, his careful observation, and his interest in telling details, Mérimée is considered a transition writer who prepared the way for Realism.

IMPORTANT WORKS:

Novel: *Chronique du Règne de Charles IX* (1829); *Colomba* (1840); *Carmen* (1847).
Short Stories: *Mateo Falcone; la Vision de Charles IX; L'Enlèvement de la Redoute; La Vénus d'Ille,* etc.

L'ENLÈVEMENT DE LA REDOUTE

Un militaire [1] de mes amis, qui est mort de la fièvre en Grèce il y a quelques années, me conta un jour la première affaire à laquelle il avait assisté. Son récit me frappa tellement, que je l'écrivis de mémoire aussitôt que j'en eus le loisir. Le voici:

—Je rejoignis le régiment le 4 septembre au soir. Je trouvai le colonel au bivac. 5

[1] Henri Beyle (Stendhal) is supposed to have told the story to Mérimée. He did not, however, die in Greece, but in Paris.

Il me reçut d'abord assez brusquement; mais, après avoir lu la lettre de recommandation du général B***,[2] il changea de manières, et m'adressa quelques paroles obligeantes.

Je fus présenté par lui à mon capitaine, qui revenait à l'instant même d'une reconnaissance. Ce capitaine, que je n'eus guère le temps de connaître, était un grand homme brun, d'une physionomie dure et repoussante. Il avait été simple soldat, et avait gagné ses épaulettes et sa croix[3] sur les champs de bataille. Sa voix, qui était enrouée et faible, contrastait singulièrement avec sa stature presque gigantesque. On me dit qu'il devait cette voix étrange à une balle qui l'avait percé de part en part à la bataille d'Iéna.[4]

En apprenant que je sortais de l'école de Fontainebleau,[5] il fit la grimace et dit:

—Mon lieutenant est mort hier. . . .

Je compris qu'il voulait dire: «C'est vous qui devez le remplacer, et vous n'en êtes pas capable.» Un mot piquant me vint sur les lèvres, mais je me contins.

La lune se leva derrière la redoute de Cheverino,[6] située à deux portées de canon de notre bivac. Elle était large et rouge comme cela est ordinaire à son lever. Mais, ce soir-là, elle me parut d'une grandeur extraordinaire. Pendant un instant, la redoute se détacha en noir sur le disque éclatant de la lune. Elle ressemblait au cône d'un volcan au moment de l'éruption.

Un vieux soldat, auprès duquel je me trouvais, remarqua la couleur de la lune.

—Elle est bien rouge, dit-il; c'est signe qu'il en coûtera [7] bon pour l'avoir, cette fameuse redoute!—J'ai toujours été superstitieux, et cet augure, dans ce moment surtout, m'affecta. Je me couchai, mais je ne pus dormir. Je me levai, et je marchai quelque temps, regardant l'immense ligne de feux qui couvrait les hauteurs au delà du village de Cheverino.

Lorsque je crus que l'air frais et piquant de la nuit avait assez rafraîchi mon sang, je revins auprès du feu; je m'enveloppai soigneusement dans mon manteau, et je fermai les yeux, espérant ne pas les ouvrir avant le jour. Mais le sommeil me tint rigueur.[8] Insensiblement mes pensées prenaient une teinte lugubre. Je me disais que je n'avais pas un ami parmi les cent mille hommes qui couvraient cette plaine. Si j'étais blessé, je serais dans un hôpital, traité sans égards par des chirurgiens ignorants. Ce que j'avais entendu dire des opérations chirurgicales me revint à la mémoire. Mon cœur battait avec violence, et machinalement je disposais, comme une espèce de cuirasse, le mouchoir et le portefeuille que j'avais sur la poitrine. La fatigue m'accablait, je m'assoupissais à chaque instant, et à chaque instant quelque pensée sinistre se reproduisait avec plus de force et me réveillait en sursaut.

---

[2] General Berthier (1753–1815)?   [3] Croix de la Légion d'honneur.
[4] *Jena,* Germany, where Napoleon defeated the Prussians in 1806.
[5] Military school, now located at Saint-Cyr.
[6] Chevardino, near Moscow. The redoubt was captured by the French on Sept. 5, 1812. The battle of the Moscova was fought two days later.
[7] *Il en . . . l'avoir*—"it's going to cost something to take . . ."
[8] "Refused to come to me."

Cependant la fatigue l'avait emporté,[9] et, quand on battit la diane, j'étais tout à fait endormi. Nous nous mîmes en bataille, on fit l'appel, puis on remit les armes en faisceaux,[10] et tout annonçait que nous allions passer une journée tranquille.

Vers trois heures, un aide de camp arriva, apportant un ordre. On nous fit reprendre les armes; nos tirailleurs se répandirent dans la plaine, nous les suivîmes lentement, et, au bout de vingt minutes, nous vîmes tous les avant-postes des Russes se replier et rentrer dans la redoute.

Une batterie d'artillerie vint s'établir à notre droite, une autre à notre gauche, mais toutes les deux bien en avant de nous. Elles commencèrent un feu très vif sur l'ennemi, qui riposta énergiquement, et bientôt la redoute de Cheverino disparut sous des nuages épais de fumée.

Notre régiment était presque à couvert du feu des Russes par un pli de terrain. Leurs boulets, rares d'ailleurs pour nous (car ils tiraient de préférence sur nos canonniers), passaient au-dessus de nos têtes, ou tout au plus nous envoyaient de la terre et de petites pierres.

Aussitôt que l'ordre de marcher en avant nous eut été donné, mon capitaine me regarda avec une attention qui m'obligea à passer deux ou trois fois la main sur ma jeune moustache d'un air aussi dégagé[11] qu'il me fut possible. Au reste, je n'avais pas peur, et la seule crainte que j'éprouvasse, c'était que l'on ne s'imaginât que j'avais peur. Ces boulets inoffensifs contribuèrent encore à me maintenir dans mon calme héroïque. Mon amour-propre me disait que je courais un danger réel, puisque enfin j'étais sous le feu d'une batterie. J'étais enchanté d'être si à mon aise, et je songeai au plaisir de raconter la prise de la redoute de Cheverino, dans le salon de madame de B***,[12] rue de Provence.

Le colonel passa devant notre compagnie; il m'adressa la parole: «Eh bien, vous allez en voir de grises[13] pour votre début.»

Je souris d'un air tout à fait martial en brossant la manche de mon habit, sur laquelle un boulet, tombé à trente pas de moi, avait envoyé un peu de poussière.

Il paraît que les Russes s'aperçurent du mauvais succès de leurs boulets; car ils les remplacèrent par des obus qui pouvaient plus facilement nous atteindre dans le creux où nous étions postés. Un assez gros éclat m'enleva mon schako et tua un homme auprès de moi.

—Je vous fais mon compliment, me dit le capitaine, comme je venais de ramasser mon schako, vous en voilà quitte pour la journée.[14] Je connaissais cette superstition militaire qui croit que l'axiome *non bis in idem*[15] trouve son application aussi bien sur un champ de bataille que dans une cour de justice. Je remis fièrement mon schako.

[9] "had got the upper hand."   [10] "we stacked arms again."   [11] "nonchalant."
[12] Probably Mme de Boigne, whom the author knew, and who lived in the street mentioned.
[13] "you are going to have a hot time of it."   [14] "you are safe for the rest of the day."
[15] "not twice in the same place." An axiom of jurisprudence, meaning one cannot be sued twice for the same offense. Compare the English expression: "Lightning never strikes twice in the same place."

—C'est faire saluer les gens sans cérémonie, dis-je aussi gaiement que je pus. Cette mauvaise plaisanterie, vu la circonstance, parut excellente.

—Je vous félicite, reprit le capitaine, vous n'aurez rien de plus, et vous commanderez une compagnie ce soir; car je sens bien que le four chauffe
5 pour moi.[16] Toutes les fois que j'ai été blessé, l'officier auprès de moi a reçu quelque balle morte, et, ajouta-t-il d'un ton plus bas et presque honteux, leurs noms commençaient toujours par un P.

Je fis l'esprit fort; [17] bien des gens auraient fait comme moi; bien des gens auraient été aussi bien que moi frappés de ces paroles prophétiques. Conscrit
10 comme je l'étais, je sentais que je ne pouvais confier mes sentiments à personne, et que je devais toujours paraître froidement intrépide.

Au bout d'une demi-heure, le feu des Russes diminua sensiblement; alors nous sortîmes de notre couvert pour marcher sur la redoute.

Notre régiment était composé de trois bataillons. Le deuxième fut chargé
15 de tourner la redoute du côté de la gorge; [18] les deux autres devaient donner l'assaut. J'étais dans le troisième bataillon.

En sortant de derrière l'espèce d'épaulement [19] qui nous avait protégés, nous fûmes reçus par plusieurs décharges de mousqueterie qui ne firent que peu de mal dans nos rangs. Le sifflement des balles me surprit: souvent je
20 tournais la tête, et je m'attirai ainsi quelques plaisanteries de la part de mes camarades plus familiarisés avec ce bruit.

—A tout prendre, me dis-je, une bataille n'est pas une chose si terrible.

Nous avancions au pas de course, précédés de tirailleurs: tout à coup les Russes poussèrent trois hourras, trois hourras distincts, puis demeurèrent
25 silencieux et sans tirer.

—Je n'aime pas ce silence, dit mon capitaine; cela ne nous présage rien de bon.

Je trouvai que nos gens étaient un peu trop bruyants, et je ne pus m'empêcher de faire intérieurement la comparaison de leurs clameurs tumultueuses
30 avec le silence imposant de l'ennemi.

Nous parvînmes rapidement au pied de la redoute; les palissades [20] avaient été brisées et la terre bouleversée par nos boulets. Les soldats s'élancèrent sur ces ruines nouvelles avec des cris de *Vive l'empereur!* [21] plus forts qu'on ne l'aurait attendu de gens qui avaient déjà tant crié.

35 Je levai les yeux, et jamais je n'oublierai le spectacle que je vis. La plus grande partie de la fumée s'était élevée et restait suspendue comme un dais [22] à vingt pieds au-dessus de la redoute. Au travers d'une vapeur bleuâtre, on apercevait derrière leur parapet à demi détruit les grenadiers russes, l'arme haute, immobiles comme des statues. Je crois voir encore chaque soldat, l'œil
40 gauche attaché sur nous, le droit caché par son fusil élevé. Dans une embrasure, à quelques pieds de nous, un homme tenant une lance à feu [23] était auprès d'un canon.

Je frissonnai, et je crus que ma dernière heure était venue.

---

[16] "My goose is cooked."　　　[17] "I pretended to be skeptical."　　　[18] "ravine."
[19] "parapet."　　　[20] "stockades."　　　[21] Napoleon Bonaparte, Emperor of France, 1804–1814.
[22] "canopy."　　　[23] "slow-match."

—Voilà la danse qui va commencer, s'écria mon capitaine. Bonsoir!
Ce furent les dernières paroles que je l'entendis prononcer.

Un roulement de tambours retentit dans la redoute. Je vis se baisser tous les fusils. Je fermai les yeux, et j'entendis un fracas épouvantable, suivi de cris et de gémissements. J'ouvris les yeux, surpris de me trouver encore au monde. La redoute était de nouveau enveloppée de fumée. J'étais entouré de blessés et de morts. Mon capitaine était étendu à mes pieds: sa tête avait été broyée par un boulet, et j'étais couvert de sa cervelle et de son sang. De toute ma compagnie, il ne restait debout que six hommes et moi.

A ce carnage succéda un moment de stupeur. Le colonel, mettant son chapeau au bout de son épée, gravit le premier le parapet en criant: *Vive l'empereur!*—il fut suivi aussitôt de tous les survivants. Je n'ai presque plus de souvenir net de ce qui suivit. Nous entrâmes dans la redoute, je ne sais comment. On se battit corps à corps au milieu d'une fumée si épaisse, que l'on ne pouvait se voir. Je crois que je frappai, car mon sabre se trouva tout sanglant. Enfin j'entendis crier: «Victoire!» et la fumée diminuant, j'aperçus du sang et des morts sous lesquels disparaissait la terre de la redoute. Les canons surtout étaient enterrés sous des tas de cadavres. Environ deux cents hommes debout, en uniforme français, étaient groupés sans ordre, les uns chargeant leurs fusils, les autres essuyant leurs baïonnettes. Onze prisonniers russes étaient avec eux.

Le colonel était renversé tout sanglant sur un caisson brisé, près de la gorge. Quelques soldats s'empressaient [24] autour de lui: je m'approchai.

—Où est le plus ancien [25] capitaine? demandait-il à un sergent.

Le sergent haussa les épaules d'une manière très expressive.

—Et le plus ancien lieutenant?

—Voici monsieur qui est arrivé d'hier, dit le sergent d'un ton tout à fait calme.

Le colonel sourit amèrement.

—Allons, monsieur, me dit-il, vous commandez en chef; [26] faites promptement fortifier la gorge de la redoute avec ces chariots, car l'ennemi est en force; mais le général C*** [27] va vous faire soutenir.

—Colonel, lui dis-je, vous êtes grièvement blessé?

—F . . . , [28] mon cher, mais la redoute est prise!

VISION DE CHARLES XI [29]

On se moque des visions et des apparitions surnaturelles; quelques-unes, cependant, sont si bien attestées, que, si l'on refusait d'y croire, on serait

---

[24] "were busy."   [25] "senior."
[26] The rapid advance of the hero is typical of the Revolutionary and Napoleonic armies. In *L'Enlèvemènt de la Redoute,* says Walter Pater, "one realizes fully the truth of the words of de Vigny that every soldier has a marshal's baton in his knapsack."
[27] General Compans (1767–1845).   [28] "done for."
[29] The *Vision de Charles XI,* written in 1829, was inspired by the vogue for the fantastic inaugurated by the German novelist, Hoffmann (1776–1822), whose influence Merimée was among the first to feel.

obligé, pour être conséquent,[30] de rejeter en masse tous les témoignages historiques.

Un procès-verbal en bonne forme, revêtu des signatures de quatre témoins dignes de foi, voilà ce qui garantit l'authenticité du fait que je vais raconter. J'ajouterai que la prédiction contenue dans ce procès-verbal était connue et citée bien longtemps avant que des événements arrivés de nos jours aient paru l'accomplir.

Charles XI,[31] père du fameux Charles XII,[32] était un des monarques les plus despotiques, mais un des plus sages qu'ait eus la Suède. Il restreignit les privilèges monstrueux de la noblesse, abolit la puissance du Sénat, et fit des lois de sa propre autorité; en un mot, il changea la constitution du pays, qui était oligarchique avant lui, et força les états[33] à lui confier l'autorité absolue. C'était d'ailleurs un homme éclairé, brave, fort attaché à la religion luthérienne, d'un caractère inflexible, froid, positif,[34] entièrement dépourvu d'imagination.

Il venait de perdre sa femme Ulrique Éléonore.[35] Quoique sa dureté pour cette princesse eût, dit-on, hâté sa fin, il l'estimait, et parut plus touché de sa mort qu'on ne l'aurait attendu d'un cœur aussi sec que le sien. Depuis cet événement, il devint encore plus sombre et taciturne qu'auparavant, et se livra au travail avec une application qui prouvait un besoin impérieux d'écarter des idées pénibles.

A la fin d'une soirée d'automne, il était assis en robe de chambre et en pantoufles devant un grand feu allumé dans son cabinet au palais de Stockholm. Il avait auprès de lui son chambellan, le comte Brahé, qu'il honorait de ses bonnes grâces, et le médecin Baumgarten, qui, soit dit en passant, tranchait[36] de l'esprit fort, et voulait que l'on doutât de tout, excepté de la médecine. Ce soir-là, il l'avait fait venir pour le consulter sur je ne sais quelle indisposition.

La soirée se prolongeait, et le roi, contre sa coutume, ne leur faisait pas sentir, en leur donnant le bonsoir, qu'il était temps de se retirer. La tête baissée et les yeux fixés sur les tisons, il gardait un profond silence, ennuyé de sa compagnie, mais craignant, sans savoir pourquoi, de rester seul. Le comte Brahé s'apercevait bien que sa présence n'était pas fort agréable, et déjà plusieurs fois il avait exprimé la crainte que Sa Majesté n'eût besoin de repos: un geste du roi l'avait retenu à sa place. A son tour, le médecin parla du tort que les veilles[37] font à la santé; mais Charles lui répondit entre ses dents:

—Restez, je n'ai pas encore envie de dormir.

Alors on essaya différents sujets de conversation qui s'épuisaient tous à la seconde ou troisième phrase. Il paraissait évident que Sa Majesté était dans une de ses humeurs noires, et, en pareille circonstance, la position d'un courtisan est bien délicate. Le comte Brahé, soupçonnant que la tristesse du roi provenait de ses regrets pour la perte de son épouse, regarda quelque temps

---

[30] "consistent."   [31] Charles XI, king of Sweden (1660–1697).
[32] Charles XII, son of Charles XI, one of the ablest and most active Swedish kings (1682–1718). He, however, ruined his country by his wars.
[33] "estates," representatives of the privileged classes.   [34] "practical."
[35] A Danish princess. She died in 1693.   [36] "affected skepticism."   [37] "late hours."

le portrait de la reine suspendu dans le cabinet, puis il s'écria avec un grand soupir:

—Que ce portrait est ressemblant! Voilà bien cette expression à la fois si majestueuse et si douce! . . .

—Bah! répondit brusquement le roi, qui croyait entendre un reproche toutes les fois qu'on prononçait devant lui le nom de la reine.

—Ce portrait est trop flatté! La reine était laide.

Puis, fâché intérieurement de sa dureté, il se leva et fit un tour dans la chambre pour cacher une émotion dont il rougissait. Il s'arrêta devant la fenêtre qui donnait sur la cour. La nuit était sombre et la lune à son premier quartier.

Le palais où résident aujourd'hui les rois de Suède n'était pas encore achevé, et Charles XI, qui l'avait commencé, habitait alors l'ancien palais situé à la pointe du Ritterholm [38] qui regarde le lac Mælar.[39] C'est un grand bâtiment en forme de fer à cheval. Le cabinet du roi était à l'une des extrémités, et à peu près en face se trouvait la grande salle où s'assemblaient les états quand ils devaient recevoir quelque communication de la couronne.

Les fenêtres de cette salle semblaient en ce moment éclairées d'une vive lumière. Cela parut étrange au roi. Il supposa d'abord que cette lueur était produite par le flambeau de quelque valet. Mais qu'allait-on faire à cette heure dans une salle qui depuis longtemps n'avait pas été ouverte? D'ailleurs, la lumière était trop éclatante pour provenir d'un seul flambeau. On aurait pu l'attribuer à un incendie; mais on ne voyait point de fumée, les vitres n'étaient pas brisées, nul bruit ne se faisait entendre; tout annonçait plutôt une illumination.

Charles regarda ces fenêtres quelque temps sans parler. Cependant le comte Brahé, étendant la main vers le cordon d'une sonnette, se disposait à sonner un page pour l'envoyer reconnaître la cause de cette singulière clarté; mais le roi l'arrêta.

—Je veux aller moi-même dans cette salle, dit-il.

En achevant ces mots, on le vit pâlir, et sa physionomie exprimait une espèce de terreur religieuse. Pourtant il sortit d'un pas ferme; le chambellan et le médecin le suivirent, tenant chacun une bougie allumée.

Le concierge, qui avait la charge des clefs, était déjà couché. Baumgarten alla le réveiller et lui ordonna, de la part du roi, d'ouvrir sur-le-champ les portes de la salle des états. La surprise de cet homme fut grande à cet ordre inattendu; il s'habilla à la hâte et joignit le roi avec son trousseau de clefs. D'abord il ouvrit la porte d'une galerie qui servait d'antichambre ou de dégagement [40] à la salle des états. Le roi entra; mais quel fut son étonnement en voyant les murs entièrement tendus de noir!

—Qui a donné l'ordre de faire tendre ainsi cette salle? demanda-t-il d'un ton de colère.

—Sire, personne que je sache, répondit le concierge tout troublé, et, la dernière fois que j'ai fait balayer la galerie, elle était lambrissée [41] de chêne

---

[38] The island of Riddarholm.   [39] A large lake west of Stockholm.   [40] "retiring room."
[41] "panelled."

comme elle l'a toujours été. . . . Certainement ces tentures-là ne [42] viennent
pas du garde-meuble de Votre Majesté.

Et le roi, marchant d'un pas rapide, était déjà parvenu à plus des deux tiers
de la galerie. Le comte et le concierge le suivaient de près; le médecin Baum-
5   garten était un peu en arrière, partagé entre la crainte de rester seul et celle
de s'exposer aux suites d'une aventure qui s'annonçait d'une façon assez
étrange.

—N'allez pas plus loin, sire! s'écria le concierge. Sur mon âme, il y a de la
sorcellerie là-dedans. A cette heure . . . et depuis la mort de la reine, votre
10   gracieuse épouse . . . , on dit qu'elle se promène dans cette galerie. . . . Que
Dieu nous protège!

—Arrêtez, sire! s'écriait le comte de son côté. N'entendez-vous pas ce bruit
qui part de la salle des états? Qui sait à quels dangers Votre Majesté s'expose!

—Sire, disait Baumgarten, dont une bouffée de vent venait d'éteindre la
15   bougie, permettez du moins que j'aille chercher une vingtaine de vos tra-
bans.[43]

—Entrons, dit le roi d'une voix ferme en s'arrêtant devant la porte de la
grande salle; et toi, concierge, ouvre vite cette porte.

Il la poussa du pied, et le bruit, répété par l'écho des voûtes, retentit dans la
20   galerie comme un coup de canon.

Le concierge tremblait tellement, que sa clef battait la serrure sans qu'il
pût parvenir à la faire entrer.

—Un vieux soldat qui tremble! dit Charles en haussant les épaules.—Allons,
comte, ouvrez-nous cette porte.

25   —Sire, répondit le comte en reculant d'un pas, que Votre Majesté me commande de marcher à la bouche d'un canon danois ou allemand, j'obéirai sans
hésiter; mais c'est l'enfer que vous voulez que je défie.

Le roi arracha la clef des mains du concierge.

—Je vois bien, dit-il d'un ton de mépris, que ceci me regarde seul; et, avant
30   que sa suite eût pu l'en empêcher, il avait ouvert l'épaisse porte de chêne, et
était entré dans la grande salle en prononçant ces mots: «Avec l'aide de Dieu!»
Ses trois acolytes,[44] poussés par la curiosité, plus forte que la peur, et peut-
être honteux d'abandonner leur roi, entrèrent avec lui.

La grande salle était éclairée par une infinité de flambeaux. Une tenture
35   noire avait remplacé l'antique tapisserie à personnages.[45] Le long des murailles paraissaient disposés en ordre, comme à l'ordinaire, des drapeaux allemands, danois ou moscovites, trophées des soldats de Gustave-Adolphe.[46] On
distinguait au milieu des bannières suédoises, couvertes de crêpes funèbres.

Une assemblée immense couvrait les bancs. Les quatre ordres de l'État [47]
40   siégeaient chacun à son rang. Tous étaient habillés de noir, et cette multitude
de faces humaines, qui paraissaient lumineuses sur un fond sombre, éblouissaient tellement les yeux, que, des quatre témoins de cette scène extraordi-

---

[42] "hangings."   [43] "guardsmen."   [44] "followers."   [45] "figured."
[46] Gustavus Adolphus, king of Sweden (1611–1632), an able military leader under whom
Swedish power reached its height.
[47] Nobles, clergy, bourgeois, and peasants, forming the Riksdag or Diet.

naire, aucun ne put trouver dans cette foule une figure connue. Ainsi un
acteur vis-à-vis d'un public nombreux ne voit qu'une masse confuse, où ses
yeux ne peuvent distinguer un seul individu.

Sur le trône élevé d'où le roi avait coutume de haranguer l'assemblée, ils
virent un cadavre sanglant, revêtu des insignes de la royauté. A sa droite, un ⁵
enfant, debout et la couronne en tête, tenait un sceptre à la main; à sa gauche,
un homme âgé, ou plutôt un autre fantôme, s'appuyait sur le trône. Il était
revêtu du manteau de cérémonie que portaient les anciens Administrateurs
de la Suède, avant que Wasa ⁴⁸ en eût fait un royaume. En face du trône,
plusieurs personnages d'un maintien grave et austère, revêtus de longues robes ¹⁰
noires, et qui paraissaient être des juges, étaient assis devant une table sur
laquelle on voyait de grands in-folios ⁴⁹ et quelques parchemins. Entre le
trône et les bancs de l'assemblée, il y avait un billot ⁵⁰ couvert d'un crêpe noir,
et une hache reposait auprès.

Personne, dans cette assemblée surhumaine, n'eut l'air de s'apercevoir de la ¹⁵
présence de Charles et des trois personnes qui l'accompagnaient. A leur
entrée, ils n'entendirent d'abord qu'un murmure confus, au milieu duquel
l'oreille ne pouvait saisir des mots articulés; puis le plus âgé des juges en
robe noire, celui qui paraissait remplir les fonctions de président, se leva, et
frappa trois fois de la main sur un in-folio ouvert devant lui. Aussitôt il se ²⁰
fit un profond silence. Quelques jeunes gens de bonne mine, habillés richement, et les mains liées derrière le dos, entrèrent dans la salle par une porte
opposée à celle que venait d'ouvrir Charles XI. Ils marchaient la tête haute
et le regard assuré. Derrière eux, un homme robuste, revêtu d'un justau-
corps ⁵¹ de cuir brun, tenait le bout des cordes qui leur liaient les mains. ²⁵
Celui qui marchait le premier, et qui semblait être le plus important des
prisonniers, s'arrêta au milieu de la salle, devant le billot, qu'il regarda avec
un dédain superbe. En même temps, le cadavre parut trembler d'un mouvement convulsif, et un sang frais et vermeil coula de sa blessure.⁵² Le jeune
homme s'agenouilla, tendit la tête; la hache brilla dans l'air, et retomba aus- ³⁰
sitôt avec bruit. Un ruisseau de sang jaillit sur l'estrade, et se confondit avec
celui du cadavre; et la tête, bondissant plusieurs fois sur le pavé rougi, roula
jusqu'aux pieds de Charles, qu'elle teignit de sang.

Jusqu'à ce moment, la surprise l'avait rendu muet; mais, à ce spectacle horrible, «sa langue se délia»; il fit quelques pas vers l'estrade, et, s'adressant à ³⁵
cette figure revêtue du manteau d'Administrateur,⁵³ il prononça hardiment
la formule bien connue:

—*Si tu es de Dieu, parle; si tu es de l'Autre,*⁵⁴ *laisse-nous en paix.*

Le fantôme lui répondit lentement et d'un ton solennel:

—CHARLES ROI! ce sang ne coulera pas sous ton règne . . . (ici la voix ⁴⁰

---

⁴⁸ Gustavus Wasa or Vasa, who delivered Sweden from the Danes and was proclaimed king
in 1523.

⁴⁹ "folios" (large books).   ⁵⁰ "block."   ⁵¹ "jerkin."

⁵² According to popular superstition the wounds of a murdered person bleed afresh when the
murderer approaches the body.

⁵³ "commissioner."

⁵⁴ "The devil." This speech is a literal translation of a passage in Hoffmann.

devint moins distincte) mais cinq règnes après. Malheur, malheur, malheur au sang de Wasa!

Alors les formes des nombreux personnages de cette étonnante assemblée commencèrent à devenir moins nettes et ne semblaient déjà plus que des
5 ombres colorées, bientôt elles disparurent tout à fait; les flambeaux fantastiques s'éteignirent, et ceux de Charles et de sa suite n'éclairèrent plus que les vieilles tapisseries, légèrement agitées par le vent. On entendit encore, pendant quelque temps, un bruit assez mélodieux, qu'un des témoins compara au murmure du vent dans les feuilles, et un autre, au son que rendent des cordes
10 de harpe en cassant au moment où l'on accorde l'instrument. Tous furent d'accord sur la durée de l'apparition, qu'ils jugèrent avoir été d'environ dix minutes.

Les draperies noires, la tête coupée, les flots de sang qui teignaient le plancher, tout avait disparu avec les fantômes; seulement la pantoufle de Charles
15 conserva une tache rouge, qui seule aurait suffi pour lui rappeler les scènes de cette nuit, si elles n'avaient pas été trop bien gravées dans sa mémoire.

Rentré dans son cabinet, le roi fit écrire la relation [55] de ce qu'il avait vu, la fit signer par ses compagnons, et la signa lui-même. Quelques précautions que l'on prît pour cacher le contenu de cette pièce au public, elle ne laissa pas
20 d'être bientôt connue, même du vivant de Charles XI; elle existe encore, et jusqu'à présent, personne ne s'est avisé d'élever des doutes sur son authenticité. La fin en est remarquable:

«Et, si ce que je viens de relater, dit le roi, n'est pas l'exacte vérité, je renonce à tout espoir d'une meilleure vie, laquelle je puis avoir méritée pour quelques
25 bonnes actions, et surtout pour mon zèle à travailler au bonheur de mon peuple, et à défendre la religion de mes ancêtres.»

Maintenant, si l'on se rappelle la mort de Gustave III,[56] et le jugement d'Ankarstrœm, son assassin, on trouvera plus d'un rapport entre cet événement et les circonstances de cette singulière prophétie.
30 Le jeune homme décapité en présence des états aurait désigné Ankarstrœm.

Le cadavre couronné serait Gustave III.

L'enfant, son fils et son successeur, Gustave-Adolphe IV.[57]

Le vieillard, enfin, serait le duc de Sudermanie, oncle de Gustave IV, qui fut régent du royaume, puis enfin roi [58] après la déposition de son neveu.

1829.

MATEO FALCONE [59]

35 En sortant de Porto-Vecchio [60] et se dirigeant au nord-ouest, vers l'intérieur de l'île, on voit le terrain s'élever assez rapidement, et, après trois heures de

---

[55] "account."
[56] Gustavus Adolphus III, king of Sweden (1771–1792), was assassinated at a ball as a result of a conspiracy among the aristocracy.
[57] Gustavus Adolphus IV, became king in 1792, but was deposed in 1809.
[58] Charles XIII (1809–1818).
[59] The student should read *Colomba*, a longer story, dealing with a Corsican feud.
[60] Small town in the southeast corner of Corsica.

marche par des sentiers tortueux, obstrués par de gros quartiers de rocs, et
quelquefois coupés par des ravins, on se trouve sur le bord d'un *maquis*[61]
très étendu. Le maquis est la patrie des bergers corses et de quiconque s'est
brouillé avec la justice. Il faut savoir que le laboureur corse, pour s'épargner
la peine de fumer[62] son champ, met le feu à une certaine étendue de bois: 5
tant pis si la flamme se répand plus loin que besoin n'est; arrive que pourra,[63]
on est sûr d'avoir une bonne récolte en semant sur cette terre fertilisée par
les cendres des arbres qu'elle portait. Les épis enlevés, car on laisse la paille,
qui donnerait de la peine à recueillir, les racines qui sont restées en terre sans se
consumer poussent, au printemps suivant, des cépées[64] très épaisses qui, en 10
peu d'années, parviennent à une hauteur de sept ou huit pieds. C'est cette
manière de taillis fourré[65] que l'on nomme maquis. Différentes espèces
d'arbres et d'arbrisseaux le composent, mêlés et confondus comme il plaît à
Dieu. Ce n'est que la hache à la main que l'homme s'y ouvrirait un passage,
et l'on voit des maquis si épais et si touffus, que les mouflons[66] eux-mêmes 15
ne peuvent y pénétrer.

Si vous avez tué un homme, allez dans le maquis de Porto-Vecchio, et
vous y vivrez en sûreté, avec un bon fusil, de la poudre et des balles; n'oubliez
pas un manteau brun garni d'un capuchon,[67] qui sert de couverture et de
matelas. Les bergers vous donnent du lait, du fromage et des châtaignes, et 20
vous n'aurez rien à craindre de la justice ou des parents du mort, si ce n'est
quand il vous faudra descendre à la ville pour y renouveler vos munitions.

Mateo Falcone, quand j'étais en Corse[68] en 18 . . , avait sa maison à une
demi-lieue de ce maquis. C'était un homme assez riche pour le pays; vivant
noblement, c'est-à-dire sans rien faire, du produit de ses troupeaux, que des 25
bergers, espèces de nomades, menaient paître çà et là sur les montagnes. Lorsque je le vis, deux années après l'événement que je vais raconter, il me parut
âgé de cinquante ans tout au plus. Figurez-vous un homme petit mais robuste,
avec des cheveux crépus, noirs comme le jais, un nez aquilin, les lèvres minces,
les yeux grands et vifs, et un teint couleur de revers[69] de botte. Son habileté 30
au tir du fusil passait pour extraordinaire, même dans son pays, où il y a
tant de bons tireurs. Par exemple, Mateo n'aurait jamais tiré sur un mouflon
avec des chevrotines;[70] mais, à cent vingt pas, il l'abattait d'une balle dans
la tête ou dans l'épaule, à son choix. La nuit, il se servait de ses armes aussi
facilement que le jour, et l'on m'a cité de lui ce trait d'adresse qui paraîtra 35
peut-être incroyable à qui n'a pas voyagé en Corse. A quatre-vingts pas, on
plaçait une chandelle allumée derrière un transparent de papier,[71] large
comme une assiette. Il mettait en joue, puis on éteignait la chandelle, et, au
bout d'une minute, dans l'obscurité la plus complète, il tirait et perçait le
transparent trois fois sur quatre. 40

Avec un mérite aussi transcendant, Mateo Falcone s'était attiré une grande
réputation. On le disait aussi bon ami que dangereux ennemi: d'ailleurs servi-
able[72] et faisant l'aumône, il vivait en paix avec tout le monde dans le district

---

[61] "thicket."   [62] "fertilize."   [63] "whatever happens."   [64] "shoots."   [65] "dense."
[66] "wild sheep."   [67] "hood."   [68] Mérimée did not visit Corsica until 1840.
[69] "lining."   [70] "buckshot."   [71] "a piece of transparent paper."   [72] "obliging."

de Porto-Vecchio. Mais on contait de lui qu'à Corte,[73] où il avait pris femme,
il s'était débarrassé fort vigoureusement d'un rival qui passait pour aussi
redoutable en guerre qu'en amour: du moins on attribuait à Mateo certain
coup de fusil qui surprit ce rival comme il était à se raser devant un petit
5 miroir pendu à sa fenêtre. L'affaire assoupie, Mateo se maria. Sa femme
Giuseppa lui avait donné d'abord trois filles (dont il enrageait), et enfin un
fils, qu'il nomma Fortunato: c'était l'espoir de sa famille, l'héritier du nom.
Les filles étaient bien mariées: leur père pouvait compter au besoin sur les
poignards et les escopettes [74] de ses gendres. Le fils n'avait que dix ans, mais il
10 annonçait déjà d'heureuses dispositions.

Un certain jour d'automne, Mateo sortit de bonne heure avec sa femme pour
aller visiter un de ses troupeaux dans une clairière du maquis. Le petit Fortunato voulait l'accompagner, mais la clairière était trop loin; d'ailleurs, il
fallait bien que quelqu'un restât pour garder la maison; le père refusa donc:
15 on verra s'il n'eut pas lieu de s'en repentir.

Il était absent depuis quelques heures, et le petit Fortunato était tranquillement étendu au soleil, regardant les montagnes bleues, et pensant que, le
dimanche prochain, il irait dîner à la ville, chez son oncle le *caporal,*[75] quand
il fut soudainement interrompu dans ses méditations par l'explosion d'une
20 arme à feu. Il se leva et se tourna du côté de la plaine d'où partait ce bruit.
D'autres coups de fusil se succédèrent, tirés à intervalles inégaux, et toujours
de plus en plus rapprochés; enfin, dans le sentier qui menait de la plaine à la
maison de Mateo parut un homme, coiffé d'un bonnet pointu comme en
portent les montagnards, barbu, couvert de haillons, et se traînant avec peine
25 en s'appuyant sur son fusil. Il venait de recevoir un coup de feu dans la cuisse.

Cet homme était un *bandit,*[76] qui, étant parti de nuit pour aller chercher
de la poudre à la ville, était tombé en route dans une embuscade de voltigeurs [77]
corses. Après une vigoureuse défense, il était parvenu à faire sa retraite,
vivement poursuivi et tiraillant de rocher en rocher. Mais il avait peu d'avance
30 sur les soldats, et sa blessure le mettait hors d'état de gagner le maquis avant
d'être rejoint.

Il s'approcha de Fortunato et lui dit:

—Tu es le fils de Mateo Falcone?

—Oui.

35 —Moi, je suis Gianetto Sanpiero. Je suis poursuivi par les collets jaunes.[78]
Cache-moi, car je ne puis aller plus loin.

—Et que dira mon père si je te cache sans sa permission?

—Il dira que tu as bien fait.

—Qui sait?

40 —Cache-moi vite; ils viennent.

---

[73] Former capital of Corsica, about the center of the island.   [74] "guns."
[75] Name assumed formerly by the leaders of the communes when they revolted against the
feudal lords; more recently, a name given to men of importance.
[76] "outlaw."   [77] "light infantry," used in support of the *gendarmes,* or police.
[78] "soldiers."

—Attends que mon père soit revenu.

—Que j'attende? malédiction! Ils seront ici dans cinq minutes. Allons, cache-moi, ou je te tue.

Fortunato lui répondit avec le plus grand sang-froid:

—Ton fusil est déchargé, et il n'y a plus de cartouches dans ta carchera.[79]

—J'ai mon stylet.

—Mais courras-tu aussi vite que moi?

Il fit un saut, et se mit hors d'atteinte.

—Tu n'es pas le fils de Mateo Falcone! Me laisseras-tu donc arrêter devant ta maison?

L'enfant parut touché.

—Que me donneras-tu si je te cache? dit-il en se rapprochant.

Le bandit fouilla dans une poche de cuir qui pendait à sa ceinture, et il en tira une pièce de cinq francs qu'il avait réservée sans doute pour acheter de la poudre. Fortunato sourit à la vue de la pièce d'argent; il s'en saisit, et dit à Gianetto:

—Ne crains rien.

Aussitôt il fit un grand trou dans un tas de foin placé auprès de la maison. Gianetto s'y blottit, et l'enfant le recouvrit de manière à lui laisser un peu d'air pour respirer, sans qu'il fût possible cependant de soupçonner que ce foin cachât un homme. Il s'avisa, de plus, d'une finesse de sauvage assez ingénieuse. Il alla prendre une chatte et ses petits, et les établit sur le tas de foin pour faire croire qu'il n'avait pas été remué depuis peu. Ensuite, remarquant des traces de sang sur le sentier près de la maison, il les couvrit de poussière avec soin, et, cela fait, il se recoucha au soleil avec la plus grande tranquillité.

Quelques minutes après, six hommes en uniforme brun à collet jaune, et commandés par un adjudant,[80] étaient devant la porte de Mateo. Cet adjudant était quelque peu parent de Falcone. (On sait qu'en Corse on suit les degrés de parenté beaucoup plus loin qu'ailleurs.) Il se nommait Tiodoro Gamba: c'était un homme actif, fort redouté des bandits dont il avait déjà traqué plusieurs.

—Bonjour, petit cousin, dit-il à Fortunato en l'abordant; comme te voilà grandi! As-tu vu passer un homme tout à l'heure?

—Oh! je ne suis pas encore si grand que vous, mon cousin, répondit l'enfant d'un air niais.

—Cela viendra. Mais n'as-tu pas vu passer un homme, dis-moi?

—Si j'ai vu passer un homme?

—Oui, un homme avec un bonnet pointu en velours noir, et une veste brodée de rouge et de jaune?

—Un homme avec un bonnet pointu, et une veste brodée de rouge et de jaune?

---

[79] "cartridge-pouch."

[80] The *adjudant* may be either a commissioned or non-commissioned officer in the French army. It might be translated as "sergeant."

—Oui, réponds vite, et ne répète pas mes questions.

—Ce matin, M. le curé est passé devant notre porte, sur son cheval Piero. Il m'a demandé comment papa se portait, et je lui ai répondu. . . .

—Ah! petit drôle, tu fais le malin! Dis-moi vite par où est passé Gianetto, car c'est lui que nous cherchons; et, j'en suis certain, il a pris par ce sentier.

—Qui sait?

—Qui sait? C'est moi qui sais que tu l'as vu.

—Est-ce qu'on voit les passants quand on dort?

—Tu ne dormais pas, vaurien; les coups de fusil t'ont réveillé.

—Vous croyez donc, mon cousin, que vos fusils font tant de bruit? L'escopette de mon père en fait bien davantage.

—Que le diable te confonde, maudit garnement! Je suis bien sûr que tu as vu le Gianetto. Peut-être même l'as-tu caché. Allons, camarades, entrez dans cette maison, et voyez si notre homme n'y est pas. Il n'allait plus que d'une patte, et il a trop de bon sens, le coquin, pour avoir cherché à gagner le maquis en clopinant. D'ailleurs, les traces de sang s'arrêtent ici.

—Et que dira papa? demanda Fortunato en ricanant; que dira-t-il s'il sait qu'on est entré dans sa maison pendant qu'il était sorti?

—Vaurien! dit l'adjudant Gamba en le prenant par l'oreille, sais-tu qu'il ne tient qu'à moi de te faire changer de note? Peut-être qu'en te donnant une vingtaine de coups de plat de sabre tu parleras enfin.

Et Fortunato ricanait toujours.

—Mon père est Mateo Falcone! dit-il avec emphase.

—Sais-tu bien, petit drôle, que je puis t'emmener à Corte ou à Bastia.[81] Je te ferai coucher dans un cachot, sur la paille, les fers aux pieds, et je te ferai guillotiner si tu ne dis où est Gianetto Sanpiero.

L'enfant éclata de rire à cette ridicule menace. Il répéta:

—Mon père est Mateo Falcone.

—Adjudant, dit tout bas un des voltigeurs, ne nous brouillons pas avec Mateo.

Gamba paraissait évidemment embarrassé. Il causait à voix basse avec ses soldats, qui avaient déjà visité[82] toute la maison. Ce n'était pas une opération fort longue, car la cabane d'un Corse ne consiste qu'en une seule pièce carrée. L'ameublement se compose d'une table, de bancs, de coffres et d'ustensiles de chasse ou de ménage. Cependant le petit Fortunato caressait sa chatte, et semblait jouir malignement de la confusion des voltigeurs et de son cousin.

Un soldat s'approcha du tas de foin. Il vit la chatte, et donna un coup de baïonnette dans le foin avec négligence, et en haussant les épaules, comme s'il sentait que sa précaution était ridicule. Rien ne remua; et le visage de l'enfant ne trahit pas la plus légère émotion.

L'adjudant et sa troupe se donnaient au diable;[83] déjà ils regardaient sérieusement du côté de la plaine, comme disposés à s'en retourner par où ils étaient venus, quand leur chef, convaincu que les menaces ne produiraient

---

[81] Town on the northeast coast of Corsica.

[82] "searched." [83] "were on the point of giving up."

aucune impression sur le fils de Falcone, voulut faire un dernier effort et
tenter le pouvoir des caresses et des présents.

—Petit cousin, dit-il, tu me parais un gaillard bien éveillé! Tu iras
loin. Mais tu joues un vilain jeu avec moi; et, si je ne craignais de faire de
la peine à mon cousin Mateo, le diable m'emporte! je t'emmènerais avec   5
moi.

—Bah!

—Mais, quand mon cousin sera revenu, je lui conterai l'affaire, et, pour ta
peine d'avoir menti, il te donnera le fouet jusqu'au sang.

—Savoir? [84]   10

—Tu verras. . . . Mais, tiens . . . sois brave garçon, et je te donnerai quelque chose.

—Moi, mon cousin, je vous donnerai un avis: c'est que, si vous tardez
davantage, le Gianetto sera dans le maquis, et alors il faudra plus d'un
luron [85] comme vous pour aller l'y chercher.   15

L'adjudant tira de sa poche une montre d'argent qui valait bien dix écus; [86]
et, remarquant que les yeux du petit Fortunato étincelaient en la regardant,
il lui dit en tenant la montre suspendue au bout de sa chaîne d'acier:

—Fripon! tu voudrais bien avoir une montre comme celle-ci suspendu à
ton col, et tu te promènerais dans les rues de Porto-Vecchio, fier comme un   20
paon; et les gens te demanderaient: «Quelle heure est il?» et tu leur dirais:
«Regardez à ma montre.»

—Quand je serai grand, mon oncle le caporal me donnera une montre.

—Oui; mais le fils de ton oncle en a déjà une . . . pas aussi belle que
celle-ci, à la vérité. . . . Cependant il est plus jeune que toi.   25

L'enfant soupira.

—Eh bien, la veux-tu, cette montre, petit cousin?

Fortunato, lorgnant la montre du coin de l'œil, ressemblait à un chat à
qui l'on présente un poulet tout entier. Comme il sent qu'on se moque de
lui, il n'ose y porter la griffe, et de temps en temps il détourne les yeux pour 30
ne pas s'exposer à succomber à la tentation; mais il se lèche les babines [87] à
tout moment, et il a l'air de dire à son maître: «Que votre plaisanterie est
cruelle!»

Cependant l'adjudant Gamba semblait de bonne foi en présentant sa
montre. Fortunato n'avança pas la main; mais il lui dit avec un sourire amer: 35

—Pourquoi vous moquez-vous de moi?

—Par Dieu! je ne me moque pas. Dis-moi seulement où est Gianetto, et
cette montre est à toi.

Fortunato laissa échapper un sourire d'incrédulité; et, fixant ses yeux noirs
sur ceux de l'adjudant, il s'efforçait [88] d'y lire la foi qu'il devait avoir en ses 40
paroles.

—Que je perde mon épaulette,[89] s'écria l'adjudant, si je ne te donne pas

---

[84] "That remains to be seen."   [85] "smart fellow."
[86] The *écu* was worth three francs.   [87] "chops."   [88] "strove."
[89] "May I lose my shoulder straps" (be reduced in rank).

la montre à cette condition! Les camarades sont témoins; et je ne puis m'en
dédire.

En parlant ainsi, il approchait toujours la montre, tant qu'elle touchait
presque la joue pâle de l'enfant. Celui-ci montrait bien sur sa figure le combat
5 que se livraient en son âme la convoitise et le respect dû à l'hospitalité. Sa
poitrine nue se soulevait avec force, et il semblait près d'étouffer. Cependant
la montre oscillait, tournait, et quelquefois lui heurtait le bout du nez. Enfin,
peu à peu, sa main droite s'éleva vers la montre: le bout de ses doigts la
toucha; et elle pesait tout entière dans sa main sans que l'adjudant lâchât
10 pourtant le bout de la chaîne. . . . Le cadran était azuré . . . la boîte nouvellement fourbie . . . , au soleil, elle paraissait toute de feu. . . . La tentation était trop forte.

Fortunato éleva aussi sa main gauche, et indiqua du pouce, par-dessus son
épaule, le tas de foin auquel il était adossé. L'adjudant le comprit aussitôt. Il
15 abandonna l'extrémité de la chaîne; Fortunato se sentit seul possesseur de la
montre. Il se leva avec l'agilité d'un daim, et s'éloigna de dix pas du tas de foin,
que les voltigeurs se mirent aussitôt à culbuter.

On ne tarda pas à voir le foin s'agiter; et un homme sanglant, le poignard
à la main, en sortit; mais, comme il essayait de se lever en pied, sa blessure
20 refroidie ne lui permit plus de se tenir debout. Il tomba. L'adjudant se jeta
sur lui et lui arracha son stylet. Aussitôt on le garrotta fortement, malgré sa
résistance.

Gianetto, couché par terre et lié comme un fagot, tourna la tête vers Fortunato qui s'était rapproché.

25 L'enfant lui jeta la pièce d'argent qu'il en avait reçue, sentant qu'il avait
cessé de la mériter; mais le proscrit n'eut pas l'air de faire attention à ce
mouvement. Il dit avec beaucoup de sang-froid à l'adjudant:

—Mon cher Gamba, je ne puis marcher; vous allez être obligé de me porter
à la ville.

30 —Tu courais tout à l'heure plus vite qu'un chevreuil, repartit le cruel vainqueur; mais sois tranquille: je suis si content de te tenir, que je te porterais
une lieue sur mon dos sans être fatigué. Au reste, mon camarade, nous allons
te faire une litière avec des branches et ta capote;[90] et à la ferme de Crespoli
nous trouverons des chevaux.

35 —Bien, dit le prisonnier; vous mettrez aussi un peu de paille sur votre litière,
pour que je sois plus commodément.

Pendant que les voltigeurs s'occupaient, les uns à faire une espèce de bran-
card avec des branches de châtaignier, les autres à panser la blessure de Gianetto, Mateo Falcone et sa femme parurent tout d'un coup au détour d'un
40 sentier qui conduisait au maquis. La femme s'avançait courbée péniblement
sous le poids d'un énorme sac de châtaignes, tandis que son mari se prélas-
sait,[91] ne portant qu'un fusil à la main et un autre en bandoulière; car il est
indigne d'un homme de porter d'autre fardeau que ses armes.

A la vue des soldats, la première pensée de Mateo fut qu'ils venaient pour

---

[90] "cloak."   [91] "was strolling along."

l'arrêter. Mais pourquoi cette idée? Mateo avait-il donc quelques démêlés avec la justice? Non. Il jouissait d'une bonne réputation. C'était, comme on dit, *un particulier bien famé;* [92] mais il était Corse et montagnard, et il y a peu de Corses montagnards qui, en scrutant bien leur mémoire, n'y trouvent quelque peccadille, telle que coups de fusil, coups de stylet et autres bagatelles. 5 Mateo, plus qu'un autre, avait la conscience nette; car depuis plus de dix ans il n'avait dirigé son fusil contre un homme; mais toutefois il était prudent, et il se mit en posture de faire une belle défense, s'il en était besoin.

—Femme, dit-il à Giuseppa, mets bas ton sac et tiens-toi prête.

Elle obéit sur-le-champ. Il lui donna le fusil qu'il avait en bandoulière et 10 qui aurait pu le gêner. Il arma celui qu'il avait à la main, et il s'avança lentement vers sa maison, longeant les arbres qui bordaient le chemin, et prêt, à la moindre démonstration hostile, à se jeter derrière le plus gros tronc, d'où il aurait pu faire feu à couvert. Sa femme marchait sur ses talons, tenant son fusil de rechange et sa giberne. L'emploi d'une bonne ménagère, en cas de 15 combat, est de charger les armes de son mari.

D'un autre côté, l'adjudant était fort en peine en voyant Mateo s'avancer ainsi, à pas comptés, le fusil en avant et le doigt sur la détente.

—Si par hasard, pensa-t-il, Mateo se trouvait parent de Gianetto, ou s'il était son ami, et qu'il voulût le défendre, les bourres de ses deux fusils ar- 20 riveraient à deux d'entre nous, aussi sûr qu'une lettre à la poste, et s'il me visait, nonobstant la parenté! . . .

Dans cette perplexité, il prit un parti fort courageux, ce fut de s'avancer seul vers Mateo pour lui conter l'affaire, en l'abordant comme une vieille connaissance; mais le court intervalle qui le séparait de Mateo lui parut 25 terriblement long.

—Holà! eh! mon vieux camarade, criait-il, comment cela va-t-il, mon brave? C'est moi, je suis Gamba, ton cousin.

Mateo, sans répondre un mot, s'était arrêté, et, à mesure que l'autre parlait, il relevait doucement le canon de son fusil, de sorte qu'il était dirigé vers le 30 ciel au moment où l'adjudant le joignit.

—Bonjour, frère, dit l'adjudant en lui tendant la main. Il y a bien longtemps que je ne t'ai vu.

—Bonjour, frère.

—J'étais venu pour te dire bonjour en passant, et à ma cousine Pepa. Nous 35 avons fait une longue traite [93] aujourd'hui; mais il ne faut pas plaindre notre fatigue, car nous avons fait une fameuse prise. Nous venons d'empoigner Gianetto Sanpiero.

—Dieu soit loué! s'écria Giuseppa. Il nous a volé une chèvre laitière la semaine passée. 40

Ces mots réjouirent Gamba.

—Pauvre diable! dit Mateo, il avait faim.

—Le drôle s'est défendu comme un lion, poursuivit l'adjudant un peu mortifié; il m'a tué un de mes voltigeurs, et, non content de cela, il a cassé

---

[92] "an individual with a good reputation."   [93] "journey."

le bras au caporal Chardon; mais il n'y a pas grand mal, ce n'était qu'un Français. . . . Ensuite, il s'était si bien caché, que le diable ne l'aurait pu découvrir. Sans mon petit cousin Fortunato, je ne l'aurais jamais pu trouver.

—Fortunato! s'écria Mateo.

5 —Fortunato! répéta Giuseppa.

—Oui, le Gianetto s'était caché sous ce tas de foin là-bas; mais mon petit cousin m'a montré la malice.[94] Aussi je le dirai à son oncle le caporal, afin qu'il lui envoie un beau cadeau pour sa peine. Et son nom et le tien seront dans le rapport que j'enverrai à M. l'avocat général.

10 —Malédiction! dit tout bas Mateo.

Ils avaient rejoint le détachement. Gianetto était déjà couché sur la litière et prêt à partir. Quand il vit Mateo en la compagnie de Gamba, il sourit d'un sourire étrange; puis, se tournant vers la porte de la maison, il cracha sur le seuil en disant:

15 —Maison d'un traître!

Il n'y avait qu'un homme décidé à mourir qui eût osé prononcer le mot de traître en l'appliquant à Falcone. Un bon coup de stylet, qui n'aurait pas eu besoin d'être répété, aurait immédiatement payé l'insulte. Cependant Mateo ne fit pas d'autre geste que celui de porter sa main à son front comme 20 un homme accablé.

Fortunato était entré dans la maison en voyant arriver son père. Il reparut bientôt avec une jatte [95] de lait, qu'il présenta les yeux baissés à Gianetto.

—Loin de moi! lui cria le proscrit d'une voix foudroyante.

Puis, se tournant vers un des voltigeurs:

25 —Camarade, donne-moi à boire, dit-il.

Le soldat remit sa gourde entre ses mains, et le bandit but l'eau que lui donnait un homme avec lequel il venait d'échanger des coups de fusil. Ensuite il demanda qu'on lui attachât les mains de manière qu'il les eût croisées sur sa poitrine, au lieu de les avoir liées derrière le dos.

30 —J'aime, disait-il, à être couché à mon aise.

On s'empressa de le satisfaire, puis l'adjudant donna le signal du départ, dit adieu à Mateo, qui ne lui répondit pas, et descendit au pas accéléré vers la plaine.

Il se passa près de dix minutes avant que Mateo ouvrît la bouche. L'enfant 35 regardait d'un œil inquiet tantôt sa mère et tantôt son père, qui, s'appuyant sur son fusil, le considérait avec une expression de colère concentrée.

—Tu commences bien! dit enfin Mateo d'une voix calme, mais effrayante pour qui connaissait l'homme.

—Mon père! s'écria l'enfant en s'avançant les larmes aux yeux comme pour 40 se jeter à ses genoux.

Mais Mateo lui cria:

—Arrière de moi!

Et l'enfant s'arrêta et sanglota, immobile, à quelques pas de son père.

[94] "trick."   [95] "bowl."

Giuseppa s'approcha. Elle venait d'apercevoir la chaîne de la montre, dont un bout sortait de la chemise de Fortunato.

—Qui t'a donné cette montre? demanda-t-elle d'un ton sévère.

—Mon cousin l'adjudant.

Falcone saisit la montre, et, la jetant avec force contre une pierre, il la mit en mille pièces.

—Femme, dit-il, cet enfant est le premier de sa race qui ait fait une trahison.

Les sanglots et les hoquets de Fortunato redoublèrent, et Falcone tenait ses yeux de lynx toujours attachés sur lui. Enfin il frappa la terre de la crosse de son fusil, puis le rejeta sur son épaule et reprit le chemin du maquis en criant à Fortunato de le suivre. L'enfant obéit.

Giuseppa courut après Mateo et lui saisit le bras.

—C'est ton fils, lui dit-elle d'une voix tremblante en attachant ses yeux noirs sur ceux de son mari, comme pour lire ce qui se passait dans son âme.

—Laisse-moi, répondit Mateo: je suis son père.

Giuseppa embrassa son fils et entra en pleurant dans sa cabane. Elle se jeta à genoux devant une image de la Vierge et pria avec ferveur. Cependant Falcone marcha quelques deux cents pas dans le sentier et ne s'arrêta que dans un petit ravin où il descendit. Il sonda la terre avec la crosse de son fusil et la trouva molle et facile à creuser. L'endroit lui parut convenable pour son dessein.

—Fortunato, va auprès de cette grosse pierre.

L'enfant fit ce qu'il lui commandait, puis il s'agenouilla.

—Dis tes prières.

—Mon père, mon père, ne me tuez pas.

—Dis tes prières! répéta Mateo d'une voix terrible.

L'enfant, tout en balbutiant et en sanglotant, récita le *Pater* et le *Credo*. Le père, d'une voix forte, répondait *Amen!* à la fin de chaque prière.

—Sont-ce là toutes les prières que tu sais?

—Mon père, je sais encore l'*Ave Maria* et la litanie que ma tante m'a apprise.

—Elle est bien longue, n'importe.

L'enfant acheva la litanie d'une voix éteinte.

—As-tu fini?

—Oh! mon père, grâce! pardonnez-moi! Je ne le ferai plus! Je prierai tant mon cousin le caporal qu'on fera grâce au Gianetto!

Il parlait encore; Mateo avait armé son fusil et le couchait en joue en lui disant:

—Que Dieu te pardonne!

L'enfant fit un effort désespéré pour se relever et embrasser les genoux de son père; mais il n'en eut pas le temps. Mateo fit feu, et Fortunato tomba raide mort.

Sans jeter un coup d'œil sur le cadavre, Mateo reprit le chemin de sa maison pour aller chercher une bêche afin d'enterrer son fils. Il avait fait à peine quelques pas qu'il rencontra Giuseppa, qui accourait alarmée du coup de feu.

—Qu'as-tu fait? s'écria-t-elle.

—Justice.

—Où est-il?

—Dans le ravin. Je vais l'enterrer. Il est mort en chrétien; je lui ferai chanter
5   une messe. Qu'on dise à mon gendre Tiodoro Bianchi de venir demeurer avec
nous.

1829.

SAINTE-BEUVE (1804–1869)

Charles-Augustin Sainte-Beuve, the greatest critic France has produced, was born at Boulogne-sur-Mer. From 1824 to 1827 he studied medicine in Paris, then became one of the Romanticists and directed attention to pre-classical poetry through his *Tableau de la Poésie Française au XVIᵉ Siècle* (1828). He tried his hand at creative work in *Les Poésies de Joseph Delorme* (1829) and *Volupté* (1834), but the public failed to appreciate either his poetry or his novel. Disappointed at his own failure and jealous of the success of other Romanticists, he confined himself almost entirely, for the rest of his life, to teaching and criticism. He lectured at Lausanne, Liége, the Collège de France, and L'École Normale Supérieure.

Criticism in the first quarter of the nineteenth century was largely dogmatic and classical, defending a more or less predetermined ideal of morals and taste, in spite of the efforts of Villemain (1790–1870) in his *Cours de Littérature Française* (Sorbonne, 1816–1830) to change it. Villemain, himself influenced by Mᵐᵉ de Staël, pointed out the importance of social and intellectual *milieux* and thus prepared the way for Sainte-Beuve, but it remained for the latter to change the course of literary criticism. Sainte-Beuve's method, if it may be called such, was one of universal curiosity. He was not satisfied with the *race, moment,* and *milieu* which were to make Taine famous, though he used them; for him the explanation of the excellences and defects of a work of art was to be sought in the qualities and weaknesses of the writer himself. Consequently he wanted to know all that could be learned about an author, from every conceivable source and point of view, in order that he might better understand the work through the man. In so far as he explains literature, he explains it in terms of its creators and their time. As a result of this method, he has left an extraordinary number of life-like portraits which are of the greatest interest to all who study literature. Wright,* while making some reservations with regard to Sainte-Beuve's estimates of the greatest writers, states that he is "the safest vicarious reader of all the minor personages of literature and history." Sainte-Beuve does not claim to be able to explain genius, nor even all of talent; he believes that there are individual gifts which no scientific approach can account for.

While far more broad-minded than his predecessors in criticism, Sainte-Beuve was not entirely unprejudiced. In criticizing some of his contemporaries, he was obviously unjust. His ideas and his standards of criticism varied somewhat also with the changing literary modes of the century. In one particular, however, he remained constant: "he never understood that literature whose sole interest was in being true and beautiful;" he preferred the instructive type of literature. Nevertheless, he "created" nineteenth century French criticism. Few critics have ever brought to their task more solid erudition, wider interests, or surer judgement. "A complete study of Sainte-Beuve's works is itself almost a liberal education in knowledge and taste." * "He is the historian of human nature in all its higher manifesta-

* C. H. C. Wright: *History of French Literature.*

tions, the most loyal and discriminating painter of all the forms and developments of modern French culture." *

IMPORTANT WORKS:

Criticism: *Portraits Littéraires* (1844); *Portraits Contemporains* (1846); *Histoire de Port-Royal* (1840–1860); *Causeries du Lundi* (1857–1862); *Nouveaux Lundis* (1863–1872).

CHATEAUBRIAND

JUGÉ PAR UN AMI † INTIME EN 1803

MARDI 22 JUILLET 1862

(SUITE ET FIN)

Il est donc convenu que, pour aujourd'hui, on m'accorde d'entrer dans quelques détails touchant la marche et la méthode que j'ai cru la meilleure à suivre dans l'examen des livres et des talents.

5 La littérature, la production littéraire, n'est point pour moi distincte ou du moins séparable du reste de l'homme et de l'organisation; je puis goûter une œuvre, mais il m'est difficile de la juger indépendamment de la connaissance de l'homme même; et je dirais volontiers: *tel arbre, tel fruit.* L'étude littéraire me mène ainsi tout naturellement à l'étude morale.

10 Avec les Anciens, on n'a pas les moyens suffisants d'observation. Revenir à l'homme, l'œuvre à la main, est impossible dans la plupart des cas avec les véritables Anciens, avec ceux dont nous n'avons la statue qu'à demi brisée. On est donc réduit à commenter l'œuvre, à l'admirer, à rêver l'auteur et le poète à travers.[1] On peut refaire ainsi des figures de poètes ou de philosophes, des bustes de Platon,[2] de Sophocle[3] ou de Virgile,[4] avec un sentiment d'idéal 15 élevé; c'est tout ce que permet l'état des connaissances incomplètes, la disette des sources et le manque de moyens d'information et de retour. Un grand fleuve, et non guéable[5] dans la plupart des cas, nous sépare des grands hommes de l'Antiquité. Saluons-les d'un rivage à l'autre.

Avec les modernes, c'est tout différent; et la critique, qui règle sa méthode 20 sur les moyens, a ici d'autres devoirs. Connaître et bien connaître un homme de plus, surtout si cet homme est un individu marquant et célèbre, c'est une grande chose et qui ne saurait être à dédaigner.

L'observation morale des caractères en est encore au détail, aux éléments, à la description des individus et tout au plus de quelques espèces: Théo-25 phraste[6] et La Bruyère[7] ne vont pas au delà. Un jour viendra, que je crois

---

* W. F. Giese: *Sainte-Beuve, A Literary Portrait.*   † Joubert.
[1] "through it."
[2] Plato (427–347 B. C.), Greek philosopher, disciple of Socrates, teacher of Aristotle.
[3] Sophocles: see page 56, note 1.   [4] Virgil (70–19 B. C.), most celebrated of Latin poets.
[5] "unfordable."
[6] Theophrastus (372?–287? B. C.), Greek philosopher, whose best known work was his *Characters*, a series of short, lively character sketches.
[7] La Bruyère (1645–1696) published his *Caractères* in 1688. He knew, but did not copy the work of Theophrastus.

avoir entrevu dans le cours de mes observations, un jour où la science sera constituée, où les grandes familles d'esprits et leurs principales divisions seront déterminées et connues. Alors le principal caractère d'un esprit étant donné, on pourra en déduire plusieurs autres.[8] Pour l'homme, sans doute, on ne pourra jamais faire exactement comme pour les animaux ou pour les plantes; l'homme moral est plus complexe; il a ce qu'on nomme *liberté* et qui, dans tous les cas, suppose une grande mobilité de combinaisons possibles.[9] Quoi qu'il en soit, on arrivera avec le temps, j'imagine, à constituer plus largement la science du moraliste; elle en est aujourd'hui au point où la botanique en était avant Jussieu,[10] et l'anatomie comparée avant Cuvier,[11] à l'état, pour ainsi dire, anecdotique. Nous faisons pour notre compte de simples monographies, nous amassons des observations de détail; mais j'entrevois des liens, des rapports, et un esprit plus étendu, plus lumineux, et resté fin dans le détail, pourra découvrir un jour les grandes divisions naturelles qui répondent aux familles d'esprits.

Mais même, quand la science des esprits serait organisée comme on peut de loin le concevoir, elle serait toujours si délicate et si mobile qu'elle n'existerait que pour ceux qui ont une vocation naturelle et un talent d'observer: ce serait toujours *un art* qui demanderait un artiste habile, comme la médecine exige le tact médical dans celui qui l'exerce, comme la philosophie devrait exiger le tact philosophique chez ceux qui se prétendent philosophes, comme la poésie ne veut être touchée que par un poète. Je suppose donc quelqu'un qui ait ce genre de talent et de facilité pour entendre les groupes, les familles littéraires (puisqu'il s'agit dans ce moment de littérature); qui les distingue presque à première vue; qui en saisisse l'esprit et la vie; dont ce soit véritablement la vocation; quelqu'un de propre à être un bon naturaliste dans ce champ si vaste des esprits.

S'agit-il d'étudier un homme supérieur ou simplement distingué par ses productions, un écrivain dont on a lu les ouvrages et qui vaille la peine d'un examen approfondi? comment s'y prendre, si l'on veut ne rien omettre d'important et d'essentiel à son sujet, si l'on veut sortir des jugements de l'ancienne rhétorique, être le moins dupe possible des phrases, des mots, des beaux sentiments convenus, et atteindre au vrai comme dans une étude naturelle?

Il est très utile d'abord de commencer par le commencement, et, quand on en a les moyens, de prendre l'écrivain supérieur ou distingué dans son pays natal, dans sa race. Si l'on connaissait bien la race physiologiquement, les ascendants et ancêtres, on aurait un grand jour sur la qualité secrète et essen-

---

[8] «Il y a dans les caractères une certaine nécessité, certains rapports qui font que tel trait principal entraîne tels traits secondaires.» Goethe. (*Conversations d'Eckermann.*) [Author's note.]

[9] «On trouve de tout dans ce monde, et la variété des combinaisons est inépuisable.» Grimm. (*Correspondance littéraire.*) [Author's note.]

[10] Antoine Laurent de Jussieu (1748–1836), French botanist whose *Genera Plantarum* (1789) laid down the principles on which modern botanical classification is based. There have been four other Jussieus who were well-known botanists.

[11] Cuvier: see page 170, note 2.

tielle des esprits; mais le plus souvent cette racine profonde reste obscure et se dérobe. Dans les cas où elle ne se dérobe pas tout entière, on gagne beaucoup à l'observer.

On reconnaît, on retrouve à coup sûr l'homme supérieur, au moins en
5 partie, dans ses parents, dans sa mère surtout, cette parente la plus directe et la plus certaine; dans ses sœurs aussi, dans ses frères, dans ses enfants mêmes. Il s'y rencontre des linéaments essentiels qui sont souvent masqués, pour être trop condensés ou trop joints ensemble, dans le grand individu; le fond se retrouve, chez les autres de son sang, plus à nu et à l'état simple; la nature toute
10 seule a fait les frais de l'analyse. Cela est très délicat et demanderait à être éclairci par des noms propres, par quantité de faits particuliers; j'en indiquerai quelques-uns.

Prenez les sœurs par exemple. Ce Chateaubriand dont nous parlions avait une sœur qui avait *de l'imagination,* disait-il lui-même, *sur un fonds de*
15 *bêtise,* ce qui devait approcher de l'extravagance pure;—une autre, au contraire, divine (Lucile, *l'Amélie de René*), qui avait la sensibilité exquise, une sorte d'imagination tendre, mélancolique, sans rien de ce qui la corrigeait ou la distrayait chez lui: elle mourut folle et se tua. Les éléments qu'il unissait et associait, au moins dans son talent, et qui gardaient une sorte d'équilibre,
20 étaient distinctement et disproportionnément répartis entre elles.

Je n'ai point connu les sœurs de M. de Lamartine, mais je me suis toujours souvenu d'un mot échappé à M. Royer-Collard[12] qui les avait connues, et qui parlait d'elles dans leur première jeunesse comme de quelque chose de charmant et de mélodieux, comme d'un nid de rossignols. La sœur de Bal-
25 zac, Mme Surville, dont la ressemblance physique avec son frère saute aux yeux, est faite en même temps pour donner à ceux qui, comme moi, ont le tort peut-être de n'admirer qu'incomplètement le célèbre romancier, une idée plus avantageuse qui les éclaire, les rassure et les ramène. La sœur de Beaumarchais,[13] Julie, que M. de Loménie[14] nous a fait connaître, représente bien
30 son frère par son tour de gaieté et de raillerie, son humeur libre et piquante, son irrésistible esprit de saillie; elle le poussait jusqu'à l'extrême limite de la décence, quand elle n'allait pas au delà; cette aimable et gaillarde fille mourut presque la chanson à la bouche: c'était bien la sœur de Figaro, le même jet et la même sève.[15]

35 De même pour les frères. Despréaux[16] le satirique avait un frère aîné, satirique également mais un peu plat, un peu vulgaire; un autre frère chanoine, très gai, plein de riposte; riche en belle humeur, mais un peu grotesque, un peu trop chargé et trop enluminé; la nature avait combiné en

[12] Royer-Collard (1763–1845), French philosopher and political orator, leader of the *Doctrinaires,* moderate constitutional royalists.
[13] Beaumarchais (1732–1799), French dramatist, author of the *Barbier de Séville,* the *Mariage de Figaro,* etc.
[14] French man of letters (1815–1878), author of an excellent study of Beaumarchais.
[15] *Beaumarchais et son Temps, par M. de Loménie.* (Voir au tome Ier, pp. 36–52.) [Author's note.]
[16] Despréaux (1636–1711), Boileau-Despréaux, usually called Boileau. See page 85, note 31.

Despréaux les traits de l'un et de l'autre, mais avec finesse, avec distinction, et avait aspergé le tout d'un sel digne d'Horace.[17] A ceux pourtant qui voudraient douter de la fertilité et du naturel du fonds chez Despréaux, qui voudraient nier sa verve de source et ne voir en lui que la culture, il n'est pas inutile d'avoir à montrer les alentours évidents et le voisinage de la race. 5

Mme de Sévigné,[18] je l'ai dit plus d'une fois, semble s'être dédoublée dans ses deux enfants; le chevalier léger, étourdi, ayant la grâce, et Mme de Grignan, intelligente, mais un peu froide, ayant pris pour elle la raison. Leur mère avait tout; on ne lui conteste pas la grâce, mais à ceux qui voudraient lui refuser le sérieux et la raison, il n'est pas mal d'avoir à montrer 10 Mme de Grignan, c'est-à-dire la raison toute seule sur le grand pied et dans toute sa pompe. Avec ce qu'on trouve dans les écrits, cela aide et cela guide.

Et n'est-ce pas ainsi, de nos jours, que certaines filles de poètes, morts il y a des années déjà, m'ont aidé à mieux comprendre et à mieux me représenter le poète leur père? Par moments je croyais revoir en elles l'enthousiasme, la 15 chaleur d'âme, quelques-unes des qualités paternelles premières à l'état pur et intègre, et, pour ainsi dire, conservées dans de la vertu.[19]

C'est assez indiquer ma pensée, et je n'abuserai pas. Quand on s'est bien édifié autant qu'on le peut sur les origines, sur la parenté immédiate et prochaine d'un écrivain éminent, un point essentiel est à déterminer, après 20 le chapitre de ses études et de son éducation; c'est le premier milieu, le premier groupe d'amis et de contemporains dans lequel il s'est trouvé au moment où son talent a éclaté, a pris corps et est devenu adulte. Le talent, en effet, en demeure marqué, et quoi qu'il fasse ensuite, il s'en ressent toujours.

Etendons-nous bien sur ce mot de *groupe* qu'il m'arrive d'employer vo- 25 lontiers. Je définis le groupe, non pas l'assemblage fortuit et artificiel de gens d'esprit qui se concertent dans un but, mais l'association naturelle et comme spontanée de jeunes esprits et de jeunes talents, non pas précisément semblables et de la même famille, mais de la même *volée* et du même printemps, éclos sous le même astre, et qui se sentent nés, avec des variétés de goût et de 30 vocation, pour une œuvre commune. Ainsi la petite société de Boileau, Racine, La Fontaine et Molière vers 1664, à l'ouverture du grand siècle: voilà le groupe par excellence,—tous génies! Ainsi en 1802, à l'ouverture du XIXe siècle, la réunion de Chateaubriand, Fontanes,[20] Joubert[21] . . . Ce groupe-là, à s'en tenir[22] à la qualité des esprits, n'était pas trop chétif non 35 plus ni à mépriser. Ainsi encore, pour ne pas nous borner à nos seuls exemples domestiques, ainsi à Gœttingue,[23] en 1770, le groupe de jeunes étudiants et

---

[17] Horace (64–8 B. c.), celebrated Latin poet, author of *Odes, Satires, Poetics,* etc.

[18] Mme de Sévigné (1626–1696), one of the most distinguished women of the 17th century, remembered for her admirable letters, many of them written to her daughter Mme (comtesse) de Grignan.

[19] Par exemple la comtesse de Fontanes, chanoinesse, fille du poète. [Author's note.]

[20] Fontanes (1757–1821), author, *grand maître de l'Université* under the First Empire, dispenser of literary patronage under Napoleon.

[21] Joubert (1754–1824), French moralist, author of *Pensées* which show penetrating observation. Sainte-Beuve discussed this group in his *Chateaubriand et son groupe littéraire* (1860).

[22] "to confine oneself."   [23] Göttingen, Germany.

de jeunes poètes qui publient l'*Almanach des Muses,*[24] Bürger, Voss, Hœlty, Stolberg, etc.; ainsi, en 1800, à Édimbourg, le cercle critique dont Jeffrey[25] est le chef, et d'où sort la célèbre Revue à laquelle il préside. A propos d'une de ces associations dont faisait partie Thomas Moore[26] dans sa jeunesse, à
5 l'université de Dublin, un critique judicieux a dit: «Toutes les fois qu'une association de jeunes gens est animée d'un généreux souffle et se sent appelée aux grandes vocations, c'est par des associations particulières qu'elle s'excite et se féconde. Le professeur, dans sa chaire, ne distribue guère que la science morte; l'esprit vivant, celui qui va constituer la vie intellectuelle d'un peuple
10 et d'une époque, il est plutôt dans ces jeunes enthousiastes qui se réunissent pour échanger leurs découvertes, leurs pressentiments, leurs espérances.»[27]

Je laisse les applications à faire en ce qui est de notre temps. On connaît de reste le cercle critique du *Globe*[28] vers 1827, le groupe tout poétique de la *Muse française*[29] en 1824, le *Cénacle*[30] en 1828. Aucun des talents, jeunes
15 alors, qui ont séjourné et vécu dans l'un de ces groupes n'y a passé impunément. Je dis donc que, pour bien connaître un talent, il convient de déterminer le premier centre poétique ou critique au sein duquel il s'est formé, le groupe naturel littéraire auquel il appartient, et de l'y rapporter exactement. C'est sa vraie date originelle.

20 Les très grands individus se passent de groupe: ils font centre eux-mêmes, et l'on se rassemble autour d'eux. Mais c'est le groupe, l'association, l'alliance et l'échange actif des idées, une émulation perpétuelle en vue de ses égaux et de ses pairs, qui donne à l'homme de talent toute sa *mise en dehors,* tout son développement et toute sa valeur. Il y a des talents qui participent de
25 plusieurs groupes à la fois et qui ne cessent de voyager à travers des milieux successifs, en se perfectionnant, en se transformant ou en se déformant. Il importe alors de noter, jusque dans ces variations et ces conversions lentes ou brusques, le ressort caché et toujours le même, le mobile[31] persistant.

Chaque ouvrage d'un auteur vu, examiné de la sorte, à son point, après
30 qu'on l'a replacé dans son cadre et entouré de toutes les circonstances qui l'ont vu naître, acquiert tout son sens,—son sens historique, son sens littéraire,—reprend son degré juste d'originalité, de nouveauté ou d'imitation, et l'on ne court pas risque, en le jugeant, d'inventer des beautés à faux et d'admirer à côté, comme cela est inévitable quand on s'en tient à la pure
35 rhétorique.

Sous ce nom de rhétorique, qui n'implique pas dans ma pensée une défaveur absolue, je suis bien loin de blâmer d'ailleurs et d'exclure les jugements

---

[24] *Musen-almanach,* first published in 1770, by the German poets mentioned, all admirers of Klopstock (1724–1803), author of the *Messias.*
[25] Jeffrey (1773–1850), Scotch critic and essayist, editor of the *Edinburgh Review.*
[26] Thomas Moore (1779–1852), Irish poet, friend of Byron. Some of his songs are still popular, but he is no longer regarded so highly by critics as he was in his lifetime.
[27] M. Forcade, *Revue des Deux Mondes,* du 15 février 1853. [Author's note.]
[28] A paper founded in 1824, which defended the Romantic movement in literature, and radical political ideas.
[29] An annual defending the interests of Romanticism in the earlier stages of the movement.
[30] The Romantic literary group or club of which Hugo was the leader.
[31] "motive."

du goût, les impressions immédiates et vives; je ne renonce pas à Quintilien,[82] je le circonscris. Être en histoire littéraire et en critique un disciple de Bacon,[33] me paraît le besoin du temps et une excellente condition première pour juger et goûter ensuite avec plus de sûreté.

Une très large part appartiendra toujours à la critique de première lecture   5 et de première vue, à la critique mondaine, aux formes démonstratives, académiques. Qu'on ne s'alarme pas trop de cette ardeur de connaître à fond et de pénétrer; il y a lieu et moment pour l'employer, et aussi pour la suspendre. On n'ira pas appliquer les procédés du laboratoire dans les solennités et devant tous les publics. Les académies, les chaires oratoires sont plutôt des-   10 tinées à montrer la société et la littérature par les côtés spécieux [34] et par l'*endroit;* [35] il n'est pas indispensable ni peut-être même très utile que ceux qui ont pour fonction de déployer et de faire valoir éloquemment les belles tentures et les tapisseries, les regardent et les connaissent trop par le dessous et par l'*envers:* [36] cela les gênerait.   15

L'analyse pourtant a son genre d'émotion aussi et pourrait revendiquer sa poésie, sinon son éloquence. Qui n'a connu un talent que tard et ne l'a apprécié que dans son plein ou dans ses œuvres dernières; qui ne l'a vu jeune, à son premier moment d'éclat et d'essor, ne s'en fera jamais une parfaite et naturelle idée, la seule vivante. Vauvenargues,[37] voulant exprimer le charme qu'a pour   20 le talent un premier succès et un début heureux dans la jeunesse, a dit avec bien de la grâce: «Les feux de l'aurore ne sont pas si doux que les premiers regards de la gloire.» De même pour le critique qui étudie un talent, il n'est rien de tel que de le surprendre dans son premier feu, dans son premier jet, de le respirer à son heure matinale, dans sa fleur d'âme et de jeunesse. Le portrait   25 vu dans sa première épreuve a pour l'amateur et pour l'homme de goût un prix que rien dans la suite ne peut rendre. Je ne sais pas de jouissance plus douce pour le critique que de comprendre et de décrire un talent jeune, dans sa fraîcheur, dans ce qu'il a de franc et de primitif, avant tout ce qui pourra s'y mêler d'acquis et peut-être de fabriqué.   30

Heure première et féconde de laquelle tout date! moment ineffable! C'est entre les hommes du même âge et de la même heure, ou à peu près, que le talent volontiers se choisit pour le reste de sa carrière ou pour la plus longue moitié, ses compagnons, ses témoins, ses émules, ses rivaux aussi et ses adversaires. On se fait chacun son vis-à-vis et son point de mire. Il y a de ces   35 rivalités, de ces défis et de ces *piques,* entre égaux ou presque égaux, qui durent toute la vie. Mais fussions-nous un peu primés,[38] nous ne désirons jamais qu'un homme de notre génération tombe et disparaisse, même quand ce serait un rival et quand il passerait pour un ennemi: car si nous avons une vraie valeur, c'est encore lui qui, au besoin et à l'occasion, avertira les nouvelles   40

[82] Quintilian: see page 132, note 11.
[83] Bacon, Sir Francis (1561–1626), one of the creators of the experimental method, author of *Novum Organum* (1620) and *Essays* (1597).
[34] "showy."   [35] "the right side" (of cloth).   [36] "the wrong side."
[37] Vauvenargues (1715–1747), French moralist, author of *Maximes;* less pessimistic than La Rochefoucauld.
[38] "surpassed."

générations ignorantes et les jeunes insolents, qu'ils ont affaire en nous à un vieil athlète qu'on ne saurait mépriser et qu'il ne faut point traiter à la légère; son amour-propre à lui-même y est intéressé: il s'est mesuré avec nous dans le bon temps, il nous a connus dans nos meilleurs jours. Je revêtirai ma pensée
5 de noms illustres. C'est encore Cicéron qui rend le plus noble hommage à Hortensius.[39] Un mot d'Eschine [40] est resté le plus bel éloge de Démosthène. Et le héros grec Diomède,[41] parlant d'Énée [42] dans Virgile, et voulant donner de lui une haute idée: «Croyez-en, dit-il, celui qui s'est mesuré avec lui!»

Rien ne juge un esprit pour la portée et le degré d'élévation, comme de voir
10 quel antagoniste et quel rival il s'est choisi de bonne heure. L'un est la mesure de l'autre. Calpé [43] est égal à Abyla.

Il n'importe pas seulement de bien saisir un talent au moment du coup d'essai et du premier éclat, quand il apparaît tout formé et plus qu'adolescent, quand il se fait adulte; il est un second temps non moins décisif à noter, si l'on
15 veut l'embrasser dans son ensemble: c'est le moment où il se gâte, où il se corrompt, où il déchoit, où il dévie. Prenez les mots les moins choquants, les plus doux que vous voudrez, la chose arrive à presque tous. Je supprime les exemples; mais il est, dans la plupart des vies littéraires qui nous sont soumises, un tel moment où la maturité qu'on espérait est manquée, ou bien, si elle est at-
20 teinte, est dépassée, et où l'excès même de la qualité devient le défaut; où les uns se roidissent et se dessèchent, les autres se lâchent et s'abandonnent, les autres s'endurcissent, s'alourdissent, quelques-uns s'aigrissent; où le sourire devient une ride. Après le premier moment où le talent dans sa floraison brillante s'est fait homme et jeune homme éclatant et superbe, il faut bien mar-
25 quer ce second et triste moment où il se déforme et se fait autre en vieillissant.

Une des façons laudatives très ordinaires à notre temps est de dire à quelqu'un qui vieillit: «Jamais votre talent n'a été plus jeune.» Ne les écoutez pas trop, ces flatteurs; il vient toujours un moment où l'âge qu'on a au dedans se trahit au dehors. Cependant il est, à cet égard, il faut le reconnaître, de
30 grandes diversités entre les talents et selon les genres. En poésie, au théâtre, en tout comme à la guerre, les uns n'ont qu'un jour, une heure brillante, une victoire qui reste attachée à leur nom et à quoi le reste ne répond pas: c'est comme Augereau,[44] qui aurait mieux fait de mourir le soir de Castiglione. D'autres ont bien des succès qui se varient et se renouvellent avec les saisons.
35 Quinze ans d'ordinaire font une carrière; il est donné à quelques-uns de la doubler, d'en recommencer ou même d'en remplir une seconde. Il est des genres modérés auxquels la vieillesse est surtout propre, les mémoires, les souvenirs, la critique, une poésie qui côtoie la prose; si la vieillesse est sage, elle s'y tiendra. Sans prendre trop à la lettre le précepte, *Solve senescen-*

---

[39] Hortensius (114–50 B. C.), Roman orator, rival of Cicero.
[40] Æschines (389–314 B. C.), celebrated Greek orator, rival of Demosthenes.
[41] Diomedes, King of Argos, one of the heroes of the siege of Troy.
[42] Æneas, Trojan prince, hero of Virgil's *Æneid*.
[43] Calpe and Abyla, the pillars of Hercules, on either side of the strait of Gibraltar.
[44] Augereau (1757–1816), marshal and peer of France, made Duke of Castiglione after the battle of Castiglione (1796), executed the *coup d'état* of *18 Fructidor* (September 4, 1797), by which the *Directoire* overthrew the Revolutionary Convention.

tem [45] . . . , sans mettre précisément son cheval à l'écurie, ce qu'elle ne doit faire que le plus tard possible, elle le mènera doucement par la bride à la descente: cela ne laisse pas d'avoir très bon air encore. On a vu par exception des esprits, des talents, longtemps incomplets ou épars, paraître, valoir mieux dans leur vieillesse et n'avoir jamais été plus à leur avantage: ainsi cet aimable Voltaire suisse, Bonstetten,[46] ainsi ce quart d'homme de génie Ducis.[47] Ces exemples ne font pas loi.

On ne saurait s'y prendre de trop de façons et par trop de bouts pour connaître un homme, c'est-à-dire autre chose qu'un pur esprit. Tant qu'on ne s'est pas adressé sur un auteur un certain nombre de questions et qu'on n'y a pas répondu, ne fût-ce que pour soi seul et tout bas, on n'est pas sûr de le tenir tout entier, quand même ces questions sembleraient le plus étrangères à la nature de ses écrits:—Que pensait-il en religion?—Comment était-il affecté du spectacle de la nature?—Comment se comportait-il sur l'article des[48] femmes? sur l'article de l'argent?—Était-il riche, était-il pauvre?—Quel était son régime, quelle était sa manière journalière de vivre? etc.—Enfin, quel était son vice ou son faible? Tout homme en a un. Aucune des réponses à ces questions n'est indifférente pour juger l'auteur d'un livre et le livre lui-même, si ce livre n'est pas un traité de géométrie pure, si c'est surtout un ouvrage littéraire, c'est-à-dire où il entre de tout.

Très souvent un auteur, en écrivant, se jette dans l'excès ou dans l'affectation opposée à son vice, à son penchant secret, pour le dissimuler et le couvrir; mais c'en est encore là un effet sensible et reconnaissable, quoique indirect et masqué. Il est trop aisé de prendre le contre-pied en toute chose; on ne fait que retourner son défaut. Rien ne ressemble à un creux comme une bouffissure.

Quoi de plus ordinaire en public que la profession et l'affiche de tous les sentiments nobles, généreux, élevés, désintéressés, chrétiens, philanthropiques? Est-ce à dire que je vais prendre au pied de la lettre et louer pour leur générosité, comme je vois qu'on le fait tous les jours, les plumes de cygne ou les langues dorées qui me prodiguent et me versent ces merveilles morales et sonores? J'écoute, et je ne suis pas ému. Je ne sais quel faste ou quelle froideur m'avertit; la sincérité ne se fait pas sentir. Ils ont des talents royaux, j'en conviens; mais là-dessous, au lieu de ces âmes pleines et entières comme les voudrait Montaigne,[49] est-ce ma faute si j'entends raisonner des âmes vaines?—Vous le savez bien, vous qui, en écrivant, dites poliment le contraire; et quand nous causons d'eux entre nous, vous en pensez tout comme moi.

On n'évite pas certains mots dans une définition exacte des esprits et des

---

[45] «*Solve senescentem mature sanus equum' ne
    Peccet ad extremum ridendus et ilia ducat.*»
From Horace's *Epistles:* "Be wise and release thy aged steed from the chariot in time, lest he become an object of laughter, dragging behind, and show his broken wind."
[46] Bonstetten (1745–1832), Swiss philosophical writer.
[47] Ducis (1733–1816), French tragic poet, translator of Shakespeare.
[48] "with respect to."
[49] Montaigne (1533–1592), philosopher and moralist, immortalized by his *Essais.*

talents; on peut tourner autour, vouloir éluder, périphraser, les mots qu'on chassait et qui nomment reviennent toujours. Tel, quoi qu'il fasse d'excellent ou de spécieux en divers genres, est et restera toujours un rhéteur.[50] Tel, quoiqu'il veuille conquérir ou peindre, gardera toujours de la chaire, de l'école et du professeur. Tel autre, poète, historien, orateur, quelque forme brillante ou enchantée qu'il revête, ne sera jamais que ce que la nature l'a fait en le créant, un improvisateur de génie. Ces appellations vraies et nécessaires, ces qualifications décisives ne sont cependant pas toujours si aisées à trouver, et bien souvent elles ne se présentent d'elles-mêmes qu'à un moment plus ou moins avancé de l'étude. Chateaubriand s'est défini un jour à mes yeux «un épicurien qui avait l'imagination catholique,» et je ne crois pas m'être trompé. Tâchons de trouver ce nom caractéristique d'un chacun et qu'il porte gravé moitié au front, moitié au dedans du cœur, mais ne nous hâtons pas de le lui donner.

De même qu'on peut changer d'opinion bien des fois dans sa vie, mais qu'on garde son caractère, de même on peut changer de genre sans modifier essentiellement sa manière. La plupart des talents n'ont qu'un seul et même procédé qu'ils ne font que transposer, en changeant de sujet et même de genre. Les esprits supérieurs ont plutôt un cachet qui se marque à un coin; chez les autres, c'est tout un moule qui s'applique indifféremment et se répète.

On peut jusqu'à un certain point étudier les talents dans leur postérité morale, dans leurs disciples et leurs admirateurs naturels. C'est un dernier moyen d'observation facile et commode. Les affinités se déclarent librement ou se trahissent. Le génie est un roi qui crée son peuple. Appliquez cela à Lamartine, à Hugo, à Michelet, à Balzac, à Musset. Les admirateurs enthousiastes sont un peu des complices: ils s'adorent eux-mêmes, qualités et défauts, dans leur grand représentant. Dis-moi qui t'admire et qui t'aime, et je te dirai qui tu es. Mais il importe de discerner pour chaque auteur célèbre son vrai public naturel, et de séparer ce noyau original qui porte la marque du maître, d'avec le public banal et la foule des admirateurs vulgaires qui vont répétant ce que dit le voisin.

Les disciples qui imitent le genre et le goût de leur modèle en écrivant sont très curieux à suivre et des plus propres, à leur tour, à jeter sur lui de la lumière. Le disciple, d'ordinaire, charge[51] ou parodie le maître sans s'en douter: dans les écoles élégantes, il l'affaiblit; dans les écoles pittoresques et crues, il le force, il l'accuse à l'excès et l'exagère: c'est un miroir grossissant. Il y a des jours, quand le disciple est chaud et sincère, où l'on s'y tromperait vraiment, et l'on serait tenté de s'écrier, en parodiant l'épigramme antique:[52] «O Chateaubriand! O Salvandy![53] lequel des deux a imité l'autre?» Changez les noms, et mettez-en de plus modernes, si vous le voulez: l'épigramme est éternelle.

[50] "rhetorician" (bombastic writer).   [51] "exaggerates."
[52] Reference to the words of the grammarian Aristophanes: "Oh Menander, oh life, which of you has imitated the other?"
[53] Salvandy (1795–1856), French statesman, author, minister of public instruction, wrote in a bombastic style which *he* compared to that of Chateaubriand.

Quand le maître se néglige et quand le disciple se soigne et s'endimanche, ils se ressemblent; les jours où Chateaubriand fait mal, et où Marchangy [54] fait de son mieux, ils ont un faux air l'un de l'autre; d'un peu loin, par derrière, et au clair de lune, c'est à s'y méprendre.

Tous les disciples ne sont pas nécessairement des copies et des contre- 5 façons; tous ne sont pas compromettants; il y en a, au contraire, qui rassurent et qui semblent faits tout exprès pour cautionner le maître. N'est-ce pas ainsi que M. Littré [55] a élucidé et perfectionné Auguste Comte? [56] Je connais, même dans la pure littérature, des admirateurs et des disciples de tel ou tel talent hasardeux qui m'avertissent à son sujet, et qui m'apprennent 10 à respecter celui que, sans eux, j'aurais peut-être traité plus à la légère.

S'il est juste de juger un talent par ses amis et ses clients naturels, il n'est pas moins légitime de le juger et contre-juger (car c'est bien une contre-épreuve en effet) par les ennemis qu'il soulève et qu'il s'attire sans le vouloir, par ses contraires et ses antipathiques, par ceux qui ne le peuvent instinctive- 15 ment souffrir. Rien ne sert mieux à marquer les limites d'un talent, à circonscrire sa sphère et son domaine, que de savoir les points justes où la révolte contre lui commence. Cela même, dans le détail, devient piquant à observer; on se déteste quelquefois toute sa vie dans les lettres sans s'être jamais vus. L'antagonisme des familles d'esprits achève ainsi de se dessiner. 20 Que voulez-vous? c'est dans le sang, dans le tempérament, dans les premiers partis pris qui souvent ne dépendaient pas de vous. Quand ce n'est pas de la basse envie, ce sont des haines de race. Comment voulez-vous obliger Boileau à goûter Quinault; [57] et Fontenelle [58] à estimer grandement Boileau? et Joseph de Maistre [59] ou Montalembert [60] à aimer Voltaire? 25

C'est assez longuement parler pour aujourd'hui de la méthode naturelle en littérature. Elle trouve son application à peu près complète dans l'étude de Chateaubriand. On peut, en effet, répondre avec certitude à presque toutes les questions qu'on se pose sur son compte. On connaît ses origines bretonnes, sa famille, sa race; on le suit dans les divers groupes littéraires 30 qu'il a traversés dès sa jeunesse, dans ce monde du XVIIIᵉ siècle qu'il n'a fait que côtoyer et reconnaître en 89, et plus tard dans son cercle intime de 1802, où il s'est épanoui avec toute sa fleur. Les sympathies et les antipathies, de tout temps si vives, qu'il devait susciter, se prononcent et font cercle dès ce

[54] Marchangy (1782–1826), popularizer of the Middle Ages in his *Gaule poétique* (1813).
[55] Littré (1801–1881), scholar, philologist, philosopher of the positivist school, author of *Dictionnaire de la langue française.*
[56] Auguste Comte (1798–1857), French mathematician and philosopher, founder of *positivism,* author of *Cours de philosophie positive,* one of the most important works on philosophy of the 19th century.
[57] Quinault (1635–1688), remembered for his opera libretti written for Lulli's music. Boileau attacked him because of early *précieux* verse.
[58] Fontenelle (1657–1757), nephew of Corneille, *secrétaire perpétuel* of the Academy of Sciences, author of *Entretiens sur la pluralité des mondes.* Fontenelle was a *Moderne,* hence his antipathy for Boileau, an *Ancien.*
[59] Joseph de Maistre (1754–1821), religious philosopher, defender of principles of authority in politics and religion.
[60] Montalembert (1810–1870), French publicist and politician, defender of liberal Catholic ideas.

moment autour de lui. On le retrouve, ardent écrivain de guerre, dans les factions politiques en 1815 et au delà, puis au premier rang du parti libéral quand il y eut porté sa tente, sa vengeance et ses pavillons. Il est de ceux qui ont eu non pas une, mais au moins deux carrières. Jeune ou vieux, il n'a
5 cessé de se peindre, et, ce qui vaut mieux, de se montrer, de se laisser voir, et, en posant solennellement d'un côté, de se livrer nonchalamment de l'autre, à son insu et avec une sorte de distraction. Si, après toutes ces facilités d'observation auxquelles il prête plus que personne, on pouvait craindre de s'être formé de lui comme homme et comme caractère une idée trop mêlée
10 de restrictions et trop sévère, on devrait être rassuré aujourd'hui qu'il nous est bien prouvé que ses amis les plus intimes et les plus indulgents n'ont pas pensé de lui dans l'intimité autrement que nous, dans notre coin, nous n'étions arrivé à le concevoir, d'après nos observations ou nos conjectures.

Son *Éloge* reste à faire, un Éloge littéraire, éloquent, élevé, brillant comme
15 lui-même, animé d'un rayon qui lui a manqué depuis sa tombe,[61] mais un Éloge qui, pour être juste et solide, devra pourtant supposer *en dessous* ce qui est dorénavant acquis et démontré.

Nouveaux Lundis, vol. III.

QU'EST-CE QU'UN CLASSIQUE?

Lundi 21 octobre 1850.

Question délicate et dont, selon les âges et les saisons, on aurait pu donner des solutions assez diverses. Un homme d'esprit me la propose aujourd'hui,
20 et je veux essayer sinon de la résoudre, du moins de l'examiner et de l'agiter devant nos lecteurs, ne fût-ce que pour les engager eux-mêmes à y répondre et pour éclaircir là-dessus, si je puis, leur idée et la mienne. Et pourquoi ne se hasarderait-on pas de temps en temps dans la critique à traiter quelques-uns de ces sujets qui ne sont pas personnels, où l'on parle non plus de
25 quelqu'un, mais de quelque chose, et dont nos voisins, les Anglais, ont si bien réussi à faire tout un genre sous le titre modeste d'*Essais?* Il est vrai que, pour traiter de tels sujets qui sont toujours un peu abstraits et moraux, il convient de parler dans le calme, d'être sûr de son attention et de celle des autres, et de saisir un de ces quarts d'heure de silence, de modération
30 et de loisir, qui sont rarement accordés à notre aimable France, et que son brillant génie est impatient à supporter, même quand elle veut être sage et qu'elle ne fait plus de révolutions.[62]

Un classique, d'après la définition ordinaire, c'est un auteur ancien, déjà consacré dans l'admiration, et qui fait autorité en son genre. Le mot
35 *classique,* pris en ce sens, commence à paraître chez les Romains. Chez eux on appelait proprement *classici,* non tous les citoyens des diverses classes, mais ceux de la première seulement, et qui possédaient au moins un revenu

---

[61] Chateaubriand, as a Romantic writer, fell rapidly into disfavor after his death in 1848, when the literary current was moving strongly toward Realism. More recently he has regained some of the ground lost.
[62] France has had four revolutions in modern times: in 1789, 1830, 1848, and 1870.

d'un certain chiffre déterminé. Tous ceux qui possédaient un revenu
inférieur étaient désignés par la dénomination *infra classem,* au-dessous de
la classe par excellence. Au figuré, le mot *classicus* se trouve employé dans
Aulu-Gelle,[63] et appliqué aux écrivains: un écrivain de valeur et de marque,
classicus assiduusque scriptor, un écrivain qui compte, qui a du bien au   5
soleil, et qui n'est pas confondu dans la foule des prolétaires. Une telle
expression suppose un âge assez avancé pour qu'il y ait eu déjà comme un
recensement [64] et un classement dans la littérature.

Pour les modernes, à l'origine, les vrais, les seuls classiques furent
naturellement les anciens. Les Grecs qui, par un singulier bonheur et un   10
allégement facile de l'esprit, n'eurent d'autres classiques qu'eux-mêmes,
étaient d'abord les seuls classiques des Romains qui prirent peine et
s'ingénièrent à les imiter. Ceux-ci, après les beaux âges de leur littérature,
après Cicéron et Virgile, eurent leurs classiques à leur tour, et ils devinrent
presque exclusivement ceux des siècles qui succédèrent. Le moyen âge,   15
qui n'était pas aussi ignorant de l'antiquité latine qu'on le croirait, mais qui
manquait de mesure et de goût,[65] confondit les rangs et les ordres: Ovide
y fut traité sur un meilleur pied qu'Homère, et Boëce [66] parut un classique
pour le moins égal à Platon. La renaissance des Lettres, au XVe et au XVIe
siècle, vint éclaircir cette longue confusion, et alors seulement les admirations   20
se graduèrent. Les vrais et classiques auteurs de la double antiquité [67] se
détachèrent désormais dans un fond lumineux, et se groupèrent harmonieuse-
ment sur leurs deux collines.

Cependant les littératures modernes étaient nées, et quelques-unes des
plus précoces, comme l'italienne, avaient leur manière d'antiquité déjà.   25
Dante avait paru, et de bonne heure sa postérité l'avait salué classique. La
poésie italienne a pu se bien rétrécir depuis, mais, quand elle l'a voulu,
elle a retrouvé toujours, elle a conservé de l'impulsion et du retentissement
de cette haute origine. Il n'est pas indifférent pour une poésie de prendre
ainsi son point de départ, sa source classique en haut lieu, et, par exemple,   30
de descendre de Dante [68] plutôt que de sortir péniblement d'un Malherbe.

L'Italie moderne avait ses classiques, et l'Espagne avait tout droit de
croire qu'elle aussi possédait les siens, quand la France se cherchait encore.
Quelques écrivains de talent, en effet, doués d'originalité et d'une verve
d'exception, quelques efforts brillants, isolés, mais sans suite aussitôt brisés   35
et qu'il faut recommencer toujours, ne suffisent pas pour doter une nation
de ce fonds solide et imposant de richesse littéraire. L'idée de *classique*
implique en soi quelque chose qui a suite et consistance, qui fait ensemble
et tradition, qui se compose, se transmet et qui dure. Ce ne fut qu'après
les belles années de Louis XIV que la nation sentit avec tressaillement et   40
orgueil qu'un tel bonheur venait de lui arriver. Toutes les voix alors le

[63] Aulus Gellius (2d century A. D.), Latin grammarian and critic.   [64] "revaluation."
[65] A rather good estimate of classical knowledge in the Middle Ages.
[66] Boethius (470?–525?), Roman philosopher, statesman, poet; knew Greek philosophy well.
[67] Greece and Rome.
[68] Dante (1265–1321), the father of Italian poetry and one of the world's greatest poets,
whereas Malherbe (1555?–1628) was more a literary reformer than a true poet.

dirent à Louis XIV avec flatterie, avec exagération et emphase,[69] et cependant
avec un certain sentiment de vérité. Il se vit alors une contradiction singulière
et piquante: les hommes les plus épris des merveilles de ce siècle de *Louis
le Grand* et qui allaient jusqu'à sacrifier tous les anciens aux modernes, ces
5 hommes dont Perrault [70] était le chef, tendaient à exalter et à consacrer
ceux-là mêmes qu'ils rencontraient pour contradicteurs les plus ardents et
pour adversaires. Boileau vengeait et soutenait avec colère les anciens contre
Perrault qui préconisait [71] les modernes, c'est-à-dire Corneille, Molière,
Pascal, et les hommes éminents de son siècle, y compris Boileau l'un des
10 premiers. Le bon La Fontaine, en prenant parti dans la querelle pour le
docte Huet,[72] ne s'apercevait pas que lui-même, malgré ses oublis, était à
la veille de se réveiller classique à son tour.

La meilleure définition est l'exemple: depuis que la France posséda son
siècle de Louis XIV et qu'elle put le considérer un peu à distance, elle sut
15 ce que c'était qu'être classique, mieux que par tous les raisonnements. Le
XVIIIᵉ siècle jusque dans son mélange, par quelques beaux ouvrages dus à
ses quatre grands hommes,[73] ajouta à cette idée. Lisez le *Siècle de Louis XIV*
par Voltaire, *la Grandeur et la Décadence des Romains* de Montesquieu,[74]
les *Époques de la Nature* de Buffon,[75] le *Vicaire savoyard* et les belles pages
20 de rêverie et de description de nature par Jean-Jacques,[76] et dites si le XVIIIᵉ
siècle n'a pas su, dans ces parties mémorables, concilier la tradition avec la
liberté du développement et l'indépendance. Mais au commencement de ce
siècle-ci et sous l'Empire,[77] en présence des premiers essais d'une littérature
décidément nouvelle et quelque peu aventureuse, l'idée de classique, chez
25 quelques esprits résistants et encore plus chagrins que sévères, se resserra
et se rétrécit étrangement. Le premier Dictionnaire de l'Académie [78] (1694)
définissait simplement un auteur classique, «un auteur ancien fort approuvé,
et qui fait autorité dans la matière qu'il traite.» Le Dictionnaire de
l'Académie de 1835 presse beaucoup plus cette définition, et d'un peu vague
30 qu'elle était, il la fait précise et même étroite. Il définit auteurs classiques
ceux «qui sont devenus *modèles* dans une langue quelconque;» et, dans tous
les articles qui suivent, ces expressions de *modèles,* de *règles* établies pour
la composition et le style, de *règles strictes* de l'art auxquelles on doit *se
conformer,* reviennent continuellement. Cette définition du *classique* a été
35 faite évidemment par les respectables académiciens nos devanciers en

---

[69] "bombast."
[70] Perrault (1628–1703), able, ingenious writer, author of *Contes de fées* which are still
popular. His poem, *Le Siècle de Louis le Grand* (1687) inaugurated the famous "Quarrel of the
Ancients and Moderns." The following year he elaborated his ideas in *Parallèle des anciens et des
modernes.*
[71] "extolled."
[72] Huet (1638?–1721), a learned French prelate to whom LaFontaine addressed an epistle
setting forth his preference for the ancients over the moderns.
[73] The "great men" Sainte-Beuve has in mind are mentioned in the following sentence. It
will be noted that Diderot is omitted; probably because he produced no real masterpiece.
[74] See page 48, note 1.   [75] See page 171, note 5.
[76] Jean-Jacques Rousseau (1712–1778), great exponent of the "Back to nature" philosophy.
[77] The first Empire of Napoleon I (1804–1814).
[78] The French Academy, founded by Richelieu in 1635.

présence et en vue de ce qu'on appelait alors le *romantique,* c'est-à-dire en vue de l'ennemi. Il serait temps, ce me semble, de renoncer à ces définitions restrictives et craintives, et d'en élargir l'esprit.

Un vrai classique, comme j'aimerais à l'entendre définir, c'est un auteur qui a enrichi l'esprit humain, qui en a réellement augmenté le trésor, qui lui a fait faire un pas de plus, qui a découvert quelque vérité morale non équivoque, ou ressaisi quelque passion éternelle dans ce cœur où tout semblait connu et exploré; qui a rendu sa pensée, son observation ou son invention, sous une forme n'importe laquelle, mais large et grande, fine et sensée, saine et belle en soi; qui a parlé à tous dans un style à lui et qui se trouve aussi celui de tout le monde, dans un style nouveau sans néologisme nouveau et antique, aisément contemporain de tous les âges.

Un tel classique a pu être un moment révolutionnaire, il a pu le paraître du moins, mais il ne l'est pas; il n'a fait main basse [79] d'abord autour de lui, il n'a renversé ce qui le gênait que pour rétablir bien vite l'équilibre au profit de l'ordre et du beau.

On peut mettre, si l'on veut, des noms sous cette définition, que je voudrais faire exprès grandiose et flottante, ou, pour tout dire, généreuse. J'y mettrais d'abord le Corneille de *Polyeucte,* de *Cinna,* et d'*Horace.* J'y mettrais Molière, le génie poétique le plus complet et le plus plein que nous ayons eu en français:

«Molière est si grand, disait Goethe (ce roi de la critique), qu'il nous étonne de nouveau chaque fois que nous le lisons. C'est un homme à part; ses pièces touchent au tragique, et personne n'a le courage de chercher à les imiter. Son *Avare,* où le vice détruit toute affection entre le père et le fils, est une œuvre des plus sublimes, et dramatique au plus haut degré. . . . Dans une pièce de théâtre, chacune des actions doit être importante en elle-même, et tendre vers une action plus grande encore. Le *Tartufe* est, sous ce rapport, un modèle. Quelle exposition que la première scène! Dès le commencement tout a une haute signification, et fait pressentir quelque chose de bien plus important. L'exposition dans telle pièce de Lessing [80] qu'on pourrait citer est fort belle: mais celle du *Tartufe* n'est qu'une fois dans le monde. C'est en ce genre ce qu'il y a de plus grand. . . . Chaque année je lis une pièce de Molière, comme de temps en temps je contemple quelque gravure d'après les grands maîtres italiens.»

Je ne me dissimule pas que cette définition que je viens de donner du classique excède un peu l'idée qu'on est accoutumé de se faire sous ce nom. On y fait entrer surtout des conditions de régularité, de sagesse, de modération et de raison, qui dominent et contiennent toutes les autres. Ayant à louer M. Royer-Collard,[81] M. de Rémusat [82] disait: «S'il tient de nos classiques la *pureté du goût,* la *propriété des termes,* la *variété des tours,* le soin attentif d'*assortir l'expression et la pensée,* il ne doit qu'à lui-même le caractère qu'il

[79] "wrought destruction."

[80] Lessing (1729–1781), German dramatist and critic, regarded as the father of modern German drama.

[81] See page 214, note 12.

[82] Rémusat, comte de (1797–1875), writer and politician, author of philosophical works.

donne à tout cela.» On voit qu'ici la part faite aux qualités classiques semble plutôt tenir à l'assortiment et à la nuance, au genre orné tempéré: c'est là aussi l'opinion la plus générale. En ce sens, les classiques par excellence, ce seraient les écrivains d'un ordre moyen, justes, sensés, élégants, toujours nets,
5 d'une passion noble encore, et d'une force légèrement voilée. Marie-Joseph Chénier [83] a tracé la poétique de ces écrivains modérés et accomplis dans ces vers où il se montre leur heureux disciple:

> C'est le bon sens, la raison qui fait tout,
> Vertu, génie, esprit, talent et goût.
10 > Qu'est-ce vertu? raison mise en pratique;
> Talent? raison produite avec éclat;
> Esprit? raison qui finement s'exprime;
> Le goût n'est rien qu'un bon sens délicat;
> Et le génie est la raison sublime.

15 En faisant ces vers, il pensait manifestement à Pope,[84] à Despréaux,[85] à Horace, leur maître à tous. Le propre de cette théorie, qui subordonne l'imagination et la sensibilité elle-même à la raison, et dont Scaliger [86] peut-être a donné le premier signal chez les modernes, est la théorie *latine* à proprement parler, et elle a été aussi de préférence pendant longtemps la
20 théorie *française*. Elle a du vrai, si l'on n'use qu'avec à-propos, si l'on n'abuse pas de ce mot *raison;* mais il est évident qu'on en abuse, et que si la raison, par exemple, peut se confondre avec le génie poétique et ne faire qu'un avec lui dans une épître morale, elle ne saurait être la même chose que ce génie si varié et si diversement créateur dans l'expression des passions du drame
25 ou de l'épopée. Où trouverez-vous la raison dans le IVᵉ livre de l'*Énéide* et dans les transports de Didon? [87] Où la trouverez-vous dans les fureurs de Phèdre? [88] Quoi qu'il en soit, l'esprit qui a dicté cette théorie conduit à mettre au premier rang des classiques les écrivains qui ont gouverné leur inspiration plutôt que ceux qui s'y sont abandonnés davantage, à y mettre
30 Virgile encore plus sûrement qu'Homère, Racine encore plus que Corneille. Le chef-d'œuvre que cette théorie aime à citer, et qui réunit en effet toutes les conditions de prudence, de force, d'audace graduelle, d'élévation morale et de grandeur, c'est *Athalie*.[89] Turenne [90] dans ses deux dernières campagnes, et Racine dans *Athalie,* voilà les grands exemples de ce que peuvent les
35 prudents et les sages quand ils prennent possession de toute la maturité de leur génie et qu'ils entrent dans leur hardiesse suprême.

---

[83] See page 57, note 10.
[84] See page 52, n. 10. He was best known for his philosophical and critical poems, the *Essay on Man* and the *Essay on Criticism.*
[85] Boileau.
[86] Scaliger (1484–1558), one of the greatest scholars of the Renaissance, author of a *Poétique* (1561) which has remained famous.
[87] *Dido,* legendary founder and queen of Carthage; fell in love with Æneas and, being deserted by him, mounted a funeral pyre and stabbed herself. (*Æneid.*)
[88] Phaedra, wife of Theseus, whose incestuous love for Theseus' son, Hippolytus, has furnished the subject for tragedies by Euripides, Seneca, and Racine.
[89] Tragedy by Racine.   [90] Turenne (1611–1675), one of France's greatest generals.

Buffon, dans son *Discours sur le style*,[91] insistant sur cette unité de dessein, d'ordonnance et d'exécution, qui est le cachet des ouvrages proprement classiques, a dit: «Tout sujet est un; et, *quelque vaste qu'il soit, il peut être renfermé dans un seul discours.* Les interruptions, les repos, les sections, ne devraient être d'usage que quand on traite des sujets différents, ou lorsque, 5 ayant à parler de choses grandes, épineuses et disparates, la marche du génie se trouve interrompue par la multiplicité des obstacles, et contrainte par la nécessité des circonstances: autrement le grand nombre de divisions, loin de rendre un ouvrage plus solide, en détruit l'assemblage; le livre paraît plus clair aux yeux, mais le dessein de l'auteur demeure obscur. . . .» Et il 10 continue sa critique, ayant en vue l'*Esprit des Lois* de Montesquieu, ce livre excellent par le fond, mais tout morcelé, où l'illustre auteur, fatigué avant le terme, ne put inspirer tout son souffle et organiser en quelque sorte toute sa matière. Pourtant, j'ai peine à croire que Buffon n'ait pas aussi songé par contraste, dans ce même endroit, au *Discours sur l'Histoire universelle* de 15 Bossuet,[92] ce sujet en effet si vaste et si *un,* et que le grand orateur a su tout entier *renfermer dans un seul discours.* Qu'on en ouvre la première édition, celle de 1681, avant la division par chapitres qui a été introduite depuis, et qui a passé de la marge dans le texte en le coupant: tout s'y déroule d'une seule suite et presque d'une haleine, et l'on dirait que l'orateur a fait ici 20 comme la nature dont parle Buffon, qu'*il a travaillé sur un plan éternel, dont il ne s'est nulle part écarté,* tant il semble être entré avant dans les familiarités et dans les conseils de la Providence.

Athalie et le *Discours sur l'Histoire universelle,* tels sont les chefs-d'œuvre les plus élevés que la théorie classique rigoureuse puisse offrir à ses amis 25 comme à ses ennemis. Et cependant, malgré ce qu'il y a d'admirablement simple et de majestueux dans l'accomplissement de telles productions uniques, nous voudrions, dans l'habitude de l'art, détendre un peu cette théorie et montrer qu'il y a lieu de l'élargir sans aller jusqu'au relâchement. Goethe, que j'aime à citer en pareille matière a dit: 30

«J'appelle le classique *le sain,* et le romantique *le malade.* Pour moi le poème des *Niebelungen*[93] est classique comme Homère; tous deux sont bien portants et vigoureux. Les ouvrages du jour ne sont pas romantiques parce qu'ils sont nouveaux, mais parce qu'ils sont faibles, maladifs ou malades. Les ouvrages anciens ne sont pas classiques parce qu'ils sont vieux, mais parce 35 qu'ils sont énergiques, frais et dispos. Si nous considérions le romantique et le classique sous ces deux points de vue, nous serions bientôt tous d'accord.»

Et en effet, avant de fixer et d'arrêter ses idées à cet égard, j'aimerais à ce que tout libre esprit fît auparavant son tour du monde, et se donnât le 40 spectacle des diverses littératures dans leur vigueur primitive et leur infinie

---

[91] Buffon wrote for his *discours de réception* to the Academy this famous discussion of the principles of literary style (1753).
[92] See page 4, note 7.
[93] *Nibelungenlied,* a great medieval German epic of unknown authorship.

variété. Qu'y verrait-il? un Homère avant tout, le père du monde classique, mais qui lui-même est encore moins certainement un individu simple et bien distinct que l'expression vaste et vivante d'une époque tout entière et d'une civilisation à demi barbare. Pour en faire un classique proprement dit,

5 il a fallu lui prêter après coup un dessein, un plan, des intentions littéraires, des qualités d'atticisme et d'urbanité, auxquelles il n'avait certes jamais songé dans le développement abondant de ses inspirations naturelles. Et à côté de lui, que voit-on? des anciens augustes, vénérables, des Eschyle,[94] des Sophocle,[95] mais tout mutilés, et qui ne sont là debout que pour nous

10 représenter un débris d'eux-mêmes, le reste de tant d'autres aussi dignes qu'eux sans doute de survivre, et qui ont succombé à jamais sous l'injure des âges. Cette seule pensée apprendrait à un esprit juste à ne pas envisager l'ensemble des littératures, même classiques, d'une vue trop simple et trop restreinte, et il saurait que cet ordre si exact et si mesuré, qui a tant prévalu

15 depuis, n'a été introduit qu'artificiellement dans nos admirations du passé.

Et en arrivant au monde moderne, que serait-ce donc? Les plus grands noms qu'on aperçoit au début des littératures sont ceux qui dérangent et choquent les plus certaines des idées restreintes qu'on a voulu donner du beau et du convenable en poésie. Shakspeare est-il un classique, par exemple?

20 Oui, il l'est aujourd'hui pour l'Angleterre et pour le monde; mais, du temps de Pope,[96] il ne l'était pas. Pope et ses amis étaient les seuls classiques par excellence; ils semblaient tels définitivement le lendemain de leur mort. Aujourd'hui ils sont classiques encore, et ils méritent de l'être, mais ils ne le sont que du second ordre, et les voilà à jamais dominés et remis à leur

25 place par celui qui a repris la sienne sur les hauteurs de l'horizon.

Ce n'est certes pas moi qui médirai de Pope ni de ses excellents disciples, surtout quand ils ont douceur et naturel comme Goldsmith;[97] après les plus grands, ce sont les plus agréables peut-être entre les écrivains et les poètes, et les plus faits pour donner du charme à la vie. Un jour que lord

30 Bolingbroke[98] écrivait au docteur Swift,[99] Pope mit à cette lettre un post-scriptum où il disait: «Je m'imagine que si nous passions tous trois seulement trois années ensemble, il pourrait en résulter quelque avantage pour notre siècle.» Non, il ne faut jamais légèrement parler de ceux qui ont eu le droit de dire de telles choses d'eux-mêmes sans jactance,[100] et il faut bien plutôt

35 envier les âges heureux et favorisés où les hommes de talent pouvaient se proposer de telles unions, qui n'étaient pas alors une chimère. Ces âges, qu'on les appelle du nom de Louis XIV ou de celui de la reine Anne,[101] sont les seuls âges véritablement classiques dans le sens modéré du mot, les seuls qui offrent au talent perfectionné le climat propice et l'abri. Nous le savons trop,

[94] *Æschylus* (525–456 B. C.), father of Greek tragedy, a great thinker as well as a great poet.
[95] *Sophocles.* See page 56, note 1.   [96] The classical age of the eighteenth century.
[97] Goldsmith (1728–1774), English author; wrote the *Vicar of Wakefield.*
[98] Bolingbroke (1678–1751), English statesman and political writer.
[99] Swift (1667–1745), author of *Gulliver's Travels, Tale of a Tub,* etc., pamphleteer; exercised considerable influence upon both politics and letters.
[100] "boasting."
[101] Anne Stuart, queen of England (1702–1714). Her reign was one of the glorious periods of English literature.

nous autres, en nos époques sans lien où des talents, égaux peut-être à ceux-là, se sont perdus et dissipés par les incertitudes et les inclémences du temps. Toutefois, réservons sa part et sa supériorité à toute grandeur. Les vrais et souverains génies triomphent de ces difficultés où d'autres échouent; Dante, Shakspeare et Milton ont su atteindre à toute leur hauteur et produire leurs œuvres impérissables, en dépit des obstacles, des oppressions et des orages. On a fort discuté au sujet des opinions de Byron [102] sur Pope, et on a cherché à expliquer cette espèce de contradiction par laquelle le chantre de *Don Juan* et de *Childe-Harold* exaltait l'école purement classique et la déclarait la seule bonne, tout en procédant lui-même si différemment. Goethe a encore dit là-dessus le vrai mot quand il a remarqué que Byron, si grand par le jet et la source de la poésie, craignait Shakspeare, plus puissant que lui dans la création et la mise en action des personnages: «Il eût bien voulu le renier; cette élévation si exempte d'égoïsme le gênait; il sentait qu'il ne pourrait se déployer à l'aise tout auprès. Il n'a jamais renié Pope, parce qu'il ne le craignait pas; il savait bien que Pope était *une muraille* à côté de lui.»

Si l'école de Pope avait conservé, comme Byron le désirait, la suprématie et une sorte d'empire honoraire dans le passé, Byron aurait été l'unique et le premier de son genre; l'élévation de la *muraille* de Pope masquait aux yeux la grande figure de Shakespeare, tandis que, Shakespeare régnant et dominant de toute sa hauteur, Byron n'est que le second.

En France, nous n'avons pas eu de grand classique antérieur au siècle de Louis XIV; les Dante et les Shakspeare, ces autorités primitives, auxquelles on revient tôt ou tard dans les jours d'émancipation, nous ont manqué. Nous n'avons eu que des ébauches de grands poètes, comme Mathurin Régnier, [103] comme Rabelais, [104] et sans idéal aucun, sans la passion et le sérieux qui consacrent. Montaigne [105] a été une espèce de classique anticipé, de la famille d'Horace, mais qui se livrait en enfant perdu, et faute de dignes alentours, à toutes les fantaisies libertines de sa plume et de son humeur. Il en résulte que nous avons, moins que tout autre peuple, trouvé dans nos ancêtres-auteurs de quoi réclamer hautement à certains jours nos libertés littéraires et nos franchises, et qu'il nous a été plus difficile de rester classiques encore en nous affranchissant. Toutefois, avec Molière et La Fontaine parmi nos classiques du grand siècle, c'est assez pour que rien de légitime ne puisse être refusé à ceux qui oseront et qui sauront.

L'important aujourd'hui me paraît être de maintenir l'idée et le culte, tout en l'élargissant. Il n'y a pas de recette pour faire des classiques; ce point doit être enfin reconnu évident. Croire qu'en imitant certaines qualités de pureté, de sobriété, de correction et d'élégance, indépendamment du caractère même et de la flamme, on deviendra classique, c'est croire qu'après Racine père il y a lieu à des Racine fils; rôle estimable et triste, ce qui est le pire en poésie.

[102] Byron (1788-1824), English poet who exercised great influence upon French Romantic poets.

[103] Mathurin Régnier (1573-1613), satirical poet, opposed to Malherbe and his theories.

[104] Rabelais (1494?-1553), author of *Gargantua* and *Pantagruel;* one of the greatest and most original geniuses of the Renaissance.

[105] See page 219, note 49.

Il y a plus: il n'est pas bon de paraître trop vite et d'emblée [106] classique à ses contemporains; on a grande chance alors de ne pas rester tel pour la postérité. Fontanes,[107] en son temps, paraissait un classique pur à ses amis; voyez quelle pâle couleur cela fait à vingt-cinq ans de distance. Combien de ces classiques
5 précoces qui ne tiennent pas et qui ne le sont que pour un temps! On se retourne un matin, et l'on est tout étonné de ne plus les retrouver debout derrière soi. Il n'y en a eu, dirait gaiement Mme de Sévigné,[108] que pour un *déjeuné de soleil.* En fait de classiques, les plus imprévus sont encore les meilleurs et les plus grands: demandez-le plutôt à ces mâles génies vraiment
10 nés immortels et perpétuellement florissants. Le moins classique, en apparence, des quatre grands poètes de Louis XIV, était Molière; on l'applaudissait alors bien plus qu'on ne l'estimait; on le goûtait sans savoir son prix. Le moins classique après lui semblait La Fontaine: et voyez après deux siècles ce qui, pour tous deux, en est advenu. Bien avant Boileau, même avant Racine, ne
15 sont-ils pas aujourd'hui unanimement reconnus les plus féconds et les plus riches pour les traits d'une morale universelle?

Au reste, il ne s'agit véritablement de rien sacrifier, de rien déprécier. Le Temple du goût, je le crois, est à refaire; mais, en le rebâtissant, il s'agit simplement de l'agrandir, et qu'il devienne le Panthéon de tous les nobles
20 humains, de tous ceux qui ont accru pour une part notable et durable la somme des jouissances et des titres de l'esprit. Pour moi, qui ne saurais à aucun degré prétendre (c'est trop évident) à être architecte ou ordonnateur d'un tel Temple, je me bornerai à exprimer quelques vœux, à concourir en quelque sorte pour le devis. Avant tout je voudrais n'exclure personne entre
25 les dignes, et que chacun y fût à sa place, depuis le plus libre des génies créateurs et le plus grand des classiques sans le savoir, Shakspeare, jusqu'au tout dernier des classiques en diminutif, Andrieux.[109] «Il y a plus d'une demeure dans la maison de mon père»; * [110] que cela soit vrai du royaume du beau ici-bas non moins que du royaume des cieux. Homère, comme
30 toujours et partout, y serait le premier, le plus semblable à un dieu; mais derrière lui, et tel que le cortège des trois rois mages d'Orient, se verraient ces trois poètes magnifiques, ces trois Homères longtemps ignorés de nous, et qui ont fait, eux aussi, à l'usage des vieux peuples d'Asie, des épopées immenses et vénérées, les poètes Valmiki [111] et Vyasa [112] des Indous, et le
35 Firdousi [113] des Persans: il est bon, dans le domaine du goût, de savoir du moins que de tels hommes existent et de ne pas scinder [114] le genre humain.

---

[106] "at one's first attempt."   [107] See page 215, note 20.   [108] See page 215, note 18.
[109] *Andrieux* (1759–1833), minor poet and dramatist.
* Goethe, qui est si favorable à la libre diversité des génies et qui croit tout développement légitime pourvu qu'on atteigne à la fin de l'art, a comparé ingénieusement le Parnasse au mont Serrat en Catalogne, lequel est ou était tout peuplé d'ermites et dont chaque dentelure recélait son pieux anachorète: «Le Parnasse, dit-il, est un mont Serrat qui admet quantité d'établissements à ses divers étages: laissez chacun aller et regarder autour de lui, et il trouvera quelque place à sa convenance, que ce soit un sommet ou un coin de rocher.» [Author's note.]
[110] *John* XIV, 2.
[111] Valmiki, ancient Hindu poet, author of the *Râmâyana,* Sanskrit epic.
[112] Vyasa, compiler of the *Vedas,* in Sanskrit, sacred books of the Hindus.
[113] Firdausi (940–1020?), Persian epic poet, author of the *Shah Namah.*   [114] "divide."

Cet hommage rendu à ce qu'il suffit d'apercevoir et de reconnaître, nous ne sortirions plus de nos horizons, et l'œil s'y complairait en mille spectacles agréables ou augustes, s'y réjouirait en mille rencontres variées et pleines de surprise, mais dont la confusion apparente ne serait jamais sans accord et sans harmonie. Les plus antiques des sages et des poètes, ceux qui ont 5 mis la morale humaine en maximes et qui l'ont chantée sur un mode simple converseraient entre eux avec des paroles *rares et suaves,* et ne seraient pas étonnés, dès le premier mot de s'entendre. Les Solon,[115] les Hésiode,[116] les Théognis,[117] les Job,[118] les Salomon,[119] et pourquoi pas Confucius [120] lui-même? accueilleraient les plus ingénieux modernes, les La Rochefou- 10 cauld [121] et les La Bruyère,[122] lesquels se diraient en les écoutant: «Ils savaient tout ce que nous savons, et, en rajeunissant l'expérience, nous n'avons rien trouvé.» Sur la colline la plus en vue et de la pente la plus accessible, Virgile entouré de Ménandre,[123] de Tibulle,[124] de Térence,[125] de Fénelon,[126] se livrerait avec eux à des entretiens d'un grand charme et d'un enchantement 15 sacré: son doux visage serait éclairé du rayon et coloré de pudeur, comme ce jour où, entrant au théâtre de Rome dans le moment qu'on venait d'y réciter ses vers, il vit le peuple se lever tout entier devant lui par un mouvement unanime, et lui rendre les mêmes hommages qu'à Auguste [127] lui-même. Non loin de lui, et avec le regret d'être séparé d'un ami si cher, Horace 20 présiderait à son tour (autant qu'un poète et qu'un sage si fin peut présider) le groupe des poètes de la vie civile et de ceux qui ont su causer quoiqu'ils aient chanté,—Pope, Despréaux, l'un devenu moins irritable, l'autre moins grondeur: Montaigne, ce vrai poète, en serait, et il achèverait d'ôter à ce coin charmant tout air d'école littéraire. La Fontaine s'y oublierait, et, désormais 25 moins volage, n'en sortirait plus. Voltaire y passerait, mais, tout en s'y plaisant, il n'aurait pas la patience de s'y tenir. Sur la même colline que Virgile et un peu plus bas, on verrait Xénophon,[128] d'un air simple qui ne sent en rien le capitaine, et qui le fait ressembler plutôt à un prêtre des Muses, réunir autour de lui les attiques de toute langue et de tout pays, les Addison,[129] les 30 Pellisson,[130] les Vauvenargues,[131] tous ceux qui sentent le prix d'une persua- sion aisée, d'une simplicité exquise et d'une douce négligence mêlée d'orne- ment. Au centre du lieu, trois grands hommes aimeraient souvent à se

[115] Solon (640–559? B. C.), lawgiver of Athens, one of the seven wise men of Greece.
[116] Hesiod, Greek epic poet who lived about 800 B. C., author of *Works and Days, Theogony.*
[117] Theognis (6th century B. C.), Greek elegiac and gnomic poet.
[118] Job, patriarch of the Bible whose resignation has become proverbial.
[119] Solomon, king of Israel, famous for his wealth and his wisdom.
[120] Confucius (551–479 B. C.), Chinese philosopher, founder of Confucianism.
[121] *La Rochefoucauld* (1613–1680), author of *Maximes.*
[122] *La Bruyère,* French moralist, best known for his *Caractères.* See page 212, note 7.
[123] *Menander* (342–290 B. C.), Greek comic poet.
[124] *Tibullus* (54–18 B. C.), Latin lyric poet.
[125] *Terence* (194–159 B. C.), Latin comic poet.
[126] See page 4, note 12.   [127] The Emperor Augustus.
[128] Xenophon (430?–352? B. C.), Athenian historian, philosopher, general.
[129] Addison (1672–1719), English writer, noted for articles he wrote for the *Spectator.*
[130] Pellisson (1624–1693), French wit and writer, historian of the French Academy.
[131] See page 217, note 37.

rencontrer devant le portique du principal temple (car il y en aurait plusieurs dans l'enceinte), et, quand ils seraient ensemble, pas un quatrième, si grand qu'il fût, n'aurait l'idée de venir se mêler à leur entretien ou à leur silence, tant il paraîtrait en eux de beauté, de mesure dans la grandeur, et de cette
5 perfection d'harmonie qui ne se présente qu'un jour dans la pleine jeunesse du monde. Leurs trois noms sont devenus l'idéal de l'art: Platon,[132] Sophocle,[133] et Démosthène.[134] Et, malgré tout, ces demi-dieux une fois honorés, ne voyez-vous point là-bas une foule nombreuse et familière d'esprits excellents qui va suivre de préférence les Cervantes,[135] les Molière toujours,
10 les peintres pratiques de la vie, ces amis indulgents et qui sont encore les premiers des bienfaiteurs, qui prennent l'homme entier avec le rire, lui versent l'expérience dans la gaieté, et savent les moyens puissants d'une joie sensée, cordiale et légitime? Je ne veux pas continuer ici plus longtemps cette description qui, si elle était complète, tiendrait tout un livre. Le moyen âge,
15 croyez-le bien, et Dante occuperaient des hauteurs consacrées: aux pieds du chantre du Paradis,[136] l'Italie se déroulerait presque tout entière comme un jardin; Boccace [137] et l'Arioste [138] s'y joueraient, et le Tasse [139] retrouverait la plaine d'orangers de Sorrente.[140] En général, les nations diverses y auraient chacune un coin réservé, mais les auteurs se plairaient à en sortir, et ils iraient
20 en se promenant reconnaître, là où l'on s'y attendrait le moins, des frères ou des maîtres. Lucrèce,[141] par exemple, aimerait à discuter l'origine du monde et le débrouillement du chaos avec Milton; [142] mais, en raisonnant tous deux dans leur sens, ils ne seraient d'accord que sur les tableaux divins de la poésie et de la nature.
25   Voilà nos classiques; l'imagination de chacun peut achever le dessin et même choisir son groupe préféré. Car il faut choisir, et la première condition du goût, après avoir tout compris, est de ne pas voyager sans cesse, mais de s'asseoir une fois et de se fixer. Rien ne blase et n'éteint plus le goût que les voyages sans fin; l'esprit poétique n'est pas le *Juif errant.*[143] Ma conclusion
30 pourtant, quand je parle de se fixer et de choisir, ce n'est pas d'imiter ceux même qui nous agréent le plus entre nos maîtres dans le passé. Contentons- nous de les sentir, de les pénétrer, de les admirer, et nous, venus si tard, tâchons du moins d'être nous-mêmes. Faisons notre choix dans nos propres instincts. Ayons la sincerité et le naturel de nos propres pensées, de nos
35 sentiments, cela se peut toujours; joignons-y, ce qui est plus difficile, l'éléva- tion, la direction, s'il se peut, vers quelque but haut placé; et tout en parlant notre langue, en subissant les conditions des âges où nous sommes jetés et où nous puisons notre force comme nos défauts, demandons-nous de temps en

---

[132] See page 212, note 2.   [133] See page 56, note 1.
[134] Demosthenes (384–322 B. C.), greatest of Athenian orators.
[135] Cervantes (1547–1616), most celebrated Spanish writer, author of *Don Quijote.*
[136] Dante.   [137] Boccaccio (1313–1375), Italian story-teller, author of the *Decameron.*
[138] Ariosto (1474–1533), Italian poet, author of *Orlando Furioso.*
[139] See page 53, note 14.   [140] Sorrento, village on the Gulf of Naples, birthplace of Tasso.
[141] Lucretius (95?–51? B. C.), Latin philosophic poet, author of *De Rerum Natura.*
[142] Milton (1608–1674), expresses his conception of the universe in *Paradise Lost.*
[143] *Juif errant,* symbol of the Jewish race condemned to wander over the face of the earth. Also, title of a novel by Eugène Sue (1845).

temps, le front levé vers les collines et les yeux attachés aux groupes des mortels révérés: *Que diraient-ils de nous?*

Mais pourquoi parler toujours d'être auteur et d'écrire? il vient un âge, peut-être, où l'on n'écrit plus. Heureux ceux qui lisent, qui relisent, ceux qui peuvent obéir à leur libre inclination dans leurs lectures! Il vient une saison dans la vie, où, tous les voyages étant faits, toutes les expériences achevées, on n'a pas de plus vives jouissances que d'étudier et d'approfondir les choses qu'on sait, de savourer ce qu'on sent, comme de voir et de revoir les gens qu'on aime: pures délices du cœur et du goût dans la maturité. C'est alors que ce mot de *classique* prend son vrai sens, et qu'il se définit pour tout homme de goût par un choix de prédilection et irrésistible. Le goût est fait alors, il est formé et définitif; le bon sens chez nous, s'il doit venir, est consommé. On n'a plus le temps d'essayer ni l'envie de sortir à la découverte. On s'en tient à ses amis, à ceux qu'un long commerce a éprouvés. Vieux vin, vieux livres, vieux amis. On se dit comme Voltaire dans ces vers délicieux:

> Jouissons, écrivons, vivons, mon cher Horace!
>
> .   .   .   .
>
> J'ai vécu plus que toi: mes vers dureront moins;
> Mais, au bord du tombeau, je mettrai tous mes soins
> A suivre les leçons de ta philosophie,
> A mépriser la mort en savourant la vie,
> A lire tes écrits pleins de grâce et de sens,
> Comme on boit d'un vin vieux qui rajeunit les sens.[144]

Enfin, que ce soit Horace ou tout autre, quel que soit l'auteur qu'on préfère et qui nous rende nos propres pensées en toute richesse et maturité, on va demander alors à quelqu'un de ces bons et antiques esprits un entretien de tous les instants, une amitié qui ne trompe pas, qui ne saurait nous manquer, et cette impression habituelle de sérénité et d'aménité qui nous réconcilie, nous en avons souvent besoin, avec les hommes et avec nous-même.

Causeries du Lundi, vol. II.

[144] Voltaire, *Epître à Horace* (1771).

GUSTAVE FLAUBERT (1821–1880)

Flaubert, the son of a physician, was born at Rouen. He had hardly reached manhood when he was afflicted with a malady that made it necessary for him to live withdrawn from the world of affairs. However at intervals he enjoyed travel, and visited Corsica (1840), Italy (1845), Egypt, Palestine, Syria, Constantinople, Athens, and Rome (1849–1851), and Tunis (1858). Except for this, he lived a retired life at Croisset, near Rouen, interrupted only by occasional trips to Paris to see his friends or by visits from them.

By nature Flaubert was as much a Romanticist as any of his predecessors. No one could read *Les Orientales* or *La Légende des Siècles* with more feeling or greater gusto than he. "Quel homme que le père Hugo, quel poète! Je viens d'un trait d'avaler ses deux volumes" * (*La Légende des Siècles*). He was like Gautier in his love of the exotic, the East, the distant past. Such subjects as *Salammbô* and *La Tentation de Saint-Antoine* attest this predilection, and one has only to read a few of his letters to observe that his natural style, too, is bombastic, exaggerated, Romantic. He shared the Romanticist's scorn of the commonplace, and detested the bourgeois attitude, which he defined as *une manière basse de penser*. Flaubert was fully aware of this natural predisposition and set about deliberately repressing it in his works, for he saw the defects as well as the beauties of Romantic literature. He had a vivid imagination but curbed it. He observed as much and as profoundly as Balzac, but he limited himself to fewer details—those that really paint or reveal. The subject was of little importance to him: "ne pas croire que les beaux sujets font les bons livres."

The one thing of prime importance for Flaubert was style, but style to him meant more than mere diction: "Le style n'est qu'une manière de penser; si votre conception est faible, jamais vous n'écrirez d'une manière forte. . . ." He did not overlook the importance of psychology. While laboriously preparing to write *Salammbô*, he wrote to Feydeau: "L'étude de l'habit nous fait oublier l'âme. . . . Je donnerais la demi-rame de notes que j'ai écrite depuis cinq mois et les 98 volumes que j'ai lus pour être pendant trois secondes seulement réellement émotionné par la passion de mes héros." His psychology is based upon solid research or upon careful, penetrating observation. But we repeat, style was of paramount importance to him. He composed slowly, writing on an average about one volume every five years: "l'impatience qu'ont les gens célèbres de se voir imprimés, joués, connus, vantés, m'émerveille comme une folie." He wrote to satisfy himself, no matter what others might think of his method. His manner of writing was in one particular unique; he would write, revise, rewrite a sentence or paragraph, then declaim it to himself until he was perfectly satisfied that it had the rhythm he desired. As a result he is far from having that simple charm and ease which characterize the style of George Sand, but he does have his own characteristic, care-

---

* This, and other quotations given here, are to be found in Flaubert's *Correspondance*. They are taken from letters to Ernest Feydeau (1821–1873), one of Flaubert's most intimate friends, who was also a novelist. His *Fanny* (1858) created quite a sensation.

fully wrought, highly impersonal style, rich in color and rhythm, which has made of him a writer of the first rank. Mme *Bovary* is usually considered the greatest French Realistic novel of the nineteenth century. Flaubert did not create the Realistic novel, but combining the observation of Balzac and the plastic qualities of Gautier, he carried it to perfection. Perhaps he may best be called "an art for art's sake Realist."

"Entre les deux écoles romantique et naturaliste se place Gustave Flaubert, qui procède de l'une et fonde l'autre, corrigeant l'une par l'autre, et mêlant en lui les qualités de toutes les deux: d'où vient précisément la perfection de son œuvre. Au moment unique où le romantisme devient naturalisme, Flaubert écrit deux ou trois romans qui sont les plus solides qu'on ait faits en ce siècle." (Lanson: *Histoire de la Littérature Française*.)

IMPORTANT WORKS:

Novel: Mme *Bovary* (1857); *Salammbô* (1862); *L'Éducation sentimentale* (1869); *La Tentation de Saint-Antoine* (1874); *Trois Contes* (1877).
Correspondance.

UN CŒUR SIMPLE

I

Pendant un demi-siècle, les bourgeoises de Pont-l'Évêque[1] envièrent à Mme Aubain sa servante Félicité.[2]

Pour cent francs par an, elle faisait la cuisine et le ménage, cousait, lavait, repassait, savait brider un cheval, engraisser les volailles, battre le beurre, et resta fidèle à sa maîtresse,—qui cependant n'était pas une personne agréable. 5

Elle avait épousé un beau garçon sans fortune, mort au commencement de 1809, en lui laissant deux enfants très jeunes avec une quantité de dettes. Alors elle vendit ses immeubles, sauf la ferme de Toucques et la ferme de Geffosses, dont les rentes montaient à 5,000 francs tout au plus, et elle quitta sa maison de Saint-Melaine pour en habiter une autre moins dispendieuse, 10 ayant appartenu à ses ancêtres et placée derrière les halles.

Cette maison, revêtue d'ardoises, se trouvait entre un passage et une ruelle aboutissant à la rivière.[3] Elle avait intérieurement des différences de niveau qui faisaient trébucher. Un vestibule étroit séparait la cuisine de la *salle*[4] où Mme Aubain se tenait tout le long du jour, assise près de la croisée dans un 15 fauteuil de paille. Contre le lambris, peint en blanc, s'alignaient huit chaises d'acajou. Un vieux piano supportait, sous un baromètre, un tas pyramidal de boîtes et de cartons. Deux bergères[5] de tapisserie flanquaient la cheminée en marbre jaune et de style Louis XV.[6] La pendule, au milieu, représentait un temple de Vesta;[7] et tout l'appartement sentait un peu le moisi, car le 20 plancher était plus bas que le jardin.

[1] Pont-l'Évêque, French town near le Havre, in Normandy.
[2] Note the ironical name Flaubert gives to his chief character.
[3] The Touques, which flows into the English Channel at Trouville.
[4] Provincial term for the main living-room of a house.
[5] "easy chairs."   [6] The ornate 18th-century style.
[7] Circular temple at Rome in honor of Vesta, goddess of the hearth and home.

Au premier étage, il y avait d'abord la chambre de «Madame» très grande, tendue d'un papier à fleurs pâles, et contenant le portrait de «Monsieur» en costume de muscadin.[8] Elle communiquait avec une chambre plus petite, où l'on voyait deux couchettes d'enfants, sans matelas. Puis venait le salon,
5 toujours fermé, et rempli de meubles recouverts d'un drap. Ensuite un corridor menait à un cabinet d'étude; des livres et des paperasses garnissaient les rayons d'une bibliothèque entourant de ses trois côtés un large bureau de bois noir. Les deux panneaux en retour [9] disparaissaient sous des dessins à la plume, des paysages à la gouache [10] et des gravures d'Audran,[11] souvenirs
10 d'un temps meilleur et d'un luxe évanoui. Une lucarne [12] au second étage éclairait la chambre de Félicité, ayant vue sur les prairies.

Elle se levait dès l'aube, pour ne pas manquer la messe, et travaillait jusqu'au soir sans interruption; puis, le dîner étant fini, la vaisselle en ordre et la porte bien close, elle enfouissait la bûche sous les cendres et s'endormait devant
15 l'âtre, son rosaire à la main. Personne, dans les marchandages, ne montrait plus d'entêtement. Quant à la propreté, le poli de ses casseroles faisait le désespoir des autres servantes. Économe, elle mangeait avec lenteur, et recueillait du doigt sur la table les miettes de son pain, un pain de douze livres, cuit exprès pour elle, et qui durait vingt jours.

20 En toute saison elle portait un mouchoir d'indienne [13] fixé dans le dos par une épingle, un bonnet lui cachant les cheveux, des bas gris, un jupon rouge, et par-dessus sa camisole [14] un tablier à bavette,[15] comme les infirmières d'hôpital.

Son visage était maigre et sa voix aiguë. A vingt-cinq ans, on lui en donnait
25 quarante. Dès la cinquantaine, elle ne marqua plus aucun âge; et, toujours silencieuse, la taille droite et les gestes mesurés, semblait une femme en bois, fonctionnant d'une manière automatique.

II

Elle avait eu, comme une autre, son histoire d'amour.

Son père, un maçon, s'était tué en tombant d'un échafaudage. Puis sa
30 mère mourut, ses sœurs se dispersèrent; un fermier la recueillit, et l'employa toute petite à garder les vaches dans la campagne. Elle grelottait sous des haillons, buvait à plat ventre l'eau des mares, à propos de rien était battue, et finalement fut chassée pour un vol de trente sols,[16] qu'elle n'avait pas commis. Elle entra dans une autre ferme, y devint fille de basse-cour, et, comme elle
35 plaisait aux patrons, ses camarades la jalousaient.

Un soir du mois d'août (elle avait alors dix-huit ans), ils l'entraînèrent à l'assemblée [17] de Colleville.[18] Tout de suite elle fut étourdie, stupéfaite par le tapage des ménétriers,[19] les lumières dans les arbres, la bigarrure [20] des cos-

---

[8] "coxcomb," "fop," who is always *musqué* (perfumed).   [9] "end-panels."
[10] "painted in gouache" (paint ground in water with gum added).
[11] There have been several engravers with the name Audran. The best known is Gérard Audran (1640–1703), who engraved the works of Le Brun, Mignard, Poussin, and Le Sueur.
[12] "dormer-window."   [13] "calico."   [14] "blouse."   [15] "bib-apron."   [16] *sous.*
[17] "fair."   [18] Village near Pont-l'Évêque.   [19] "fiddlers."   [20] "variety."

tumes, les dentelles, les croix d'or, cette masse de monde sautant à la fois. Elle se tenait à l'écart modestement, quand un jeune homme d'apparence cossue,[21] et qui fumait sa pipe les deux coudes sur le timon d'un banneau,[22] vint l'inviter à la danse. Il lui paya du cidre, du café, de la galette, un foulard,[23] et, s'imaginant qu'elle le devinait, offrit de la reconduire. Au bord d'un champ d'avoine, il la renversa brutalement. Elle eut peur et se mit à crier. Il s'éloigna.

Un autre soir, sur la route de Beaumont,[24] elle voulut dépasser un grand chariot de foin qui avançait lentement, et en frôlant les roues elle reconnut Théodore.

Il l'aborda d'un air tranquille, disant qu'il fallait tout pardonner, puisque c'était «la faute de la boisson.»

Elle ne sut que répondre et avait envie de s'enfuir.

Aussitôt il parla des récoltes et des notables de la commune, car son père avait abandonné Colleville pour la ferme des Écots, de sorte que maintenant ils se trouvaient voisins.—«Ah!» dit-elle. Il ajouta qu'on désirait l'établir.[25] Du reste, il n'était pas pressé, et attendait une femme à son goût. Elle baissa la tête. Alors il lui demanda si elle pensait au mariage. Elle reprit, en souriant, que c'était mal de se moquer.—«Mais non, je vous jure!» et du bras gauche il lui entoura la taille; elle marchait soutenue par son étreinte; ils se ralentirent. Le vent était mou, les étoiles brillaient, l'énorme charretée de foin oscillait devant eux; et les quatre chevaux, en traînant leurs pas, soulevaient de la poussière. Puis, sans commandement, ils tournèrent à droite. Il l'embrassa encore une fois. Elle disparut dans l'ombre.

Théodore, la semaine suivante, en obtint des rendez-vous.

Ils se rencontraient au fond des cours, derrière un mur, sous un arbre isolé. Elle n'était pas innocente à la manière des demoiselles,—les animaux l'avaient instruite;—mais la raison et l'instinct de l'honneur l'empêchèrent de faillir. Cette résistance exaspéra l'amour de Théodore, si bien que pour le satisfaire (ou naïvement peut-être) il proposa de l'épouser. Elle hésitait à le croire. Il fit de grands serments.

Bientôt il avoua quelque chose de fâcheux: ses parents, l'année dernière, lui avaient acheté un homme;[26] mais d'un jour à l'autre on pourrait le reprendre; l'idée de servir l'effrayait. Cette couardise fut pour Félicité une preuve de tendresse; la sienne en redoubla. Elle s'échappait la nuit, et, parvenue au rendez-vous, Théodore la torturait avec ses inquiétudes et ses instances.

Enfin, il annonça qu'il irait lui-même à la Préfecture[27] prendre des informations, et les apporterait dimanche prochain, entre onze heures et minuit.

Le moment arrivé, elle courut vers l'amoureux.

A sa place, elle trouva un de ses amis.

---

[21] "well-to-do." [22] "two-wheeled cart." [23] "neckerchief."
[24] Village near Pont-l'Évêque. [25] "have him marry and settle down."
[26] "hired a substitute to do military service for him."
[27] Office of the prefect, head of a French department.

Il lui apprit qu'elle ne devait plus le revoir. Pour se garantir de la conscription, Théodore avait épousé une vieille femme très riche, Mme Lehoussais, de Toucques.[28]

Ce fut un chagrin désordonné. Elle se jeta par terre, poussa des cris, appela
5　le bon Dieu, et gémit toute seule dans la campagne jusqu'au soleil levant. Puis elle revint à la ferme, déclara son intention d'en partir; et, au bout du mois, ayant reçu ses comptes, elle enferma tout son petit bagage dans un mouchoir, et se rendit à Pont-l'Évêque.

Devant l'auberge, elle questionna une bourgeoise en capeline de veuve, et
10　qui précisément cherchait une cuisinière. La jeune fille ne savait pas grand'chose, mais paraissait avoir tant de bonne volonté et si peu d'exigences, que Mme Aubain finit par dire:

«Soit, je vous accepte!»

Félicité, un quart d'heure après, était installée chez elle.

15　D'abord elle y vécut dans une sorte de tremblement que lui causaient «le genre de la maison» et le souvenir de «Monsieur,» [29] planant sur tout! Paul et Virginie,[30] l'un âgé de sept ans, l'autre de quatre à peine, lui semblaient formés d'une matière précieuse; elle les portait sur son dos comme un cheval, et Mme Aubain lui défendit de les baiser à chaque minute, ce qui la mortifia.
20　Cependant elle se trouvait heureuse. La douceur du milieu avait fondu sa tristesse.

Tous les jeudis, des habitués venaient faire une partie de boston.[31] Félicité préparait d'avance les cartes et les chaufferettes.[32] Ils arrivaient à huit heures bien juste, et se retiraient avant le coup de onze.

25　Chaque lundi matin, le brocanteur qui logeait sous l'allée étalait par terre ses ferrailles. Puis la ville se remplissait d'un bourdonnement de voix, où se mêlaient des hennissements de chevaux, des bêlements d'agneaux, des grognements de cochons, avec le bruit sec des carrioles [33] dans la rue. Vers midi, au plus fort du marché [34] on voyait paraître sur le seuil un vieux paysan de
30　haute taille, la casquette en arrière, le nez crochu, et qui était Robelin, le fermier de Geffosses.[35] Peu de temps après, c'était Liébard, le fermier de Toucques,[35] petit, rouge, obèse, portant une veste grise et des houseaux [36] armés d'éperons.

Tous deux offraient à leur propriétaire des poules ou des fromages. Félicité
35　invariablement déjouait leurs astuces; [37] et ils s'en allaient pleins de considération pour elle.

A des époques indéterminées, Mme Aubain recevait la visite du marquis de Gremanville, un de ses oncles, ruiné par la crapule [38] et qui vivait à Falaise sur le dernier lopin de ses terres. Il se présentait toujours à l'heure du
40　déjeuner, avec un affreux caniche dont les pattes salissaient tous les meubles.

---

[28] Small town between Pont-l'Évêque and Trouville.　　[29] Mme Aubain's dead husband.

[30] Named after the hero and heroine of the famous novel by Bernardin de Saint-Pierre, *Paul et Virginie*.

[31] A card game (somewhat resembling bridge).　　　　[32] "foot-warmers."

[33] "light covered cart."　　[34] *au plus fort du marché:* when the trading was most active.

[35] Farms belonging to Mme Aubain.　　[36] "leggings" (reaching almost to the knees).

[37] "frustrated their wiles."　　[38] "debauchery."

Malgré ses efforts pour paraître gentilhomme jusqu'à soulever son chapeau chaque fois qu'il disait: «Feu mon père,» l'habitude l'entraînant, il se versait à boire coup sur coup, et lâchait des gaillardises.[39] Félicité le poussait dehors poliment: «Vous en avez assez, Monsieur de Gremanville! A une autre fois!» Et elle refermait la porte.

Elle l'ouvrait avec plaisir devant M. Bourais, ancien avoué. Sa cravate blanche et sa calvitie, le jabot de sa chemise, son ample redingote brune, sa façon de priser [40] en arrondissant le bras, tout son individu lui produisait ce trouble où nous jette le spectacle des hommes extraordinaires.

Comme il gérait les propriétés de «Madame,» il s'enfermait avec elle pendant des heures dans le cabinet de «Monsieur,» et craignait toujours de se compromettre, respectait infiniment la magistrature, avait des prétentions au latin.[41]

Pour instruire les enfants d'une manière agréable, il leur fit cadeau d'une géographie en estampes. Elles représentaient différentes scènes du monde, des anthropophages [42] coiffés de plumes, un singe enlevant une demoiselle, des Bédouins [43] dans le désert, une baleine qu'on harponnait, etc.

Paul donna l'explication de ces gravures à Félicité. Ce fut même toute son éducation littéraire.

Celle des enfants était faite par Guyot, un pauvre diable employé à la Mairie, fameux pour sa belle main,[44] et qui repassait [45] son canif sur sa botte.

Quand le temps était clair, on s'en allait de bonne heure à la ferme de Geffosses.

La cour est en pente, la maison dans le milieu; et la mer, au loin, apparaît comme une tache grise.

Félicité retirait de son cabas [46] des tranches de viande froide, et on déjeunait dans un appartement faisant suite à [47] la laiterie. Il était le seul reste d'une habitation de plaisance, maintenant disparue. Le papier de la muraille en lambeaux tremblait aux courants d'air. Mme Aubain penchait son front, accablée de souvenirs; les enfants n'osaient plus parler. «Mais jouez donc!» disait-elle; ils décampaient.

Paul montait dans la grange, attrapait des oiseaux, faisait des ricochets sur la mare, ou tapait avec un bâton les grosses futailles [48] qui résonnaient comme des tambours.

Virginie donnait à manger aux lapins, se précipitait pour cueillir des bluets, et la rapidité de ses jambes découvrait ses petits pantalons brodés.

Un soir d'automne, on s'en retourna par les herbages.

La lune à son premier quartier éclairait une partie du ciel, et un brouillard flottait comme une écharpe sur les sinuosités de la Toucques. Des bœufs, étendus au milieu du gazon, regardaient tranquillement ces quatre personnes passer. Dans la troisième pâture quelques-uns se levèrent, puis se mirent en rond devant elles.—«Ne craignez rien!» dit Félicité; et, murmurant une sorte de complainte,[49] elle flatta sur l'échine celui qui se trouvait le plus près; il

39 "cracked spicy jokes."   40 "taking snuff."   41 "claimed to know Latin."
42 "cannibals."   43 Nomad Arabs.   44 "his fine handwriting."   45 "sharpened."
46 "basket."   47 "adjoining."   48 "casks."   49 "sad song."

fit volte-face, les autres l'imitèrent. Mais, quand l'herbage suivant fut traversé, un beuglement formidable s'éleva. C'était un taureau, que cachait le brouillard. Il avança vers les deux femmes. Mme Aubain allait courir.—«Non! non! moins vite!» Elles pressaient le pas cependant, et entendaient par derrière un souffle sonore qui se rapprochait. Ses sabots, comme des marteaux, battaient l'herbe de la prairie; voilà qu'il galopait maintenant! Félicité se retourna, et elle arrachait à deux mains des plaques de terre qu'elle lui jetait dans les yeux. Il baissait le mufle, secouait les cornes et tremblait de fureur en beuglant horriblement. Mme Aubain, au bout de l'herbage avec ses deux petits, cherchait éperdue comment franchir le haut bord. Félicité reculait toujours devant le taureau, et continuellement lançait des mottes de gazon qui l'aveuglaient, tandis qu'elle criait: «Dépêchez-vous! dépêchez-vous!»

Mme Aubain descendit le fossé, poussa Virginie, Paul ensuite, tomba plusieurs fois en tâchant de gravir le talus, et à force de courage y parvint.

Le taureau avait acculé [50] Félicité contre une claire-voie; [51] sa bave lui rejaillissait à la figure, une seconde de plus il l'éventrait. Elle eut le temps de se couler entre deux barreaux, et la grosse bête, toute surprise, s'arrêta.

Cet événement, pendant bien des années, fut un sujet de conversation à Pont-l'Évêque. Félicité n'en tira aucun orgueil, ne se doutant même pas qu'elle eût rien fait d'héroïque.

Virginie l'occupait exclusivement;—car elle eut, à la suite de son effroi, une affection nerveuse, et M. Poupart, le docteur, conseilla les bains de mer de Trouville. [52]

Dans ce temps-là, ils n'étaient pas fréquentés. Mme Aubain prit des renseignements, consulta Bourais, fit des préparatifs comme pour un long voyage.

Ses colis partirent la veille, dans la charrette de Liébard. Le lendemain, il amena deux chevaux dont l'un avait une selle de femme, munie d'un dossier de velours; et sur la croupe du second un manteau roulé formait une manière de siège. Mme Aubain y monta, derrière lui. Félicité se chargea de Virginie, et Paul enfourcha l'âne de M. Lechaptois, prêté sous la condition d'en avoir grand soin.

La route était si mauvaise que ses huit kilomètres exigèrent deux heures. Les chevaux enfonçaient jusqu'aux paturons [53] dans la boue, et faisaient pour en sortir de brusques mouvements des hanches; ou bien ils butaient contre les ornières; [54] d'autres fois, il leur fallait sauter. La jument de Liébard, à de certains endroits, s'arrêtait tout à coup. Il attendait patiemment qu'elle se remît en marche; et il parlait des personnes dont les propriétés bordaient la route, ajoutant à leur histoire des réflexions morales. Ainsi, au milieu de Toucques, comme on passait sous des fenêtres entourées de capucines, [55] il dit, avec un haussement d'épaules;—«En voilà une Mme Lehoussais, qui au

---

[50] "had driven back."   [51] "gate" (bars).

[52] Town on the English Channel, at the mouth of the Touques, now a fashionable watering-place.

[53] "pasterns."   [54] "stumbled against the ruts."   [55] "nasturtiums."

lieu de prendre un jeune homme. . . .» Félicité n'entendit pas le reste; les chevaux trottaient, l'âne galopait; tous enfilèrent un sentier, une barrière tourna, deux garçons parurent, et l'on descendit devant le purin,[56] sur le seuil même de la porte.

La mère Liébard, en apercevant sa maîtresse, prodigua les démonstrations de joie. Elle lui servit un déjeuner où il y avait un aloyau, des tripes, du boudin, une fricassée de poulet, du cidre mousseux, une tarte aux compotes et des prunes à l'eau-de-vie, accompagnant le tout de politesses à Madame qui paraissait en meilleure santé, à Mademoiselle devenue «magnifique,» à M. Paul singulièrement «forci»[57] sans oublier leurs grands-parents défunts que les Liébard avaient connus, étant au service de la famille depuis plusieurs générations. La ferme avait, comme eux, un caractère d'ancienneté. Les poutrelles du plafond étaient vermoulues, les murailles noires de fumée, les carreaux gris de poussière. Un dressoir en chêne supportait toutes sortes d'ustensiles, des brocs,[58] des assiettes, des écuelles[59] d'étain, des pièges à loup, des forces[60] pour les moutons; une seringue énorme fit rire les enfants. Pas un arbre des trois cours qui n'eût des champignons à sa base, ou dans ses rameaux une touffe de gui. Le vent en avait jeté bas plusieurs. Ils avaient repris par le milieu; et tous fléchissaient sous la quantité de leurs pommes. Les toits de paille, pareils à du velours brun et inégaux d'épaisseur, résistaient aux plus fortes bourrasques. Cependant la charreterie tombait en ruines. Mme Aubain dit qu'elle aviserait,[61] et commanda de reharnacher les bêtes.

On fut encore une demi-heure avant d'atteindre Trouville. La petite caravane mit pied à terre pour passer les *Écores;*[62] c'était une falaise surplombant des bateaux; et trois minutes plus tard, au bout du quai, on entra dans la cour de l'*Agneau d'or,*[63] chez la mère David.

Virginie, dès les premiers jours, se sentit moins faible, résultat du changement d'air et de l'action des bains. Elle les prenait en chemise, à défaut d'un costume; et sa bonne la rhabillait dans une cabane de douanier qui servait aux baigneurs.

L'après-midi, on s'en allait avec l'âne au delà des Roches-Noires, du côté d'Hennequeville.[64] Le sentier, d'abord, montait entre des terrains vallonnés[65] comme la pelouse d'un parc, puis arrivait sur un plateau où alternaient des pâturages et des champs en labour. A la lisière du chemin, dans le fouillis des ronces, des houx se dressaient; çà et là, un grand arbre mort faisait sur l'air bleu des zigzags avec ses branches.

Presque toujours on se reposait dans un pré, ayant Deauville[66] à gauche, le Havre à droite et en face la pleine mer. Elle était brillante de soleil, lisse comme un miroir, tellement douce qu'on entendait à peine son murmure; des moineaux cachés pépiaient, et la voûte immense du ciel recouvrait tout cela. Mme Aubain, assise, travaillait à son ouvrage de couture; Virginie près

---

[56] "manure-pile." [57] "strong and stout." [58] "jugs." [59] "bowls."
[60] "shears." [61] "would think it over." [62] *Écores* (*Accores*), "cliffs."
[63] An inn. [64] Hill overlooking Trouville. [65] "terraced."
[66] Now an ultra-fashionable resort, across the river from Trouville.

d'elle tressait des joncs; Félicité sarclait [67] des fleurs de lavande; Paul, qui s'ennuyait, voulait partir.

D'autres fois, ayant passé la Toucques en bateau, ils cherchaient des coquilles. La marée basse laissait à découvert des oursins, des godefiches, des méduses; [68] et les enfants couraient, pour saisir des flocons d'écume que le vent emportait. Les flots endormis, en tombant sur le sable, se déroulaient le long de la grève; elle s'étendait à perte de vue, mais du côté de la terre avait pour limite les dunes la séparant du *Marais,* large prairie en forme d'hippodrome. Quand ils revenaient par là, Trouville, au fond sur la pente du coteau, à chaque pas grandissait, et avec toutes ses maisons inégales semblait s'épanouir dans un désordre gai.

Les jours qu'il faisait trop chaud, ils ne sortaient pas de leur chambre. L'éblouissante clarté du dehors plaquait [69] des barres de lumière entre les lames des jalousies. Aucun bruit dans le village. En bas, sur le trottoir, personne. Ce silence épandu [70] augmentait la tranquillité des choses. Au loin, les marteaux des calfats [71] tamponnaient des carènes, et une brise lourde apportait la senteur de goudron.

Le principal divertissement était le retour des barques. Dès qu'elles avaient dépassé les balises,[72] elles commençaient à louvoyer.[73] Leurs voiles descendaient aux deux tiers des mâts; et, la misaine [74] gonflée comme un ballon, elles avançaient, glissaient dans le clapotement des vagues, jusqu'au milieu du port, où l'ancre tout à coup tombait. Ensuite le bateau se plaçait contre le quai. Les matelots jetaient par-dessus le bordage des poissons palpitants; une file de charrettes les attendait, et des femmes en bonnet de coton s'élançaient pour prendre les corbeilles et embrasser leurs hommes.

Une d'elles, un jour, aborda Félicité, qui peu de temps après entra dans la chambre, toute joyeuse. Elle avait retrouvé une sœur; et Nastasie Barette, femme Leroux, apparut, tenant un nourrisson à sa poitrine, de la main droite un autre enfant, et à sa gauche un petit mousse [75] les poings sur les hanches et le béret sur l'oreille.

Au bout d'un quart d'heure, Mme Aubain la congédia.

On les rencontrait toujours aux abords de la cuisine, ou dans les promenades que l'on faisait. Le mari ne se montrait pas.

Félicité se prit d'affection pour eux. Elle leur acheta une couverture, des chemises, un fourneau; évidemment ils l'exploitaient. Cette faiblesse agaçait Mme Aubain, qui d'ailleurs n'aimait pas les familiarités du neveu, car il tutoyait son fils;—et, comme Virginie toussait et que la saison n'était plus bonne, elle revint à Pont-l'Évêque.

M. Bourais l'éclaira sur le choix d'un collège. Celui de Caen [76] passait pour le meilleur. Paul y fut envoyé; et fit bravement ses adieux, satisfait d'aller vivre dans une maison où il aurait des camarades.

Mme Aubain se résigna à l'éloignement de son fils, parce qu'il était indispensable. Virginie y songea de moins en moins. Félicité regrettait son

---

[67] "would weed."   [68] "sea-urchins," "scallops," "medusas" (jellyfish).   [69] "would cast."
[70] "diffused."   [71] "calkers."   [72] "buoys," "beacons."   [73] "tack about."
[74] "fore-sail."   [75] "cabin-boy."   [76] *Chef-lieu* of the department of Calvados.

tapage. Mais une occupation vint la distraire; à partir de Noël, elle mena tous les jours la petite fille au catéchisme.

III

Quand elle avait fait à la porte une génuflexion, elle s'avançait sous la haute nef entre la double ligne des chaises, ouvrait le banc de Mme Aubain, s'asseyait, et promenait ses yeux autour d'elle.

Les garçons à droite, les filles à gauche, emplissaient les stalles du chœur; le curé se tenait debout près du lutrin; sur un vitrail de l'abside, le Saint-Esprit dominait la Vierge; un autre la montrait à genoux devant l'Enfant-Jésus, et, derrière le tabernacle,[77] un groupe en bois représentait Saint-Michel terrassant le dragon.

Le prêtre fit d'abord un abrégé de l'Histoire-Sainte. Elle croyait voir le paradis, le déluge, la tour de Babel, des villes tout en flammes, des peuples qui mouraient, des idoles renversées; et elle garda de cet éblouissement le respect du Très-Haut et la crainte de sa colère. Puis, elle pleura en écoutant la Passion. Pourquoi l'avaient-ils crucifié, lui qui chérissait les enfants, nourrissait les foules, guérissait les aveugles, et avait voulu, par douceur, naître au milieu des pauvres, sur le fumier d'une étable? Les semailles, les moissons, les pressoirs, toutes ces choses familières dont parle l'Évangile, se trouvaient dans sa vie; le passage de Dieu les avait sanctifiées; et elle aima plus tendrement les agneaux par amour de l'Agneau, les colombes à cause du Saint-Esprit.

Elle avait peine à imaginer sa personne; car il n'était pas seulement oiseau, mais encore un feu, et d'autres fois un souffle. C'est peut-être sa lumière qui voltige la nuit aux bords des marécages, son haleine qui pousse les nuées, sa voix qui rend les cloches harmonieuses; et elle demeurait dans une adoration, jouissant de la fraîcheur des murs et de la tranquillité de l'église.

Quant aux dogmes, elle n'y comprenait rien, ne tâcha même pas de comprendre. Le curé discourait, les enfants récitaient, elle finissait par s'endormir; et se réveillait tout à coup, quand ils faisaient en s'en allant claquer leurs sabots sur les dalles.

Ce fut de cette manière, à force de l'entendre, qu'elle apprit le catéchisme, son éducation religieuse ayant été négligée dans sa jeunesse; et dès lors elle imita toutes les pratiques de Virginie, jeûnait comme elle, se confessait avec elle. A la Fête-Dieu,[78] elles firent ensemble un reposoir.[79]

La première communion la tourmentait d'avance. Elle s'agita pour les souliers, pour le chapelet, pour le livre, pour les gants. Avec quel tremblement elle aida sa mère à l'habiller!

Pendant toute la messe, elle éprouva une angoisse. M. Bourais lui cachait un côté du chœur; mais juste en face, le troupeau des vierges portant des couronnes blanches par-dessus leurs voiles abaissés formait comme un champ de neige; et elle reconnaissait de loin la chère petite à son cou plus mignon

---

[77] Canopied recess over the altar.
[78] "Corpus Christi," feast in honor of the eucharist.   [79] "temporary altar."

et son attitude recueillie. La cloche tinta. Les têtes se courbèrent; il y eut un silence. Aux éclats de l'orgue, les chantres et la foule entonnèrent l'*Agnus Dei*,[80] puis le défilé des garçons commença; et, après eux, les filles se levèrent. Pas à pas, et les mains jointes, elles allaient vers l'autel tout illuminé,
5 s'agenouillaient sur la première marche, recevaient l'hostie successivement, et dans le même ordre revenaient à leurs prie-Dieu. Quand ce fut le tour de Virginie, Félicité se pencha pour la voir; et, avec l'imagination que donnent les vraies tendresses, il lui sembla qu'elle était elle-même cette enfant; sa figure devenait la sienne, sa robe l'habillait, son cœur lui battait
10 dans la poitrine; au moment d'ouvrir la bouche, en fermant les paupières, elle manqua s'évanouir.

Le lendemain, de bonne heure, elle se présenta dans la sacristie, pour que M. le curé lui donnât la communion. Elle la reçut dévotement, mais n'y goûta pas les mêmes délices.

15 Mme Aubain voulait faire de sa fille une personne accomplie et comme Guyot ne pouvait lui montrer [81] ni l'anglais ni la musique, elle résolut de la mettre en pension chez les Ursulines [82] de Honfleur.[83]

L'enfant n'objecta rien. Félicité soupirait, trouvant Madame insensible. Puis elle songea que sa maîtresse, peut-être, avait raison. Ces choses dé-
20 passaient sa compétence.

Enfin, un jour, une vieille tapissière [84] s'arrêta devant la porte; et il en descendit une religieuse qui venait chercher Mademoiselle. Félicité monta les bagages sur l'impériale,[85] fit des recommandations au cocher, et plaça dans le coffre six pots de confitures et une douzaine de poires, avec un
25 bouquet de violettes.

Virginie, au dernier moment, fut prise d'un grand sanglot; elle embrassait sa mère qui la baisait au front en répétant: «Allons! du courage! du courage!» Le marchepied se releva, la voiture partit.

Alors Mme Aubain eut une défaillance; et le soir tous ses amis, le ménage
30 Lormeau, Mme Lechaptois, *ces* demoiselles Rochefeuille, M. de Houppeville et Bourais se présentèrent pour la consoler.

La privation de sa fille lui fut d'abord très douloureuse. Mais trois fois la semaine elle en recevait une lettre, les autres jours lui écrivait, se promenait dans son jardin, lisait un peu, et de cette façon comblait le vide des heures.

35 Le matin, par habitude, Félicité entrait dans la chambre de Virginie, et regardait les murailles. Elle s'ennuyait de n'avoir plus à peigner ses cheveux, à lui lacer ses bottines, à la border [86] dans son lit, et de ne plus voir continuellement sa gentille figure, de ne plus la tenir par la main quand elles sortaient ensemble. Dans son désœuvrement, elle essaya de faire de la
40 dentelle. Ses doigts trop lourds cassaient les fils; elle n'entendait à rien,[87] avait perdu le sommeil, suivant son mot, était «minée.»

---

[80] "Lamb of God," part of the service of the mass.   [81] "teach."
[82] Teaching and nursing order of nuns.
[83] Town on the English Channel, across the mouth of the Seine from Le Havre.
[84] "open carriage," "wagonette."   [85] "top" (of a carriage).
[86] "tuck her in."   [87] "she wasn't good for anything."

Pour «se dissiper,» elle demanda la permission de recevoir son neveu Victor.

Il arrivait le dimanche après la messe, les joues roses, la poitrine nue, et sentant l'odeur de la campagne qu'il avait traversée. Tout de suite, elle dressait son couvert. Ils déjeunaient l'un en face de l'autre; et, mangeant elle-même le moins possible pour épargner la dépense, elle le bourrait tellement de nourriture qu'il finissait par s'endormir. Au premier coup des vêpres, elle le réveillait, brossait son pantalon, nouait sa cravate, et se rendait à l'église, appuyée sur son bras dans un orgueil maternel.

Ses parents le chargeaient toujours d'en tirer quelque chose, soit un paquet de cassonade,[88] du savon, de l'eau-de-vie, parfois même de l'argent. Il apportait ses nippes à raccommoder; et elle acceptait cette besogne, heureuse d'une occasion qui le forçait à revenir.

Au mois d'août, son père l'emmena au cabotage.[89]

C'était l'époque des vacances. L'arrivée des enfants la consola. Mais Paul devenait capricieux, et Virginie n'avait plus l'âge d'être tutoyée, ce qui mettait une gêne, une barrière entre elles.

Victor alla successivement à Morlaix,[90] à Dunkerque[91] et à Brighton;[92] au retour de chaque voyage, il lui offrait un cadeau. La première fois, ce fut une boîte en coquilles; la seconde, une tasse à café; la troisième, un grand bonhomme en pain d'épices.[93] Il embellissait, avait la taille bien prise, un peu de moustache, de bons yeux francs, et un petit chapeau de cuir, placé en arrière comme un pilote. Il l'amusait en lui racontant des histoires mêlées de termes marins.

Un lundi, 14 juillet 1819 (elle n'oublia pas la date), Victor annonça qu'il était engagé au long cours,[94] et, dans la nuit du surlendemain, par le paquebot de Honfleur, irait rejoindre sa goëlette,[95] qui devait démarrer du Havre prochainement. Il serait, peut-être, deux ans parti.

La perspective d'une telle absence désola Félicité; et pour lui dire encore adieu, le mercredi soir, après le dîner de Madame, elle chaussa des galoches,[96] et avala[97] les quatre lieues qui séparent Pont-l'Évêque de Honfleur.

Quand elle fut devant le Calvaire,[98] au lieu de prendre à gauche, elle prit à droite, se perdit dans des chantiers,[99] revint sur ses pas; des gens qu'elle accosta l'engagèrent à se hâter. Elle fit le tour du bassin rempli de navires, se heurtait contre des amarres;[100] puis le terrain s'abaissa, des lumières s'entrecroisèrent, et elle se crut folle, en apercevant des chevaux dans le ciel.

Au bord du quai, d'autres hennissaient, effrayés par la mer. Un palan[101] qui les enlevait les descendait dans un bateau, où des voyageurs se bousculaient entre les barriques de cidre, les paniers de fromage, les sacs de grain; on entendait chanter des poules, le capitaine jurait; et un mousse restait accoudé sur le bossoir,[102] indifférent à tout cela. Félicité, qui ne l'avait pas

---

[88] "brown sugar." [89] "on a coasting-vessel." [90] Seaport in Brittany.
[91] Port near the Belgian frontier. [92] Seaside resort in Sussex, England.
[93] "gingerbread-man." [94] "on an ocean voyage." [95] "schooner."
[96] "shoes with soles of wood." [97] "covered quickly." [98] "wayside shrine."
[99] "dockyards." [100] "cables." [101] "tackle." [102] "cathead" (anchor support).

reconnu, criait: «Victor!» il leva la tête; elle s'élançait, quand on retira l'échelle tout à coup.

Le paquebot, que des femmes halaient[103] en chantant, sortit du port. Sa membrure[104] craquait, les vagues pesantes fouettaient sa proue. La voile avait tourné, on ne vit plus personne;—et, sur la mer argentée par la lune, il faisait une tache noire qui pâlissait toujours, s'enfonça, disparut.

Félicité, en passant près du Calvaire, voulut recommander à Dieu ce qu'elle chérissait le plus; et elle pria pendant longtemps, debout, la face baignée de pleurs, les yeux vers les nuages. La ville dormait, des douaniers se promenaient; et de l'eau tombait sans discontinuer par les trous de l'écluse,[105] avec un bruit de torrent. Deux heures sonnèrent.

Le parloir n'ouvrirait pas avant le jour. Un retard, bien sûr, contrarierait Madame; et, malgré son désir d'embrasser l'autre enfant, elle s'en retourna. Les filles de l'auberge s'éveillaient, comme elle entrait dans Pont-l'Évêque.

Le pauvre gamin durant des mois allait donc rouler sur les flots! Ses précédents voyages ne l'avaient pas effrayée. De l'Angleterre et de la Bretagne,[106] on revenait; mais l'Amérique, les Colonies, les Îles,[107] cela était perdu dans une région incertaine, à l'autre bout du monde.

Dès lors, Félicité pensa exclusivement à son neveu. Les jours de soleil, elle se tourmentait de la soif; quand il faisait de l'orage, craignait pour lui la foudre. En écoutant le vent qui grondait dans la cheminée et emportait les ardoises, elle le voyait battu par cette même tempête, au sommet d'un mât fracassé, tout le corps en arrière, sous une nappe d'écume; ou bien,—souvenirs de la géographie en estampes,—il était mangé par les sauvages, pris dans un bois par des singes, se mourait le long d'une plage déserte. Et jamais elle ne parlait de ses inquiétudes.

Mme Aubain en avait d'autres sur sa fille.

Les bonnes sœurs trouvaient qu'elle était affectueuse, mais délicate. La moindre émotion l'énervait. Il fallut abandonner le piano.

Sa mère exigeait du couvent une correspondance réglée. Un matin que le facteur n'était pas venu, elle s'impatienta; et elle marchait dans la salle, de son fauteuil à la fenêtre. C'était vraiment extraordinaire! depuis quatre jours, pas de nouvelles!

Pour qu'elle se consolât par son exemple, Félicité lui dit:

—«Moi, madame, voilà six mois que je n'en ai reçu! . . .

—De qui donc? . . . »

La servante répliqua doucement:

—«Mais . . . de mon neveu!

—Ah! votre neveu!» Et, haussant les épaules, Mme Aubain reprit sa promenade, ce qui voulait dire: «Je n'y pensais pas! . . . Au surplus, je m'en moque! un mousse, un gueux, belle affaire! . . . tandis que ma fille. . . . Songez donc! . . . »

Félicité, bien que nourrie dans la rudesse, fut indignée contre Madame, puis oublia.

---

[103] "were towing."   [104] "timbers."   [105] "lock."
[106] Ancient province in western France.   [107] The West Indies.

Il lui paraissait tout simple de perdre la tête à l'occasion de la petite.

Les deux enfants avaient une importance égale; un lien de son cœur les unissait, et leurs destinées devaient être la même.

Le pharmacien lui apprit que le bateau de Victor était arrivé à la Havane. Il avait lu ce renseignement dans une gazette.

A cause des cigares, elle imaginait la Havane un pays où l'on ne fait pas autre chose que de fumer, et Victor circulait parmi des nègres dans un nuage de tabac. Pouvait-on «en cas de besoin» s'en retourner par terre? A quelle distance était-ce de Pont-l'Évêque? Pour le savoir, elle interrogea M. Bourais.

Il atteignit son atlas, puis commença des explications sur les longitudes; et il avait un beau sourire de cuistre [108] devant l'ahurissement de Félicité. Enfin, avec son porte-crayon, il indiqua dans les découpures [109] d'une tache ovale un point noir, imperceptible, en ajoutant: «Voici.» Elle se pencha sur la carte; ce réseau [110] de lignes coloriées fatiguait sa vue, sans lui rien apprendre; et Bourais, l'invitant à dire ce qui l'embarrassait, elle le pria de lui montrer la maison où demeurait Victor. Bourais leva les bras, il éternua, rit énormément; une candeur [110a] pareille excitait sa joie; et Félicité n'en comprenait pas le motif,—elle qui s'attendait peut-être à voir jusqu'au portrait de son neveu, tant son intelligence était bornée!

Ce fut quinze jours après que Liébard, à l'heure du marché comme d'habitude, entra dans la cuisine, et lui remit une lettre qu'envoyait son beau-frère. Ne sachant lire aucun des deux, elle eut recours à sa maîtresse.

Mme Aubain, qui comptait les mailles d'un tricot, le posa près d'elle, décacheta la lettre, tressaillit, et, d'une voix basse, avec un regard profond:

—«C'est un malheur . . . qu'on vous annonce. Votre neveu. . . . »

Il était mort. On n'en disait pas davantage.

Félicité tomba sur une chaise, en s'appuyant la tête à la cloison, et ferma ses paupières, qui devinrent roses tout à coup. Puis, le front baissé, les mains pendantes, l'œil fixe, elle répétait par intervalles:

—«Pauvre petit gars! [111] pauvre petit gars!»

Liébard la considérait en exhalant des soupirs. Mme Aubain tremblait un peu.

Elle lui proposa d'aller voir sa sœur, à Trouville.

Félicité répondit, par un geste, qu'elle n'en avait pas besoin.

Il y eut un silence. Le bonhomme Liébard jugea convenable de se retirer. Alors elle dit:

—«Ça ne leur fait rien, à eux!»

Sa tête retomba; et machinalement elle soulevait, de temps à autre, les longues aiguilles sur la table à ouvrage.

Des femmes passèrent dans la cour avec un bard [112] d'où dégouttelait du linge.

En les apercevant par les carreaux, elle se rappela sa lessive; l'ayant coulée [113] la veille, il fallait aujourd'hui la rincer; et elle sortit de l'appartement.

---

[108] "pedant." [109] "indentations." [110] "network." [110a] "simplicity."
[111] Familiar for *garçon*. Pronounce [ga]. [112] "hand-barrow." [113] "boiled."

Sa planche et son tonneau [114] étaient au bord de la Toucques. Elle jeta sur la berge un tas de chemises, retroussa ses manches, prit son battoir; et les coups forts qu'elle donnait s'entendaient dans les autres jardins à côté. Les prairies étaient vides, le vent agitait la rivière; au fond, de grandes herbes s'y penchaient, comme des chevelures de cadavres flottant dans l'eau. Elle retenait sa douleur, jusqu'au soir fut très brave; mais, dans sa chambre, elle s'y abandonna, à plat ventre sur son matelas, le visage dans l'oreiller, et les deux poings contre les tempes.

Beaucoup plus tard, par le capitaine de Victor lui-même, elle connut les circonstances de sa fin. On l'avait trop saigné à l'hôpital, pour la fièvre jaune. Quatre médecins le tenaient à la fois. Il était mort immédiatement, et le chef avait dit:

—«Bon! [115] encore un!»

Ses parents l'avaient toujours traité avec barbarie. Elle aima mieux ne pas les revoir; et ils ne firent aucune avance, par oubli, ou endurcissement de misérables.

Virginie s'affaiblissait.

Des oppressions, de la toux, une fièvre continuelle et des marbrures [116] aux pommettes décelaient quelque affection profonde. M. Poupart avait conseillé un séjour en Provence.[117] Mme Aubain s'y décida, et eût tout de suite repris sa fille à la maison, sans le climat de Pont-l'Évêque.

Elle fit un arrangement avec un loueur de voitures, qui la menait au couvent chaque mardi. Il y a dans le jardin une terrasse d'où l'on découvre la Seine. Virginie s'y promenait à son bras, sur les feuilles de pampre tombées. Quelquefois le soleil traversant les nuages la forçait à cligner ses paupières, pendant qu'elle regardait les voiles au loin et tout l'horizon, depuis le château de Tancarville jusqu'aux phares du Havre. Ensuite on se reposait dans la tonnelle.[118] Sa mère s'était procuré un petit fût d'excellent vin de Malaga; [119] et, riant à l'idée d'être grise, elle en buvait deux doigts, pas davantage.

Ses forces reparurent. L'automne s'écoula doucement. Félicité rassurait Mme Aubain. Mais, un soir qu'elle avait été aux environs faire une course, elle rencontra devant la porte le cabriolet [120] de M. Poupart; et il était dans le vestibule. Mme Aubain nouait son chapeau.

«Donnez-moi ma chaufferette, ma bourse, mes gants; plus vite donc!» Virginie avait une fluxion de poitrine; [121] c'était peut-être désespéré.

«Pas encore!» dit le médecin; et tous deux montèrent dans la voiture, sous des flocons de neige qui tourbillonnaient. La nuit allait venir. Il faisait très froid.

Félicité se précipita dans l'église, pour allumer un cierge. Puis elle courut après le cabriolet, qu'elle rejoignit une heure plus tard, sauta légèrement par

---

[114] "her board and tub." French women generally do their washing on the banks of streams and ponds, using a paddle (*battoir*) to beat the clothes instead of rubbing them.
[115] Interjection expressing irritation here.   [116] "blue marks on her cheekbones."
[117] Southeastern France.   [118] "arbor."
[119] Province in southern Spain, famous for its grapes and wines.
[120] "gig."   [121] "inflammation of the lungs."

derrière, où elle se tenait aux torsades,[122] quand une réflexion lui vint: «La cour n'était pas fermée! si des voleurs s'introduisaient?» Et elle descendit.

Le lendemain, dès l'aube, elle se présenta chez le docteur. Il était rentré, et reparti à la campagne. Puis elle resta dans l'auberge, croyant que des inconnus apporteraient une lettre. Enfin, au petit jour, elle prit la diligence de Lisieux.[123]

Le couvent se trouvait au fond d'une ruelle escarpée. Vers le milieu, elle entendit des sons étranges, un glas de mort. «C'est pour d'autres,» pensa-t-elle; et Félicité tira violemment le marteau.

Au bout de plusieurs minutes, des savates se traînèrent, la porte s'entre-bâilla, et une religieuse parut.

La bonne sœur avec un air de componction dit qu'«elle venait de passer.» En même temps, le glas de Saint-Léonard redoublait.

Félicité parvint au second étage.

Dès le seuil de la chambre, elle aperçut Virginie étalée sur le dos, les mains jointes, la bouche ouverte, et la tête en arrière sous une croix noire s'inclinant vers elle entre les rideaux immobiles, moins pâles que sa figure. Mme Aubain, au pied de la couche qu'elle tenait dans ses bras, poussait des hoquets d'agonie. La supérieure était debout à droite. Trois chandeliers sur la commode faisaient des taches rouges, et le brouillard blanchissait les fenêtres. Des religieuses emportèrent Mme Aubain.

Pendant deux nuits, Félicité ne quitta pas la morte. Elle répétait les mêmes prières, jetait de l'eau bénite sur les draps, revenait s'asseoir, et la contemplait. A la fin de la première veille, elle remarqua que la figure avait jauni, les lèvres bleuirent, le nez se pinçait, les yeux s'enfonçaient. Elle les baisa plusieurs fois; et n'eût pas éprouvé un immense étonnement si Virginie les eût rouverts; pour de pareilles âmes le surnaturel est tout simple. Elle fit sa toilette, l'enveloppa de son linceul, la descendit dans sa bière, lui posa une couronne, étala ses cheveux. Ils étaient blonds, et extraordinaires de longueur à son âge. Félicité en coupa une grosse mèche, dont elle glissa la moitié dans sa poitrine, résolue à ne jamais s'en dessaisir.[124]

Le corps fut ramené à Pont-l'Évêque, suivant les intentions de Mme Aubain, qui suivait le corbillard, dans une voiture fermée.

Après la messe, il fallut encore trois quarts d'heure pour atteindre le cimetière. Paul marchait en tête et sanglotait. M. Bourais était derrière, ensuite les principaux habitants, les femmes, couvertes de mantes noires, et Félicité. Elle songeait à son neveu, et, n'ayant pu lui rendre ces honneurs, avait un surcroît de tristesse, comme si on l'eût enterré avec l'autre.

Le désespoir de Mme Aubain fut illimité.

D'abord elle se révolta contre Dieu, le trouvant injuste de lui avoir pris sa fille,—elle qui n'avait jamais fait de mal, et dont la conscience était si pure! Mais non! elle aurait dû l'emporter dans le Midi. D'autres docteurs l'auraient sauvée! Elle s'accusait, voulait la rejoindre, criait en détresse au milieu de ses rêves. Un, surtout, l'obsédait. Son mari, costumé comme un

---

[122] "twisted fringe."   [123] Town south of Pont-l'Évêque.   [124] "part with it."

matelot, revenait d'un long voyage, et lui disait en pleurant qu'il avait reçu l'ordre d'emmener Virginie. Alors ils se concertaient pour découvrir une cachette quelque part.

Une fois, elle rentra du jardin, bouleversée. Tout à l'heure (elle montrait l'endroit) le père et la fille lui étaient apparus l'un auprès de l'autre, et ils ne faisaient rien; ils la regardaient.

Pendant plusieurs mois, elle resta dans sa chambre, inerte. Félicité la sermonnait doucement; il fallait se conserver pour son fils, et pour l'autre,[125] en souvenir «d'elle.»

—«Elle?» reprenait Mme Aubain, comme se réveillant. «Ah! oui! . . . oui! . . . Vous ne l'oubliez pas!» Allusion au cimetière, qu'on lui avait scrupuleusement défendu.

Félicité tous les jours s'y rendait.

A quatre heures précises, elle passait au bord des maisons, montait la côte, ouvrait la barrière, et arrivait devant la tombe de Virginie. C'était une petite colonne de marbre rose, avec une dalle dans le bas, et des chaînes autour enfermant un jardinet. Les plates-bandes disparaissaient sous une couverture de fleurs. Elle arrosait leurs feuilles, renouvelait le sable, se mettait à genoux pour mieux labourer la terre. Mme Aubain, quand elle put y venir, en éprouva un soulagement, une espèce de consolation.

Puis des années s'écoulèrent, toutes pareilles et sans autres épisodes que le retour des grandes fêtes: Pâques, l'Assomption,[126] la Toussaint.[127] Des événements intérieurs faisaient une date, où l'on se reportait plus tard. Ainsi, en 1825, deux vitriers badigeonnèrent le vestibule; en 1827, une portion du toit, tombant dans la cour, faillit tuer un homme. L'été de 1828, ce fut à Madame[128] d'offrir le pain bénit; Bourais, vers cette époque, s'absenta mystérieusement; et les anciennes connaissances peu à peu s'en allèrent: Guyot, Liébard, Mme Lechaptois, Robelin, l'oncle Gremanville, paralysé depuis longtemps.

Une nuit, le conducteur de la malle-poste[129] annonça dans Pont-l'Évêque la Révolution de Juillet.[130] Un sous-préfet nouveau, peu de jours après, fut nommé: le baron de Larsonnière, ex-consul en Amérique, et qui avait chez lui, outre sa femme, sa belle-sœur avec trois demoiselles, assez grandes déjà. On les apercevait sur leur gazon, habillées de blouses flottantes; elles possédaient un nègre et un perroquet. Mme Aubain eut leur visite, et ne manqua pas de la rendre. Du plus loin qu'elles paraissaient, Félicité accourait pour la prévenir. Mais une chose était seule capable de l'émouvoir, les lettres de son fils.

Il ne pouvait suivre aucune carrière, étant absorbé dans les estaminets. Elle lui payait ses dettes; il en refaisait d'autres; et les soupirs que poussait Mme Aubain, en tricotant près de la fenêtre, arrivaient à Félicité, qui tournait son rouet dans la cuisine.

Elles se promenaient ensemble le long de l'espalier; et causaient toujours

[125] *l'autre* refers to Virginie.   [126] Assumption Day (August 15).
[127] All Saints' Day (November 1).   [128] "it was Madame's turn."   [129] "mail coach."
[130] The July Revolution (July 27–29, 1830), which overthrew the Bourbons.

de Virginie, se demandant si telle chose lui aurait plu, en telle occasion ce qu'elle eût dit probablement.

Toutes ses petites affaires occupaient un placard dans la chambre à deux lits. Mme Aubain les inspectait le moins souvent possible. Un jour d'été, elle se résigna; et des papillons s'envolèrent de l'armoire.   1

Ses robes étaient en ligne sous une planche où il y avait trois poupées, des cerceaux, un ménage,[131] la cuvette qui lui servait. Elles retirèrent également les jupons, les bas, les mouchoirs, et les étendirent sur les deux couches, avant de les replier. Le soleil éclairait ces pauvres objets, en faisait voir les taches, et des plis formés par les mouvements du corps. L'air était chaud et bleu, un 10 merle gazouillait, tout semblait vivre dans une douceur profonde. Elles retrouvèrent un petit chapeau de peluche, à longs poils, couleur marron; mais il était tout mangé de vermine. Félicité le réclama pour elle-même. Leurs yeux se fixèrent l'une sur l'autre, s'emplirent de larmes; enfin la maîtresse ouvrit ses bras, la servante s'y jeta; et elles s'étreignirent, satisfaisant 15 leur douleur dans un baiser qui les égalisait.[132]

C'était la première fois de leur vie, Mme Aubain n'étant pas d'une nature expansive. Félicité lui en fut reconnaissante comme d'un bienfait, et désormais la chérit avec un dévouement bestial et une vénération religieuse.

La bonté de son cœur se développa.   20

Quand elle entendait dans la rue les tambours d'un régiment en marche, elle se mettait devant la porte avec une cruche de cidre, et offrait à boire aux soldats. Elle soigna des cholériques.[133] Elle protégeait les Polonais;[134] et même il y en eut un qui déclarait la vouloir épouser. Mais ils se fâchèrent; car un matin, en rentrant de l'Angélus,[135] elle le trouva dans sa cuisine, où 25 il s'était introduit, et accommodé [136] une vinaigrette [137] qu'il mangeait tranquillement.

Après les Polonais, ce fut le père Colmiche, un vieillard passant pour avoir fait des horreurs en 93.[138] Il vivait au bord de la rivière, dans les décombres d'une porcherie. Les gamins le regardaient par les fentes du mur, et lui 30 jetaient des cailloux qui tombaient sur son grabat, où il gisait, continuelle- ment secoué par un catarrhe, avec des cheveux très longs, les paupières enflammées, et au bras une tumeur plus grosse que sa tête. Elle lui procura du linge, tâcha de nettoyer son bouge,[139] rêvait à l'établir dans le fournil,[140] sans qu'il gênât Madame. Quand le cancer eut crevé, elle le pansa tous les 35 jours, quelquefois lui apportait de la galette, le plaçait au soleil sur une botte de paille; et le pauvre vieux, en bavant et en tremblant, la remerciait de sa voix éteinte, craignait de la perdre, allongeait les mains dès qu'il la voyait s'éloigner. Il mourut; elle fit dire une messe pour le repos de son âme.

Ce jour-là, il lui advint un grand bonheur: au moment du dîner, le nègre 40 de Mme de Larsonnière se présenta, tenant le perroquet dans sa cage, avec

[131] "set of doll's furniture."
[132] "made them equal" (broke down the social barrier between them).
[133] "people suffering from cholera."
[134] Poles who had sought refuge in France after their disastrous struggle for liberty in 1830.
[135] Prayer offered three times a day.   [136] "prepared."   [137] "meat with vinegar sauce."
[138] During the "Reign of Terror."   [139] "hovel."   [140] "bakehouse."

le bâton, la chaîne et le cadenas. Un billet de la baronne annonçait à Mme Aubain que, son mari étant élevé à une préfecture, ils partaient le soir; et elle la priait d'accepter cet oiseau, comme un souvenir, et en témoignage de ses respects.

5 Il occupait depuis longtemps l'imagination de Félicité, car il venait d'Amérique; et ce mot lui rappelait Victor, si bien qu'elle s'en informait auprès du nègre. Une fois même elle avait dit:—«C'est Madame qui serait heureuse de l'avoir!»

Le nègre avait redit le propos à sa maîtresse, qui, ne pouvant l'emmener, 10 s'en débarrassait de cette façon.

IV

Il s'appelait Loulou. Son corps était vert, le bout de ses ailes rose, son front bleu, et sa gorge dorée.

Mais il avait la fatigante manie de mordre son bâton, s'arrachait les plumes, éparpillait ses ordures, répandait l'eau de sa baignoire; Mme Aubain, qu'il 15 ennuyait, le donna pour toujours à Félicité.

Elle entreprit de l'instruire; bientôt il répéta: «Charmant garçon! Serviteur, monsieur! Je vous salue, Marie!» [141] Il était placé auprès de la porte, et plusieurs s'étonnaient qu'il ne répondît pas au nom de Jacquot, puisque tous les perroquets s'appellent Jacquot. On le comparait à une dinde, à une 20 bûche: [142] autant de coups de poignard pour Félicité! Étrange obstination de Loulou, ne parlant plus du moment qu'on le regardait!

Néanmoins il recherchait la compagnie; car le dimanche, pendant que ces demoiselles Rochefeuille, monsieur de Houppeville et de nouveaux habitués: Onfroy l'apothicaire, monsieur Varin et le capitaine Mathieu, faisaient 25 leur partie de cartes, il cognait les vitres avec ses ailes, et se démenait si furieusement qu'il était impossible de s'entendre.

La figure de Bourais, sans doute, lui paraissait très drôle. Dès qu'il l'apercevait, il commençait à rire, à rire de toutes ses forces. Les éclats de sa voix bondissaient dans la cour, l'écho les répétait, les voisins se 30 mettaient à leurs fenêtres, riaient aussi; et, pour n'être pas vu du perroquet, M. Bourais se coulait le long du mur, en dissimulant son profil avec son chapeau, atteignait la rivière, puis entrait par la porte du jardin; et les regards qu'il envoyait à l'oiseau manquaient de tendresse.

Loulou avait reçu du garçon boucher une chiquenaude, s'étant permis 35 d'enfoncer la tete dans sa corbeille; et depuis lors il tâchait toujours de le pincer à travers sa chemise. Fabu menaçait de lui tordre le cou, bien qu'il ne fût pas cruel, malgré le tatouage de ses bras et ses gros favoris. Au contraire, il avait plutôt du penchant pour le perroquet, jusqu'à vouloir, par humeur joviale, lui apprendre des jurons. Félicité, que ces manières effrayaient, le 40 plaça dans la cuisine. Sa chaînette fut retirée, et il circulait par la maison.

Quand il descendait l'escalier, il appuyait sur les marches la courbe de son

---

[141] French for *Ave Maria.*   [142] "block of wood."

bec, levait la patte droite, puis la gauche; et elle avait peur qu'une telle gymnastique ne lui causât des étourdissements. Il devint malade, ne pouvait plus parler ni manger. C'était sous sa langue une épaisseur, comme en ont les poules quelquefois. Elle le guérit, en arrachant cette pellicule avec ses ongles. M. Paul, un jour, eut l'imprudence de lui souffler aux narines la fumée d'un cigare; une autre fois que Mme Lormeau l'agaçait du bout de son ombrelle, il en happa la virole;[143] enfin, il se perdit.

Elle l'avait posé sur l'herbe pour le rafraîchir, s'absenta une minute; et, quand elle revint, plus de perroquet! D'abord elle le chercha dans les buissons, au bord de l'eau et sur les toits, sans écouter sa maîtresse qui lui criait: «Prenez donc garde! vous êtes folle!» Ensuite elle inspecta tous les jardins de Pont-l'Évêque; et elle arrêtait les passants: «Vous n'auriez pas vu, quelquefois, par hasard, mon perroquet?» A ceux qui ne connaissaient pas le perroquet, elle en faisait la description. Tout à coup, elle crut distinguer derrière les moulins, au bas de la côte, une chose verte qui voltigeait. Mais au haut de la côte, rien! Un porte-balle[144] lui affirma qu'il l'avait rencontré tout à l'heure, à Saint-Melaine,[145] dans la boutique de la mère Simon. Elle y courut. On ne savait pas ce qu'elle voulait dire. Enfin elle rentra, épuisée, les savates en lambeaux, la mort dans l'âme; et, assise au milieu du banc, près de Madame, elle racontait toutes ses démarches, quand un poids léger lui tomba sur l'épaule; Loulou! Que diable avait-il fait? Peut-être qu'il s'était promené aux environs!

Elle eut du mal à s'en remettre, ou plutôt ne s'en remit jamais.

Par suite d'un refroidissement, il lui vint une angine;[146] peu de temps après, un mal d'oreilles. Trois ans plus tard, elle était sourde; et elle parlait très haut, même à l'église. Bien que ses péchés auraient pu sans déshonneur pour elle, ni inconvénient pour le monde, se répandre à tous les coins du diocèse, M. le curé jugea convenable de ne plus recevoir sa confession que dans la sacristie.

Des bourdonnements illusoires achevaient de la troubler. Souvent sa maîtresse lui disait:

«Mon Dieu! comme vous êtes bête!» elle répliquait: «Oui, Madame,» en cherchant quelque chose autour d'elle.

Le petit cercle de ses idées se rétrécit encore, et le carillon des cloches, le mugissement des bœufs, n'existaient plus. Tous les êtres fonctionnaient avec le silence des fantômes. Un seul bruit arrivait maintenant à ses oreilles, la voix du perroquet.

Comme pour la distraire, il reproduisait le tic tac du tournebroche,[147] l'appel aigu d'un vendeur de poisson, la scie du menuisier qui logeait en face; et, aux coups de la sonnette, imitait Mme Aubain: «Félicité! la porte! la porte!»

Ils avaient des dialogues, lui, débitant à satiété les trois phrases de son répertoire, et elle, y répondant par des mots sans plus de suite, mais où son cœur s'épanchait. Loulou, dans son isolement, était presque un fils, un

---

[143] "metal tip."   [144] "peddler."   [145] Northern section of Pont-l'Évêque.
[146] "quinsy."   [147] "turnspit."

amoureux. Il escaladait ses doigts, mordillait ses lèvres, se cramponnait à son fichu; et, comme elle penchait son front en branlant la tête à la manière des nourrices, les grandes ailes du bonnet et les ailes de l'oiseau frémissaient ensemble.

5 Quand des nuages s'amoncelaient et que le tonnerre grondait, il poussait des cris, se rappelant peut-être les ondées de ses forêts natales. Le ruissellement de l'eau excitait son délire; il voletait éperdu, montait au plafond, renversait tout, et par la fenêtre allait barboter [148] dans le jardin; mais revenait vite sur un des chenets, et, sautillant pour sécher ses plumes, 10 montrait tantôt sa queue, tantôt son bec.

Un matin du terrible hiver de 1837, qu'elle l'avait mis devant la cheminée, à cause du froid, elle le trouva mort, au milieu de sa cage, la tête en bas, et les ongles dans les fils de fer. Une congestion l'avait tué, sans doute? Elle crut à un empoisonnement par le persil; et, malgré l'absence de toutes 15 preuves, ses soupçons portèrent sur Fabu.

Elle pleura tellement que sa maîtresse lui dit: «Eh bien! faites-le empailler!»

Elle demanda conseil au pharmacien, qui avait toujours été bon pour le perroquet.

20 Il écrivit au Havre. Un certain Fellacher se chargea de cette besogne. Mais, comme la diligence égarait parfois les colis, elle résolut de le porter elle-même jusqu'à Honfleur.

Les pommiers sans feuilles se succédaient aux bords de la route. De la glace couvrait les fossés. Des chiens aboyaient autour des fermes; et les 25 mains sous son mantelet, avec ses petits sabots noirs, et son cabas, elle marchait prestement, sur le milieu du pavé.

Elle traversa la forêt, dépassa le Haut-Chêne, atteignit Saint-Gatien.[149]

Derrière elle, dans un nuage de poussière et emportée par la descente, une malle-poste au grand galop se précipitait comme une trombe. En voyant cette 30 femme qui ne se dérangeait pas, le conducteur se dressa par-dessus la capote, et le postillon criait aussi, pendant que ses quatre chevaux qu'il ne pouvait retenir accéléraient leur train; les deux premiers la frôlaient; d'une secousse de ses guides, il les jeta dans le débord,[150] mais furieux releva le bras, et à pleine volée, avec son grand fouet, lui cingla du ventre au chignon un tel 35 coup qu'elle tomba sur le dos.

Son premier geste, quand elle reprit connaissance, fut d'ouvrir son panier. Loulou n'avait rien, heureusement. Elle sentit une brûlure à la joue droite; ses mains qu'elle y porta étaient rouges. Le sang coulait.

Elle s'assit sur un mètre de cailloux,[151] se tamponna le visage avec son 40 mouchoir, puis elle mangea une croûte de pain, mise dans son panier par précaution, et se consolait de sa blessure en regardant l'oiseau.

Arrivée au sommet d'Ecquemauville,[152] elle aperçut les lumières de

---

[148] "splash around."　　　　　[149] Village half way between Pont-l'Évêque and Honfleur.
[150] "side of the road."　　　　[151] "pile of stones" (used for mending the road).
[152] Village not far from Honfleur.

Honfleur qui scintillaient dans la nuit comme une quantité d'étoiles; la mer, plus loin, s'étalait confusément. Alors une faiblesse l'arrêta; et la misère de son enfance, la déception du premier amour, le départ de son neveu, la mort de Virginie, comme les flots d'une marée, revinrent à la fois, et, lui montant à la gorge, l'étouffaient.

Puis elle voulut parler au capitaine du bateau; et, sans dire ce qu'elle envoyait, lui fit des recommandations.

Fellacher garda longtemps le perroquet. Il le promettait toujours pour la semaine prochaine; au bout de six mois, il annonça le départ d'une caisse, et il n'en fut plus question. C'était à croire que jamais Loulou ne reviendrait. «Ils me l'auront[153] volé!» pensait-elle.

Enfin il arriva,—et splendide, droit sur une branche d'arbre, qui se vissait dans un socle d'acajou, une patte en l'air, la tête oblique, et mordant une noix, que l'empailleur par amour du grandiose avait dorée.

Elle l'enferma dans sa chambre.

Cet endroit, où elle admettait peu de monde, avait l'air tout à la fois d'une chapelle et d'un bazar, tant il contenait d'objets religieux et de choses hétéroclites.[154]

Une grande armoire gênait pour ouvrir la porte. En face de la fenêtre surplombant le jardin, un œil-de-bœuf[155] regardait la cour; une table, près du lit de sangle, supportait un pot à l'eau, deux peignes, et un cube de savon bleu dans une assiette ébréchée. On voyait contre les murs: des chapelets, des médailles, plusieurs bonnes Vierges,[156] un bénitier en noix de coco; sur la commode, couverte d'un drap comme un autel la boîte en coquillages que lui avait donnée Victor; puis un arrosoir et un ballon, des cahiers d'écriture, la géographie en estampes, une paire de bottines; et au clou du miroir, accroché par ses rubans, le petit chapeau de peluche! Félicité poussait même ce genre de respect si loin, qu'elle conservait une des redingotes de «Monsieur.» Toutes les vieilleries dont ne voulait plus Mme Aubain, elle les prenait pour sa chambre. C'est ainsi qu'il y avait des fleurs artificielles au bord de la commode, et le portrait du comte d'Artois[157] dans l'enfoncement de la lucarne.

Au moyen d'une planchette, Loulou fut établi sur un corps de cheminée[158] qui avançait dans l'appartement. Chaque matin, en s'éveillant, elle l'apercevait à la clarté de l'aube, et se rappelait alors les jours disparus, et d'insignifiantes actions jusqu'en leurs moindres détails, sans douleur, pleine de tranquillité.

Ne communiquant avec personne, elle vivait dans une torpeur de somnambule. Les processions de la Fête-Dieu la ranimaient. Elle allait quêter chez les voisines des flambeaux et des paillassons,[159] afin d'embellir le reposoir que l'on dressait dans la rue.

A l'église, elle contemplait toujours le Saint-Esprit, et observa qu'il avait

[153] Future of probability.   [154] "odd."   [155] "small oval window."
[156] "images of the Virgin."   [157] Later Charles X (1824–1830).
[158] "chimney-breast."   [159] "straw mats."

quelque chose du perroquet. Sa ressemblance lui parut encore plus manifeste sur une image d'Épinal,[160] représentant le baptême de Notre-Seigneur. Avec ses ailes de pourpre et son corps d'émeraude, c'était vraiment le portrait de Loulou.

5   L'ayant acheté, elle le suspendit à la place du comte d'Artois,—de sorte que, du même coup d'œil, elle les voyait ensemble. Ils s'associèrent dans sa pensée, le perroquet se trouvant sanctifié par ce rapport avec le Saint-Esprit, qui devenait plus vivant à ses yeux et intelligible. Le Père, pour s'énoncer, n'avait pu choisir une colombe, puisque ces bêtes-là n'ont pas de voix, mais

10 plutôt un des ancêtres de Loulou. Et Félicité priait en regardant l'image, mais de temps à autre se tournait un peu vers l'oiseau.

Elle eut envie de se mettre dans les demoiselles [161] de la Vierge. Mme Aubain l'en dissuada.

Un événement considérable surgit: le mariage de Paul.

15   Après avoir été d'abord clerc de notaire, puis dans le commerce, dans la douane, dans les contributions,[162] et même avoir commencé des démarches pour les eaux et forêts,[163] à trente-six ans, tout à coup, par une inspiration du ciel, il avait découvert sa voie: l'enregistrement! [164] et y montrait de si hautes facultés qu'un vérificateur [165] lui avait offert sa fille, en lui promettant

20 sa protection.

Paul, devenu sérieux, l'amena chez sa mère.

Elle dénigra les usages de Pont-l'Évêque, fit la princesse,[166] blessa Félicité. Mme Aubain, à son départ, sentit un allégement.

La semaine suivante, on apprit la mort de M. Bourais, en basse Bretagne,

25 dans une auberge. La rumeur d'un suicide se confirma; des doutes s'élevèrent sur sa probité. Mme Aubain étudia ses comptes, et ne tarda pas à connaître la kyrielle [167] de ses noirceurs: détournements d'arrérages, ventes de bois dissimulées, fausses quittances, etc. De plus, il avait un enfant naturel, et «des relations avec une personne de Dozulé.» [168a]

30   Ces turpitudes l'affligèrent beaucoup. Au mois de mars 1853, elle fut prise d'une douleur dans la poitrine; sa langue paraissait couverte de fumée, les sangsues [168] ne calmèrent pas l'oppression; et le neuvième soir elle expira, ayant juste soixante-douze ans.

On la croyait moins vieille, à cause de ses cheveux bruns, dont les bandeaux

35 entouraient sa figure blême, marquée de petite vérole. Peu d'amis la regrettèrent, ses façons étant d'une hauteur qui éloignait.

Félicité la pleura, comme on ne pleure pas les maîtres. Que Madame mourût avant elle, cela troublait ses idées, lui semblait contraire à l'ordre des choses, inadmissible et monstrueux.

40   Dix jours après (le temps d'accourir de Besançon),[169] les héritiers survinrent. La bru fouilla les tiroirs, choisit des meubles, vendit les autres, puis ils regagnèrent l'enregistrement.

---

[160] A town in N.E. France noted for its production of cheap popular pictures.
[161] A women's organization for doing pious work in a parish.   [162] "tax collector's office."
[163] Government forestry service.   [164] Registry Department.   [165] "auditor."
[166] "put on airs."   [167] "long list."   [168a] Village near Pont l'Évêque.
[168] "leeches."   [169] Old capital of Franche-Comté, near the Swiss border.

Le fauteuil de Madame, son guéridon, sa chaufferette, les huit chaises, étaient partis! La place des gravures se dessinait en carrés jaunes au milieu des cloisons. Ils avaient emporté les deux couchettes, avec leurs matelas, et dans le placard on ne voyait plus rien de toutes les affaires de Virginie! Félicité remonta les étages, ivre de tristesse.

Le lendemain il y avait sur la porte une affiche; l'apothicaire lui cria dans l'oreille que la maison était à vendre.

Elle chancela, et fut obligée de s'asseoir.

Ce qui la désolait principalement, c'était d'abandonner sa chambre,—si commode pour le pauvre Loulou. En l'enveloppant d'un regard d'angoisse, elle implorait le Saint-Esprit, et contracta l'habitude idolâtre de dire ses oraisons agenouillée devant le perroquet. Quelquefois, le soleil entrant par la lucarne frappait son œil de verre, et en faisait jaillir un grand rayon lumineux qui la mettait en extase.

Elle avait une rente de trois cent quatre-vingts francs, léguée par sa maîtresse. Le jardin lui fournissait des légumes. Quant aux habits, elle possédait de quoi se vêtir jusqu'à la fin de ses jours, et épargnait l'éclairage en se couchant dès le crépuscule.

Elle ne sortait guère, afin d'éviter la boutique du brocanteur, où s'étalaient quelques-uns des anciens meubles. Depuis son étourdissement, elle traînait une jambe; et, ses forces diminuant, la mère Simon, ruinée dans l'épicerie, venait tous les matins fendre son bois et pomper de l'eau.

Ses yeux s'affaiblirent. Les persiennes n'ouvraient plus. Bien des années se passèrent. Et la maison ne se louait pas, et ne se vendait pas.

Dans la crainte qu'on ne la renvoyât, Félicité ne demandait aucune réparation. Les lattes du toit pourrissaient; pendant tout un hiver son traversin fut mouillé. Après Pâques, elle cracha du sang.

Alors la mère Simon eut recours à un docteur. Félicité voulut savoir ce qu'elle avait. Mais, trop sourde pour entendre, un seul mot lui parvint: «Pneumonie.» Il lui était connu, et elle répliqua doucement:

«Ah! comme Madame,» trouvant naturel de suivre sa maîtresse.

Le moment des reposoirs approchait.

Le premier était toujours au bas de la côte, le second devant la poste, le troisième vers le milieu de la rue. Il y eut des rivalités à propos de celui-là; et les paroissiennes choisirent finalement la cour de Mme Aubain.

Les oppressions et la fièvre augmentaient. Félicité se chagrinait de ne rien faire pour le reposoir. Au moins, si elle avait pu y mettre quelque chose! Alors elle songea au perroquet. Ce n'était pas convenable, objectèrent les voisines. Mais le curé accorda cette permission; elle en fut tellement heureuse qu'elle le pria d'accepter, quand elle serait morte, Loulou, sa seule richesse.

Du mardi au samedi, veille de la Fête-Dieu, elle toussa plus fréquemment. Le soir son visage était grippé,[170] ses lèvres se collaient à ses gencives, des vomissements parurent; et le lendemain, au petit jour, se sentant très bas, elle fit appeler un prêtre.

170 "shrunken."

Trois bonnes femmes[171] l'entouraient pendant l'extrême onction. Puis elle déclara qu'elle avait besoin de parler à Fabu.

Il arriva en toilette des dimanches, mal à son aise dans cette atmosphère lugubre.

5 «Pardonnez-moi, dit-elle avec un effort pour étendre le bras, je croyais que c'était vous qui l'aviez tué!»[172]

Que signifiaient des potins[173] pareils? L'avoir soupçonné d'un meurtre, un homme comme lui! et il s'indignait, allait faire du tapage.

«Elle n'a plus sa tête, vous voyez bien!»

10 Félicité de temps à autre parlait à des ombres. Les bonnes femmes s'éloignèrent. La Simonne déjeuna.

Un peu plus tard, elle prit Loulou, et, l'approchant de Félicité:

«Allons! dites-lui adieu!»

Bien qu'il ne fût pas un cadavre, les vers le dévoraient; une de ses ailes 15 était cassée, l'étoupe lui sortait du ventre. Mais, aveugle à présent, elle le baisa au front, et le gardait contre sa joue. La Simonne le reprit, pour le mettre sur le reposoir.

V

Les herbages envoyaient l'odeur de l'été; des mouches bourdonnaient; le soleil faisait luire la rivière, chauffait les ardoises. La mère Simon, revenue 20 dans la chambre, s'endormait doucement.

Des coups de cloche la réveillèrent; on sortait des vêpres. Le délire de Félicité tomba. En songeant à la procession, elle la voyait, comme si elle l'eût suivie.

Tous les enfants des écoles, les chantres et les pompiers marchaient sur 25 les trottoirs, tandis qu'au milieu de la rue, s'avançaient premièrement: le suisse[174] armé de sa hallebarde, le bedeau[175] avec une grande croix, l'instituteur surveillant les gamins, la religieuse inquiète de ses petites filles; trois des plus mignonnes, frisées comme des anges, jetaient dans l'air des pétales de roses; le diacre,[176] les bras écartés, modérait la musique; et deux 30 encenseurs[177] se retournaient à chaque pas vers le Saint-Sacrement,[178] que portait, sous un dais de velours ponceau[179] tenu par quatre fabriciens,[180] M. le curé, dans sa belle chasuble. Un flot de monde se poussait derrière, entre les nappes blanches couvrant le mur des maisons; et l'on arriva au bas de la côte.

35 Une sueur froide mouillait les tempes de Félicité. La Simonne l'épongeait avec un linge, en se disant qu'un jour il lui faudrait passer par là.

Le murmure de la foule grossit, fut un moment très fort, s'éloignait.

Une fusillade ébranla les carreaux. C'était les postillons saluant l'ostensoir.[181] Félicité roula ses prunelles, et elle dit, le moins bas qu'elle put: 40 «Est-il bien?» tourmentée du perroquet.

---

[171] "kind old women."   [172] *l'* refers to the parrot.   [173] "gossip."   [174] "head beadle."
[175] "beadle."   [176] "deacon."   [177] "censer-bearers."   [178] "host," "holy sacrament."
[179] "flaming red."   [180] "churchwardens."   [181] "monstrance."

Son agonie commença. Un râle,[182] de plus en plus précipité, lui soulevait les côtes. Des bouillons d'écume venaient aux coins de sa bouche, et tout son corps tremblait.

Bientôt, on distingua le ronflement des ophicléides,[183] les voix claires des enfants, la voix profonde des hommes. Tout se taisait par intervalles, et le battement des pas, que des fleurs amortissaient, faisait le bruit d'un troupeau sur du gazon.

Le clergé parut dans la cour. La Simonne grimpa sur une chaise pour atteindre à l'œil-de-bœuf, et de cette manière dominait le reposoir.

Des guirlandes vertes pendaient sur l'autel, orné d'un falbala [184] en point d'Angleterre.[185] Il y avait au milieu un petit cadre enfermant des reliques, deux orangers dans les angles, et, tout le long, des flambeaux d'argent et des vases en porcelaine, d'où s'élançaient des tournesols, des lis, des pivoines, des digitales,[186] des touffes d'hortensias.[187] Ce monceau de couleurs éclatantes descendait obliquement, du premier étage jusqu'au tapis se prolongeant sur les pavés; et des choses rares tiraient les yeux. Un sucrier de vermeil avait une couronne de violettes, des pendeloques [188] en pierres d'Alençon [189] brillaient sur de la mousse, deux écrans chinois montraient leurs paysages. Loulou, caché sous des roses, ne laissait voir que son front bleu, pareil à une plaque de lapis.[190]

Les fabriciens, les chantres, les enfants se rangèrent sur les trois côtés de la cour. Le prêtre gravit lentement les marches, et posa sur la dentelle son grand soleil d'or [191] qui rayonnait. Tous s'agenouillèrent. Il se fit un grand silence. Et les encensoirs, allant à pleine volée, glissaient sur leurs chaînettes.

Une vapeur d'azur monta dans la chambre de Félicité. Elle avança les narines, en la humant avec une sensualité mystique; puis ferma les paupières. Ses lèvres souriaient. Les mouvements de son cœur se ralentirent un à un, plus vagues chaque fois, plus doux, comme une fontaine s'épuise, comme un écho disparaît; et, quand elle exhala son dernier souffle, elle crut voir, dans les cieux entr'ouverts, un perroquet gigantesque, planant au-dessus de sa tête.

Trois Contes (1877).

---

[182] "death-rattle."   [183] *"ophicleide"* (wind-instrument, now replaced by the tuba).
[184] "flounce."   [185] "English point-lace."   [186] "foxgloves."   [187] "hydrangeas."
[188] "pendants."   [189] Quartz crystals, from the quarries near Alençon, in northern France.
[190] "lapis-lazuli."   [191] "monstrance."

HIPPOLYTE TAINE (1828–1893)

After Auguste Comte (1798–1857) had formulated, about 1840, his positivistic philosophy, based, he believed, upon the methods of science, it was only natural that there should be developed a deterministic system of criticism. It was Taine's rôle to furnish this system. It was not entirely original with him, for among such eighteenth century writers as Montesquieu and Condillac its principal elements are to be found. None the less, it was Taine who developed a definite theory and essayed to explain history, literature, and art by the influence of *race, milieu,* and *moment.* He was even more interested in *les petits faits significatifs,* and in psychology, than was Stendhal, for whom he had the highest admiration. Taine would study the psychology of nations, of races, as well as of individuals. His appearance was timely, for he was quite at home among the Realists, and the Naturalists found encouragement and justification for their theories in his works. "Toutes les générations arrivées à la maturité depuis 1865 lui doivent plus qu'à personne, sauf (pour une minorité) à Renan . . ." (Lanson). His method is simple, easily applied, and, upon first consideration, quite plausible. The application of his method is, in fact, fruitful; it often throws much light upon an author or a period, but it will hardly account for Dante, Shakespeare, Molière or Goethe. When Taine tells us that "le vice et la vertu sont des produits comme le vitriol et le sucre," we are no longer willing to follow him. After all, there is that indefinable something, that divine spark, which certain favored individuals possess, that has not been given to all who are of the same race or family, who live in the same environment and at the same time. Human character is too complex to be entirely accounted for by any *"faculté maîtresse."* We are inclined to think that both nations and individuals are more masters of their destinies than Taine would lead us to believe. Fortunately he had imagination and was capable of deep feeling, and it is this imagination and passion which enable him to give life to an individual or an epoch. Over-methodical and dogmatic as he is, when proper reservations have been made, it is generally recognized that he holds a very important place in nineteenth century thought.

"Taine, though not a great creator, was a great even if defective interpreter, and he impressed his ideas upon many of his generation. Not only did he make theories of positivism and materialism current, but he supplied critics and historians with a method so simple that they were able to reproduce it with monkey-like fidelity. Finally his influence passed into *belles lettres:* the Realists are counterparts of Taine and the Naturalists are his disciples. The gloom of Taine was in harmony with the pessimism of the Realists, and his determinism was adopted by Zola and his school, who repeated Taine's custom of collecting facts as material for their works, and with him believed in the absolute dependence of the moral life upon the physical life and the environment. Their application of Taine's theory led them to employ in fiction the methods of the physiologist." (C. H. C. Wright: *History of French Literature.*)

IMPORTANT WORKS:

Criticism: *La Fontaine et Ses Fables* (1853); *Histoire de la Littérature Anglaise* (1863); *Essais de Critique et d'Histoire* (1858–1894).
History: *Les Origines de la France Contemporaine* (1876–1894).
Philosophy: *De l'Intelligence* (1870).

HISTOIRE DE LA LITTÉRATURE ANGLAISE [1]

INTRODUCTION

III

Quand, dans un homme, vous avez observé et noté un, deux, trois, puis une multitude de sentiments, cela vous suffit-il, et votre connaissance vous semble-t-elle complète? Est-ce une psychologie qu'un cahier de remarques? Ce n'est pas une psychologie, et, ici comme ailleurs, la recherche des causes doit venir après la collection des faits. Que les faits soient physiques ou moraux, il n'importe, ils ont toujours des causes; il y en a pour l'ambition, pour le courage, pour la véracité, comme pour la digestion, pour le mouvement musculaire, pour la chaleur animale. Le vice et la vertu sont des produits comme le vitriol et le sucre, et toute donnée complexe naît par la rencontre d'autres données plus simples dont elle dépend. Cherchons donc les données simples pour les qualités morales, comme on les cherche pour les qualités physiques, et considérons le premier fait venu: par exemple une musique religieuse, celle d'un temple protestant. Il y a une cause intérieure qui a tourné l'esprit des fidèles vers ces graves et monotones mélodies, une cause plus large que son effet, je veux dire l'idée générale du vrai culte extérieur que l'homme doit à Dieu; c'est elle qui a modelé l'architecture du temple, abattu les statues, écarté les tableaux, détruit les ornements, écourté les cérémonies, enfermé les assistants dans de hauts bancs qui leur bouchent la vue, et gouverné les mille détails des décorations, des postures et de tous les dehors. Elle-même provient d'une autre cause plus générale, l'idée de la conduite humaine tout entière, intérieure et extérieure, prières, actions, dispositions de tout genre auxquelles l'homme est tenu vis-à-vis de Dieu; c'est celle-ci qui a intronisé la doctrine de la grâce, amoindri le clergé, transformé les sacrements, supprimé les pratiques, et changé la religion disciplinaire en religion morale. Cette seconde idée, à son tour, dépend d'une troisième plus générale encore, celle de la perfection morale, telle qu'elle se rencontre dans le Dieu parfait, juge impeccable, rigoureux surveillant des âmes, devant qui toute âme est pécheresse, digne de supplice, incapable de vertu et de salut, sinon par la crise de conscience qu'il provoque et la rénovation du cœur qu'il produit. Voilà la conception maîtresse, qui consiste à ériger le devoir en roi absolu de la vie humaine, et à prosterner tous les modèles idéaux au pied du modèle moral. On touche ici le fond de l'homme; car, pour expliquer cette conception, il faut considérer la race elle-

[1] Taine's *Introduction à la Littérature Anglaise* (Chapters I and II are omitted) is given here because it contains the author's own explanation of his method of criticism. At the same time it will serve to illustrate the author's style and logical arrangement of material.

même, c'est-à-dire le Germain et l'homme du Nord, sa structure de caractère et d'esprit, ses façons les plus générales de penser et de sentir, cette lenteur et cette froideur de la sensation, qui l'empêchent de tomber violemment et facilement sous l'empire du plaisir sensible, cette rudesse du goût, cette
5 irrégularité et ces soubresauts de la conception, qui arrêtent en lui la naissance des belles ordonnances et des formes harmonieuses, ce dédain des apparences, ce besoin du vrai, cette attache aux idées abstraites et nues, qui développe en lui la conscience au détriment du reste. Là s'arrête la recherche; on est tombé sur quelque disposition primitive, sur quelque trait propre à
10 toutes les sensations, à toutes les conceptions d'un siècle ou d'une race, sur quelque particularité inséparable de toutes les démarches de son esprit et de son cœur. Ce sont là les grandes causes, car ce sont les causes universelles et permanentes, présentes à chaque moment et en chaque cas, partout et toujours agissantes, indestructibles et à la fin infailliblement dominantes, puis-
15 que les accidents qui se jettent au travers d'elles, étant limités et partiels, finissent par céder à la sourde et incessante répétition de leur effort; en sorte que la structure générale des choses et les grands traits des événements sont leur œuvre, et que les religions, les philosophies, les poésies, les industries, les formes de société et de famille, ne sont, en définitive, que des empreintes
20 enfoncées par leur sceau.

IV

Il y a donc un système dans les sentiments et dans les idées humaines, et ce système a pour moteur premier certains traits généraux, certains caractères d'esprit et de cœur communs aux hommes d'une race, d'un siècle ou d'un pays. De même qu'en minéralogie les cristaux, si divers qu'ils soient,
25 dérivent de quelques formes corporelles simples, de même, en histoire, les civilisations, si diverses qu'elles soient, dérivent de quelques formes spirituelles simples. Les uns s'expliquent par un élément géométrique primitif, comme les autres par un élément psychologique primitif. Pour saisir l'ensemble des espèces minéralogiques, il faut considérer d'avance un solide
30 régulier en général, ses faces et ses angles, et dans cet abrégé apercevoir les innombrables transformations dont il est capable. Pareillement, si vous voulez saisir l'ensemble des variétés historiques, considérez d'avance une âme humaine en général, avec ses deux ou trois facultés fondamentales, et dans cet abrégé vous apercevrez les principales formes qu'elle peut présenter.
35 Après tout, cette sorte de tableau idéal, le géométrique comme le psychologique, n'est guère complexe, et on voit assez vite les limites du cadre où les civilisations, comme les cristaux, sont forcées de se renfermer. Qu'y a-t-il, au point de départ, dans l'homme? Des images, ou *représentations* des objets, c'est-à-dire ce qui flotte intérieurement devant lui, subsiste quelque temps,
40 s'efface, et revient, lorsqu'il a contemplé tel arbre, tel animal, bref, une chose sensible. Ceci est la matière du reste, et le développement de cette matière est double, spéculatif ou pratique, selon que ces représentations aboutissent à *une conception générale* ou à *une résolution active.* Voilà tout l'homme en raccourci; et c'est dans cette enceinte bornée que les diversités humaines se

rencontrent, tantôt au sein de la matière primordiale, tantôt dans le double développement primordial. Si petites qu'elles soient dans les éléments, elles sont énormes dans la masse, et la moindre altération dans les facteurs amène des altérations gigantesques dans les produits. Selon que la représentation est nette et comme découpée à l'emporte-pièce, ou bien confuse et mal délimitée, selon qu'elle concentre en soi un grand ou un petit nombre de caractères de l'objet, selon qu'elle est violente et accompagnée d'impulsions ou tranquille et entourée de calme, toutes les opérations et tout le train courant de la machine humaine sont transformés.—Pareillement encore, selon que le développement ultérieur de la représentation varie, tout le développement humain varie. Si la conception générale à laquelle elle aboutit est une simple notation sèche, à la façon chinoise, la langue devient une sorte d'algèbre, la religion et la poésie s'atténuent, la philosophie se réduit à une sorte de bon sens moral et pratique, la science à un recueil de recettes, de classifications, de mnémotechnies [2] utilitaires, l'esprit tout entier prend un tour positiviste. Si, au contraire, la conception générale à laquelle la représentation aboutit est une création poétique et figurative, un symbole vivant, comme chez les races aryennes, la langue devient une sorte d'épopée nuancée et colorée où chaque mot est un personnage, la poésie et la religion prennent une ampleur magnifique et inépuisable, la métaphysique se développe largement et subtilement, sans souci des applications positives; l'esprit tout entier, à travers les déviations et les défaillances inévitables de son effort, s'éprend du beau et du sublime, et conçoit un modèle idéal capable, par sa noblesse et son harmonie, de rallier autour de soi les tendresses et les enthousiasmes du genre humain. Si maintenant la conception générale à laquelle la représentation aboutit est poétique, mais non ménagée, si l'homme y atteint, non par une gradation continue, mais par une intuition brusque, si l'opération originelle n'est pas le développement régulier, mais l'explosion violente, alors, comme chez les races sémitiques, la métaphysique manque, la religion ne conçoit que le Dieu roi, dévorateur et solitaire, la science ne peut se former, l'esprit se trouve trop roide et trop entier pour reproduire l'ordonnance délicate de la nature, la poésie ne sait enfanter qu'une suite d'exclamations véhémentes et grandioses, la langue ne peut exprimer l'enchevêtrement [3] du raisonnement et de l'éloquence, l'homme se réduit à l'enthousiasme lyrique, à la passion irréfrénable, à l'action fanatique et bornée. C'est dans cet intervalle entre la représentation particulière et la conception universelle que se trouvent les germes des plus grandes différences humaines. Quelques races, par exemple les classiques, passent de la première à la seconde par une échelle graduée d'idées régulièrement classées et de plus en plus générales; d'autres, par exemple les germaniques, opèrent la même traversée par bonds, sans uniformité, après des tâtonnements prolongés et vagues. Quelques-uns, comme les Romains et les Anglais, s'arrêtent aux premiers échelons; d'autres, comme les Indous et les Allemands, montent jusqu'aux derniers.—Si maintenant, après avoir considéré le passage de la représentation à l'idée, on regardait

---

[2] "mnemonics," the art of developing or improving the memory.   [3] "confusion."

le passage de la représentation à la résolution, on y trouverait des différences élémentaires de la même importance et du même ordre, selon que l'impression est vive, comme dans les climats du midi, ou terne, comme dans les climats du nord, selon qu'elle aboutit à l'action dès le premier instant, comme chez les barbares, ou tardivement, comme chez les peuples civilisés, selon qu'elle est capable ou non d'accroissement, d'inégalité, de persistance et d'attaches. Tout le système des passions humaines, toutes les chances de la paix et de la sécurité publiques, toutes les sources du travail et de l'action dérivent de là. Il en est ainsi des autres différences primordiales; leurs suites embrassent une civilisation entière, et on peut les comparer à ces formules d'algèbre qui, dans leur étroite enceinte, contiennent d'avance toute la courbe dont elles sont la loi. Non que cette loi s'accomplisse toujours jusqu'au bout; parfois des perturbations se rencontrent; mais, quand il en est ainsi, ce n'est pas que la loi soit fausse, c'est qu'elle n'a pas seule agi. Des éléments nouveaux sont venus se mêler aux éléments anciens; de grandes forces étrangères sont venues contrarier les forces primitives. La race a émigré, comme l'ancien peuple aryen, et le changement de climat a altéré chez elle toute l'économie de l'intelligence et toute l'organisation de la société. Le peuple a été conquis, comme la nation saxonne, et la nouvelle structure politique lui a imposé des habitudes, des capacités et des inclinations qu'il n'avait pas. La nation s'est installée à demeure au milieu de vaincus exploités et menaçants, comme les anciens Spartiates,[4] et l'obligation de vivre à la façon d'une bande campée a tordu violemment dans un sens unique toute la constitution morale et sociale. En tout cas, le mécanisme de l'histoire humaine est pareil. Toujours on rencontre pour ressort primitif quelque disposition très générale de l'esprit et de l'âme, soit innée et attachée naturellement à la race, soit acquise et produite par quelque circonstance appliquée sur la race. Ces grands ressorts donnés font peu à peu leur effet, j'entends qu'au bout de quelques siècles ils mettent la nation dans un état nouveau, religieux, littéraire, social, économique; condition nouvelle qui, combinée avec leur effort renouvelé, produit une autre condition, tantôt bonne, tantôt mauvaise, tantôt lentement, tantôt vite, et ainsi de suite; en sorte que l'on peut considérer le mouvement total de chaque civilisation distincte comme l'effet d'une force permanente qui, à chaque instant, varie son œuvre en modifiant les circonstances où elle agit.

V

Trois sources différentes contribuent à produire cet état moral élémentaire, *la race, le milieu* et *le moment*. Ce qu'on appelle *la race,* ce sont ces dispositions innées et héréditaires que l'homme apporte avec lui à la lumière, et qui ordinairement sont jointes à des différences marquées dans le tempérament et dans la structure du corps. Elles varient selon les peuples. Il y a naturellement des variétés d'hommes, comme des variétés de taureaux et de chevaux, les unes braves et intelligentes, les autres timides et bornées, les unes capables de conceptions et de créations supérieures, les autres réduites

---

[4] Spartans, ruling over disaffected subject races.

aux idées et aux inventions rudimentaires, quelques-unes appropriées plus particulièrement à certaines œuvres et approvisionnées plus richement de certains instincts, comme on voit des races de chiens mieux douées, les unes pour la course, les autres pour le combat, les autres pour la chasse, les autres enfin pour la garde des maisons ou des troupeaux. Il y a là une force distincte, 5 si distincte qu'à travers les énormes déviations que les deux autres moteurs lui impriment, on la reconnaît encore, et qu'une race, comme l'ancien peuple aryen, éparse depuis le Gange jusqu'aux Hébrides, établie sous tous les climats, échelonnée à tous les degrés de la civilisation, transformée par trente siècles de révolutions, manifeste pourtant dans ses langues, dans ses religions, 10 dans ses littératures et dans ses philosophies, la communauté de sang et d'esprit qui relie encore aujourd'hui tous ses rejetons. Si différents qu'ils soient, leur parenté n'est pas détruite; la sauvagerie, la culture et la greffe, les différences de ciel et de sol, les accidents heureux ou malheureux ont eu beau travailler; les grands traits de la forme originelle ont subsisté, et l'on 15 retrouve les deux ou trois linéaments principaux de l'empreinte primitive sous les empreintes secondaires que le temps a posées par-dessus. Rien d'étonnant dans cette ténacité extraordinaire. Quoique l'immensité de la distance ne nous laisse entrevoir qu'à demi et sous un jour douteux l'origine des espèces,[5] les événements de l'histoire éclairent assez les événements antérieurs à 20 l'histoire, pour expliquer la solidité presque inébranlable des caractères primordiaux. Au moment où nous les rencontrons, quinze, vingt, trente siècles avant notre ère, chez un Aryen, un Égyptien, un Chinois, ils représentent l'œuvre d'un nombre de siècles beaucoup plus grand, peut-être l'œuvre de plusieurs myriades de siècles. Car, dès qu'un animal vit, il faut qu'il s'accom- 25 mode à son milieu; il respire autrement, il se renouvelle autrement, il est ébranlé autrement, selon que l'air, les aliments, la température sont autres. Un climat et une situation différente amènent chez lui des besoins différents, par suite un système d'actions différentes, par suite encore un système d'habitudes différentes, par suite enfin un système d'aptitudes et d'instincts 30 différents. L'homme, forcé de se mettre en équilibre avec les circonstances, contracte un tempérament et un caractère qui leur correspond, et son caractère comme son tempérament sont des acquisitions d'autant plus stables, que l'impression extérieure s'est enfoncée en lui par des répétitions plus nombreuses et s'est transmise à sa progéniture par une plus ancienne hérédité. 35 En sorte qu'à chaque moment on peut considérer le caractère d'un peuple comme le résumé de toutes ses actions et de toutes ses sensations précédentes, c'est-à-dire comme une quantité et comme un poids, non pas infini, puisque toute chose dans la nature est bornée, mais disproportionné au reste et presque impossible à soulever, puisque chaque minute d'un passé presque 40 infini a contribué à l'alourdir, et que, pour emporter la balance, il faudrait accumuler dans l'autre plateau un nombre d'actions et de sensations encore plus grand. Telle est la première et la plus riche source de ces facultés maîtresses d'où dérivent les événements historiques; et l'on voit d'abord que,

[5] Recently discussed by Darwin in his *Origin of Species* (1859).

si elle est puissante, c'est qu'elle n'est pas une simple source, mais une sorte de lac et comme un profond réservoir où les autres sources, pendant une multitude de siècles, sont venues entasser leurs propres eaux.

5　Lorsqu'on a ainsi constaté la structure intérieure d'une race, il faut considérer le *milieu* dans lequel elle vit. Car l'homme n'est pas seul dans le monde; la nature l'enveloppe et les autres hommes l'entourent; sur le pli primitif et permanent viennent s'étaler les plis accidentels et secondaires, et les circonstances physiques ou sociales dérangent ou complètent le naturel qui leur est livré. Tantôt le climat a fait son effet. Quoique nous ne puissions 10　suivre qu'obscurément l'histoire des peuples aryens depuis leur patrie commune jusqu'à leurs patries définitives, nous pouvons affirmer cependant que la profonde différence qui se montre entre les races germaniques d'une part, et les races helléniques et latines de l'autre, provient en grande partie de la différence des contrées [6] où elles se sont établies, les unes dans les pays 15　froids et humides, au fond d'âpres forêts marécageuses ou sur les bords d'un océan sauvage, enfermées dans les sensations mélancoliques ou violentes, inclinées vers l'ivrognerie et la grosse nourriture, tournées vers la vie militante et carnassière; les autres au contraire au milieu des plus beaux paysages, au bord d'une mer éclatante et riante, invitées à la navigation et au com- 20　merce, exemptes des besoins grossiers de l'estomac, dirigées dès l'abord vers les habitudes sociales, vers l'organisation politique, vers les sentiments et les facultés qui développent l'art de parler, le talent de jouir, l'invention des sciences, des lettres et des arts.—Tantôt les circonstances politiques ont travaillé, comme dans les deux civilisations italiennes: la première [7] tournée 25　tout entière vers l'action, la conquête, le gouvernement et la législation, par la situation primitive d'une cité de refuge, d'un *emporium* [8] de frontière, et d'une aristocratie armée qui, important et enrégimentant sous elle les étrangers et les vaincus, mettait debout deux corps hostiles [9] l'un en face de l'autre, et ne trouvait de débouché à ses embarras intérieurs et à ses instincts 30　rapaces que dans la guerre systématique; la seconde [10] exclue de l'unité et de la grande ambition politique par la permanence de sa forme municipale, par la situation cosmopolite de son pape et par l'intervention militaire des nations voisines, reportée tout entière, sur la pente de son magnifique et harmonieux génie, vers le culte de la volupté et de la beauté.—Tantôt enfin 35　les conditions sociales ont imprimé leur marque, comme il y a dix-huit siècles par le christianisme, et vingt-cinq siècles par le bouddhisme, lorsque autour de la Méditerranée comme dans l'Hindoustan, les suites extrêmes de la conquête et de l'organisation aryenne amenèrent l'oppression intolérable, l'écrasement de l'individu, le désespoir complet, la malédiction 40　jetée sur le monde, avec le développement de la métaphysique et du rêve, et que l'homme dans ce cachot de misères, sentant son cœur se fondre, conçut l'abnégation, la charité, l'amour tendre, la douceur, l'humilité, la fraternité humaine, là-bas [11] dans l'idée du néant universel, ici [12] sous la

---

[6] "regions."　　　　　　　　[7] Roman civilization.　　　　　　　[8] "commercial center."
[9] Aristocracy and common people.　　　　[10] The civilization of the Renaissance.
[11] In India.　　　　　　　　　[12] In Christian lands.

paternité de Dieu.—Que l'on regarde autour de soi les instincts régulateurs et les facultés implantées dans une race, bref le tour d'esprit d'après lequel aujourd'hui elle pense et elle agit; on y découvrira le plus souvent l'œuvre de quelqu'une de ces situations prolongées, de ces circonstances enve- loppantes, de ces persistantes et gigantesques pressions exercées sur un amas d'hommes qui, un à un, et tous ensemble, de génération en génération, n'ont pas cessé d'être ployés et façonnés par leur effort: en Espagne, une croisade [13] de huit siècles contre les Musulmans, prolongée encore au delà et jusqu'à l'épuisement de la nation par l'expulsion des Maures, par la spoliation des juifs,[14] par l'établissement de l'inquisition,[15] par les guerres catholiques; [16] en Angleterre, un établissement politique de huit siècles qui maintient l'homme debout et respectueux, dans l'indépendance et l'obéissance, et l'ac- coutume à lutter en corps sous l'autorité de la loi; en France, une organisa- tion latine qui, imposée d'abord à des barbares dociles, puis brisée dans la démolition universelle,[17] se reforme d'elle-même sous la conspiration latente de l'instinct national, se développe sous des rois héréditaires, et finit par une sorte de république égalitaire, centralisée, administrative,[18] sous des dynasties [19] exposées à des révolutions. Ce sont là les plus efficaces entre les causes observables qui modèlent l'homme primitif; elles sont aux nations ce que l'éducation, la profession, la condition,[20] le séjour sont aux individus, et elles semblent tout comprendre, puisqu'elles comprennent toutes les puissances extérieures qui façonnent la matière humaine, et par lesquelles le dehors agit sur le dedans.

Il y a pourtant un troisième ordre de causes; car, avec les forces du dedans et du dehors, il y a l'œuvre qu'elles ont déjà faite ensemble, et cette œuvre elle-même contribue à produire celle qui suit; outre l'impulsion permanente et le milieu donné, il y a la vitesse acquise. Quand le caractère national et les circonstances environnantes opèrent, ils n'opèrent point sur une table rase,[21] mais une table où des empreintes sont déjà marquées. Selon qu'on prend la table à un *moment* ou à un autre, l'empreinte est différente; et cela suffit pour que l'effet total soit différent. Considérez, par exemple, deux moments d'une littérature ou d'un art, la tragédie française sous Corneille et sous Voltaire,[22] le théâtre grec sous Eschyle et sous Euripide,[23] la poésie latine sous Lucrèce et sous Claudien,[24] la peinture italienne sous Vinci et

[13] The Arabs invaded Spain at the beginning of the 8th century and remained there until 1492, when they were finally expelled by Ferdinand and Isabella.

[14] Persecution of the Jews, begun under Ferdinand and Isabella and continued under their suc- cessors, resulted in a wholesale exodus of the Jews to neighboring countries.

[15] Established in the 13th century, the Inquisition was quite active in Spain until the 17th century. It was not abolished until the 19th century.

[16] The wars of the Reformation, in which Spain, as champion of Catholicism, played a leading part.

[17] The German barbarian invasions.   [18] A description of France after 1815.

[19] Bourbons and Orleanists.   [20] "rank."   [21] "a clean slate."

[22] Corneille represents the beginnings of French tragedy (first half of the 17th century), Vol- taire its decline (18th century).

[23] Æschylus (525–456 B. C.) was the father of Greek tragedy. Euripides (480–406 B. C.) was the last of the great Greek tragic poets.

[24] Lucretius (96–55 B. C.) may be said to inaugurate the great period of Latin poetry, while Claudian (365–408) is one of its last representatives.

sous le Guide.[25] Certainement, à chacun de ces deux points extrêmes, la conception générale n'a pas changé; c'est toujours le même type humain qu'il s'agit de représenter ou de peindre; le moule du vers, la structure du drame, l'espèce des corps ont persisté. Mais, entre autres différences, il y a celle-ci,
5 qu'un des artistes est le précurseur, et que l'autre est le successeur, que le premier n'a pas de modèle, et que le second a un modèle, que le premier voit les choses face à face, et que le second voit les choses par l'intermédiaire du premier, que plusieurs grandes parties de l'art se sont perfectionnées, que la simplicité et la grandeur de l'impression ont diminué, que l'agrément
10 et le raffinement de la forme se sont accrus, bref que la première œuvre a déterminé la seconde. Il en est ici d'un peuple, comme d'une plante: la même sève sous la même température et sur le même sol produit, aux divers degrés de son élaboration successive, des formations différentes, bourgeons, fleurs, fruits, semences, en telle façon que la sui-
15 vante a toujours pour condition la précédente, et naît de sa mort. Que si vous regardez maintenant, non plus un court moment comme tout à l'heure, mais quelqu'un de ces larges développements qui embrassent un ou plusieurs siècles, comme le moyen âge ou notre dernière époque classique, la conclusion sera pareille. Une certaine conception dominatrice y a régné;
20 les hommes, pendant deux cents ans, cinq cents ans, se sont représenté un certain modèle idéal de l'homme, au moyen âge, le chevalier et le moine, dans notre âge classique, l'homme de cour et le beau parleur; cette idée créatrice et universelle s'est manifestée dans tout le champ de l'action et de la pensée, et, après avoir couvert le monde de ses œuvres involontairement
25 systématiques, elle s'est alanguie, puis elle est morte, et voici qu'une nouvelle idée se lève, destinée à une domination égale et à des créations aussi multipliées. Posez ici que la seconde dépend en partie de la première, et que c'est la première qui, combinant son effet avec ceux du génie national et des circonstances enveloppantes, va imposer aux choses naissantes leur tour et
30 leur direction. C'est d'après cette loi que se forment les grands courants historiques, j'entends par là les longs règnes d'une forme d'esprit ou d'une idée maîtresse, comme cette période de créations spontanées qu'on appelle la Renaissance, ou cette période de classifications oratoires qu'on appelle l'âge classique, ou cette série de synthèses mystiques qu'on appelle l'époque
35 alexandrine et chrétienne, ou cette série de floraisons mythologiques, qui se rencontre aux origines de la Germanie, de l'Inde et de la Grèce. Il n'y a ici comme partout qu'un problème de mécanique: l'effet total est un composé déterminé tout entier par la grandeur et la direction des forces qui le produisent. La seule différence qui sépare ces problèmes moraux des
40 problèmes physiques, c'est que les directions et les grandeurs ne se laissent pas évaluer ni préciser dans les premiers comme dans les seconds. Si un besoin, une faculté est une quantité capable de degrés ainsi qu'une pression ou un poids, cette quantité n'est pas mesurable comme celle d'une pression ou d'un poids. Nous ne pouvons la fixer dans une formule exacte ou ap-

---

[25] Leonardo da Vinci (1452–1519) is a good representative of Renaissance art at its height, while Guido Reni (1575–1642) belongs to its decadence.

proximative; nous ne pouvons avoir et donner, à propos d'elle, qu'une impression littéraire; nous sommes réduits à noter et citer les faits saillants par lesquels elle se manifeste, et qui indiquent, à peu près, grossièrement, vers quelle hauteur de l'échelle il faut la ranger. Mais, quoique les moyens de notation ne soient pas les mêmes dans les sciences morales que dans les sciences physiques, néanmoins, comme dans les deux la matière est la même et se compose également de forces, de directions et de grandeurs, on peut dire que dans les unes et dans les autres l'effet final se produit d'après la même règle. Il est grand ou petit, selon que les forces fondamentales sont grandes ou petites et tirent plus ou moins exactement dans le même sens, selon que les effets distincts de la race, du milieu et du moment se combinent pour s'ajouter l'un à l'autre ou pour s'annuler l'un par l'autre. C'est ainsi que s'expliquent les longues impuissances et les éclatantes réussites qui apparaissent irrégulièrement et sans raison apparente dans la vie d'un peuple; elles ont pour causes des concordances ou des contrariétés intérieures. Il y eut une de ces concordances lorsque, au dix-septième siècle,[26] le caractère sociable et l'esprit de conversation innés en France rencontrèrent les habitudes de salon et le moment de l'analyse oratoire, lorsqu'au dix-neuvième siècle le flexible et profond génie d'Allemagne rencontra l'âge des synthèses philosophiques et de la critique cosmopolite. Il y eut une de ces contrariétés, lorsqu'au dix-septième siècle, le rude et solitaire[27] génie anglais essaya maladroitement de s'approprier l'urbanité nouvelle, lorsqu'au seizième siècle le lucide et prosaïque esprit français essaya inutilement d'enfanter une poésie vivante.[28] C'est cette concordance secrète des forces créatrices qui a produit la politesse achevée et la noble littérature régulière sous Louis XIV et Bossuet,[29] la métaphysique grandiose et la large sympathie critique sous Hegel[30] et Goethe. C'est cette contrariété secrète des forces créatrices qui a produit la littérature incomplète, la comédie scandaleuse, le théâtre avorté sous Dryden et Wycherley,[31] les mauvaises importations grecques, les tâtonnements, les fabrications, les petites beautés partielles sous Ronsard et la Pléiade.[32]

Nous pouvons affirmer avec certitude que les créations inconnues vers lesquelles le courant des siècles nous entraîne, seront suscitées et réglées tout entières par les trois forces primordiales; que, si ces forces pouvaient être mesurées et chiffrées, on en déduirait comme d'une formule les propriétés de la civilisation future, et que, si, malgré la grossièreté visible de nos notations et l'inexactitude foncière de nos mesures, nous voulons aujourd'hui nous former quelque idée de nos destinées générales, c'est sur

---

[26] The 17th century, particularly the reign of Louis XIV, is called "the golden age of French literature" and also the "Classical period."

[27] "individualistic."

[28] Allusion to the efforts of the *Pléiade* group of poets to produce a new type of poetry.

[29] See page 4, note 7.

[30] Hegel (1770–1831), German philosopher and teacher. Goethe: see page 47, note.

[31] Dryden (1631–1700), English poet, dramatist and critic, and Wycherley (1640–1716), English dramatist, both represent the English Age of Classicism.

[32] Ronsard (1524–1585), was the leader of the *Pléiade* group. Taine is hardly fair in damning him with faint praise.

l'examen de ces forces qu'il faut fonder nos prévisions. Car nous parcourons
en les énumérant le cercle complet des puissances agissantes, et, lorsque nous
avons considéré la race, le milieu, le moment, c'est-à-dire le ressort du dedans,
la pression du dehors et l'impulsion déjà acquise, nous avons épuisé, non-
5 seulement toutes les causes réelles, mais encore toutes les causes possibles
du mouvement.

VI

Il reste à chercher de quelle façon ces causes appliquées sur une nation
ou sur un siècle y distribuent leurs effets. Comme une source sortie d'un
lieu élevé épanche ses nappes selon les hauteurs et d'étage en étage jusqu'à
10 ce qu'enfin elle soit arrivée à la plus basse assise du sol, ainsi la disposition
d'esprit ou d'âme introduite dans un peuple par la race, le moment ou le
milieu se répand avec des proportions différentes et par des descentes
régulières sur les divers ordres de faits qui composent sa civilisation. Si
l'on dresse la carte géographique d'un pays, à partir de l'endroit du partage
15 des eaux,[33] on voit, au-dessous du point commun, les versants se diviser
en cinq ou six bassins principaux, puis chacun de ceux-ci en plusieurs bassins
secondaires, et ainsi de suite jusqu'à ce que la contrée tout entière avec ses milliers d'accidents [33a] soit comprise dans les ramifications de ce réseau. Pareillement, si l'on dresse la carte psychologique des événements et des sentiments
20 d'une civilisation humaine, on trouve d'abord cinq ou six provinces bien tran-
chées, la religion, l'art, la philosophie, l'état, la famille, les industries; puis,
dans chacune de ces provinces, des départements naturels, puis enfin dans
chacun de ces départements des territoires plus petits, jusqu'à ce qu'on arrive à
ces détails innombrables de la vie que nous observons tous les jours en nous
25 et autour de nous. Si maintenant l'on examine et si l'on compare entre eux
ces divers groupes de faits, on trouvera d'abord qu'ils sont composés de
parties, et que tous ont des parties communes. Prenons d'abord les trois
principales œuvres de l'intelligence humaine, la religion, l'art, la philosophie.
Qu'est-ce qu'une philosophie sinon une conception de la nature et de ses
30 causes primordiales, sous forme d'abstractions et de formules? Qu'y a-t-il
au fond d'une religion et d'un art, sinon une conception de cette même
nature et de ces mêmes causes primordiales, sous forme de symboles plus
ou moins arrêtés [34] et de personnages plus ou moins précis, avec cette différence que, dans le premier cas, on croit qu'ils existent, et, dans le second,
35 qu'ils n'existent pas?
Que le lecteur considère quelques-unes de ces grandes créations de
l'esprit dans l'Inde, en Scandinavie, en Perse, à Rome, en Grèce, et
il verra que partout l'art est une sorte de philosophie devenue sensible,
la religion une sorte de poème tenu pour vrai, la philosophie une sorte
40 d'art et de religion desséchée et réduite aux idées pures. Il y a donc,
au centre de chacun de ces trois groupes, un élément commun, la conception du monde et de son principe, et, s'ils diffèrent entre eux, c'est que

---

[33] "watershed."　　　　　　[33a] "irregularities."　　　　　　[34] "fixed."

chacun combine avec l'élément commun un élément distinct: ici la puissance d'abstraire, là la faculté de personnifier et de croire, là enfin le talent de personnifier sans croire. Prenons maintenant les deux principales œuvres de l'association humaine, la famille et l'État. Qu'est-ce qui fait l'État, sinon le sentiment d'obéissance par lequel une multitude d'hommes se rassemble sous l'autorité d'un chef? Et qu'est-ce qui fait la famille, sinon le sentiment d'obéissance par lequel une femme et des enfants agissent sous la direction d'un père et d'un mari? La famille est un État naturel, primitif et restreint, comme l'État est une famille artificielle, ultérieure et étendue; et, sous les différences qu'introduisent le nombre, l'origine et la condition des membres, on démêle, dans la petite société comme dans la grande, une même disposition d'esprit fondamentale qui les rapproche et les unit. A présent supposez que cet élément commun reçoive du milieu, du moment ou de la race des caractères propres, il est clair que *tous les groupes où il entre seront modifiés à proportion*. Si le sentiment d'obéissance n'est que de la crainte,[35] vous rencontrerez comme dans la plupart des États orientaux la brutalité du despotisme, la prodigalité des supplices, l'exploitation du sujet, la servilité des mœurs, l'incertitude de la propriété, l'appauvrissement de la production, l'esclavage de la femme et les habitudes du harem. Si le sentiment d'obéissance a pour racine l'instinct de la discipline, la sociabilité et l'honneur, vous trouverez comme en France la parfaite organisation militaire, la belle hiérarchie administrative, le manque d'esprit public avec les saccades du patriotisme, la prompte docilité du sujet avec les impatiences du révolutionnaire, les courbettes du courtisan avec les résistances du galant homme, l'agrément délicat de la conversation et du monde avec les tracasseries du foyer et de la famille, l'égalité des époux et l'imperfection du mariage sous la contrainte nécessaire de la loi. Si enfin le sentiment d'obéissance a pour racine l'instinct de subordination et l'idée du devoir, vous apercevrez comme dans les nations germaniques la sécurité et le bonheur du ménage, la solide assiette de la vie domestique, le développement tardif et incomplet de la vie mondaine, la déférence innée pour les dignités établies, la superstition du passé, le maintien des inégalités sociales, le respect naturel et habituel de la loi.

Pareillement dans une race, selon que l'aptitude aux idées générales sera différente, la religion, l'art et la philosophie seront différents. Si l'homme est naturellement propre aux plus larges conceptions universelles, en même temps qu'enclin à les troubler par la délicatesse nerveuse de son organisation surexcitée, on verra, comme dans l'Inde, une abondance étonnante de gigantesques créations religieuses, une floraison splendide d'épopées démesurées et transparentes, un enchevêtrement étrange de philosophies subtiles et imaginatives, toutes si bien liées entre elles et tellement pénétrées d'une sève commune, qu'à leur ampleur, à leur couleur, à leur désordre, on les reconnaîtra à l'instant comme les productions du même climat et du même esprit. Si, au contraire, l'homme naturellement sain et équilibré

[35] As Montesquieu states in his *Esprit des Lois.*

limite volontiers l'étendue de ses conceptions pour en mieux préciser la forme, on verra, comme en Grèce, une théologie d'artistes et de conteurs, des dieux distincts promptement séparés des choses et transformés presque dès l'abord en personnes solides, le sentiment de l'unité universelle presque effacé et à
5 peine conservé dans la notion vague du Destin, une philosophie plutôt fine et serrée que grandiose et systématique, bornée dans la haute métaphysique, mais incomparable dans la logique, la sophistique et la morale, une poésie et des arts supérieurs pour leur clarté, leur naturel, leur mesure, leur vérité et leur beauté à tout ce que l'on a jamais vu. Si enfin l'homme, réduit à
10 des conceptions étroites et privé de toute finesse spéculative, se trouve en même temps absorbé et roidi tout entier par les préoccupations pratiques, on verra, comme à Rome, des dieux rudimentaires, simples noms vides, bons pour noter les plus minces détails de l'agriculture, de la génération et du ménage, véritables étiquettes de mariage et de ferme, partant une mythologie,
15 une philosophie et une poésie nulles ou empruntées.

Ici, comme partout, s'applique *la loi des dépendances mutuelles.* Une civilisation fait corps, et ses parties se tiennent à la façon des parties d'un corps organique. De même que dans un animal les instincts, les dents, les membres, la charpente osseuse, l'appareil musculaire, sont liés entre eux, de telle façon
20 qu'une variation de l'un d'entre eux détermine dans chacun des autres une variation correspondante, et qu'un naturaliste habile peut sur quelques fragments reconstruire par le raisonnement le corps presque tout entier; de même dans une civilisation la religion, la philosophie, la forme de famille, la littérature, les arts composent un système où tout changement local entraîne un
25 changement général, en sorte qu'un historien expérimenté qui en étudie quelque portion restreinte aperçoit d'avance et prédit à demi les caractères du reste. Rien de vague dans cette dépendance. Ce qui la règle dans un corps vivant, c'est d'abord sa tendance à manifester un certain type primordial, ensuite la nécessité où il est de posséder des organes qui puissent fournir à ses besoins
30 et de se trouver d'accord avec lui-même afin de vivre. Ce qui la règle dans une civilisation, c'est la présence dans chaque grande création humaine d'un élément producteur également présent dans les autres créations environnantes, j'entends par là quelque faculté, aptitude, disposition efficace et notable qui, ayant un caractère propre, l'introduit avec elle dans toutes les
35 opérations auxquelles elle participe, et, selon ses variations, fait varier toutes les œuvres auxquelles elle concourt.

VII

Arrivés là nous pouvons entrevoir les principaux traits des transformations humaines, et commencer à chercher les lois générales qui régissent, non plus des événements, mais des classes d'événements, non plus telle re-
40 ligion ou telle littérature, mais le groupe des littératures ou des religions. Si par exemple on admettait qu'une religion est un poème métaphysique accompagné de croyance; si on remarquait en outre qu'il y a certains mo-

ments, certaines races et certains milieux, où la croyance, la faculté poétique et la faculté métaphysique se déploient ensemble avec une vigueur inusitée; si on considérait que le christianisme et le bouddhisme sont éclos à des époques de synthèses grandioses et parmi des misères semblables à l'oppression qui souleva les exaltés des Cévennes; [36] si d'autre part on reconnaissait que les religions primitives sont nées à l'éveil de la raison humaine, pendant la plus riche floraison de l'imagination humaine, au temps de la plus belle naïveté et de la plus grande crédulité; si on considérait encore que le mahométisme apparut avec l'avènement de la prose poétique et la conception de l'unité nationale, chez un peuple dépourvu de science, au moment d'un soudain développement de l'esprit; on pourrait conclure qu'une religion naît, décline, se reforme et se transforme selon que les circonstances fortifient et assemblent avec plus ou moins de justesse et d'énergie ses trois instincts générateurs, et l'on comprendrait pourquoi elle est endémique [37] dans l'Inde, parmi des cervelles imaginatives, philosophiques, exaltées par excellence; pourquoi elle s'épanouit si étrangement et si grandement au moyen âge, dans une société oppressive, parmi des langues et des littératures neuves; pourquoi elle se releva au seizième siècle avec un caractère nouveau et un enthousiasme héroïque, au moment de la renaissance universelle, et à l'éveil des races germaniques; pourquoi elle pullule en sectes bizarres dans la grossière démocratie américaine, et sous le despotisme bureaucratique de la Russie; pourquoi enfin elle se trouve aujourd'hui répandue en Europe avec des proportions et des particularités si différentes selon les différences des races et des civilisations.

Il en est ainsi pour chaque espèce de production humaine, pour la littérature, la musique, les arts du dessin, la philosophie, les sciences, l'État, l'industrie, et le reste. Chacune d'elles a pour cause directe une disposition morale, ou un concours de dispositions morales; cette cause donnée, elle apparaît; cette cause retirée, elle disparaît; la faiblesse ou l'intensité de cette cause mesure sa propre intensité ou sa propre faiblesse. Elle lui est liée comme un phénomène physique à sa condition, comme la rosée au refroidissement de la température ambiante, comme la dilatation à la chaleur. Il y a ici des couples dans le monde moral, comme il y en a dans le monde physique, aussi rigoureusement enchaînés et aussi universellement répandus dans l'un que dans l'autre. Tout ce qui dans un de ces couples produit, altère ou supprime le premier terme, produit, altère ou supprime le second par contre-coup.[38] Tout ce qui refroidit la température ambiante, fait déposer la rosée. Tout ce qui développe la crédulité en même temps que les vues poétiques d'ensemble engendre la religion. C'est ainsi que les choses sont arrivées; c'est ainsi qu'elles arriveront encore. Sitôt que nous savons quelle est la condition suffisante et nécessaire d'une de ces vastes apparitions, notre esprit a prise aussi bien sur l'avenir que sur le passé. Nous pouvons dire avec assurance dans quelles circonstances elle devra renaître, prévoir sans témérité plusieurs parties de

---

[36] The revocation of the Edict of Nantes (1685) caused a religious war in the Cévennes.
[37] "native."   [38] "as a result."

son histoire prochaine et esquisser avec précaution quelques traits de son développement ultérieur.

VIII

Aujourd'hui l'histoire en est là, ou plutôt elle est tout près de là, sur le seuil de cette recherche. La question posée en ce moment est celle-ci: Étant
5 donné une littérature, une philosophie, une société, un art, telle classe d'arts, quel est l'état moral qui la produit? et quelles sont les conditions de race, de moment et de milieu les plus propres à produire cet état moral? Il y a un état moral distinct pour chacune de ces formations et pour chacune de leurs branches; il y en a un, pour l'art en général, et pour chaque sorte d'art,
10 pour l'architecture, pour la peinture, pour la sculpture, pour la musique, pour la poésie; chacune a son germe spécial dans le large champ de la psychologie humaine; chacune a sa loi, et c'est en vertu de cette loi qu'on la voit se lever au hasard, à ce qu'il semble, et toute seule parmi les avortements de ses voisines, comme la peinture en Flandre et en Hollande au
15 dix-septième siècle, comme la poésie en Angleterre au seizième siècle, comme la musique en Allemagne au dix-huitième siècle. A ce moment et dans ces pays, les conditions se sont trouvées remplies pour un art, et non pour les autres, et, une branche seule a bourgeonné dans la stérilité générale. Ce sont ces règles de la végétation humaine que l'histoire à présent doit chercher;
20 c'est cette psychologie spéciale de chaque formation spéciale qu'il faut faire; c'est le tableau complet de ces conditions propres qu'il faut aujourd'hui travailler à composer. Rien de plus délicat et rien de plus difficile; Montesquieu [39] l'a entrepris, mais de son temps l'histoire était trop nouvelle, pour qu'il pût réussir; on ne soupçonnait même point encore la voie qu'il fallait
25 prendre, et c'est à peine si aujourd'hui nous commençons à l'entrevoir. De même qu'au fond l'astronomie est un problème de mécanique et la physiologie un problème de chimie, de même l'histoire au fond est un *problème de psychologie*. Il y a un système particulier d'impressions et d'opérations intérieures qui fait l'artiste, le croyant, le musicien, le peintre, le nomade,
30 l'homme en société; pour chacun d'eux, la filiation, l'intensité, les dépendances des idées et des émotions sont différentes; chacun d'eux a son histoire morale et sa structure propre, avec quelque disposition maîtresse et quelque trait dominateur. Pour expliquer chacun d'eux, il faudrait écrire un chapitre d'analyse intime, et c'est à peine si aujourd'hui ce travail est ébauché.
35 Un seul homme, Stendhal, par une tournure d'esprit et d'éducation singulière, l'a entrepris, et encore aujourd'hui la plupart des lecteurs trouvent ses livres paradoxaux et obscurs; son talent et ses idées étaient prématurés; on n'a pas compris ses admirables divinations, ses mots profonds jetés en passant, la justesse étonnante de ses notations et de sa logique; on n'a pas vu que, sous
40 des apparences de causeur et d'homme du monde, il expliquait les plus compliqués des mécanismes internes, qu'il mettait le doigt sur les grands ressorts, qu'il importait dans l'histoire du cœur les procédés scientifiques, l'art

---

[39] Taine has in mind *L'Esprit des Lois*.

de chiffrer, de décomposer et de déduire, que le premier il marquait les causes fondamentales, j'entends les nationalités, les climats et les tempéraments; bref, qu'il traitait des sentiments comme on doit en traiter, c'est-à-dire en naturaliste et en physicien, en faisant des classifications et en pesant des forces. A cause de tout cela, on l'a jugé sec et excentrique, et il est demeuré isolé, écrivant 5 des romans, des voyages, des notes, pour lesquels il souhaitait et obtenait vingt lecteurs. Et cependant, c'est dans ses livres qu'on trouvera encore aujourd'hui les essais les plus propres à frayer la route que j'ai tâché de décrire. Nul n'a mieux enseigné à ouvrir les yeux et à regarder, à regarder d'abord les hommes environnants et la vie présente, puis les documents anciens et 10 authentiques, à lire par delà le blanc et le noir des pages, à voir sous la vieille impression, sous le griffonnage d'un texte, le sentiment précis, le mouvement d'idées, l'état d'esprit dans lequel on l'écrivait. C'est dans ses écrits, chez Sainte-Beuve, chez les critiques allemands, que le lecteur verra tout le parti qu'on peut tirer d'un document littéraire; quand ce document est 15 riche et qu'on sait l'interpréter, on y trouve la psychologie d'une âme, souvent celle d'un siècle, et parfois celle d'une race. A cet égard un grand poème, un beau roman, les confessions d'un homme supérieur, sont plus instructifs qu'un monceau d'historiens et d'histoires; je donnerais cinquante volumes de chartes et cent volumes de pièces diplomatiques pour les mémoires de Cellini,[40] pour 20 les lettres de saint Paul,[41] pour les propos de table de Luther [42] ou les comédies d'Aristophane.[43]

En cela consiste l'importance des œuvres littéraires, elles sont instructives, parce qu'elles sont belles; leur utilité croît avec leur perfection; et, si elles fournissent des documents, c'est qu'elles sont des monuments. Plus 25 un livre rend les sentiments visibles, plus il est littéraire; car l'office propre de la littérature, est de noter les sentiments. Plus un livre note des sentiments importants, plus il est placé haut dans la littérature; car, c'est en représentant la façon d'être de toute une nation et de tout un siècle qu'un écrivain rallie autour de lui les sympathies de tout un siècle et de toute une nation. C'est 30 pourquoi, parmi les documents qui nous remettent devant les yeux les sentiments des générations précédentes, une littérature, et notamment une grande littérature est incomparablement le meilleur. Elle ressemble à ces appareils admirables, d'une sensibilité extraordinaire, au moyen desquels les physiciens démêlent et mesurent les changements les plus intimes et les plus délicats 35 d'un corps. Les constitutions, les religions n'en approchent pas; des articles de code et de catéchisme ne peignent jamais l'esprit qu'en gros, et sans finesse; s'il y a des documents dans lesquels la politique et le dogme soient vivants, ce sont les discours éloquents de chaire et de tribune, les mémoires, les confessions intimes, et tout cela appartient à la littérature; en sorte qu'outre 40 elle-même, elle a tout le bon d'autrui.

C'est donc principalement par l'étude des littératures que l'on pourra faire

---

[40] Benvenuto Cellini (1500–1571), Italian engraver, sculptor, etc., brought to the French court by Francis I; famous for his *Autobiography*.
[41] The *Epistles* of Saint Paul.   [42] See page 190, note 22.
[43] Aristophanes (450?–380? B. C.), greatest of Greek comic poets.

l'histoire morale et marcher vers la connaissance des lois psychologiques, d'où dépendent les événements. J'entreprends ici d'écrire l'histoire d'une littérature et d'y chercher la psychologie d'un peuple; si j'ai choisi celle-ci, ce n'est pas sans motif. Il fallait trouver un peuple qui eût une grande littérature com-

5 plète, et cela est rare; il y a peu de nations qui aient, pendant toute leur vie, vraiment pensé et vraiment écrit. Parmi les anciens, la littérature latine est nulle au commencement, puis empruntée et imitée. Parmi les modernes, la littérature allemande est presque vide pendant deux siècles; [44] la littérature italienne et la littérature espagnole finissent au milieu du dix-septième siècle. [45]

10 Seules, la Grèce ancienne, la France et l'Angleterre modernes, offrent une série complète de grands monuments expressifs. J'ai choisi l'Angleterre, parce qu'étant vivante encore et soumise à l'observation directe, elle peut être mieux étudiée qu'une civilisation détruite dont nous n'avons plus que les lambeaux, et parce qu'étant différente, elle présente mieux que la France des caractères

15 tranchés [46] aux yeux d'un Français. D'ailleurs, il y a cela de particulier dans cette civilisation, qu'outre son développement spontané, elle offre une déviation forcée, qu'elle a subi la dernière et la plus efficace de toutes les conquêtes, et que les trois données d'où elle est sortie, la race, le climat, l'invasion normande, peuvent être observées dans les monuments avec une précision par-

20 faite; si bien, qu'on étudie dans cette histoire les deux plus puissants moteurs des transformations humaines, je veux dire la nature et la contrainte, et qu'on peut les étudier sans incertitude ni lacune, dans une suite de monuments authentiques et entiers. J'ai tâché de définir ces ressorts primitifs, d'en montrer les effets graduels, d'expliquer comment ils ont fini par soulever jusqu'à la lu-

25 mière les grandes œuvres politiques, religieuses, littéraires, et de développer le mécanisme intérieur par lequel le Saxon barbare est devenu l'Anglais que nous voyons aujourd'hui.

[44] From the middle of the 16th century to that of the 18th.
[45] A rather summary judgment.   [46] "sharply defined."

ERNEST RENAN (1823–1892)

Renan was born at Tréguier in Brittany, attended the Collège de Tréguier, and Saint-Nicolas du Chardonnet in Paris before entering the seminary to prepare for the priesthood. Having lost his faith as a result of historical and philological research, he withdrew from the seminary, did tutoring and some writing for a few years, then received a scientific mission which took him to Italy (1849). In 1850 he was joined by his sister Henriette, who was to remain with him until her death in 1861. In 1860 he went upon an archeological expedition to ancient Phœnicia and while in Syria wrote his *Vie de Jésus*. In 1862 he was appointed professor of Hebrew at the Collège de France, but soon was deprived of this position because of his unorthodox views. The chair was restored to him upon the fall of the Empire in 1870. The most important events of his life are related in his *Souvenirs d'Enfance et de Jeunesse*.

Renan made of science a new religion. Retaining in his heart love for the Catholic ritual, music, and old churches, while applying scientific methods of research, in his writings he offers an odd mixture. Irving Babbitt, apparently having in mind Sainte-Beuve's description of Chateaubriand, says Renan may be defined as "a scientist and a positivist with a Catholic imagination," whereas Renan defines himself as "un romantique protestant contre le romantisme." The mental habits of his youth carried over into his history and criticism. Though himself given, at times, to metaphysical speculation, he considered research to be of far greater value, for he wished above all to get at the truth. "La vérité est, quoi qu'on dise, supérieure à toutes les fictions." Again, paying tribute to his teachers, he says: "ils m'apprirent l'amour de la vérité, le respect de la raison, le sérieux de la vie. Voilà la seule chose en moi qui n'ait jamais varié." He attached the greatest importance to history, because he felt that man could better understand himself by studying the past, and "used all his art in bringing out the differences that separate men in time and space" (Babbitt). In criticism Renan sought to understand, and would appreciate all that was sound or beautiful in an author. "L'essence de la critique est de savoir comprendre des états très différents de celui où nous vivons." No one could object to that as far as it goes, but unless criticism goes further, the critic runs the risk of being called a dilettante. Far from attempting to explain everything by applying fixed principles, as did Taine, Renan is, perhaps, not sufficiently systematic; he is impressionistic, he has no real theory. In style Renan is at once picturesque, vivid, and clear; he is classical. No writer of the century would serve better as a model in this respect. His influence is easily observed in Anatole France and in the Barrès of *Le Jardin de Bérénice*.

"Ernest Renan est le plus grand esprit qui ait paru en France depuis Chateaubriand et peut-être depuis Jean-Jacques Rousseau. . . .

"Étonnant écrivain, et déconcertant la critique par l'impossibilité où l'on est de rendre compte de ses procédés, lumineux, souple, pliant et ployant sans effort, d'une grâce qui semble molle et sous laquelle on sent soudain une force singulière, il a, plus que tout autre écrivain de ce siècle, le *charme,* le je ne sais quoi qui caresse, envahit et finit par maîtriser. Certaines pages de *Souvenirs d'Enfance,* comme la *Prière sur l'Acropole,* sont des plus belles qui aient été écrites en langue française. . . ." (Faguet: *Histoire de la Littérature Française.*)

IMPORTANT WORKS:

Autobiography: *Souvenirs d'Enfance et de Jeunesse* (1883); *Ma Sœur Henriette* (1895).
Philosophy: *L'Avenir de la Science* (1890).
History: *Les Origines du Christianisme* (1863–1883); *Histoire du Peuple d'Israël* (1887–1893).

QU'EST-CE QU'UNE NATION? [1]

Conférence faite en Sorbonne, le 11 mars 1882.

I

Depuis la fin de l'empire romain, ou mieux, depuis la dislocation de l'empire de Charlemagne,[2] l'Europe occidentale nous apparaît divisée en nations, dont quelques-unes, à certaines époques, ont cherché à exercer une hégémonie sur les autres, sans jamais y réussir d'une manière durable. Ce
5 que n'ont pu Charles-Quint,[3] Louis XIV, Napoléon Ier, personne probablement ne le pourra dans l'avenir. L'établissement d'un nouvel empire romain ou d'un nouvel empire de Charlemagne est devenu une impossibilité. La division de l'Europe est trop grande pour qu'une tentative de domination universelle ne provoque pas très vite une coalition qui fasse rentrer la nation
10 ambitieuse dans ses bornes naturelles. Une sorte d'équilibre est établi pour longtemps. La France, l'Angleterre, l'Allemagne, la Russie seront encore, dans des centaines d'années, et malgré les aventures qu'elles auront courues, des individualités historiques, les pièces essentielles d'un damier, dont les cases varient sans cesse d'importance et de grandeur, mais ne se confondent
15 jamais tout à fait.

Les nations entendues de cette manière, sont quelque chose d'assez nouveau dans l'histoire. L'antiquité ne les connut pas; l'Égypte, la Chine, l'antique Chaldée, ne furent à aucun degré des nations. C'étaient des troupeaux menés par un fils du Soleil,[4] ou d'un fils du Ciel.[4] Il n'y eut pas de citoyens égyptiens,
20 pas plus qu'il n'y a de citoyens chinois. L'antiquité classique eut des républiques et des royautés municipales, des confédérations de républiques locales, des empires; elle n'eut guère la nation au sens où nous la comprenons. Athènes, Sparte, Sidon, Tyr sont de petits centres d'admirable patriotisme; mais ce sont des cités avec un territoire relativement restreint. La Gaule,
25 l'Espagne, l'Italie, avant leur absorption dans l'empire romain, étaient des ensembles de peuplades, souvent liguées entre elles, mais sans institutions centrales, sans dynasties. L'empire assyrien, l'empire persan, l'empire

---

[1] It is interesting to see what Renan said fifty years ago upon this question which is so important today. A little over half of the lecture is given here.

[2] In 817, Louis le Débonnaire, Charlemagne's son, divided the Western Empire between his three sons, Lothair, Louis, and Pépin, thereby paving the way for the final breaking up of the Empire, by the treaty of Verdun in 843.

[3] Charles V, king of Spain, emperor of Germany, attempted to make himself supreme in Europe. Louis XIV and Napoleon had similar ambitions.

[4] The Pharaohs claimed descent from the sun-god Ra or Re. The Emperor of China was called the Son of Heaven.

d'Alexandre ne furent pas non plus des patries. Il n'y eut jamais de patriotes assyriens; l'empire persan fut une vaste féodalité. Pas une nation ne rattache ses origines à la colossale aventure d'Alexandre,[5] qui fut cependant si riche en conséquences pour l'histoire générale de la civilisation.

L'empire romain fut bien plus près d'être une patrie. En retour de l'immense bienfait de la cessation des guerres, la domination romaine, d'abord si dure, fut bien vite aimée. Ce fut une grande association, synonyme d'ordre, de paix et de civilisation. Dans les derniers temps de l'empire, il y eut, chez les âmes élevées, chez les évêques éclairés, chez les lettrés, un vrai sentiment de «la paix romaine,» opposée au chaos menaçant de la barbarie. Mais un empire, douze fois grand comme la France actuelle, ne saurait former un État dans l'acception moderne. La scission de l'Orient [6] et de l'Occident était inévitable. Les essais d'un empire gaulois,[7] au IIIe siècle, ne réussirent pas. C'est l'invasion germanique qui introduisit dans le monde le principe qui, plus tard, a servi de base à l'existence des nationalités.

Que firent les peuples germaniques, en effet, depuis leurs grandes invasions du Ve siècle [8] jusqu'aux dernières conquêtes normandes [9] au Xe? Ils changèrent peu le fond des races; mais ils imposèrent des dynasties et une aristocratie militaire à des parties plus ou moins considérables de l'ancien empire d'Occident, lesquelles prirent le nom de leurs envahisseurs. De là une France, une Burgundie, une Lombardie; plus tard, une Normandie. La rapide prépondérance que prit l'empire franc refait un moment l'unité de l'Occident; mais cet empire se brise irrémédiablement vers le milieu du IXe siècle; le traité de Verdun trace des divisions immuables en principe, et dès lors la France, l'Allemagne, l'Angleterre, l'Italie, l'Espagne, s'acheminent par des voies, souvent détournées et à travers mille aventures, à leur pleine existence nationale, telle que nous la voyons s'épanouir aujourd'hui.

Qu'est-ce qui caractérise, en effet, ces différents États? C'est la fusion des populations qui les composent. Dans les pays que nous venons d'énumérer, rien d'analogue à ce que vous trouverez en Turquie, où le Turc, le Slave, le Grec, l'Arménien, l'Arabe, le Syrien, le Kurde sont aussi distincts aujourd'hui qu'au jour de la conquête. Deux circonstances essentielles contribuèrent à ce résultat. D'abord le fait que les peuples germaniques adoptèrent le christianisme dès qu'ils eurent des contacts un peu suivis avec les peuples grecs et latins. Quand le vainqueur et le vaincu sont de la même religion, ou, plutôt, quand le vainqueur adopte la religion du vaincu, le système turc, la

[5] Alexander the Great (356–323 B. C.), king of Macedonia (336–323). His ambition was to conquer the world. Although he died when only 33, he led his armies into Egypt and as far east as the Indus and turned back only because his men refused to go farther.
[6] The Roman Empire lasted from 29 B. C. to 395 A. D. when it was divided. The Eastern Empire, with its capital at Constantinople, extended from 395 to 1453. The Empire of the West, with Rome as its capital, lasted from 395 to 476.
[7] Under Cassianius Postumus (259–269) a provincial Gallic empire was established, which lasted till the restoration of unity to the Roman Empire by Aurelian in 273.
[8] During the fifth century the Alani, the Vandals, the Suevi (Swabians), the Franks, the Burgundians, Visigoths, and Huns invaded Gaul.
[9] The Norsemen first appeared in France towards the beginning of the 10th century. Their leader, Rollo, was given Normandy (911) in which to settle.

distinction absolue des hommes d'après la religion, ne peut plus se produire. La seconde circonstance fut, de la part des conquérants, l'oubli de leur propre langue. Les petits-fils de Clovis,[10] d'Alaric,[11] de Gondebaud,[12] d'Alboin,[13] de Rollon,[14] parlaient déjà roman. Ce fait était lui-même la conséquence
5 d'une autre particularité importante: c'est que les Francs, les Burgondes, les Goths, les Lombards, les Normands, avaient très peu de femmes de leur race avec eux. Pendant plusieurs générations, les chefs ne se marient qu'avec des femmes germaines; mais leurs concubines sont latines; les nourrices des enfants sont latines; toute la tribu épouse des femmes latines; ce qui fit que
10 la *lingua francica,* la *lingua gothica* n'eurent, depuis l'établissement des Francs et des Goths en terres romaines, que de très courtes destinées. Il n'en fut pas ainsi en Angleterre; car l'invasion anglo-saxonne avait sans doute des femmes avec elle; la population bretonne s'enfuit, et, d'ailleurs, le latin n'était plus, ou même ne fut jamais dominant dans la Bretagne. Si on eût généralement parlé
15 gaulois dans la Gaule, au Ve siècle, Clovis et les siens n'eussent pas abandonné le germanique pour le gaulois.

De là ce résultat capital que, malgré l'extrême violence des mœurs des envahisseurs germains, le moule qu'ils imposèrent devint, avec les siècles, le moule même de la nation. *France* devint très légitimement le nom d'un pays
20 où il n'était entré qu'une imperceptible minorité de Francs. Au Xe siècle, dans les premières chansons de geste, qui sont un miroir si parfait de l'esprit du temps, tous les habitants de la France sont des Français. L'idée d'une différence de races dans la population de la France, si évidente chez Grégoire de Tours,[15] ne se présente à aucun degré chez les écrivains et les
25 poètes français postérieurs à Hugues Capet.[16] La différence du noble et du vilain est aussi accentuée que possible; mais la différence de l'un à l'autre n'est en rien une différence ethnique; c'est une différence de courage, d'habitude et d'éducation transmise héréditairement; l'idée que l'origine de tout cela soit une conquête ne vient à personne. Le faux système d'après lequel la
30 noblesse dut son origine à un privilège conféré par le roi pour de grands services rendus à la nation, si bien que tout noble est un anobli, ce système est établi comme un dogme dès le XIIIe siècle. La même chose se passa à la suite de presque toutes les conquêtes normandes. Au bout d'une ou deux générations, les envahisseurs normands ne se distinguaient plus du reste de
35 la population; leur influence n'en avait pas moins été profonde; ils avaient

[10] Clovis (466?–511) founded the Frankish kingdom which developed into the most extensive empire of the Middle Ages.

[11] Alaric I (died 410), king of the Visigoths who pillaged Rome. His son was defeated by Clovis.

[12] Gondebaud, king of the Burgundians, the uncle of Clotilde, Clovis' wife. Clotilde's influence caused Clovis to become Christian and have his army baptized.

[13] Alboin, king of the Lombards (561–573).

[14] Rollo (died 931), Norman (Norseman) pirate chief. See previous note on *Normands*.

[15] Grégoire de Tours (538?–594), bishop of Tours, the "father of Frankish history," author of a history of the Franks (*Historiae sive Annalium Francorum libri x*), a very valuable historical document.

[16] Hugues Capet (938?–996?), proclaimed king of France (987), was the first of the Capetian line.

donné au pays conquis une noblesse, des habitudes militaires, un patriotisme qu'il n'avait pas auparavant.

L'oubli, et je dirai même l'erreur historique, sont un facteur essentiel de la création d'une nation, et c'est ainsi que le progrès des études historiques est souvent pour la nationalité un danger. L'investigation historique, en effet, remet en lumière les faits de violence qui se sont passés à l'origine de toutes les formations politiques, même de celles dont les conséquences ont été le plus bienfaisantes. L'unité se fait toujours brutalement; la réunion de la France du nord et de la France du midi a été le résultat d'une extermination et d'une terreur continuée pendant près d'un siècle.[17] Le roi de France, qui est, si j'ose le dire, le type idéal d'un cristallisateur séculaire; le roi de France, qui a fait la plus parfaite unité nationale qu'il y ait; le roi de France, vu de trop près, a perdu son prestige; la nation qu'il avait formée l'a maudit, et, aujourd'hui, il n'y a que les esprits cultivés qui sachent ce qu'il valait et ce qu'il a fait.

. . . Or l'essence d'une nation est que tous les individus aient beaucoup de choses en commun, et aussi que tous aient oublié bien des choses. Aucun citoyen français ne sait s'il est Bourgonde, Alain, Taïfale, Visigoth; tout citoyen français doit avoir oublié la Saint-Barthélemy,[18] les massacres du Midi au XIIIe siècle. Il n'y a pas en France dix familles qui puissent fournir la preuve d'une origine franque, et encore une telle preuve serait-elle essentiellement défectueuse, par suite de mille croisements inconnus qui peuvent déranger tous les systèmes des généalogistes.

La nation moderne est donc un résultat historique amené par une série de faits convergeant dans le même sens. Tantôt l'unité a été réalisée par une dynastie, comme c'est le cas pour la France; tantôt elle l'a été par la volonté directe des provinces, comme c'est le cas pour la Hollande, la Suisse, la Belgique; tantôt par un esprit général, tardivement vainqueur des caprices de la féodalité, comme c'est le cas pour l'Italie et l'Allemagne. Toujours une profonde raison d'être a présidé à ces formations. Les principes en pareils cas, se font jour par les surprises les plus inattendues. Nous avons vu, de nos jours, l'Italie unifiée par ses défaites, et la Turquie démolie par ses victoires. Chaque défaite avançait les affaires de l'Italie; chaque victoire perdait la Turquie; car l'Italie est une nation, et la Turquie, hors de l'Asie-Mineure, n'en est pas une. C'est la gloire de la France d'avoir, par la Révolution française, proclamé qu'une nation existe par elle-même. Nous ne devons pas trouver mauvais qu'on nous imite. Le principe des nations est le nôtre. Mais qu'est-ce donc qu'une nation? Pourquoi la Hollande est-elle une nation, tandis que le Hanovre [19] ou le grand-duché de Parme [20] n'en sont pas une?

[17] The 13th century; beginning with the crusade against the heretical Albigenses, proclaimed by Pope Innocent III, in 1209. When the town of Béziers was captured, 20,000 of its inhabitants are reported to have been massacred.
[18] The massacre of Saint Bartholomew's day, the night of August 23, 1572, in which the Huguenots of Paris were slaughtered.
[19] Hanover was formerly a kingdom, but is now a Prussian province.
[20] Parma, now a province, was formerly a sovereign duchy of N. Italy.

Comment la France persiste-t-elle à être une nation, quand le principe qui l'a créée a disparu? Comment la Suisse, qui a trois langues, deux religions, trois ou quatre races, est-elle une nation, quand la Toscane,[21] par exemple, qui est si homogène, n'en est pas une? Pourquoi l'Autriche est-elle un état
5 et non pas une nation? En quoi le principe des nationalités diffère-t-il du principe des races? . . .

II

. . . Il faut admettre qu'une nation peut exister sans principe dynastique, et même que des nations qui ont été formées par des dynasties peuvent se séparer de cette dynastie sans pour cela cesser d'exister. Le vieux principe,
10 qui ne tient compte que du droit des princes, ne saurait plus être maintenu; outre le droit dynastique, il y a le droit national. Ce droit national, sur quel critérium le fonder? à quel signe le reconnaître? de quel fait tangible le faire dériver?

I.—De la race, disent plusieurs avec assurance. Les divisions artificielles,
15 résultant de la féodalité, des mariages princiers, des congrès de diplomates, sont caduques. Ce qui reste ferme et fixe, c'est la race des populations. Voilà ce qui constitue un droit, une légitimité. La famille germanique, par exemple, selon la théorie que j'expose, a le droit de reprendre les membres épars du germanisme, même quand ces membres ne demandent pas à se rejoindre. Le
20 droit du germanisme sur telle province est plus fort que le droit des habitants de cette province sur eux-mêmes. On crée ainsi une sorte de droit primordial analogue à celui des rois de droit divin, au principe des nations on substitue celui de l'ethnographie. C'est là une très grande erreur, qui, si elle devenait dominante, perdrait la civilisation européenne. . . .
25 La consideration ethnographique n'a été pour rien dans la constitution des nations modernes. La France est celtique, ibérique, germanique. L'Allemagne est germanique, celtique et slave. L'Italie est le pays où l'ethnographie est le plus embarrassée. Gaulois, Etrusques, Pélasges,[22] Grecs, sans parler de bien d'autres éléments, s'y croisent dans un indéchiffrable mélange. Les
30 îles Britanniques, dans leur ensemble, offrent un mélange de sang celtique et germain dont les proportions sont singulièrement difficiles à définir.

La vérité est qu'il n'y a pas de race pure et que faire reposer la politique sur l'analyse ethnographique, c'est la faire porter sur une chimère. Les plus nobles pays, l'Angleterre, la France, l'Italie, sont ceux où le sang est le plus
35 mêlé. L'Allemagne fait-elle à cet égard une exception? Est-elle un pays germanique pur? Quelle illusion! Tout le sud a été gaulois. Tout l'est, à partir de l'Elbe, est slave. Et les parties que l'on prétend réellement pures le sont-elles en effet? Nous touchons ici à un des problèmes sur lesquels il importe le plus de se faire des idées claires et de prévenir les malentendus.
40 . . . L'apparition de l'individualité germanique dans l'histoire ne se fait que très peu de siècles avant Jésus-Christ. Apparemment les Germains ne sont pas sortis de terre à cette époque. Avant cela, fondus avec les Slaves dans

[21] Tuscany, formerly a sovereign state of central Italy, with Florence as its capital.
[22] The Pelasgians were pre-Hellenic inhabitants of Greece, Italy, etc.

la grande masse indistincte des Scythes,[23] ils n'avaient pas leur individualité
à part. Un Anglais est bien un type dans l'ensemble de l'humanité. Or le type
de ce qu'on appelle très improprement la race anglo-saxonne, n'est ni le
Breton du temps de César, ni l'Anglo-Saxon de Hengist,[24] ni le Danois de
Knut,[25] ni le Normand de Guillaume le Conquérant;[26] c'est la résultante de
tout cela. Le Français n'est ni un Gaulois, ni un Franc, ni un Burgonde. Il est
ce qui est sorti de la grande chaudière où, sous la présidence du roi de France,
ont fermenté ensemble les éléments les plus divers. . . . La race, comme nous
l'entendons, nous autres historiens, est donc quelque chose qui se fait et se
défait. L'étude de la race est capitale pour le savant qui s'occupe de l'histoire
de l'humanité. Elle n'a pas d'application en politique. La conscience
instinctive qui a présidé à la confection de la carte d'Europe n'a tenu aucun
compte de la race, et les premières nations de l'Europe sont des nations de
sang essentiellement mélangé.

Le fait de la race, capital à l'origine, va donc toujours perdant son
importance. L'histoire humaine diffère essentiellement de la zoologie. La race
n'y est pas tout, comme chez les rongeurs ou les félins, et on n'a pas le droit
d'aller par le monde tâter le crâne des gens, puis les prendre à la gorge en
leur disant: «Tu es de notre sang; tu nous appartiens!» En dehors des
caractères anthropologiques, il y a la raison, la justice, le vrai, le beau, qui
sont les mêmes pour tous. Tenez, cette politique ethnographique n'est pas
sûre. Vous l'exploitez aujourd'hui contre les autres; puis vous la voyez se
tourner contre vous-mêmes. Est-il certain que les Allemands, qui ont élevé
si haut le drapeau de l'ethnographie, ne verront pas les Slaves venir analyser,
à leur tour, les noms des villages de la Saxe[27] et de la Lusace,[28] rechercher
les traces des Wiltzes[29] ou des Obortrites,[30] et demander compte des massacres
et des ventes en masse que les Othons[31] firent de leurs aïeux? Pour tous il est
bon de savoir oublier.

J'aime beaucoup l'ethnographie; c'est une science d'un rare intérêt; mais,
comme je la veux libre, je la veux sans application politique. En ethnographie,
comme dans toutes les études, les systèmes changent; c'est la condition du
progrès. Les nations changeraient donc aussi avec les systèmes? Les limites
des états suivraient les fluctuations de la science. Le patriotisme dépendrait
d'une dissertation plus ou moins paradoxale. On viendrait dire au patriote:

[23] The Scythians were ancient nomadic barbarians inhabiting N.E. Europe and N.W. Asia.
[24] Hengist and his brother Horsa led the Jutes who were the first Germanic invaders of
Britain (about 449).
[25] Canute (995?–1035), first proclaimed king of the English (1014) by Danish warriors, became undisputed master of England in 1016, upon the death of Edmund.
[26] William the Conqueror (1027–1087), Duke of Normandy, invaded England in 1066 and,
at Hastings, defeated Harold, who was killed in the battle. He was the first Norman king of
England.
[27] Saxony.   [28] Lusatia, region in Central Germany.
[29] The *Wiltzes* or *Lutizes* were ancient Slavic people living in N. Germany between the Elbe
and the Oder.
[30] The *Obotrites,* ancient Slavs, occupied the S.W. angle of the Baltic. They fought with
Charlemagne against the Saxons, and aided the Franks against the Danes.
[31] *Otto* or *Otho* was the name of four German Emperors. The first of them, Otto the Great,
became king of Germany in 912 and was elected emperor of the German Empire in 938. He
reduced the power of the nobles and brought the Slavs under subjection.

«Vous vous trompez; vous versiez votre sang pour telle ou telle cause, vous croyiez être Celte; non, vous êtes Germain.» Puis, dix ans après, on viendra vous dire que vous êtes Slave. Pour ne pas fausser la science, dispensons-la de donner un avis dans ces problèmes, où sont engagés tant d'intérêts. Soyez
5 sûrs que, si on la charge de fournir des éléments à la diplomatie, on la surprendra bien des fois en flagrant délit de complaisance. Elle a mieux à faire: demandons-lui tout simplement la vérité.

II.—Ce que nous venons de dire de la race, il faut le dire de la langue. La langue invite à se réunir; elle n'y force pas. Les États-Unis et l'Angleterre,
10 l'Amérique espagnole et l'Espagne parlent la même langue et ne forment pas une seule nation. Au contraire, la Suisse, si bien faite, puisqu'elle a été faite par l'assentiment de ses différentes parties, compte trois ou quatre langues. Il y a dans l'homme quelque chose de supérieur à la langue: c'est la volonté. La volonté de la Suisse d'être unie, malgré la variété de ces idiomes,
15 est un fait bien plus important qu'une similitude de langage souvent obtenue par des vexations.

. . . Les langues sont des formations historiques, qui indiquent peu de chose sur le sang de ceux qui les parlent, et qui, en tout cas, ne sauraient enchaîner la liberté humaine, quand il s'agit de déterminer la famille avec
20 laquelle on s'unit pour la vie et pour la mort.

Cette considération exclusive de la langue a, comme l'attention trop forte donnée à la race, ses dangers, ses inconvénients. Quand on y met de l'exagération, on se renferme dans une culture déterminée, tenue pour nationale; on se limite, on se claquemure. On quitte le grand air qu'on respire dans le
25 vaste champ de l'humanité pour s'enfermer dans des conventicules de compatriotes. Rien de plus mauvais pour l'esprit; rien de plus fâcheux pour la civilisation. N'abandonnons pas ce principe fondamental, que l'homme est un être raisonnable et moral, avant d'être parqué dans telle ou telle langue, avant d'être un membre de telle ou telle race, un adhérent de telle ou telle
30 culture. Avant la culture française, la culture allemande, la culture italienne, il y a la culture humaine. Voyez les grands hommes de la Renaissance; ils n'étaient ni Français, ni Italiens, ni Allemands. Ils avaient retrouvé, par leur commerce avec l'antiquité, le secret de l'éducation véritable de l'esprit humain, et ils s'y dévouaient corps et âme. Comme ils firent bien!
35 (In like manner, Renan considers religion, common interests, and geography, and finds that they have no more to support their claim than do race and language.)

III

Une nation est une âme, un principe spirituel. Deux choses qui, à vrai dire, n'en font qu'une, constituent cette âme, ce principe spirituel. L'une est dans
40 le passé, l'autre dans le présent. L'une est la possession en commun d'un riche legs de souvenirs; l'autre est le consentement actuel, le désire de vivre ensemble, la volonté de continuer à faire valoir l'héritage qu'on a reçu indivis. L'homme ne s'improvise pas. La nation, comme l'individu, est

l'aboutissant d'un long passé d'efforts, de sacrifices et de dévouements. Le culte des ancêtres est de tous le plus légitime; les ancêtres nous ont faits ce que nous sommes. Un passé héroïque, des grands hommes, de la gloire (j'entends de la véritable), voilà le capital social sur lequel on assied une idée nationale. Avoir des gloires communes dans le passé, une volonté commune dans le présent;   5 avoir fait de grandes choses ensemble, vouloir en faire encore, voilà les conditions essentielles pour être un peuple. On aime en proportion des sacrifices qu'on a consentis, des maux qu'on a soufferts. On aime la maison qu'on a bâtie et qu'on transmet. Le chant spartiate: «Nous sommes ce que vous fûtes; nous serons ce que vous êtes,» est dans sa simplicité l'hymne abrégé de toute   10 patrie.

Dans le passé, un héritage de gloire et de regrets à partager, dans l'avenir un même programme à réaliser; avoir souffert, joui, espéré ensemble, voilà ce qui vaut mieux que des douanes communes et des frontières conformes aux idées stratégiques; voilà ce que l'on comprend malgré les diversités de   15 race et de langue. Je disais tout à l'heure: «avoir souffert ensemble»; oui, la souffrance en commun unit plus que la joie. En fait de souvenirs nationaux, les deuils valent mieux que les triomphes; car ils imposent des devoirs; ils commandent l'effort en commun.

Une nation est donc une grande solidarité, constituée par le sentiment des   20 sacrifices qu'on a faits et de ceux qu'on est disposé à faire encore. Elle suppose un passé; elle se résume pourtant dans le présent par un fait tangible: le consentement, le désir clairement exprimé de continuer la vie commune. L'existence d'une nation est un plébiscite de tous les jours, comme l'existence de l'individu est une affirmation perpétuelle de la vie. . . .   25

. . . Il est clair qu'en pareille matière aucun principe ne doit être poussé à l'excès. Les vérités de cette ordre ne sont applicables que dans leur ensemble et d'une façon très générale. Les volontés humaines changent; mais qu'est-ce qui ne change pas ici-bas? Les nations ne sont pas quelque chose d'éternel. Elles ont commencé, elles finiront. La confédération européenne, probable-   30 ment les remplacera. . . .

Je me résume. L'homme n'est esclave ni de sa race, ni de sa langue, ni de sa religion, ni du cours des fleuves, ni de la direction des chaînes de montagnes. Une grande agrégation d'hommes, saine d'esprit et chaude de cœur, crée une conscience morale qui s'appelle une nation. Tant que cette   35 conscience morale prouve sa force par les sacrifices qu'exige l'abdication de l'individu au profit d'une communauté, elle est légitime, elle a le droit d'exister. Si des doutes s'élèvent sur ses frontières, consultez les populations disputées. Elles ont bien le droit d'avoir un avis dans la question. Voilà qui fera sourire les transcendants de la politique, ces infaillibles qui passent leur   40 vie à se tromper et qui, du haut de leurs principes supérieurs, prennent en pitié notre terre-à-terre. «Consulter les populations, fi donc! quelle naïveté! Voilà bien ces chétives idées françaises qui prétendent remplacer la diplomatie et la guerre par des moyens d'une simplicité enfantine.»—Attendons, Messieurs; laissons passer le règne des transcendants; sachons subir le dédain   45 des forts. Peut-être, après bien des tâtonnements infructueux, reviendra-t-on à nos modestes solutions empiriques. Le moyen d'avoir raison dans l'avenir est, à certaines heures, de savoir se résigner à être démodé.

Discours et Conférences.

PRIÈRE SUR L'ACROPOLE

Je n'ai commencé d'avoir des souvenirs que fort tard. L'impérieux devoir
5 qui m'obligea, durant les années de ma jeunesse, à résoudre pour mon compte, non avec le laisser-aller du spéculatif, mais avec la fièvre de celui qui lutte pour la vie, les plus hauts problèmes de la philosophie et de la religion, ne me laissait pas un quart d'heure pour regarder en arrière. Jeté ensuite dans le courant de mon siècle, que j'ignorais totalement, je me trouvai en face d'un
10 spectacle en réalité aussi nouveau pour moi que le serait la société de Saturne ou de Vénus pour ceux à qui il serait donné de la voir. Je trouvais tout cela faible, inférieur moralement à ce que j'avais vu à Issy [32] et à Saint-Sulpice; [32] cependant la supériorité de science et de critique d'hommes tels qu'Eugène Burnouf,[33] l'incomparable vie qui s'exhalait de la conversation de M. Cou-
15 sin,[34] la grande rénovation que l'Allemagne [35] opérait dans presque toutes les sciences historiques, puis les voyages, puis l'ardeur de produire, m'entraînèrent et ne me permirent pas de songer à des années qui étaient déjà loin de moi. Mon séjour en Syrie [36] m'éloigna encore davantage de mes anciens souvenirs. Les sensations entièrement nouvelles que j'y trouvai, les
20 visions que j'y eus d'un monde divin, étranger à nos froides et mélancoliques contrées, m'absorbèrent tout entier. Mes rêves, pendant quelque temps, furent la chaîne brûlée de Galaad,[37] le pic de Safed,[38] où apparaîtra le Messie; le Carmel [39] et ses champs d'anémones semés par Dieu; le gouffre d'Aphaca,[40] d'où sort le fleuve Adonis.[41] Chose singulière! ce fut à Athènes,
25 en 1865, que j'éprouvai pour la première fois un vif sentiment de retour en arrière, un effet comme celui d'une brise fraîche, pénétrante, venant de très loin.

L'impression que me fit Athènes est de beaucoup la plus forte que j'aie jamais ressentie. Il y a un lieu où la perfection existe; il n'y en a pas deux;
30 c'est celui-là. Je n'avais jamais rien imaginé de pareil. C'était l'idéal cristallisé en marbre pentélique [42] qui se montrait à moi. Jusque-là, j'avais cru que la perfection n'est pas de ce monde; une seule révélation me paraissait se rapprocher de l'absolu. Depuis longtemps, je ne croyais plus au miracle, dans le sens propre du mot; cependant la destinée unique du peuple juif,
35 aboutissant à Jésus et au christianisme, m'apparaissait comme quelque chose

[32] The two branches of the seminary Renan attended as a theological student.
[33] Burnouf, Eugène (1801–1852), professor at the Collège de France, well-known Orientalist.
[34] Cousin, Victor (1792–1867), French philosopher and politician, leader of the eclectic spiritualistic school, author of *Du Vrai, du Beau et du Bien* (1846).
[35] German research played a very important rôle in the development of modern scholarship.
[36] See page 277.   [37] Gilead, mountain in Palestine.   [38] Town in Palestine.
[39] Mountain in Palestine.   [40] In the Lebanon.
[41] River in Syria, flowing into the Mediterranean near Beirut.
[42] White marble from Mount Pentelicus, in Attica, Greece.

de tout à fait à part. Or voici qu'à côté du miracle juif venait se placer pour moi le miracle grec, une chose qui n'a existé qu'une fois, qui ne s'était jamais vue, qui ne se reverra plus, mais dont l'effet durera éternellement, je veux dire un type de beauté éternelle, sans nulle tache locale ou nationale. Je savais bien, avant mon voyage, que la Grèce avait créé la science, l'art, la philosophie, la civilisation; mais l'échelle [43] me manquait. Quand je vis l'Acropole,[44] j'eus la révélation du divin, comme je l'avais eue la première fois que je sentis vivre l'Évangile, en apercevant la vallée du Jourdain [45] des hauteurs de Casyoun. Le monde entier alors me parut barbare. L'Orient me choqua par sa pompe, son ostentation, ses impostures. Les Romains ne furent que de grossiers soldats; la majesté du plus beau Romain, d'un Auguste,[46] d'un Trajan,[47] ne me sembla que pose auprès de l'aisance, de la noblesse simple de ces citoyens fiers et tranquilles. Celtes, Germains, Slaves m'apparurent comme des espèces de Scythes [48] consciencieux, mais péniblement civilisés. Je trouvai notre moyen âge sans élégance ni tournure, entaché de fierté déplacée et de pédantisme. Charlemagne [49] m'apparut comme un gros palefrenier allemand; nos chevaliers me semblèrent des lourdauds, dont Thémistocle [50] et Alcibiade [51] eussent souri. Il y a eu un peuple d'aristocrates, un public tout entier composé de connaisseurs, une démocratie qui a saisi des nuances d'art tellement fines que nos raffinés les aperçoivent à peine. Il y a eu un public pour comprendre ce qui fait la beauté des Propylées [52] et la supériorité des sculptures du Parthénon.[53] Cette révélation de la grandeur vraie et simple m'atteignit jusqu'au fond de l'être. Tout ce que j'avais connu jusque-là me sembla l'effort maladroit d'un art jésuitique, un rococo [54] composé de pompe niaise, de charlatanisme et de caricature.

C'est principalement sur l'Acropole que ces sentiments m'assiégeaient. Un excellent architecte avec qui j'avais voyagé avait coutume de me dire que, pour lui, la vérité des dieux était en proportion de la beauté solide des temples qu'on leur a élevés. Jugée sur ce pied-là, Athéné [55] serait au-dessus de toute rivalité. Ce qu'il y a de surprenant, en effet, c'est que le beau n'est ici que l'honnêteté absolue, la raison, le respect même envers la divinité. Les parties cachées de l'édifice sont aussi soignées que celles qui sont vues. Aucun de ces trompe-l'œil [56] qui, dans nos églises en particulier, sont comme une tentative perpétuelle pour induire la divinité en erreur sur la valeur de la chose offerte. Ce sérieux, cette droiture, me faisaient rougir d'avoir plus d'une fois sacrifié à un idéal moins pur. Les heures que je passais sur la

[43] "scale."   [44] Citadel of ancient Athens.   [45] Jordan, the great river of Palestine.
[46] Augustus (63 B. C.–14 A. D.), Roman emperor.   [47] Emperor of Rome 98–117.
[48] Scythians: see page 283, note 23.
[49] Charlemagne (742–814), French King and national hero, made Emperor of the Western Empire in 800. See page 69, note 17.
[50] Themistocles (525?–460? B. C.), celebrated Athenian general.
[51] Alcibiades (450–404), brilliant, ambitious, Athenian general.
[52] Propylaea, the portico of the Acropolis at Athens.
[53] Celebrated temple in the Acropolis at Athens.
[54] Style of architecture of the late 17th and 18th centuries, characterized by exaggerated ornamentation. It is especially associated with the Jesuit churches of the time.
[55] Athene, goddess of knowledge, tutelary deity of Athens.   [56] "shams."

colline sacrée étaient des heures de prière. Toute ma vie repassait, comme une confession générale, devant mes yeux. Mais ce qu'il y avait de plus singulier, c'est qu'en confessant mes péchés, j'en venais à les aimer; mes résolutions de devenir classique finissaient par me précipiter plus que jamais au pôle
5 opposé. Un vieux papier que je retrouve parmi mes notes de voyage contient ceci:

Prière que je fis sur l'Acropole quand je fus arrivé à en comprendre la parfaite beauté.

«O noblesse! ô beauté simple et vraie! déesse [57] dont le culte signifie raison
10 et sagesse, toi dont le temple est une leçon éternelle de conscience et de sincérité, j'arrive tard au seuil de tes mystères; j'apporte à ton autel beaucoup de remords. Pour te trouver, il m'a fallu des recherches infinies. L'initiation que tu conférais à l'Athénien naissant par un sourire, je l'ai conquise à force de réflexions, au prix de longs efforts.

15 «Je suis né, déesse aux yeux bleus, de parents barbares, chez les Cimmériens [58] bons et vertueux qui habitent au bord d'une mer sombre, hérissée de rochers, toujours battue par les orages.[59] On y connaît à peine le soleil; les fleurs sont les mousses marines, les algues et les coquillages coloriés qu'on trouve au fond des baies solitaires. Les nuages y paraissent sans couleur, et
20 la joie même y est un peu triste; mais des fontaines d'eau froide y sortent du rocher, et les yeux des jeunes filles y sont comme ces vertes fontaines où, sur des fonds d'herbes ondulées, se mire le ciel.

«Mes pères, aussi loin que nous pouvons remonter, étaient voués aux navigations lointaines,[60] dans des mers que tes Argonautes [61] ne connurent
25 pas. J'entendis, quand j'étais jeune, les chansons des voyages polaires; je fus bercé au souvenir des glaces flottantes,[62] des mers brumeuses semblables à du lait, des îles peuplées d'oiseaux qui chantent à leurs heures et qui, prenant leur volée tous ensemble, obscurcissent le ciel.

«Des prêtres d'un culte étranger,[63] venu des Syriens de Palestine, prirent
30 soin de m'élever. Ces prêtres étaient sages et saints. Ils m'apprirent les longues histoires de Cronos,[64] qui a créé le monde, et de son fils,[65] qui a, dit-on, accompli un voyage sur la terre. Leurs temples [66] sont trois fois hauts comme le tien, ô Eurhythmie,[67] et semblables à des forêts; seulement ils ne sont pas solides; ils tombent en ruine au bout de cinq ou six cents ans; ce sont des
35 fantaisies de barbares, qui s'imaginent qu'on peut faire quelque chose de

---

[57] In the following pages Renan applies to Athene all the epithets usually associated with her name as well as others not generally used.
[58] Cimmerians, a mythical people dwelling, according to Homer, "beyond the ocean stream." They were located far to the west. Renan identifies them with the Celts of Brittany.
[59] A good description of Renan's native Brittany.
[60] Renan descended from a sea-faring family.
[61] Greek heroes who sailed on the ship Argo in quest of the Golden Fleece. Their exploits were confined to the eastern Mediterranean.
[62] "icebergs." [63] Christians.
[64] The Roman Saturn, father of Zeus, here identified with the Christian God.
[65] Christ. [66] The Gothic churches of the West. [67] Goddess of proportion.

bien en dehors des règles que tu as tracées à tes inspirés, ô Raison. Mais ces temples me plaisaient; je n'avais pas étudié ton art divin; j'y trouvais Dieu. On y chantait des cantiques dont je me souviens encore: «Salut, étoile de la mer . . .[68] reine de ceux qui gémissent en cette vallée de larmes»; ou bien: «Rose mystique, Tour d'ivoire, Maison d'or, Étoile du matin. . . .» Tiens, 5 déesse, quand je me rappelle ces chants, mon cœur se fond, je deviens presque apostat. Pardonne-moi ce ridicule; tu ne peux te figurer le charme que les magiciens barbares ont mis dans ces vers, et combien il m'en coûte de suivre la raison toute nue.

«Et puis si tu savais combien il est devenu difficile de te servir! Toute 10 noblesse a disparu. Les Scythes [69] ont conquis le monde. Il n'y a plus de république d'hommmes libres; il n'y a plus que des rois issus d'un sang lourd, des majestés dont tu sourirais. De pesants Hyperboréens [70] appellent légers ceux qui te servent. . . . Une *pambéotie* [71] redoutable, une ligue de toutes les sottises, étend sur le monde un couvercle de plomb, sous lequel on étouffe. 15 Même ceux qui t'honorent, qu'ils doivent te faire pitié! Te souviens-tu de ce Calédonien [72] qui, il y a cinquante ans, brisa ton temple à coups de marteau pour l'emporter à Thulé? [73] Ainsi font-ils tous. . . . J'ai écrit, selon quelques-unes des règles que tu aimes, ô Théonoé,[73a] la vie [74] du jeune dieu que je servis dans mon enfance; ils me traitent comme un Évhémère; [75] ils 20 m'écrivent pour me demander quel but je me suis proposé; ils n'estiment que ce qui sert à faire fructifier leurs tables de trapézites.[76] Et pourquoi écrit-on la vie des dieux, ô ciel! si ce n'est pour faire aimer le divin qui fut en eux, et pour montrer que ce divin vit encore et vivra éternellement au cœur de l'humanité? 25

«Te rappelles-tu ce jour, sous l'archontat [77] de Dionysodore, où un laid petit Juif,[78] parlant le grec des Syriens, vint ici, parcourut tes parvis sans te comprendre, lut tes inscriptions tout de travers et crut trouver dans ton enceinte un autel dédié à un dieu qui serait *le Dieu inconnu?* [79] Eh bien, ce petit Juif l'a emporté; pendant mille ans, on t'a traitée d'idole, ô Vérité; 30 pendant mille ans, le monde a été un désert où ne germait aucune fleur. Durant ce temps, tu te taisais, ô Salpinx,[80] clairon de la pensée. Déesse de

---

[68] Names of hymns in honor of the Virgin.
[69] Barbarians. See page 283, note 23. [70] Hyperboreans, people who live in the far North.
[71] Panbœotia: Bœotia was noted for its thick foggy atmosphere and the dullness of its people. Renan refers of course, in all this passage, to the general atmosphere of intellectual and religious repression from which he had personally suffered.
[72] "Caledonian," man from Scotland. Lord Elgin, a Scotchman, took the friezes and metopes from the Parthenon to England. This collection, known as the "Elgin Marbles," was bought for the British Museum in 1816.
[73] Thule, name given by the Romans to an island of northern Europe, possibly one of the Shetland islands; here used apparently for the British Isles.
[73a] "God-minded one." [74] *Vie de Jésus* (1863).
[75] Evemerus (4th century B.C.), Greek philosopher, author of a method of interpreting myths; tried to show that the gods were only superior men.
[76] "To advance their commercial interests." Under the Ptolemies in Egypt, the *trapezite* was the official in charge of the finances.
[77] Term of office of the archon or chief magistrate. Dionysodorus was archon in 53 A.D.
[78] Saint Paul (*Acts* XVII). [79] *Acts* XVII, 23.
[80] Trumpet, which Athene is supposed to have invented.

l'ordre, image de la stabilité céleste, on était coupable [81] pour t'aimer, et, aujourd'hui qu'à force de consciencieux travail nous avons réussi à nous rapprocher de toi, on nous accuse d'avoir commis un crime contre l'esprit humain en rompant des chaînes dont se passait Platon.

5 «Toi seule es jeune, ô Cora; [82] toi seule es pure, ô Vierge; toi seule es saine, ô Hygie; [83] toi seule es forte, ô Victoire. Les cités, tu les gardes, ô Promachos; [84] tu as ce qu'il faut de Mars, [85] ô Aréa; [86] la paix est ton but, ô Pacifique. Législatrice, source des constitutions justes; Démocratie, [87] toi dont le dogme fondamental est que tout bien vient du peuple, et que, partout 10 où il n'y a pas de peuple pour nourrir et inspirer le génie, il n'y a rien, apprends-nous à extraire le diamant des foules impures. Providence de Jupiter, ouvrière divine, mère de toute industrie, protectrice du travail, ô Ergané, [88] toi qui fais la noblesse du travailleur civilisé et le mets si fort au-dessus du Scythe paresseux; Sagesse, toi que Zeus enfanta après s'être 15 replié sur lui-même, après avoir respiré profondément; [89] toi qui habites dans ton père, entièrement unie à son essence; toi qui es sa compagne et sa conscience; Énergie de Zeus, étincelle qui allumes et entretiens le feu chez les héros et les hommes de génie, fais de nous des spiritualistes accomplis. Le jour où les Athéniens et les Rhodiens luttèrent pour le sacrifice, tu 20 choisis d'habiter chez les Athéniens, comme plus sages. Ton père cependant fit descendre Plutus [90] dans un nuage d'or sur la cité des Rhodiens, parce qu'ils avaient aussi rendu hommage à sa fille. Les Rhodiens furent riches; mais les Athéniens eurent de l'esprit, c'est-à-dire la vraie joie, l'éternelle gaieté, la divine enfance du cœur.

25 «Le monde ne sera sauvé qu'en revenant à toi, en répudiant ses attaches barbares. Courons, venons en troupe. Quel beau jour que celui où toutes les villes qui ont pris des débris de ton temple, Venise, Paris, Londres, Copenhague, répareront leurs larcins, formeront des théories [90a] sacrées pour rapporter les débris qu'elles possèdent, en disant: «Pardonne-nous, déesse! 30 c'était pour les sauver des mauvais génies de la nuit,» et rebâtiront tes murs au son de la flûte, pour expier le crime de l'infâme Lysandre! [91] Puis ils iront à Sparte maudire le sol où fut cette maîtresse d'erreurs sombres, et l'insulter parce qu'elle n'est plus.

«Ferme en toi, je résisterai à mes fatales conseillères; à mon scepticisme, 35 qui me fait douter du peuple; à mon inquiétude d'esprit, qui, quand le vrai est trouvé me le fait chercher encore; à ma fantaisie, qui, après que la raison a prononcé, m'empêche de me tenir en repos. O Archégète, [92] idéal que l'homme de génie incarne en ses chefs-d'œuvre, j'aime mieux être le dernier dans ta maison que le premier ailleurs. Oui, je m'attacherai au stylobate [93]

---

[81] It is to be remembered that Renan lost his professorship because of his unorthodox theories.
[82] "Maiden," not a name usually given to Athene.   [83] Hygeia, goddess of health.
[84] Champion, defender.   [85] God of War.   [86] Another name for Athene, goddess of war.
[87] ΑΘΗΝΑΣ ΔΗΜΟΚΡΑΤΙΑΣ. Le Bas, Inscr., I, 32ᵉ. [Author's note.]
[88] Patron of the useful arts.   [89] Allusion to the peculiar circumstances of Athene's birth.
[90] God of wealth.   [90a] "processions."
[91] Lysander, Spartan general, who, after defeating the Athenians at Aegospotami, took Athens and destroyed its walls (404 B. C.).
[92] "Primal leader."   [93] "Base," supporting a row of pillars.

de ton temple; j'oublierai toute discipline hormis la tienne, je me ferai stylite [94] sur tes colonnes, ma cellule sera sur ton architrave.[95] Chose plus difficile! pour toi, je me ferai, si je peux, intolérant, partial. Je n'aimerai que toi. Je vais apprendre ta langue, désapprendre le reste. Je serai injuste pour ce qui ne te touche pas; je me ferai le serviteur du dernier de tes fils. Les habitants actuels de la terre que tu donnas à Érechthée,[96] je les exalterai, je les flatterai. J'essayerai d'aimer jusqu'à leurs défauts; je me persuaderai, ô Hippia,[97] qu'ils descendent des cavaliers qui célèbrent là-haut, sur le marbre de ta frise,[98] leur fête éternelle. J'arracherai de mon cœur toute fibre qui n'est pas raison et art pur. Je cesserai d'aimer mes maladies, de me complaire en ma fièvre. Soutiens mon ferme propos, ô Salutaire; [99] aide-moi, ô toi qui sauves!

«Que de difficultés, en effet, je prévois! que d'habitudes d'esprit j'aurai à changer! que de souvenirs charmants je devrai arracher de mon cœur! J'essayerai; mais je ne suis pas sûr de moi. Tard je t'ai connue, beauté parfaite. J'aurai des retours,[100] des faiblesses. Une philosophie, perverse sans doute, m'a porté à croire que le bien et le mal, le plaisir et la douleur, le beau et le laid, la raison et la folie se transforment les uns dans les autres par des nuances aussi indiscernables que celles du cou de la colombe. Ne rien aimer, ne rien haïr absolument, devient alors une sagesse. Si une société, si une philosophie, si une religion eût possédé la vérité absolue, cette société, cette philosophie, cette religion aurait vaincu les autres et vivrait seule à l'heure qu'il est. Tous ceux qui, jusqu'ici, ont cru avoir raison se sont trompés, nous le voyons clairement. Pouvons-nous sans folle outrecuidance [101] croire que l'avenir ne nous jugera pas comme nous jugeons le passé? Voilà les blasphèmes que me suggère mon esprit profondément gâté. Une littérature qui, comme la tienne, serait saine de tout point n'exciterait plus maintenant que l'ennui.

«Tu souris de ma naïveté. Oui, l'ennui. . . . Nous sommes corrompus: qu'y faire? J'irai plus loin, déesse orthodoxe, je te dirai la dépravation intime de mon cœur. Raison et bon sens ne suffisent pas. Il y a de la poésie dans le Strymon [102] glacé et dans l'ivresse du Thrace.[103] Il viendra des siècles où tes disciples passeront pour les disciples de l'ennui. Le monde est plus grand que tu ne crois. Si tu avais vu les neiges du pôle et les mystères du ciel austral, ton front, ô déesse toujours calme, ne serait pas si serein; ta tête, plus large, embrasserait divers genres de beauté.

«Tu es vraie, pure, parfaite; ton marbre n'a point de tache; mais le temple d'Hagia-Sophia,[104] qui est à Byzance, produit aussi un effet divin avec ses briques et son plâtras. Il est l'image de la voûte du ciel. Il croulera; mais, si

---

[94] A hermit who lives on top of a pillar.
[95] Lowest portion of an arch resting upon a column.
[96] Erechtheus, legendary king of Athens.   [97] "Tamer of the horse."
[98] The famous frieze of the Parthenon.   [99] "Health-giver."   [100] "relapses."
[101] "arrogance."   [102] Ancient name of the river Struma, in Bulgaria.
[103] Eastern part of the Balkan peninsula. The Thracians were regarded as an extremely barbaric race.
[104] "Church of the Divine Wisdom," Mosque of St. Sophia, at Constantinople (ancient Byzantium).

ta cella [105] devait être assez large pour contenir une foule, elle croulerait aussi.
   «Un immense fleuve d'oubli nous entraîne dans un gouffre sans nom.
O abîme, tu es le Dieu unique. Les larmes de tous les peuples sont de vraies
larmes; les rêves de tous les sages renferment une part de vérité. Tout n'est
ici-bas que symbole et que songe. Les dieux passent comme les hommes, et
il ne serait pas bon qu'ils fussent éternels. La foi qu'on a eue ne doit jamais
être une chaîne.[106] On est quitte envers elle quand on l'a soigneusement roulée
dans le linceul de pourpre où dorment les dieux morts.»

[105] Central room of an ancient temple.
[106] Religion must follow like everything else the process of evolution.

LECONTE DE LISLE (1818–1894)

Born upon the island of Réunion (400 miles east of Madagascar) Leconte de Lisle, after a childhood spent in the tropics, was sent to France for his education. He studied law but was primarily interested in literature. He became a social reformer of the Fourier type, but deeply disappointed over the overthrow of liberalism by Napoleon III and the social indifference which followed, he buried himself in the study of Hindu religion and Greek art, in both of which he had been interested for some years. Influenced by Buddhism and seeking a refuge in artistic perfection, it was perhaps natural that he should have come to consider existence itself an evil. He translated Greek poets and had much the same admiration for Greek art as Renan. Except that he was actively hostile to Christianity, his attitude toward religion, too, was much like that of Renan, for he considered that all religions were the expression of the ideals and aspirations of the peoples among whom they were found, and, as such, true and good in their time. His attitude toward human suffering and his philosophy remind one somewhat of Vigny, but Leconte de Lisle did not stop with stoic resignation; he longed for annihilation. His impersonality and his interest in the plastic recall *Émaux et Camées,* though Leconte de Lisle was a more profound thinker than Gautier. Influenced in form and technique by Hugo, he was less of an innovator and more inclined to perfect traditional verse forms. He produced some of the most carefully wrought verse to be found in French. Having taken refuge in "art for art's sake," it was natural that he should do perhaps his finest work in description. As a painter of animals he has no peer.

Although Leconte de Lisle does not succeed entirely in excluding himself from his works, one need not look for much emotion in him. If, however, one can enjoy looking at a statue of Venus with an artist to point out details that might otherwise be overlooked, or if one is interested in the lithe movements of a tiger in its native jungle setting, if one would like to watch the progress of encroaching darkness as it spreads its succeeding waves over the Andes, one may read Leconte de Lisle and not be disappointed. He was the recognized leader of the Parnassians, who emphasized objectivity and perfection of form, and one of the greatest poets of the century. Edmond Estève, in *Leconte de Lisle,* says: "En France même, elle (Leconte de Lisle's poetry) ne sera jamais populaire . . . mais il est permis de croire qu'elle occupera un haut rang dans l'estime des esprits cultivés et lettrés, de tous ceux qui unissent au sentiment de la grande poésie le goût et le culte de l'art."

IMPORTANT WORKS:

Poetry: *Poèmes Antiques* (1852); *Poèmes Barbares* (1862); *Poèmes Tragiques* (1884).

BHAGAVAT [1]

Le grand Fleuve,[2] à travers les bois aux mille plantes,
Vers le Lac infini roulait ses ondes lentes,
Majestueux, pareil au bleu lotus du ciel,
Confondant toute voix en un chant éternel;
Cristal immaculé, plus pur et plus splendide   5
Que l'innocent esprit de la vierge candide.
Les Sûras [3] bienheureux qui calment les douleurs,
Cygnes au corps de neige, aux guirlandes de fleurs,
Gardaient le Réservoir des âmes, le saint Fleuve,
La coupe de saphir où Bhagavat [4] s'abreuve.   10
Au pied des jujubiers déployés en arceaux,
Trois sages méditaient, assis dans les roseaux;
Des larges nymphéas contemplant les calices,
Ils goûtaient, absorbés, de muettes délices.
Sur les bambous prochains, accablés de sommeil,   15
Les oiseaux aux becs d'or luisaient en plein soleil,
Sans daigner secouer, comme des étincelles,
Les mouches qui mordaient la pourpre de leurs ailes.
Revêtu d'un poil rude et noir, le Roi des ours
Au grondement sauvage, irritable toujours,   20
Allait, se nourrissant de miel et de bananes.
Les singes oscillaient suspendus aux lianes.
Tapi dans l'herbe humide et sur soi reployé,
Le tigre au ventre blanc, au souple dos rayé,
Dormait; et par endroits, le long des vertes îles,   25
Comme des troncs pesants flottaient les crocodiles.

Parfois, un éléphant songeur, roi des forêts,
Passait et se perdait dans les sentiers secrets,
Vaste contemporain des races terminées,
Triste, et se souvenant des antiques années.   30
L'inquiète gazelle, attentive à tout bruit,
Venait, disparaissait comme le trait qui fuit;
Au-dessus des nopals [5] bondissait l'antilope;
Et sous les noirs taillis dont l'ombre l'enveloppe,
L'œil dilaté, le corps nerveux et frémissant,   35
La panthère à l'affût humait leur jeune sang.
Du sommet des palmiers pendaient les grands reptiles;
Des couleuvres glissaient en spirales subtiles;
Et sur les fleurs de pourpre et sur les lys d'argent,

---

[1] This is one of a series of poems written by the author, interpreting Eastern philosophy and religion. Only a fragment of the beginning of this long poem is given here.
[2] The Ganges.   [3] Vedic gods.   [4] Vishnu, god of the Hindus.   [5] "Indian fig-trees."

Emplissant l'air d'un vol sonore et diligent,   40
Dans la forêt touffue aux longues échappées [6]
Les abeilles vibraient, d'un rayon d'or frappées.
Telle, la Vie immense, auguste, palpitait,
Rêvait, étincelait, soupirait et chantait;
Tels, les germes éclos et les formes à naître   45
Brisaient ou soulevaient le sein large de l'Être.
Mais, dans l'inaction surhumaine plongés,
Les Brahmanes [7] muets et de longs jours chargés,
Ensevelis vivants dans leurs songes austères
Et des roseaux du Fleuve habitants solitaires,   50
Las des vaines rumeurs de l'homme et des cités,
En un monde inconnu puisaient leurs voluptés.
Des parts faites à tous choisissant la meilleure,
Ils fixaient leur esprit sur l'Ame intérieure.

           Poèmes Antiques.

MIDI

Midi, roi des étés, épandu sur la plaine,
Tombe en nappes d'argent des hauteurs du ciel bleu.
Tout se tait. L'air flamboie et brûle sans haleine;
La terre est assoupie en sa robe de feu.

L'étendue est immense, et les champs n'ont point d'ombre, 5
Et la source est tarie où buvaient les troupeaux;
La lointaine forêt, dont la lisière est sombre,
Dort là-bas, immobile, en un pesant repos.

Seuls, les grands blés mûris, tels qu'une mer dorée,
Se déroulent au loin, dédaigneux du sommeil;   10
Pacifiques enfants de la terre sacrée,
Ils épuisent sans peur la coupe du soleil.

Parfois, comme un soupir de leur âme brûlante,
Du sein des épis lourds qui murmurent entre eux,
Une ondulation majestueuse et lente   15
S'éveille, et va mourir à l'horizon poudreux.

Non loin, quelques bœufs blancs, couchés parmi les herbes,
Bavent avec lenteur sur leurs fanons [8] épais,
Et suivent de leurs yeux languissants et superbes
Le songe intérieur qu'ils n'achèvent jamais.   20

---

[6] "vistas."   [7] Hindus of the priestly caste.   [8] "dewlaps."

Homme, si, le cœur plein de joie ou d'amertume,
Tu passais vers midi dans les champs radieux,
Fuis! la nature est vide et le soleil consume:
Rien n'est vivant ici, rien n'est triste ou joyeux.

Mais si, désabusé des larmes et du rire,   25
Altéré de l'oubli de ce monde agité,
Tu veux, ne sachant plus pardonner ou maudire,
Goûter une suprême et morne volupté;

Viens! Le soleil te parle en paroles sublimes;
Dans sa flamme implacable absorbe-toi sans fin;   30
Et retourne à pas lents vers les cités infimes,
Le cœur trempé sept fois dans le néant divin.

Poèmes Antiques.

L'ECCLÉSIASTE

L'Ecclésiaste [9] a dit: Un chien vivant vaut mieux
Qu'un lion mort. Hormis,[10] certes, manger et boire,
Tout n'est qu'ombre et fumée.[11] Et le monde est très vieux,
Et le néant de vivre emplit la tombe noire.

Par les antiques nuits, à la face des cieux,   5
Du sommet de sa tour comme d'un promontoire,
Dans le silence, au loin laissant planer ses yeux,
Sombre, tel il songeait sur son siège d'ivoire.

Vieil amant du soleil, qui gémissais ainsi,
L'irrévocable mort est un mensonge aussi.   10
Heureux qui d'un seul bond s'engloutirait en elle!

Moi, toujours, à jamais, j'écoute, épouvanté,
Dans l'ivresse et l'horreur de l'immortalité,
Le long rugissement de la vie éternelle.

Poèmes Barbares.

LA VÉRANDAH

Au tintement de l'eau dans les porphyres roux
Les rosiers de l'Iran [12] mêlent leurs frais murmures,
Et les ramiers rêveurs leurs roucoulements doux.
Tandis que l'oiseau grêle et le frelon jaloux,

[9] *Ecclesiastes* IX, 4: ". . . for a living dog is better than a dead lion."   [10] "except."
[11] *Ecclesiastes* I, 2: "Vanity of vanities, saith the Preacher, vanity of vanities; all is vanity.'
[12] Persia.

Sifflant et bourdonnant, mordent les figues mûres,   5
Les rosiers de l'Iran mêlent leurs frais murmures
Au tintement de l'eau dans les porphyres roux.

Sous les treillis d'argent de la vérandah close,
Dans l'air tiède embaumé de l'odeur des jasmins,
Où la splendeur du jour darde une flèche rose,   10
La Persane royale, immobile, repose,
Derrière son col [13] brun croisant ses belles mains,
Dans l'air tiède, embaumé de l'odeur des jasmins,
Sous les treillis d'argent de la vérandah close.

Jusqu'aux lèvres que l'ambre [14] arrondi baise encor,   15
Du cristal d'où s'échappe une vapeur subtile
Qui monte en tourbillons légers et prend l'essor,
Sur les coussins de soie écarlate, aux fleurs d'or,
La branche du hûka rôde comme un reptile
Du cristal d'où s'échappe une vapeur subtile   20
Jusqu'aux lèvres que l'ambre arrondi baise encor.

Deux rayons noirs, chargés d'une muette ivresse,
Sortent de ses longs yeux entr'ouverts à demi;
Un songe l'enveloppe, un souffle la caresse;
Et parce que l'effluve invincible l'oppresse,   25
Parce que son beau sein qui se gonfle a frémi,
Sortent de ses longs yeux entr'ouverts à demi
Deux rayons noirs, chargés d'une muette ivresse.

Et l'eau vive s'endort dans les porphyres roux,
Les rosiers de l'Iran ont cessé leurs murmures,   30
Et les ramiers rêveurs leurs roucoulements doux.
Tout se tait. L'oiseau grêle et le frelon jaloux
Ne se querellent plus autour des figues mûres.
Les rosiers de l'Iran ont cessé leurs murmures,
Et l'eau vive s'endort dans les porphyres roux.   35

Poèmes Barbares.

LE SOMMEIL DU CONDOR

Par delà l'escalier des roides Cordillères,[15]
Par delà les brouillards hantés des aigles noirs,
Plus haut que les sommets creusés en entonnoirs
Où bout le flux sanglant des laves familières,
L'envergure [16] pendante et rouge par endroits,   5

[13] *cou.*   [14] The amber mouthpiece of the *huka* (Turkish pipe) mentioned below.
[15] The Andes.   [16] "wings."

Le vaste Oiseau,[17] tout plein d'une morne indolence,
Regarde l'Amérique et l'espace en silence,
Et le sombre soleil qui meurt dans ses yeux froids.
La nuit roule de l'Est, où les pampas sauvages
Sous les monts étagés s'élargissent sans fin;　　　　　　　10
Elle endort le Chili, les villes, les rivages,
Et la mer Pacifique et l'horizon divin;
Du continent muet elle s'est emparée:
Des sables aux coteaux, des gorges aux versants,
De cime en cime, elle enfle, en tourbillons croissants,　　15
Le lourd débordement de sa haute marée.
Lui, comme un spectre, seul, au front du pic altier,
Baigné d'une lueur qui saigne sur la neige,
Il attend cette mer sinistre qui l'assiège:
Elle arrive, déferle [18] et le couvre en entier.　　　　　20
Dans l'abîme sans fond la Croix australe [19] allume
Sur les côtes du ciel son phare constellé.
Il râle de plaisir, il agite sa plume,
Il érige son cou musculeux et pelé,
Il s'enlève en fouettant l'âpre neige des Andes,　　　　25
Dans un cri rauque il monte où n'atteint pas le vent,
Et, loin du globe noir, loin de l'astre vivant,
Il dort dans l'air glacé, les ailes toutes grandes.

Poèmes Barbares.

LA PANTHÈRE NOIRE

Une rose lueur s'épand par les nuées;
L'horizon se dentelle,[20] à l'est, d'un vif éclair;
Et le collier nocturne,[21] en perles dénouées,
　　　S'égrène et tombe dans la mer.

Toute une part du ciel se vêt de molles flammes　　　5
Qu'il agrafe à son faîte étincelant et bleu.
Un pan traîne et rougit l'émeraude des lames
　　　D'une pluie aux gouttes de feu.

Des bambous éveillés où le vent bat des ailes,
Des letchis [22] au fruit pourpre et des canneliers [23]　　10
Pétille la rosée en gerbes d'étincelles,
　　　Montent des bruits frais par milliers.

---

[17] The condor.　　　　　　　　　[18] "breaks over him."
[19] "The Southern Cross"; four bright stars in the Southern Hemisphere, situated as if at the extremities of a Latin cross.
[20] "is notched."　　　　　　　　　[21] "stars."
[22] A tree yielding edible fruit; usually spelled *litchi*.　　　[23] "cinnamon-trees."

Et des monts et des bois, des fleurs, des hautes mousses,
Dans l'air tiède et subtil, brusquement dilaté,
S'épanouit un flot d'odeurs fortes et douces,   15
    Plein de fièvre et de volupté.

Par les sentiers perdus au creux des forêts vierges
Où l'herbe épaisse fume au soleil du matin;
Le long des cours d'eau vive encaissés dans leurs berges,
    Sous de verts arceaux de rotin; [24]   20

La reine de Java,[25] la noire chasseresse,
Avec l'aube, revient au gîte où ses petits
Parmi les os luisants miaulent de détresse,
    Les uns sous les autres blottis.

Inquiète, les yeux aigus comme des flèches,   25
Elle ondule, épiant l'ombre des rameaux lourds.
Quelques taches de sang, éparses, toutes fraîches,
    Mouillent sa robe de velours.

Elle traîne après elle un reste de sa chasse,
Un quartier du beau cerf qu'elle a mangé la nuit;   30
Et sur la mousse en fleur une effroyable trace
    Rouge, et chaude encore, la suit.

Autour, les papillons et les fauves abeilles
Effleurent à l'envi son dos souple du vol;
Les feuillages joyeux, de leurs mille corbeilles   35
    Sur ses pas parfument le sol.

Le python, du milieu d'un cactus écarlate,
Déroule son écaille, et, curieux témoin,
Par-dessus les buissons dressant sa tête plate,
    La regarde passer de loin.   40

Sous la haute fougère elle glisse en silence,
Parmi les troncs moussus s'enfonce et disparaît.
Les bruits cessent, l'air brûle, et la lumière immense
    Endort le ciel et la forêt.

                            Poèmes Barbares.

LES MONTREURS [26]

Tel qu'un morne animal, meurtri, plein de poussière,
La chaîne au cou, hurlant au chaud soleil d'été,

---

[24] "rattan."   [25] The panther.
[26] Leconte de Lisle here declares his doctrine of impersonality while attacking the Romanticists' individualism and emotionalism. Observe that here, he is not himself impersonal.

Promène [27] qui voudra son cœur ensanglanté
Sur ton pavé cynique, ô plèbe carnassière! [28]

Pour mettre un feu stérile en ton œil hébété,   5
Pour mendier ton rire ou ta pitié grossière,
Déchire qui voudra la robe de lumière
De la pudeur divine et de la volupté.

Dans mon orgueil muet, dans ma tombe sans gloire,
Dussé-je m'engloutir pour l'éternité noire,   10
Je ne te vendrai pas mon ivresse ou mon mal,

Je ne livrerai pas ma vie à tes huées,
Je ne danserai pas sur ton tréteau banal
Avec tes histrions [29] et tes prostituées.

                                        Poèmes Barbares.

SOLVET SECLUM [30]

Tu te tairas, ô voix sinistre des vivants!

Blasphèmes furieux qui roulez par les vents,
Cris d'épouvante, cris de haine, cris de rage,
Effroyables clameurs de l'éternel naufrage,
Tourments, crimes, remords, sanglots désespérés,   5
Esprit et chair de l'homme, un jour vous vous tairez!
Tout se taira, dieux, rois, forçats et foules viles,
Le rauque grondement des bagnes et des villes,
Les bêtes des forêts, des monts et de la mer,
Ce qui vole et bondit et rampe en cet enfer,   10
Tout ce qui tremble et fuit, tout ce qui tue et mange,
Depuis le ver de terre écrasé dans la fange
Jusqu'à la foudre errant dans l'épaisseur des nuits!
D'un seul coup la nature interrompra ses bruits.
Et ce ne sera point, sous les cieux magnifiques,   15
Le bonheur reconquis des paradis antiques,
Ni l'entretien d'Adam et d'Ève sur les fleurs,
Ni le divin sommeil après tant de douleurs;
Ce sera quand le Globe et tout ce qui l'habite,
Bloc stérile arraché de son immense orbite,   20
Stupide, aveugle, plein d'un dernier hurlement,
Plus lourd, plus éperdu de moment en moment,
Contre quelque univers immobile en sa force

---

[27] "Let him who will parade."   [28] "bloodthirsty rabble."   [29] "actors."
[30] The Destruction (Dissolution) of the World; one of the author's most dismal poems. The name comes from a church hymn, part of the mass for the dead:

> *Dies irae, dies illa*
> *Solvet saeclum in favilla.*

Défoncera sa vieille et misérable écorce,
Et, laissant ruisseler, par mille trous béants,   25
Sa flamme intérieure avec ses océans,
Ira fertiliser de ses restes immondes
Les sillons de l'espace où fermentent les mondes.

Poèmes Barbares.

L'ILLUSION SUPREME [31]

Quand l'homme approche enfin des sommets où la vie
Va plonger dans votre ombre inerte, ô mornes cieux!
Debout sur la hauteur aveuglément gravie,
Les premiers jours vécus éblouissent ses yeux.

Tandis que la nuit monte et déborde les grèves,   5
Il revoit, au delà de l'horizon lointain,
Tourbillonner le vol des désirs et des rêves
Dans la rose clarté de son heureux matin.

Monde lugubre, où nul ne voudrait redescendre
Par le même chemin solitaire, âpre et lent,   10
Vous, stériles soleils, qui n'êtes plus que cendre,
Et vous, ô pleurs muets, tombés d'un cœur sanglant!

Celui qui va goûter le sommeil sans aurore
Dont l'homme ni le Dieu n'ont pu rompre le sceau,
Chair qui va disparaître, âme qui s'évapore,   15
S'emplit des visions qui hantaient son berceau.

Rien du passé perdu qui soudain ne renaisse:
La montagne natale et les vieux tamarins,
Les chers morts qui l'aimaient au temps de sa jeunesse
Et qui dorment là-bas dans les sables marins.   20

.   .   .   .

Et tu renais aussi, fantôme diaphane,
Qui fis battre son cœur pour la première fois,
Et, fleur cueillie avant que le soleil te fane,
Ne parfumas qu'un jour l'ombre calme des bois!   60

O chère Vision, toi qui répands encore,
De la plage lointaine où tu dors à jamais,
Comme un mélancolique et doux reflet d'aurore
Au fond d'un cœur obscur et glacé désormais!

[31] This poem, which recalls a lost love, should be contrasted with such poems as *le Lac* and *Souvenir*. Nine stanzas have been omitted.

Les ans n'ont pas pesé sur ta grâce immortelle,   65
La tombe bienheureuse a sauvé ta beauté:
Il te revoit, avec tes yeux divins, et telle
Que tu lui souriais en un monde enchanté!

Mais quand il s'en ira dans le muet mystère
Où tout ce qui vécut demeure enseveli,   70
Qui saura que ton âme a fleuri sur la terre,
O doux rêve, promis à l'infaillible oubli?

Et vous, joyeux soleils des naïves [32] années,
Vous, éclatantes nuits de l'infini béant,
Qui versiez votre gloire aux mers illuminées,   75
L'esprit qui vous songea vous entraîne au néant.

Ah! tout cela, jeunesse, amour, joie et pensée,
Chants de la mer et des forêts, souffles du ciel
Emportant à plein vol l'Espérance insensée,
Qu'est-ce que tout cela, qui n'est pas éternel?   80

Soit! la poussière humaine, en proie au temps rapide,
Ses voluptés, ses pleurs, ses combats, ses remords,
Les Dieux qu'elle a conçus et l'univers stupide
Ne valent pas la paix impassible des morts.[33]

Poèmes Tragiques.

A UN POÈTE MORT [34]

Toi dont les yeux erraient, altérés [35] de lumière,
De la couleur divine au contour immortel
Et de la chair vivante à la splendeur du ciel,
Dors en paix dans la nuit qui scelle ta paupière.

Voir, entendre, sentir? Vent, fumée et poussière.   5
Aimer? La coupe d'or ne contient que du fiel.
Comme un Dieu plein d'ennui qui déserte l'autel,
Rentre et disperse-toi dans l'immense matière.

Sur ton muet sépulcre et tes os consumés
Qu'un autre verse ou non les pleurs accoutumés,   10
Que ton siècle banal t'oublie ou te renomme;

---

[32] "youthful."   [33] An expression of the poet's longing for annihilation in death.
[34] The dead poet is Théophile Gautier. This is one of the author's most bitter poems.
[35] "thirsting for."

Moi, je t'envie, au fond du tombeau calme et noir,
D'être affranchi de vivre et de ne plus savoir
La honte de penser et l'horreur d'être un homme!

Poèmes Tragiques.

CHARLES BAUDELAIRE (1821–1867)

An eccentric artist, detesting the *bourgeois,* and morbidly sensitive, Baudelaire intensified his natural tendencies through dissipation and the use of narcotics. While himself springing from Romanticism, he distrusted the eloquence and spontaneity usually associated with it to such a degree that he became an advocate of *l'art pour l'art.* He composed slowly and carefully, and went beyond Romanticism, seeking new sensations, and dealing with physical and moral dissolution. In addition to his poetry, he wrote art criticism and translated Poe, in whose works he found confirmation of his own ideas and theories. Baudelaire was influenced by the *Poésies de Joseph Delorme* (1829) of Sainte-Beuve, and by Gautier, and possibly, to a less degree, by Hugo. Whatever influences may have affected him, however, in his association of the senses, he went further than any earlier French poet. He claims a correspondence or association of the senses of sight, sound, taste, touch, and smell, which enables the poet to suggest one through another. This idea of association and his emphasis upon melody made of Baudelaire a forerunner of the Symbolists. Although he was at times brutally realistic and offended the taste of his contemporaries, some of his best poems are masterpieces. Critics differ upon Baudelaire's position in literature, but in his influence upon later poets, he is surely one of the most important writers of the period. ". . . Sous bien des rapports, et jusque dans ses *Fleurs du mal,* Baudelaire a été un 'réactionnaire'; et il a été en même temps un précurseur et un novateur, de qui sont sortis à la fois le mouvement 'symboliste' et ce qu'on pourrait appeler la 'Renaissance classique' de nos dernières années." (Strowski: *Tableau de la Littérature Française. . . .*)

IMPORTANT WORKS:

Poetry: *Les Fleurs du Mal* (1857).

ÉLÉVATION

Au-dessus des étangs, au-dessus des vallées,
Des montagnes, des bois, des nuages, des mers,
Par delà le soleil, par delà les éthers,
Par delà les confins des sphères étoilées,

Mon esprit, tu te meus avec agilité,   5
Et, comme un bon nageur qui se pâme [1] dans l'onde,
Tu sillonnes gaîment l'immensité profonde
Avec une indicible et mâle volupté.

Envole-toi bien loin de ces miasmes [2] morbides,
Va te purifier dans l'air supérieur,   10

---

[1] "delights" (swoons with pleasure).   [2] "noxious exhalations," a word Baudelaire is fond of.

Et bois, comme une pure et divine liqueur,
Le feu clair qui remplit les espaces limpides.

Derrière les ennuis et les vastes chagrins
Qui chargent de leur poids l'existence brumeuse,
Heureux celui qui peut d'une aile vigoureuse   15
S'élancer vers les champs lumineux et sereins!

Celui dont les pensers, comme des alouettes,
Vers les cieux le matin prennent un libre essor,
—Qui plane sur la vie et comprend sans effort
Le langage des fleurs et des choses muettes!   20

CORRESPONDANCES [3]

La Nature est un temple où de vivants piliers
Laissent parfois sortir de confuses paroles;
L'homme y passe à travers des forêts de symboles
Qui l'observent avec des regards familiers.

Comme de longs échos qui de loin se confondent   5
Dans une ténébreuse et profonde unité,
Vaste comme la nuit et comme la clarté,
Les parfums, les couleurs et les sons se répondent. [4]

Il est des parfums frais comme des chairs d'enfants,
Doux comme les hautbois, [5] verts comme les prairies,   10
—Et d'autres, corrompus, riches et triomphants,

Ayant l'expansion des choses infinies,
Comme l'ambre, le musc, le benjoin [6] et l'encens,
Qui chantent les transports de l'esprit et des sens.

HYMNE A LA BEAUTÉ [7]

Viens-tu du ciel profond ou sors-tu de l'abîme,
O Beauté? Ton regard, infernal et divin,
Verse confusément le bienfait et le crime,
Et l'on peut pour cela te comparer au vin.

Tu contiens dans ton œil le couchant et l'aurore;   5
Tu répands des parfums comme un soir orageux;

---

[3] This poem is packed with suggestions for the Symbolistic school.
[4] "correspond"; and since they correspond or answer each other, one may suggest the other.
[5] "oboes."   [6] "benzoin."
[7] In his cult of beauty, Baudelaire follows Gautier, but here he goes to an extreme.

Tes baisers sont un philtre et ta bouche une amphore [8]
Qui font le héros lâche et l'enfant courageux.

Sors-tu du gouffre noir ou descends-tu des astres?
Le Destin charmé suit tes jupons comme un chien;   10
Tu sèmes au hasard la joie et les désastres,
Et tu gouvernes tout et ne réponds de rien.

Tu marches sur des morts, Beauté, dont tu te moques,
De tes bijoux l'Horreur n'est pas le moins charmant,
Et le Meurtre, parmi tes plus chères breloques,[9]   15
Sur ton ventre orgueilleux danse amoureusement.

L'éphémère ébloui vole vers toi, chandelle,
Crépite, flambe et dit: Bénissons ce flambeau!
L'amoureux pantelant incliné sur sa belle
A l'air d'un moribond caressant son tombeau.   20

Que tu viennes du ciel ou de l'enfer, qu'importe,
O Beauté! monstre énorme, effrayant, ingénu!
Si ton œil, ton souris, ton pied, m'ouvrent la porte
D'un Infini que j'aime et n'ai jamais connu?

De Satan ou de Dieu, qu'importe? Ange ou Sirène,   25
Qu'importe, si tu rends,—fée aux yeux de velours,
Rythme, parfum, lueur, ô mon unique reine!—
L'univers moins hideux et les instants moins lourds?

LE FLACON [10]

Il est de forts parfums pour qui toute matière
Est poreuse. On dirait qu'ils pénètrent le verre.
En ouvrant un coffret venu de l'orient
Dont la serrure grince et rechigne [11] en criant,

Ou dans une maison déserte quelque armoire   5
Pleine de l'âcre odeur des temps, poudreuse et noire,
Parfois on trouve un vieux flacon qui se souvient,
D'où jaillit toute vive une âme qui revient.

Mille pensers dormaient, chrysalides [12] funèbres,
Frémissant doucement dans les lourdes ténèbres,   10

---

[8] "jar" (of wine).   [9] "trinkets."
[10] This poem is typical of Baudelaire, who made far greater use of the sense of smell than other contemporary poets.
[11] "sulks," "balks."   [12] Pupas.

Qui dégagent leur aile et prennent leur essor,
Teintés d'azur, glacés de rose, lamés d'or.

Voilà le souvenir enivrant qui voltige
Dans l'air troublé; les yeux se ferment; le Vertige
Saisit l'âme vaincue et la pousse à deux mains   15
Vers un gouffre obscurci de miasmes humains;

Il la terrasse au bord d'un gouffre séculaire,
Où, Lazare odorant déchirant son suaire,[12a]
Se meut dans son réveil le cadavre spectral
D'un vieil amour ranci, charmant et sépulcral.   20

Ainsi, quand je serai perdu dans la mémoire
Des hommes, dans le coin d'une sinistre armoire
Quand on m'aura jeté, vieux flacon désolé,
Décrépit, poudreux, sale, abject, visqueux,[13] fêlé,

Je serai ton cercueil, aimable pestilence![13a]   25
Le témoin de ta force et de ta virulence,
Cher poison préparé par les anges! liqueur
Qui me ronge, ô la vie et la mort de mon cœur!

LA CLOCHE FÊLÉE [14]

Il est amer et doux, pendant les nuits d'hiver,
D'écouter, près du feu qui palpite et qui fume,
Les souvenirs lointains lentement s'élever
Au bruit des carillons qui chantent dans la brume.

Bienheureuse la cloche au gosier vigoureux   5
Qui, malgré sa vieillesse, alerte et bien portante,
Jette fidèlement son cri religieux,
Ainsi qu'un vieux soldat qui veille sous la tente!

Moi, mon âme est fêlée, et lorsqu'en ses ennuis
Elle veut de ses chants peupler l'air froid des nuits,   10
Il arrive souvent que sa voix affaiblie

Semble le râle épais d'un blessé qu'on oublie
Au bord d'un lac de sang, sous un grand tas de morts,
Et qui meurt, sans bouger, dans d'immenses efforts!

[12a] *John*, XI, 44.   [13] "sticky."   [13a] Love (sweet but deadly).
[14] Baudelaire in this poem expresses his feeling of powerlessness to produce work worthy of
him because of the excesses from which he could not tear himself away.

SPLEEN [15]

Quand le ciel bas et lourd pèse comme un couvercle
Sur l'esprit gémissant en proie aux longs ennuis,
Et que de l'horizon embrassant tout le cercle
Il nous verse un jour noir plus triste que les nuits;

Quand la terre est changée en un cachot humide,   5
Où l'Espérance, comme une chauve-souris,
S'en va battant les murs de son aile timide
Et se cognant la tête à des plafonds pourris;

Quand la pluie étalant ses immenses traînées
D'une vaste prison imite les barreaux,   10
Et qu'un peuple muet d'infâmes araignées
Vient tendre ses filets au fond de nos cerveaux,

Des cloches tout à coup sautent avec furie
Et lancent vers le ciel un affreux hurlement,
Ainsi que des esprits errants et sans patrie   15
Qui se mettent à geindre opiniâtrement.

—Et de longs corbillards,[16] sans tambours ni musique,
Défilent lentement dans mon âme; l'Espoir,
Vaincu, pleure, et l'Angoisse atroce, despotique,
Sur mon crâne incliné plante son drapeau noir.   20

[15] A striking expression of the hopeless melancholy of Baudelaire.   [16] "hearses."

SULLY PRUDHOMME (1839-1907)

Sully Prudhomme was born in Paris, studied science, worked for a while in the Creusot foundries, and later studied law. He is at the same time scientist, philosopher, and poet. His scientific training leads him, in his best poems, to express his philosophic thoughts with more vigorous precision, greater clearness of reasoning, and more orderliness than is usual in other poets. He often draws his inspiration from science, the development of which he followed with keen interest. In Sully Prudhomme, however, one finds deep tenderness, abundant pity, delicate resigned pessimism, rather than revolt. His emotions are general, but he writes from the heart. He does not show that degree of impersonality which is to be found among the Parnassians, though his interest in science and in form would suggest placing him among them. Rather, in his generalization of emotion and longing for the ideal, he reminds one of Lamartine. Then too, he places truth above beauty. He is characterized by idealism, sensibility, sadness, and intellectuality. His work is of uneven value, some of it being decidedly prosaic. Perhaps he is best in some of his short meditations and poems of sentiment. He cannot be placed among the greatest poets of the century, but it seems probable that he will long be remembered for some of his best short poems.

"M. Sully Prudhomme était, avec beaucoup moins de puissance, un poète très analogue à Lamartine. Il était tout entier sensibilité tendre et mélancolique, méditation philosophique tournée vers l'idéal, et comme Lamartine, . . . il commença par obéir aux movements de sa sensibilité et finit par obéir à son imagination philosophique. . . . Cette âme fine et profonde est de celles qu'on n'aime point à demi et dont l'influence va toujours en s'agrandissant. Il est probable que la postérité mettra M. Sully Prudhomme aussi haut que l'ont mis ses premiers lecteurs, plus haut que les hommes d'aujourd'hui ne le mettent. . . ." (Faguet: *Histoire de la Littérature Française.*)

IMPORTANT WORKS:

Poetry: *Stances et Poèmes* (1865); *Les Épreuves* (1866); *Les Solitudes* (1869); *Les Vaines Tendresses* (1875); *La Justice* (1878); *Le Bonheur* (1888).

LE VASE BRISÉ [1]

Le vase où meurt cette verveine
D'un coup d'éventail fut fêlé;
Le coup dut l'effleurer à peine:
Aucun bruit ne l'a révélé.

Mais la légère meurtrissure,   5
Mordant le cristal chaque jour,
D'une marche invisible et sûre
En a fait lentement le tour.

[1] *Le Vase brisé* is one of Sully Prudhomme's most popular poems.

309

Son eau fraîche a fui goutte à goutte,
Le suc des fleurs s'est épuisé;   10
Personne encore ne s'en doute;
N'y touchez pas, il est brisé.

Souvent ainsi la main qu'on aime,
Effleurant le cœur, le meurtrit;
Puis le cœur se fend de lui-même,   15
La fleur de son amour périt;

Toujours intact aux yeux du monde,
Il sent croître et pleurer tout bas
Sa blessure fine et profonde;
Il est brisé, n'y touchez pas.   20

            Stances.

INTUS [2]

Deux voix s'élèvent tour à tour
Des profondeurs troubles de l'âme:
La raison blasphème, et l'amour
Rêve un dieu juste et le proclame.

Panthéiste, athée ou chrétien,   5
Tu connais leurs luttes obscures;
C'est mon martyre, et c'est le tien,
De vivre avec ces deux murmures.

L'intelligence dit au cœur:
—«Le monde n'a pas un bon père.   10
Vois, le mal est partout vainqueur.»
Le cœur dit: «Je crois et j'espère.

Espère, ô ma sœur, crois un peu:
C'est à force d'aimer qu'on trouve;
Je suis immortel, je sens Dieu.»   15
L'intelligence lui dit: «Prouve!»

            Stances.

L'ART SAUVEUR [3]

S'il n'était rien de bleu que le ciel et la mer,
De blond que les épis, de rose que les roses,

[2] *Intus* ("within") shows the conflict between faith and reason.
[3] This poem shows Parnassian love of art and distrust of emotion.

S'il n'était de beauté qu'aux insensibles choses,
Le plaisir d'admirer ne serait point amer.

Mais avec l'océan, la campagne et l'éther,   5
Des formes d'un attrait douloureux sont écloses;
Le charme des regards, des sourires, des poses,
Mord trop avant dans l'âme, ô femme! il est trop cher.

Nous t'aimons, et de là les douleurs infinies:
Car Dieu, qui fit la grâce avec des harmonies,   10
Fit l'amour d'un soupir qui n'est pas mutuel.

Mais je veux, revêtant l'art sacré pour armure,
Voir des lèvres, des yeux, l'or d'une chevelure,
Comme l'épi, la rose, et la mer, et le ciel.

Les Épreuves.

HOMO SUM [4]

Durant que je vivais, ainsi qu'en plein désert,
Dans le rêve, insultant la race qui travaille,
Comme un lâche ouvrier ne faisant rien qui vaille
S'enivre, et ne sait plus à quoi l'outil lui sert,

Un soupir, né du mal autour de moi souffert,   5
M'est venu des cités et des champs de bataille,
Poussé par l'orphelin, le pauvre sur la paille,
Et le soldat tombé qui sent son cœur ouvert.

Ah! parmi les douleurs, qui dresse en paix sa tente,
D'un bonheur sans rayons jouit et se contente,   10
Stoïque impitoyable en sa sérénité?

Je ne puis: ce soupir m'obsède comme un blâme;
Quelque chose de l'homme a traversé mon âme,
Et j'ai tous les soucis de la fraternité.

Les Épreuves.

A THÉOPHILE GAUTIER [5]

Maître, qui du grand art levant le pur flambeau,
Pour consoler la chair besogneuse et fragile,
Rendis sa gloire antique à cette exquise argile,
Ton corps va donc subir l'outrage du tombeau!

[4] *Homo Sum*—"I am a man."
[5] This poem shows true appreciation of the master of plastic art.

Ton âme a donc rejoint le somnolent troupeau   5
Des ombres sans désirs, où l'attendait Virgile,
Toi qui, né pour le jour d'où le trépas t'exile,
Faisais des Voluptés les prêtresses du Beau!

Ah! les dieux (si les dieux y peuvent quelque chose)
Devaient ravir ce corps dans une apothéose,   10
D'incorruptible chair l'embaumer pour toujours;

Et l'âme! l'envoyer dans la Nature entière,
Savourer librement, éparse en la matière,
L'ivresse des couleurs et la paix des contours!

Les Vaines Tendresses.

JOSÉ-MARIA DE HEREDIA (1842-1906)

Heredia, the son of a Spanish father and a French mother, was born in Cuba. He was sent to France to be educated, returned to Cuba for a short time, then definitely decided to make France his home. He entered the University to study law, but the following year entered the École des Chartes where the importance of accuracy and love of the past were instilled into him. After a period of literary hesitation, he was finally admitted to the group of Leconte de Lisle, who was to become his master in poetry.

Heredia was probably indebted quite as much to Gautier as to Leconte de Lisle, whose pessimism he does not share. Like Leconte de Lisle, he is likely to be most successful in his accurate and beautiful descriptions of the geographically and historically remote. For subject matter he therefore draws largely upon history and archeology. His pictures are more richly colored than Leconte de Lisle's and his philosophy of life, if less profound, is less pessimistic. Accepting the doctrine of "art for art's sake," with its impersonality, he composed carefully and did much revising, seeking technical perfection. He is perhaps the most typical of the Parnassians. A master of form, rime, and rhythm, Heredia has produced sonnets which are gems of the first water, and it has been said that *"Les Trophées* (1893) is in its own way a *Légende des Siècles* in miniature."

"De tous les anciens *Parnassiens,* M. José-Maria de Heredia est celui qui ressemble le plus à Leconte de Lisle. Il a, comme lui, la forme ample, sonore et sculpturale; comme lui il aime à ne s'attacher qu'à la peinture des objets extérieurs; comme lui, il a, ou affecte, une sorte d'impassibilité sereine et un peu dédaigneuse; comme lui, il est proprement ce qu'on appelle un artiste littéraire; comme lui il a un certain goût d'archéologie artistique, et si l'on faisait un chapitre sur le *néo-humanisme* à travers le romantisme et à travers tout le XIXᵉ siècle, il faudrait commencer par André Chénier, continuer par Chateaubriand (en partie), par quelques divertissements de Théophile Gautier, par Leconte de Lisle, par Anatole France, et finir, jusqu'à nouvel ordre, par M. de Heredia. Mais, plus que Leconte de Lisle, M. de Heredia a le sentiment musical, et la couleur intense, éclatante et variée. C'est lui vraiment qui rivalise avec la musique et surtout avec la peinture et avec l'émail." (Faguet: *Histoire de la Littérature Française.*)

IMPORTANT WORKS:

Poetry: *Les Trophées* (1893).

L'OUBLI [1]

Le temple est en ruine au haut du promontoire.
Et la Mort a mêlé, dans ce fauve terrain,

[1] This opening sonnet of *Les Trophées* indicates subjects to be treated in those that follow; it suggests the history, the monuments, the magnificent ruins of the past.

Les Déesses de marbre et les Héros d'airain
Dont l'herbe solitaire ensevelit la gloire.

Seul, parfois, un bouvier menant ses buffles boire,   5
De sa conque où soupire un antique refrain
Emplissant le ciel calme et l'horizon marin,
Sur l'azur infini dresse sa forme noire.

La Terre maternelle et douce aux anciens Dieux,
Fait à chaque printemps, vainement éloquente,   10
Au chapiteau brisé verdir une autre acanthe; [2]

Mais l'Homme indifférent au rêve des aïeux
Écoute sans frémir, du fond des nuits sereines,
La Mer qui se lamente en pleurant les Sirènes.

LE CYDNUS [3]

Sous l'azur triomphal, au soleil qui flamboie,
La trirème d'argent blanchit le fleuve noir
Et son sillage [4] y laisse un parfum d'encensoir
Avec des sons de flûte et des frissons de soie.

A la proue éclatante où l'épervier s'éploie,[5]   5
Hors de son dais royal se penchant pour mieux voir,
Cléopâtre debout en la splendeur du soir
Semble un grand oiseau d'or qui guette au loin sa proie.

Voici Tarse, où l'attend le guerrier désarmé; [6]
Et la brune Lagide [7] ouvre dans l'air charmé   10
Ses bras d'ambre où la pourpre a mis des reflets roses;

Et ses yeux n'ont pas vu, présage [8] de son sort,
Auprès d'elle, effeuillant sur l'eau sombre des roses,
Les deux Enfants divins, le Désir et la Mort.

SOIR DE BATAILLE

Le choc avait été très rude. Les tribuns
Et les centurions, ralliant les cohortes,
Humaient encor dans l'air où vibraient leurs voix fortes
La chaleur du carnage et ses âcres parfums.

[2] "acanthus."
[3] River of ancient Cilicia, up which Cleopatra sailed to meet Antony at Tarsus.
[4] "wake."   [5] "stands with out-stretched wings."   [6] Mark Antony.
[7] Cleopatra, descended from Lagus, supposed father of the Egyptian dynasty of Ptolemy.
[8] Observe that here, as so often, Heredia, in the closing lines, suggests new lines of thought

D'un œil morne, comptant leurs compagnons défunts,　　5
Les soldats regardaient, comme des feuilles mortes,
Au loin, tourbillonner les archers de Phraortes; [9]
Et la sueur coulait de leurs visages bruns.

C'est alors qu'apparut, tout hérissé de flèches,
Rouge du flux vermeil de ses blessures fraîches,　　10
Sous la pourpre flottante et l'airain rutilant, [10]

Au fracas des buccins [11] qui sonnaient leur fanfare,
Superbe, maîtrisant son cheval qui s'effare,
Sur le ciel enflammé, l'Imperator sanglant.

ANTOINE ET CLÉOPÂTRE

Tous deux ils regardaient, de la haute terrasse,
L'Égypte s'endormir sous un ciel étouffant
Et le Fleuve, [12] à travers le Delta noir qu'il fend,
Vers Bubaste ou Saïs [13] rouler son onde grasse. [14]

Et le Romain sentait sous la lourde cuirasse,　　5
Soldat captif berçant le sommeil d'un enfant,
Ployer et défaillir sur son cœur triomphant
Le corps voluptueux que son étreinte embrasse.

Tournant sa tête pâle entre ses cheveux bruns
Vers celui qu'enivraient d'invincibles parfums,　　10
Elle tendit sa bouche et ses prunelles claires;

Et sur elle courbé, l'ardent Imperator
Vit dans ses larges yeux étoilés de points d'or
Toute une mer immense où fuyaient des galères. [15]

Les Trophées.

LA DOGARESSE [16]

Le palais est de marbre où, le long des portiques,
Conversent des seigneurs que peignit Titien, [17]
Et les colliers massifs au poids du marc [18] ancien
Rehaussent la splendeur des rouges dalmatiques. [19]

[9] Phraartes IV, king of Parthia, whom Antony defeated in 36 B. C.
[10] "gleaming."　　　　　[11] "trumpets."　　　　　[12] The Nile.
[13] Cities on the lower Nile.　　　　　[14] "rich" (with silt).
[15] This line refers to the battle of Actium in which Augustus defeated Antony. The flight of Cleopatra's galleys helped to turn the tide in Augustus' favor.
[16] "Wife of the doge" (head of the republic of Venice).
[17] Titian (1477–1576), Italian painter, leader of the Venetian school.
[18] Ancient weight of eight ounces.　　　　　[19] "tunics."

Ils regardent au fond des lagunes antiques,   5
De leurs yeux où reluit l'orgueil patricien,
Sous le pavillon clair du ciel vénitien
Étinceler l'azur des mers Adriatiques.

Et tandis que l'essaim brillant des Cavaliers
Traîne la pourpre et l'or par les blancs escaliers   10
Joyeusement baignés d'une lumière bleue;

Indolente et superbe,[20] une Dame, à l'écart,
Se tournant à demi dans un flot de brocart,
Sourit au négrillon qui lui porte la queue.

Les Trophées.

LES CONQUÉRANTS [21]

Comme un vol de gerfauts [22] hors du charnier [23] natal,
Fatigués de porter leurs misères hautaines,
De Palos [24] de Moguer, routiers [25] et capitaines
Partaient, ivres d'un rêve héroïque et brutal.

Ils allaient conquérir le fabuleux métal   5
Que Cipango [26] mûrit dans ses mines lointaines,
Et les vents alizés [27] inclinaient leurs antennes [28]
Aux bords mystérieux du monde Occidental.

Chaque soir, espérant des lendemains épiques,
L'azur phosphorescent de la mer des Tropiques   10
Enchantait leur sommeil d'un mirage doré;

Ou penchés à l'avant des blanches caravelles,[29]
Ils regardaient monter en un ciel ignoré
Du fond de l'Océan des étoiles nouvelles.

---

[20] "haughty."
[21] A poem dealing with the discovery of America by the Spaniards and their search for gold.
[22] "gerfalcons."   [23] "nest" (full of bones).
[24] Small port of S.W. Spain from which Columbus sailed.
[25] "adventurers."   [26] Zipangu (Marco Polo's name for Japan).
[27] "trade-winds."   [28] "yard-arms."   [29] "caravels," Portuguese ships.

ALPHONSE DAUDET (1840–1897)

Daudet was born at Nîmes and later, after his father had failed in business, lived at Lyon. His childhood was not unhappy, but when he started out in the world alone, as a *pion* or study-hall master, and during his early days in Paris, life was a difficult struggle for him. After he became secretary to the duc de Morny, the half-brother of Napoleon III, he was able to devote himself to literature with some degree of security, for his duties were more or less nominal. He has related his youthful experiences for us in *Le Petit Chose*.

Daudet wrote poetry, plays, novels and short stories, but it is as a novelist and short story writer that he is best known. Because of his close observation, his realism, and his method of documentation, he is usually classed as a Naturalist, but he does not fit into the Naturalistic group. He has the soul of a poet. In him we find delicate sensibilities, the tenderest of emotions as well as the lightest of fantasies. Grace, pathos, kindly irony, humor, and wit, are at his command. The Naturalists attempted to keep themselves out of their works, to write impersonally, whereas Daudet's sympathy or dislike, his emotions of all kinds, are always evident. He is a realist, but he is far from being impersonal in most of his works. Few writers have had greater range: his *Tartarin de Tarascon* has been called "a satirical prose epic," *Fromont Jeune et Risler Aîné* is often compared to *David Copperfield,* and *Sapho* is quite at home among her Naturalistic sisters. His best stories have a charm which is rare in any literature.

". . . Daudet avait trop de spontanéité pour que ses théories pussent gâter son talent: et il nous a donné quelques-uns des plus touchants, des plus séduisants romans que nous avons. Tout ce qui est dans son œuvre, impression personnelle et vécue, non pas seulement chose vue, mais chose sentie, ayant fait vibrer son âme douloureusement ou délicieusement, tout cela est excellent: il a été supérieur dans la description de tout ce qui intéressait sa sympathie. L'impersonalité du savant n'a jamais été son fait: mais il a su objectiver sa sensation, remonter à la cause extérieure de son émotion, et, domptant le frémissement intérieur de son être, que l'on sent toujours et qui prend d'autant plus sur nous, il s'est appliqué à noter exactement l'objet dont le contact l'avait froissé ou caressé. Il est arrivé à faire œuvre objective, et point du tout impersonelle." (Lanson: *Histoire de la Littérature Française.*)

IMPORTANT WORKS:

NOVEL: *Le Petit Chose* (1868); *Tartarin de Tarascon* (1872); *Fromont Jeune et Risler Aîné* (1874); *Jack* (1876); *Sapho* (1884); *Tartarin sur les Alpes* (1885).
Short Stories: *Lettres de Mon Moulin* (1869); *Contes du Lundi* (1873).

LE CURÉ DE CUCUGNAN [1]

Tous les ans, à la Chandeleur,[2] les poètes provençaux publient en Avignon[3] un joyeux petit livre rempli jusqu'aux bords de beaux vers et de

---

[1] *Le Curé de Cucugnan* is an adaptation, almost a literal translation, of *Lou Curat de Cucugnan* (1867) by Joseph Roumanille, written in Provençal. It is quite worthy to be compared with *L'Élixir du Père Gaucher* and *Les Trois Messes Basses.*
[2] "Candlemas-day."   [3] City in southern France, on the Rhône.

jolis contes. Celui de cette année m'arrive à l'instant, et j'y trouve un adorable fabliau [4] que je vais essayer de vous traduire en l'abrégeant un peu. . . . Parisiens, tendez vos mannes.[5] C'est de la fine fleur de farine provençale qu'on va vous servir cette fois. . . .

5 L'abbé Martin était curé . . . de Cucugnan.[6]

Bon comme le pain, franc comme l'or, il aimait paternellement ses Cucugnanais; pour lui, son Cucugnan aurait été le paradis sur terre, si les Cucugnanais lui avaient donné un peu plus de satisfaction. Mais, hélas! les araignées filaient dans son confessionnal, et, le beau jour de Pâques, les
10 hosties restaient au fond de son saint-ciboire. Le bon prêtre en avait le cœur meurtri, et toujours il demandait à Dieu la grâce de ne pas mourir avant d'avoir ramené au bercail son troupeau dispersé.

Or, vous allez voir que Dieu l'entendit.

Un dimanche, après l'Évangile, M. Martin monta en chaire.

15 —Mes frères, dit-il, vous me croirez si vous voulez: l'autre nuit, je me suis trouvé, moi misérable pécheur, à la porte du paradis.

«Je frappai: saint Pierre m'ouvrit!

«—Tiens! c'est vous, mon brave monsieur Martin, me fit-il; quel bon vent . . . ? [7] et qu'y a-t-il pour votre service?

20 «—Beau saint Pierre, vous qui tenez le grand livre et la clef, pourriez-vous me dire, si je ne suis pas trop curieux, combien vous avez de Cucugnanais en paradis?

«—Je n'ai rien à vous refuser, monsieur Martin; asseyez-vous, nous allons voir la chose ensemble.

25 «Et saint Pierre prit son gros livre, l'ouvrit, mit ses besicles:

«—Voyons un peu: Cucugnan, disons-nous. Cu . . . Cu . . . Cucugnan. Nous y sommes. Cucugnan . . . Mon brave monsieur Martin, la page est toute blanche. Pas une âme . . . Pas plus de Cucugnanais que d'arêtes [8] dans une dinde.

30 «—Comment! Personne de Cucugnan ici? Personne? Ce n'est pas possible! Regardez mieux . . .

«—Personne, saint homme. Regardez vous-même, si vous croyez que je plaisante.

«Moi, pécaïre! [9] je frappais des pieds, et, les mains jointes, je criais
35 miséricorde. Alors, saint Pierre:

«—Croyez-moi, monsieur Martin, il ne faut pas ainsi vous mettre le cœur à l'envers, car vous pourriez en avoir quelque mauvais coup de sang.[10] Ce n'est pas votre faute, après tout. Vos Cucugnanais, voyez-vous, doivent faire à coup sûr leur petite quarantaine [11] en purgatoire.

[4] "tale." The *fabliaux* were short stories in verse, usually of a humorous character, very popular in the Middle Ages.
[5] "baskets."   [6] Cuccagna? (*Ital.*), Cocagne, an imaginary land of luxury and idleness.
[7] *quel bon vent (vous amène)?*   [8] "fish-bones."
[9] "poor me!" (interjection of compassion used in Provence).   [10] "stroke."
[11] "quarantine" (to prepare for heaven).

«—Ah! par charité, grand saint Pierre! faites que je puisse au moins les voir et les consoler.

«—Volontiers, mon ami . . . Tenez, chaussez vite ces sandales, car les chemins ne sont pas beaux de reste . . .[12]

Voilà qui est bien . . . Maintenant, cheminez droit devant vous. Voyez-vous là-bas, au fond, en tournant? Vous trouverez une porte d'argent toute constellée de croix noires . . . à main droite . . . Vous frapperez, on vous ouvrira . . . Adessias![13] Tenez-vous sain et gaillardet.

«Et je cheminai . . . je cheminai! Quelle battue![14] j'ai la chair de poule, rien que d'y songer.[15] Un petit sentier, plein de ronces, d'escarboucles[16] qui luisaient et de serpents qui sifflaient, m'amena jusqu'à la porte d'argent.

«—Pan! pan!

«—Qui frappe? me fait une voix rauque et dolente.

«—Le curé de Cucugnan.

«—De . . . ?

«—De Cucugnan.

«—Ah! . . . Entrez.

«J'entrai. Un grand bel ange, avec des ailes sombres comme la nuit, avec une robe resplendissante comme le jour, avec une clef de diamant pendue à sa ceinture, écrivait, cra-cra, dans un grand livre plus gros que celui de saint Pierre . . .

«—Finalement, que voulez-vous et que demandez-vous? dit l'ange.

«—Bel ange de Dieu, je veux savoir,—je suis bien curieux peut-être,—si vous avez ici les Cucugnanais.

«—Les . . . ?

«—Les Cucugnanais, les gens de Cucugnan . . . que[17] c'est moi qui suis leur prieur.

«—Ah! l'abbé Martin, n'est-ce pas?

«—Pour vous servir, monsieur l'ange.

«—Vous dites donc Cucugnan . . .

«Et l'ange ouvre et feuillette son grand livre, mouillant son doigt de salive pour que le feuillet glisse mieux . . .

«—Cucugnan, dit-il poussant un long soupir . . . Monsieur Martin, nous n'avons en purgatoire personne de Cucugnan.

«—Jésus! Marie! Joseph! personne de Cucugnan en purgatoire! O grand Dieu! où sont-ils donc?

«—Eh! saint homme, ils sont en paradis. Où diantre voulez-vous qu'ils soient?

«—Mais j'en viens, du paradis . . .

«Vous en venez!! . . . Eh bien?

«—Eh bien! ils n'y sont pas! . . . Ah! bonne mère des anges! . . .

«—Que voulez-vous, monsieur le curé? s'ils ne sont ni en paradis ni en purgatoire, il n'y a pas de milieu, ils sont . . .

«—Sainte croix! Jésus, fils de David! Aï! aï! aï! est-il possible? . . . Serait-ce

---

[12] "by a good deal." [13] *adieu* (*Provençal*). [14] "beat" (hunting term).
[15] "the mere thought of it makes my flesh creep." [16] "carbuncles." [17] *que* for *parceque*.

un mensonge du grand saint Pierre? . . . Pourtant je n'ai pas entendu
chanter le coq! [18] . . . Aï! pauvres nous! comment irai-je en paradis si mes
Cucugnanais n'y sont pas?

«—Écoutez, mon pauvre monsieur Martin, puisque vous voulez, coûte
5 que coûte, être sûr de tout ceci, et voir de vos yeux de quoi il retourne,[19]
prenez ce sentier, filez en courant, si vous savez courir . . . Vous trouverez,
à gauche, un grand portail. Là, vous vous renseignerez sur tout. Dieu vous
le donne! [20]

«Et l'ange ferma la porte.

10 «C'était un long sentier tout pavé de braise rouge. Je chancelais comme si
j'avais bu; à chaque pas, je trébuchais; j'étais tout en eau, chaque poil de
mon corps avait sa goutte de sueur, et je haletais de soif . . . Mais, ma foi,
grâce aux sandales que le bon saint Pierre m'avait prêtées, je ne me brûlai
pas les pieds.

15 «Quand j'eus fait assez de faux pas clopin-clopant,[21] je vis à ma main
gauche une porte . . . non, un portail, un énorme portail, tout bâillant,
comme la porte d'un grand four. Oh! mes enfants, quel spectacle! Là on ne
demande pas mon nom; là, point de registre. Par fournées [22] et à pleine
porte, on entra là, mes frères, comme le dimanche vous entrez au cabaret.

20 «Je suais à grosses gouttes, et pourtant j'étais transi, j'avais le frisson. Mes
cheveux se dressaient. Je sentais le brûlé, la chair rôtie, quelque chose comme
l'odeur qui se répand dans notre Cucugnan quand Éloy, le maréchal, brûle
pour la ferrer la botte d'un vieil âne. Je perdais haleine dans cet air puant
et embrasé; j'entendais une clameur horrible, des gémissements, des hurle-
25 ments et des jurements.

«—Eh bien! entres-tu ou n'entres-tu pas, toi?—me fait, en me piquant de
sa fourche, un démon cornu.

«Moi? Je n'entre pas. Je suis un ami de Dieu.

«—Tu es un ami de Dieu . . . Eh! b . . . de teigneux! [23] que viens-tu
30 faire ici? . . .

«—Je viens . . . Ah! ne m'en parlez pas, que je ne puis plus me tenir sur
mes jambes . . . Je viens . . . je viens de loin . . . humblement vous demander . . . si . . . si, par coup de hasard . . . vous n'auriez pas ici . . .
quelqu'un . . . quelqu'un de Cucugnan . . .

35 «—Ah! feu de Dieu! tu fais la bête, toi, comme si tu ne savais pas que
tout Cucugnan est ici. Tiens, laid corbeau, regarde, et tu verras comme nous
les arrangeons ici, tes fameux Cucugnanais . . .

«Et je vis, au milieu d'un épouvantable tourbillon de flamme:
«Le long Coq-Galine,—vous l'avez tous connu, mes frères,—Coq-Galine,
40 qui se grisait si souvent, et si souvent secouait les puces à [24] sa pauvre Clairon.

---

[18] Reference to Peter's thrice denying Christ before the cock crew.
[19] "how the matter stands."   [20] "God grant it!" (that you find them).
[21] "haltingly," "hobblingly."   [22] "by batches," all (the bread) the oven can hold.
[23] "you scurvy wretch."   [24] "shook the fleas from," i. e. "beat."

«Je vis Catarinet ... cette petite gueuse ... avec son nez en l'air ... qui couchait toute seule à la grange ... Il vous en souvient, mes drôles! ... Mais passons, j'en ai trop dit.

«Je vis Pascal Doigt-de-Poix, qui faisait son huile avec les olives de M. Julien.

«Je vis Babet la glaneuse, qui, en glanant, pour avoir plus vite noué sa gerbe, puisait à poignées aux gerbiers.[25]

«Je vis maître Grapasi, qui huilait si bien la roue de sa brouette.[26]

«Et Dauphine, qui vendait si cher l'eau de son puits.

«Et le Tortillard, qui, lorsqu'il me rencontrait portant le bon Dieu,[27] filait son chemin, la barrette sur la tête et la pipe au bec ... et fier comme Artaban [28] ... comme s'il avait rencontré un chien.

«Et Coulau avec sa Zette, et Jacques, et Pierre, et Toni ...

Ému, blême de peur, l'auditoire gémit, en voyant, dans l'enfer tout ouvert, qui son père et qui sa mère, qui sa grand'mère et qui sa sœur ...

—Vous sentez bien, mes frères, reprit le bon abbé Martin, vous sentez bien que ceci ne peut pas durer. J'ai charge d'âmes, et je veux, je veux vous sauver de l'abîme où vous êtes tous en train de rouler tête première. Demain je me mets à l'ouvrage, pas plus tard que demain. Et l'ouvrage ne manquera pas! Voici comment je m'y prendrai. Pour que tout se fasse bien, il faut tout faire avec ordre. Nous irons rang par rang, comme à Jonquières quand on danse.

«Demain lundi, je confesserai les vieux et les vieilles. Ce n'est rien.

«Mardi, les enfants. J'aurai bientôt fait.

«Mercredi, les garçons et les filles. Cela pourra être long.

«Jeudi, les hommes. Nous couperons court.

«Vendredi, les femmes. Je dirai: Pas d'histoires! [29]

«Samedi, le meunier! [30] ... Ce n'est pas trop d'un jour pour lui tout seul ...

«Et, si dimanche nous avons fini, nous serons bien heureux.

«Voyez-vous, mes enfants, quand le blé est mûr, il faut le couper; quand le vin est tiré, il faut le boire. Voilà assez de linge sale, il s'agit de le laver, et de le bien laver.

«C'est la grâce que je vous souhaite. *Amen!*»

Ce qui fut dit fut fait. On coula la lessive.[31]

[25] "piles of sheaves," "shocks."

[26] "who oiled the wheel of his wheel-barrow so well" (in order that no one might hear him when he went out to steal something).

[27] "the host," consecrated wafers. The average Frenchman would raise his hat as he passed a priest carrying the host.

[28] *Artaban,* hero of the novel *Cléopâtre* by La Calprenède (1614–1663). He was famous for his pride.

[29] "No nonsense!"

[30] The miller has never enjoyed a very good reputation among the French.

[31] "The dirty linen was well boiled."

Depuis ce dimanche mémorable, le parfum des vertus de Cucugnan se respire à dix lieues à l'entour.

Et le bon pasteur M. Martin, heureux et plein d'allégresse, a rêvé l'autre nuit que, suivi de tout son troupeau, il gravissait, en resplendissante proces-
5 sion, au milieu des cierges allumés, d'un nuage d'encens qui embaumait et des enfants de chœur qui chantaient *Te Deum,* le chemin éclairé de la cité de Dieu.

Et voilà l'histoire du curé de Cucugnan, telle que m'a ordonné de vous le dire ce grand gueusard[32] de Roumanille, qui la tenait lui-même d'un
10 autre bon compagnon.

Lettres de mon Moulin.

LE PAPE EST MORT[33]

J'ai passé mon enfance dans une grande ville de province[34] coupée en deux par une rivière[35] très encombrée, très remuante, où j'ai pris de bonne heure le goût des voyages et la passion de la vie sur l'eau. Il y a surtout un coin de quai, près d'une certaine passerelle Saint-Vincent, auquel je ne pense
15 jamais, même aujourd'hui, sans émotion. Je revois l'écriteau cloué au bout d'une vergue: *Cornet, bateaux de louage,* le petit escalier qui s'enfonçait dans l'eau, tout glissant et noirci de mouillure, la flottille de petits canots fraîchement peints de couleurs vives s'alignant au bas de l'échelle, se balançant doucement bord à bord, comme allégés par les jolis noms qu'ils
20 portaient à leur arrière en lettres blanches: *l'Oiseau-Mouche, l'Hirondelle.*

Puis, parmi les longs avirons reluisants de céruse qui étaient en train de sécher contre le talus, le père Cornet s'en allant avec son seau à peinture, ses grands pinceaux, sa figure tannée, crevassée, ridée de mille petites fossettes comme la rivière un soir de vent frais . . . Oh! ce père Cornet. Ç'a été le
25 satan de mon enfance, ma passion douloureuse, mon péché, mon remords. M'en a-t-il fait commettre des crimes avec ses canots! Je manquais l'école, je vendais mes livres. Qu'est-ce que je n'aurais pas vendu pour une après-midi de canotage!

Tous mes cahiers de classe au fond du bateau, la veste à bas, le chapeau
30 en arrière, et dans les cheveux le bon coup d'éventail de la brise d'eau, je tirais ferme sur mes rames, en fronçant les sourcils pour bien me donner la tournure d'un vieux loup de mer.[36] Tant que j'étais en ville, je tenais le milieu de la rivière, à égale distance des deux rives, où le vieux loup de mer aurait pu être reconnu. Quel triomphe de me mêler à ce grand mouvement
35 de barques, de radeaux, de trains de bois, de mouches[37] à vapeur qui se côtoyaient, s'évitaient, séparés seulement par un mince liséré[38] d'écume! Il y avait de lourds bateaux qui tournaient pour prendre le courant, et cela en déplaçait une foule d'autres.

---

[32] "rascal."
[33] This story is reminiscent of Daudet's youth, a more complete picture of which is given in *Le Petit Chose.*
[34] Lyon. [35] The Rhône. [36] "sea-dog" (sailor).
[37] "steam flies," (ferry-boats). [38] "fringe."

Tout à coup les roues d'un vapeur battaient l'eau près de moi; ou bien une ombre lourde m'arrivait dessus, c'était l'avant d'un bateau de pommes.

«Gare donc, moucheron!»[39] me criait une voix enrouée; et je suais, je me débattais, empêtré dans le va-et-vient de cette vie du fleuve que la vie de la rue traversait incessamment par tous ces ponts, toutes ces passerelles qui mettaient des reflets d'omnibus sous la coupe des avirons. Et le courant si dur à la pointe des arches, et les remous,[40] les tourbillons,[41] le fameux trou de la *Mort-qui-trompe!* Pensez que ce n'était pas une petite affaire de se guider là-dedans avec des bras de douze ans et personne pour tenir la barre.

Quelquefois j'avais la chance de rencontrer la *chaîne.*[42] Vite je m'accrochais tout au bout de ces longs trains de bateaux qu'elle remorquait, et, les rames immobiles, étendues comme des ailes qui planent, je me laissais aller à cette vitesse silencieuse qui coupait la rivière en longs rubans d'écume et faisait filer des deux côtés les arbres, les maisons du quai. Devant moi, loin, bien loin, j'entendais le battement monotone de l'hélice, un chien qui aboyait sur un des bateaux de la remorque, où montait d'une cheminée basse un petit filet de fumée; et tout cela me donnait l'illusion d'un grand voyage, de la vraie vie de bord.

Malheureusement, ces rencontres de la *chaîne* étaient rares. Le plus souvent il fallait ramer et ramer aux heures de soleil. Oh! les pleins midis tombant d'aplomb sur la rivière, il me semble qu'ils me brûlent encore. Tout flambait, tout miroitait. Dans cette atmosphère aveuglante et sonore qui flotte au-dessus des vagues et vibre à tous leurs mouvements, les courts plongeons de mes rames, les cordes des haleurs[43] soulevées de l'eau toutes ruisselantes faisaient passer des lumières vives d'argent poli. Et je ramais en fermant les yeux. Par moments, à la vigueur de mes efforts, à l'élan de l'eau sous ma barque, je me figurais que j'allais très vite; mais en relevant la tête, je voyais toujours le même arbre, le même mur en face de moi sur la rive.

Enfin, à force de fatigues, tout moite et rouge de chaleur, je parvenais à sortir de la ville. Le vacarme des bains froids, des bateaux de blanchisseuses, des pontons d'embarquement[44] diminuait. Les ponts s'espaçaient sur la rive élargie. Quelques jardins de faubourg, une cheminée d'usine, s'y reflétaient de loin en loin. A l'horizon tremblaient des îles vertes. Alors, n'en pouvant plus, je venais me ranger contre la rive, au milieu des roseaux tout bourdonnants; et là, abasourdi par le soleil, la fatigue, cette chaleur lourde qui montait de l'eau étoilée de larges fleurs jaunes, le vieux loup de mer se mettait à saigner du nez pendant des heures. Jamais mes voyages n'avaient un autre dénoûment. Mais que voulez-vous? Je trouvais cela délicieux.

Le terrible, par exemple, c'était le retour, la rentrée. J'avais beau revenir à toutes rames,[45] j'arrivais toujours trop tard, longtemps après la sortie des classes. L'impression du jour qui tombe, les premiers becs de gaz dans le brouillard, la retraite,[46] tout augmentait mes transes, mon remords. Les gens

---

[39] "kid," (little fellow). [40] "eddies." [41] "whirlpools."
[42] String of barges towed by a tugboat. [43] "trackers," men who tow boats from the shore.
[44] "floating landings." [45] *à toutes rames* (Cf. *à toute vapeur*)—"as fast as I could row."
[46] "retreat" (sounded at the barracks).

qui passaient, rentrant chez eux bien tranquilles, me faisaient envie; [47] et je
courais la tête lourde, pleine de soleil et d'eau, avec des ronflements de
coquillages au fond des oreilles, et déjà sur la figure le rouge du mensonge
que j'allais dire.

5   Car il en fallait un chaque fois pour faire tête [48] à ce terrible «d'où
viens-tu?» qui m'attendait en travers de la porte. C'est cet interrogatoire de
l'arrivée qui m'épouvantait le plus. Je devais répondre là, sur le palier, au
pied levé, [49] avoir toujours une histoire prête, quelque chose à dire, et de si
étonnant, de si renversant, [50] que la surprise coupât court à toutes les ques-
10 tions. Cela me donnait le temps d'entrer, de reprendre haleine; et pour en
arriver là, [51] rien ne me coûtait. J'inventais des sinistres, [52] des révolutions,
des choses terribles, tout un côté de la ville qui brûlait, le pont du chemin
de fer s'écroulant dans la rivière. Mais ce que je trouvai encore de plus fort, [53]
le voici:

15   Ce soir-là, j'arrivai très en retard. Ma mère, qui m'attendait depuis une
grande heure, guettait, debout, en haut de l'escalier.
«D'où viens-tu?» me cria-t-elle.
Dites-moi ce qu'il peut tenir de diableries dans une tête d'enfant. Je n'avais
rien trouvé, [54] rien préparé. J'étais venu trop vite . . . Tout à coup il me
20 passa une idée folle. [55] Je savais la chère femme très pieuse, catholique enragée
comme une Romaine, et je lui répondis dans tout l'essoufflement d'une
grande émotion:
«O maman . . . Si vous saviez! . . .
—Quoi donc? . . . Qu'est-ce qu'il y a encore? . . .
25 —Le pape est mort.
—Le pape est mort! . . .» fit [56] la pauvre mère, et elle s'appuya toute pâle
contre la muraille. Je passai vite dans ma chambre, un peu effrayé de mon
succès et de l'énormité du mensonge; pourtant, j'eus le courage de le soutenir
jusqu'au bout. Je me souviens d'une soirée funèbre et douce; le père très
30 grave, la mère atterrée . . . On causait bas autour de la table. Moi, je baissais
les yeux; mais mon escapade s'était si bien perdue [57] dans la désolation
générale que personne n'y pensait plus.
Chacun citait à l'envi [58] quelque trait de vertu de ce pauvre Pie IX, [59]
puis, peu à peu, la conversation s'égarait à travers l'histoire des papes. Tante
35 Rose parla de Pie VII, [60] qu'elle se souvenait très bien d'avoir vu passer dans
le Midi, au fond d'une chaise de poste, entre des gendarmes. On rappela la
fameuse scène avec l'empereur: *Comediante! . . . tragediante!* [61] . . . C'était
bien la centième fois que je l'entendais raconter, cette terrible scène, toujours

---

[47] "made me envious."   [48] "face."   [49] "right on the spot."   [50] "overwhelming."
[51] to accomplish that I would do anything.   [52] "disasters."   [53] "astounding," "clever."
[54] "I had not thought of (invented) anything."   [55] "a crazy idea entered my head."
[56] *dit* (familiar form).   [57] "had been so completely forgotten."
[58] "vied with the other in citing."   [59] Pius IX, Pope 1846–1878.
[60] Pius VII, Pope 1800–1823, came to Paris to crown Napoleon Bonaparte, and was later taken
to Fontainebleau as a captive. He did not return to Rome until 1814.
[61] Words supposed to have been spoken in an interview between the Pope and the Emperor
at Fontainebleau. The episode is treated by Alfred de Vigny in *la Canne de Jonc.*

avec les mêmes intonations, les mêmes gestes, et ce stéréotypé des traditions de famille qu'on se lègue et qui restent là, puériles et locales, comme des histoires de couvent.

C'est égal, jamais elle ne m'avait paru si intéressante.

Je l'écoutais avec des soupirs hypocrites, des questions, un air de faux intérêt, et tout le temps je me disais:

«Demain matin, en apprenant que le pape n'est pas mort, ils seront si contents que personne n'aura le courage de me gronder.»

Tout en pensant à cela, mes yeux se fermaient malgré moi, et j'avais des visions de petits bateaux peints en bleu, avec des coins de Saône [62] alourdis par la chaleur, et de grandes pattes d'*argyronètes* [63] courant dans tous les sens et rayant l'eau vitreuse, comme des pointes de diamant.

Contes du Lundi.

UN RÉVEILLON [64] DANS LE MARAIS [65]

Conte de Noël

M. Majesté, fabricant d'eau de Seltz [66] dans le Marais, vient de faire un petit réveillon chez des amis de la place Royale, et regagne son logis en fredonnant . . . Deux heures sonnent à Saint-Paul.[67] «Comme il est tard!» se dit le brave homme, et il se dépêche; mais le pavé glisse, les rues sont noires, et puis dans ce diable de vieux quartier, qui date du temps où les voitures étaient rares, il y a un tas de tournants, d'encoignures, de bornes [68] devant les portes à l'usage des cavaliers. Tout cela empêche d'aller vite, surtout quand on a déjà les jambes un peu lourdes, et les yeux embrouillés par les toasts du réveillon . . . Enfin M. Majesté arrive chez lui. Il s'arrête devant un grand portail orné, où brille au clair de lune un écusson, doré de neuf, d'anciennes armoiries repeintes dont il a fait sa marque de fabrique: [69]

HÔTEL CI-DEVANT DE NESMOND
MAJESTÉ JEUNE
FABRICANT D'EAU DE SELTZ

Sur tous les siphons de la fabrique, sur les bordereaux,[70] les têtes de lettres, s'étalent ainsi et resplendissent les vieilles armes des Nesmond.

Après le portail, c'est la cour, une large cour aérée et claire, qui dans le jour en s'ouvrant fait de la lumière à toute la rue. Au fond de la cour, une grande bâtisse très ancienne, des murailles noires, brodées,[71] ouvragées, des balcons de fer arrondis, des balcons de pierre à pilastres, d'immenses fenêtres très hautes, surmontées de frontons,[72] de chapiteaux qui s'élèvent aux derniers étages comme autant de petits toits dans le toit, et enfin sur le faîte, au milieu des ardoises, les lucarnes des mansardes, rondes, coquettes, encadrées de guirlandes comme des miroirs. Avec cela un grand perron de pierre, rongé et verdi par la pluie, une vigne maigre qui s'accroche aux murs, aussi

---

[62] River rising in the Vosges and emptying into the Rhône at Lyon.   [63] water-spiders.
[64] "mid-night feast" (Christmas eve). [65] One of the old quarters of Paris. [66] "charged water."
[67] L'église Saint-Paul-Saint-Louis, built 1627–1641, rue St.-Antoine.   [68] "horse-blocks."
[69] "trade-mark."   [70] "bill-heads."   [71] "with designs carved in relief."   [72] "pediments."

noire, aussi tordue que la corde qui se balance là-haut à la poulie[73] du grenier, je ne sais quel grand air de vétusté et de tristesse . . . C'est l'ancien hôtel de Nesmond.

En plein jour, l'aspect de l'hôtel n'est pas le même. Les mots: *Caisse,*
5 *Magasin, Entrée des ateliers* éclatent partout en or sur les vieilles murailles, les font vivre, les rajeunissent. Les camions des chemins de fer ébranlent le portail; les commis s'avancent au perron la plume à l'oreille pour recevoir les marchandises. La cour est encombrée de caisses, de paniers, de paille, de toile d'emballage. On se sent bien dans une fabrique. . . . Mais avec la nuit,
10 le grand silence, cette lune d'hiver qui, dans le fouillis des toits compliqués, jette et entremêle des ombres, l'antique maison des Nesmond reprend ses allures seigneuriales. Les balcons sont en dentelle; la cour d'honneur s'agrandit, et le vieil escalier, qu'éclairent des jours[74] inégaux, vous[75] a des recoins de cathédrale, avec des niches vides et des marches perdues qui
15 ressemblent à des autels.

Cette nuit-là surtout, M. Majesté trouve à sa maison un aspect singulièrement grandiose. En traversant la cour déserte, le bruit de ses pas l'impressionne. L'escalier lui paraît immense, surtout très lourd à monter. C'est le réveillon sans doute . . . Arrivé au premier étage, il s'arrête pour respirer,
20 et s'approche d'une fenêtre. Ce que c'est que d'habiter une maison historique! M. Majesté n'est pas poète, oh! non; et pourtant, en regardant cette belle cour aristocratique, où la lune étend une nappe de lumière bleue, ce vieux logis de grand seigneur qui a si bien l'air de dormir avec ses toits engourdis sous leur capuchon de neige, il lui vient des idées de l'autre monde:
25 «Hein? . . . tout de même, si les Nesmond revenaient . . .»

A ce moment, un grand coup de sonnette retentit. Le portail s'ouvre à deux battants, si vite, si brusquement, que le réverbère s'éteint; et pendant quelques minutes il se fait là-bas, dans l'ombre de la porte, un bruit confus de frôlements, de chuchotements. On se dispute, on se presse pour entrer.
30 Voici des valets, beaucoup de valets, des carrosses tout en glaces miroitant au clair de lune, des chaises à porteurs balancées entre deux torches qui s'avivent au courant d'air du portail. En rien de temps, la cour est encombrée. Mais au pied du perron, la confusion cesse. Des gens descendent des voitures, se saluent, entrent en causant comme s'ils connaissaient la maison. Il y a
35 là, sur ce perron, un froissement de soie, un cliquetis d'épées. Rien que des chevelures blanches, alourdies et mates de poudre; rien que des petites voix claires, un peu tremblantes, des petits rires sans timbre, des pas légers. Tous ces gens ont l'air d'être vieux, vieux. Ce sont des yeux effacés, des bijoux endormis, d'anciennes soies brochées,[75a] adoucies de nuances changeantes, que
40 la lumière des torches fait briller d'un éclat doux; et sur tout cela flotte un petit nuage de poudre, qui monte des cheveux échafaudés,[76] roulés en boucles, à chacune de ces jolies révérences, un peu guindées par les épées et

---

[73] "pulley," used to hoist heavy furniture, etc.   [74] "windows," "lights."
[75] Omit the *vous* in translating—the old ethical dative.   [75a] "brocaded."
[76] In pre-Revolutionary days ladies of fashion wore their hair high upon their heads, held in place by a kind of frame or scaffolding.

les grands paniers [77] . . . Bientôt toute la maison a l'air d'être hantée. Les torches brillent de fenêtre en fenêtre, montent et descendent dans le tournoie-ment des escaliers, jusqu'aux lucarnes des mansardes qui ont leur étincelle de fête et de vie. Tout l'hôtel de Nesmond s'illumine, comme si un grand coup de soleil couchant avait allumé ses vitres.

«Ah! mon Dieu! ils vont mettre le feu! . . .» se dit M. Majesté. Et, revenu de sa stupeur, il tâche de secouer l'engourdissement de ses jambes et descend vite dans la cour, où les laquais viennent d'allumer un grand feu clair. M. Majesté s'approche; il leur parle. Les laquais ne lui répondent pas, et continuent de causer tout bas entre eux, sans que la moindre vapeur s'échappe de leurs lèvres dans l'ombre glaciale de la nuit. M. Majesté n'est pas content; cependant une chose le rassure, c'est que ce grand feu qui flambe si haut et si droit est un feu singulier, une flamme sans chaleur, qui brille et ne brûle pas. Tranquillisé de ce côté, le bonhomme franchit le perron et entre dans ses magasins. [78]

Ces magasins du rez-de-chaussée devaient faire autrefois de beaux salons de réception. Des parcelles d'or terni brillent encore à tous les angles. Des peintures mythologiques tournent au plafond, entourent les glaces, flottent au-dessus des portes dans des teintes vagues, un peu ternes, comme le sou-venir des années écoulées. Malheureusement il n'y a plus de rideaux, plus de meubles. Rien que des paniers, de grandes caisses pleines de siphons à têtes d'étain, et les branches desséchées d'un vieux lilas qui montent toutes noires derrière les vitres. M. Majesté, en entrant, trouve son magasin plein de lu-mière et de monde. Il salue, mais personne ne fait attention à lui. Les femmes aux bras de leurs cavaliers continuent à minauder [79] cérémonieusement sous leurs pelisses de satin. On se promène, on cause, on se disperse. Vraiment tous ces vieux marquis ont l'air d'être chez eux. Devant un trumeau [80] peint, une petite ombre s'arrête, toute tremblante: «Dire que c'est moi, et que me voilà!» et elle regarde en souriant une Diane qui se dresse dans la boiserie,— mince et rose, avec un croissant au front.

«Nesmond, viens donc voir tes armes!» et tout le monde rit en regardant le blason des Nesmond qui s'étale sur une toile d'emballage, avec le nom de Majesté au-dessous.

«Ah! ah! ah! . . . Majesté! . . . Il y en a donc encore des Majestés en France?»

Et ce sont des gaietés sans fin, de petits rires à son de flûte, des doigts en l'air, des bouches qui minaudent . . .

Tout à coup quelqu'un crie:

«Du champagne! du champagne!

—Mais non! . . .

—Mais si! . . . si, c'est du champagne . . . Allons, comtesse, vite un petit réveillon.»

C'est de l'eau de Seltz de M. Majesté qu'ils ont prise pour du champagne. On le trouve bien un peu éventé; [81] mais bah! on le boit tout de même, et

---

[77] "hoop-skirts," worn at the same time as the high hair.   [78] "store-rooms."
[79] "mince," "smirk."   [80] "pier-glass."   [81] "flat."

comme ces pauvres petites ombres n'ont pas la tête bien solide, peu à peu cette mousse d'eau de Seltz les anime, les excite, leur donne envie de danser. Des menuets s'organisent. Quatre fins violons que Nesmond a fait venir commencent un air de Rameau,[82] tout en triolets,[83] menu et mélancolique
5 dans sa vivacité. Il faut voir toutes ces jolies vieilles tourner lentement, saluer en mesure d'un air grave. Leurs atours [84] en sont rajeunis, et aussi les gilets d'or, les habits brochés, les souliers à boucles de diamants. Les panneaux eux-mêmes semblent revivre en entendant ces anciens airs. La vieille glace, enfermée dans le mur depuis deux cents ans, les reconnaît aussi, et tout
10 éraflée,[85] noircie aux angles, elle s'allume doucement et renvoie aux danseurs leur image, un peu effacée, comme attendrie d'un regret. Au milieu de toutes ces élégances, M. Majesté se sent gêné. Il s'est blotti derrière une caisse et regarde . . .

Petit à petit cependant le jour arrive. Par les portes vitrées du magasin,
15 on voit la cour blanchir, puis le haut des fenêtres, puis tout un côté du salon. A mesure que la lumière vient, les figures s'effacent, se confondent. Bientôt M. Majesté ne voit plus que deux petits violons attardés dans un coin, et que le jour évapore en les touchant. Dans la cour, il aperçoit encore, mais si vague, la forme d'une chaise à porteurs, une tête poudrée semée d'émeraudes,
20 les dernières étincelles d'une torche que les laquais ont jetée sur le pavé, et qui se mêlent avec le feu des roues d'une voiture [86] de roulage entrant à grand bruit par le portail ouvert . . .

Contes du Lundi.

LA VISION DU JUGE DE COLMAR

Avant qu'il eût prêté serment à l'empereur Guillaume,[87] il n'y avait pas d'homme plus heureux que le petit juge Dollinger, du tribunal de Colmar,[88]
25 lorsqu'il arrivait à l'audience [89] avec sa toque sur l'oreille, son gros ventre, sa lèvre en fleur et ses trois mentons bien posés sur un ruban de mousseline.

—«Ah! le bon petit somme [90] que je vais faire,» avait-il l'air de se dire en s'asseyant, et c'était plaisir de le voir allonger ses jambes grassouillettes, s'enfoncer sur son grand fauteuil, sur ce rond [91] de cuir frais et moelleux
30 auquel il devait d'avoir encore l'humeur égale et le teint clair, après trente ans de magistrature assise.[92]

Infortuné Dollinger!

C'est ce rond de cuir qui l'a perdu. Il se trouvait si bien dessus, sa place était si bien faite sur ce coussinet de moleskine, qu'il a mieux aimé devenir
35 Prussien [93] que de bouger de là. L'empereur Guillaume lui a dit: «Restez

---

[82] Rameau, Jean-Philippe (1683–1764), French musician and composer.
[83] Verse form of eight lines built about two rhymes.   [84] "finery."   [85] "scratched."
[86] "heavy wagon."   [87] Wilhelm I, King of Prussia 1861, emperor of Germany 1871–1888.
[88] City in Alsace.   [89] "court(-room)."
[90] "nap."   [91] "round cushion."
[92] "permanent magistracy." A pun is also intended on Dollinger's fondness for remaining seated.
[93] Many of the inhabitants of Alsace and Lorraine migrated to France, Algeria, etc., in 1871, rather than submit to Prussian rule.

assis, monsieur Dollinger!» et Dollinger est resté assis; et aujourd'hui le
voilà conseiller à la cour de Colmar, rendant bravement la justice au nom
de Sa Majesté berlinoise.

Autour de lui, rien n'est changé: c'est toujours le même tribunal fané et
monotone, la même salle de catéchisme avec ses bancs luisants, ses murs nus,   5
son bourdonnement d'avocats, le même demi-jour tombant des hautes
fenêtres à rideaux de serge, le même grand christ [94] poudreux qui penche la
tête, les bras étendus. En passant à la Prusse, la cour de Colmar n'a pas
dérogé: il y a toujours un buste d'empereur [95] au fond du prétoire [96] . . .
Mais c'est égal! Dollinger se sent dépaysé. Il a beau se rouler dans son   10
fauteuil, s'y enfoncer rageusement; il n'y trouve plus les bons petits sommes
d'autrefois, et quand par hasard il lui arrive encore de s'endormir à l'audience,
c'est pour faire des rêves épouvantables . . .

Dollinger rêve qu'il est sur une haute montagne, quelque chose comme
le Honeck [97] ou le ballon d'Alsace [98] . . . Qu'est-ce qu'il fait là, tout seul,   15
en robe de juge, assis sur son grand fauteuil à ces hauteurs immenses où
l'on ne voit plus rien que des arbres rabougris [99] et des tourbillons de petites
mouches? . . . Dollinger ne le sait pas. Il attend, tout frissonnant de la
sueur froide et de l'angoisse du cauchemar. Un grand soleil rouge se lève de
l'autre côté du Rhin, derrière les sapins de la forêt Noire, et, à mesure que   20
le soleil monte, en bas dans les vallées de Thann,[100] de Munster,[100] d'un
bout à l'autre de l'Alsace, c'est un roulement confus, un bruit de pas, de
voitures en marche, et cela grossit, et cela s'approche, et Dollinger a le cœur
serré! Bientôt, par la longue route tournante qui grimpe aux flancs de la
montagne, le juge de Colmar voit venir à lui un cortège lugubre et intermina-   25
ble, tout le peuple d'Alsace qui s'est donné rendez-vous à cette passe des
Vosges pour émigrer [101] solennellement.

En avant montent de longs chariots attelés de quatre bœufs, ces longs
chariots à claire-voie [102] que l'on rencontre tout débordants de gerbes au
temps des moissons, et qui maintenant s'en vont chargés de meubles, de   30
hardes, d'instruments de travail. Ce sont les grands lits, les hautes armoires,
les garnitures d'indienne,[103] les huches,[104] les rouets, les petites chaises des
enfants, les fauteuils des ancêtres, vieilles reliques entassées, tirées de leurs
coins, dispersant au vent de la route la sainte poussière des foyers. Des
maisons entières partent dans ces chariots. Aussi n'avancent-ils qu'en   35
gémissant, et les bœufs les tirent avec peine, comme si le sol s'attachait
aux roues, comme si ces parcelles de terre sèche restées aux herses, aux
charrues, aux pioches, aux râteaux, rendant la charge encore plus lourde,
faisaient de ce départ un déracinement. Derrière se presse une foule silenci-

[94] A person taking an oath would raise his right hand towards the crucifix.
[95] Formerly there was a bust of Emperor Napoleon III there, now there is one of Emperor
Wilhelm I.
[96] "magistrate's bench."   [97] Mountain west of Colmar.
[98] Mountain in western Alsace.   [99] "stunted."   [100] Towns in Alsace.
[101] Judge Dollinger's punishment, as Daudet imagines it, consists in having his friends and
relatives leave, while he, in order to keep his position, submits to the new government.
[102] "with hayracks on them."   [103] "the calico trimmings."
[104] "bread-bins" or "kneading-troughs."

euse, de tout rang, de tout âge, depuis les grands vieux à tricorne qui s'appuient en tremblant sur des bâtons, jusqu'aux petits blondins frisés, vêtus d'une bretelle et d'un pantalon de futaine,[105] depuis l'aïeule paralytique que de fiers garçons portent sur leurs épaules, jusqu'aux enfants de lait que les
5 mères serrent contre leurs poitrines; tous, les vaillants comme les infirmes, ceux qui seront les soldats de l'année prochaine et ceux qui ont fait la terrible campagne,[106] des cuirassiers amputés qui se traînent sur des béquilles, des artilleurs hâves, exténués, ayant encore dans leurs uniformes en loque la moisissure des casemates de Spandau; [107] tout cela défile fièrement sur la
10 route, au bord de laquelle le juge de Colmar est assis, et, en passant devant lui, chaque visage se détourne avec une terrible expression de colère et de dégoût . . .

Oh! le malheureux Dollinger! il voudrait se cacher, s'enfuir; mais impossible. Son fauteuil est incrusté [108] dans la montagne, son rond de cuir dans
15 son fauteuil, et lui dans son rond de cuir. Alors il comprend qu'il est là comme au pilori, et qu'on a mis le pilori aussi haut pour que sa honte se vît de plus loin . . . Et le défilé continue, village par village, ceux de la frontière suisse menant d'immenses troupeaux, ceux de la Saar [109] poussant leurs durs outils de fer dans des wagons à minerai.[110] Puis les villes arrivent,
20 tout le peuple des filatures, les tanneurs, les tisserands, les ourdisseurs, les bourgeois, les prêtres, les rabbins, les magistrats, des robes noires, des robes rouges . . . Voilà le tribunal de Colmar, son vieux président [111] en tête. Et Dollinger, mourant de honte, essaye de cacher sa figure, mais ses mains sont paralysées; de fermer les yeux, mais ses paupières restent immobiles et
25 droites. Il faut qu'il voie et qu'on le voie, et qu'il ne perde pas un des regards de mépris que ses collègues lui jettent en passant . . .

Ce juge au pilori, c'est quelque chose de terrible! Mais ce qui est plus terrible encore, c'est qu'il a tous les siens dans cette foule, et que pas un n'a l'air de le reconnaître. Sa femme, ses enfants passent devant lui en baissant
30 la tête. On dirait qu'ils ont honte, eux aussi! Jusqu'à son petit Michel qu'il aime tant, et qui s'en va pour toujours sans seulement le regarder. Seul, son vieux président s'est arrêté une minute pour lui dire à voix basse:

«Venez avec nous, Dollinger. Ne restez pas là, mon ami . . .»

Mais Dollinger ne peut pas se lever. Il s'agite, il appelle, et le cortège défile
35 pendant des heures; et lorsqu'il s'éloigne au jour tombant, toutes ces belles vallées pleines de clochers et d'usines se font silencieuses. L'Alsace entière est partie. Il n'y a plus que le juge de Colmar qui reste là-haut, cloué sur son pilori, assis et inamovible . . .

. . . Soudain la scène change. Des ifs, des croix noires, des rangées de
40 tombes, une foule en deuil. C'est le cimetière de Colmar, un jour de grand enterrement. Toutes les cloches de la ville sont en branle. Le conseiller Dol-

---

[105] "fustian," a kind of coarse cloth.   [106] The campaign of 1870–1871.
[107] Fortress near Berlin, used as a prison during the war.   [108] "stuck."
[109] The Saar valley, northwest of Alsace, famous for its mining industry.
[110] "ore-carts."   [111] "presiding judge."

linger vient de mourir. Ce que l'honneur n'avait pas pu faire, la mort s'en
est chargée. Elle a dévissé de son rond de cuir le magistrat inamovible, et
couché tout de son long l'homme qui s'entêtait à rester assis . . .

Rêver qu'on est mort et se pleurer soi-même, il n'y a pas de sensation plus
horrible. Le cœur navré, Dollinger assiste à ses propres funérailles; et ce qui 5
le désespère encore plus que sa mort, c'est que dans cette foule immense qui
se presse autour de lui, il n'a pas un ami, pas un parent. Personne de Colmar,
rien que des Prussiens! Ce sont des soldats prussiens qui ont fourni l'escorte,
des magistrats prussiens qui mènent le deuil, et les discours qu'on prononce
sur sa tombe sont des discours prussiens, et la terre qu'on lui jette dessus et 10
qu'il trouve si froide est de la terre prussienne, hélas!

Tout à coup la foule s'écarte, respectueuse; un magnifique cuirassier blanc
s'approche, cachant sous son manteau quelque chose qui a l'air d'une grande
couronne d'immortelles. Tout autour on dit:

«Voilà Bismarck [112] . . . voilà Bismarck . . .» Et le juge de Colmar 15
pense avec tristesse:

«C'est beaucoup d'honneur que vous me faites, monsieur le comte, mais
si j'avais là mon petit Michel . . .»

Un immense éclat de rire l'empêche d'achever, un rire fou, scandaleux,
sauvage, inextinguible. 20

«Qu'est-ce qu'ils ont donc?» se demande le juge épouvanté. Il se dresse, il
regarde . . . C'est son rond, son rond de cuir que M. de Bismarck vient de
déposer religieusement sur sa tombe avec cette inscription en entourage [113]
dans la moleskine:

AU JUGE DOLLINGER 25
HONNEUR DE LA MAGISTRATURE ASSISE
SOUVENIRS ET REGRETS

D'un bout à l'autre du cimetière, tout le monde rit, tout le monde se tord,
et cette grosse gaieté prussienne résonne jusqu'au fond du caveau, où le
mort pleure de honte, écrasé sous un ridicule éternel . . . 30

Contes du Lundi.

---

[112] Prince Otto von Bismarck (1815–1898), who provoked war with France in 1870, and
directed the campaign which resulted in the downfall of Napoleon III and the loss to France of
Alsace and Lorraine. He was an able statesman and general, but utterly unscrupulous.
[113] Like a setting or frame.

GUY DE MAUPASSANT (1850–1893)

Maupassant grew up at Étretat (about twenty-five kilometers north of le Havre), was educated at Yvetot and at Rouen, and spent a year in the army during the Franco-Prussian war. After the war he became a civil servant in the Ministry of Marine and, later, in the Ministry of Public Instruction. After 1880 he devoted all his energies to writing. Insanity overtook him at the end of his life and he died in a strait-jacket.

Maupassant's first literary guide was Flaubert's best friend, the poet Louis Bouilhet (1822–1869). Upon the death of Bouilhet, Flaubert undertook the direction of Maupassant's literary and artistic education, and few students have had a more exacting taskmaster. Stories of Flaubert's sending his young protégé out to describe a landscape, a *concierge,* or a cab-horse, and refusing to be satisfied until Maupassant had succeeded in seizing both the general and the specific, characteristic details, and in presenting them in a few lines, have passed into literary tradition.* Flaubert was exacting, but his method produced results. It developed his young pupil's power of observation, taught him to seek and to find the characteristic, revealing details, and to express himself so clearly and concisely that Anatole France said of him: "He has the three great merits of a French writer, first clearness, second clearness, and third clearness." Maupassant seeks detachment—this too may be due to Flaubert's training—, he appears to be indifferent to all except *"l'humble vérité,"* and in most of his stories he achieves a high degree of impersonality. Research has shown that many of his stories were based upon observed facts or incidents reported to the author, and in some of them his feelings "show through." His stories have been grouped under several headings representing the author's experiences in life: those placed in Norman surroundings, based upon youthful experiences; those based upon war experiences; stories of life among the *bourgeoisie,* based upon observations in Paris while in the government service; stories of the aristocracy among whom he moved after becoming famous; those based upon travel; and finally stories of hallucinations, suggested, perhaps, by his own approaching derangement or the fear of it.

Maupassant was for a time one of the *Groupe de Médan,* centering about Zola, in collaboration with whom he published his first story, *Boule de Suif.* He soon escaped from Zola's influence. He did not experiment, he had no philosophical theories to expound. Perhaps that is one of the reasons for his being recognized as one of the world's greatest short-story writers. He wrote novels also, and one critic states that *Bel Ami* gives as vivid a picture of Parisian life as *Mme Bovary* does of life in the provinces. It is for his short stories, however, that he will always be remembered; in that *genre* he is unsurpassed.

". . . Il était né pour voir et pour peindre ce qu'il voyait et uniquement pour cela. Mais il le voyait avec une plénitude et une intensité miraculeuses, et il le peignait avec une largeur et en même temps une précision qui laisse ravi et stupéfait. Il a passé à travers la vie comme un merveilleux instrument qui reçoit

---

* See Maupassant's introduction (*Le Roman*) to *Pierre et Jean,* given below.

332

les images et qui les rend, plus nettes seulement, plus circonscrites et plus harmonieuses que ne sont ou paraissent être les objets aux yeux du commun des
hommes. Personne n'a réalisé à ce point la définition du roman par Stendhal:
'Un roman est un miroir qui se promène le long d'une route.' . . . S'il avait consenti, ce qu'il ne faisait jamais, à faire sa profession de foi artistique, il aurait dit:
le beau, c'est le vrai; le vrai, c'est le réel bien vu, c'est à dire vu pleinement et distinctement, c'est à dire détaché morceau par morceau de la complexité et de la confusion où il est dans la réalité, et présenté ainsi pièce par pièce au lecteur. Rien de
plus." (Faguet: *Histoire de la Littérature Française*.)

IMPORTANT WORKS:

Novel: *Une Vie* (1883); *Bel Ami* (1885); *Pierre et Jean* (1888); *Fort Comme la Mort* (1889).
Collections of short-stories: *La Maison Tellier* (1881), *Mademoiselle Fifi* (1883); *Les Contes de
la Bécasse* (1883).

LE ROMAN [1]

•   •   •   •   •   •   •   •   •   •   •   •

Ne nous fâchons donc contre aucune théorie puisque chacune d'elles est
simplement l'expression généralisée d'un tempérament qui s'analyse.

Il en est deux surtout qu'on a souvent discutées en les opposant l'une à
l'autre au lieu de les admettre l'une et l'autre, celle du roman d'analyse pure
et celle du roman objectif. Les partisans de l'analyse demandent que l'écrivain   5
s'attache à indiquer les moindres évolutions d'un esprit et tous les mobiles
les plus secrets qui déterminent nos actions, en n'accordant au fait lui-même
qu'une importance très secondaire. Il est le point d'arrivée, une simple borne,
le prétexte du roman. Il faudrait donc, d'après eux, écrire ces œuvres précises
et rêvées où l'imagination se confond avec l'observation, à la manière d'un   10
philosophe composant un livre de psychologie, exposer les causes en les
prenant aux origines les plus lointaines, dire tous les pourquoi de tous les
vouloirs et discerner toutes les réactions de l'âme agissant sous l'impulsion
des intérêts, des passions ou des instincts.

Les partisans de l'objectivité (quel vilain mot!) prétendant, au contraire,   15
nous donner la représentation exacte de ce qui a lieu dans la vie, évitent
avec soin toute explication compliquée, toute dissertation sur les motifs, et
se bornent à faire passer sous nos yeux les personnages et les événements.

Pour eux, la psychologie doit être cachée dans le livre comme elle est
cachée en réalité sous les faits dans l'existence.   20

Le roman conçu de cette manière y gagne de l'intérêt, du mouvement
dans le récit, de la couleur, de la vie remuante.

Donc, au lieu d'expliquer longuement l'état d'esprit d'un personnage, les
écrivains objectifs cherchent l'action ou le geste que cet état d'âme doit faire
accomplir fatalement à cet homme dans une situation déterminée. Et ils le   25
font se conduire de telle manière, d'un bout à l'autre du volume, que tous
ses actes, tous ses mouvements, soient le reflet de sa nature intime, de toutes

---

[1] *Le Roman*, printed as a preface to the novel *Pierre et Jean*, gives an interesting presentation
of Maupassant's ideas upon the art of novel writing. Only the second half of his essay is given
here, but enough to make clear the author's views.

ses pensées, de toutes ses volontés ou de toutes ses hésitations. Ils cachent donc la psychologie au lieu de l'étaler, ils en font la carcasse de l'œuvre, comme l'ossature invisible est la carcasse du corps humain. Le peintre qui fait notre portrait ne montre pas notre squelette.

5 Il me semble aussi que le roman exécuté de cette façon y gagne en sincérité. Il est d'abord plus vraisemblable, car les gens que nous voyons agir autour de nous ne nous racontent point les mobiles auxquels ils obéissent.

Il faut ensuite tenir compte de ce que, si, à force d'observer les hommes, nous pouvons déterminer leur nature assez exactement pour prévoir leur
10 manière d'être dans presque toutes les circonstances, si nous pouvons dire avec précision: «Tel homme de tel tempérament, dans tel cas, fera ceci,» il ne s'ensuit point que nous puissions déterminer, une à une, toutes les secrètes évolutions de sa pensée qui n'est pas la nôtre, toutes les mystérieuses sollicitations de ses instincts qui ne sont pas pareils aux nôtres, toutes les
15 incitations confuses de sa nature dont les organes, les nerfs, le sang, la chair, sont différents des nôtres.

Quel que soit le génie d'un homme faible, doux, sans passions, aimant uniquement la science et le travail, jamais il ne pourra se transporter assez complètement dans l'âme et dans le corps d'un gaillard exubérant, sensuel,
20 violent, soulevé par tous les désirs et même par tous les vices, pour comprendre et indiquer les impulsions et les sensations les plus intimes de cet être si différent, alors même qu'il peut fort bien prévoir et raconter tous les actes de sa vie.

En somme, celui qui fait de la psychologie pure ne peut que se substituer
25 à tous ses personnages dans les différentes situations où il les place, car il lui est impossible de changer ses organes, qui sont les seuls intermédiaires entre la vie extérieure et nous, qui nous imposent leurs perceptions, déterminent notre sensibilité, créent en nous une âme essentiellement différente de toutes celles qui nous entourent. Notre vision, notre connaissance du monde acquise
30 par le secours de nos sens, nos idées sur la vie, nous ne pouvons que les transporter en partie dans tous les personnages dont nous prétendons dévoiler l'être intime et inconnu. C'est donc toujours nous que nous montrons dans le corps d'un roi, d'un assassin, d'un voleur ou d'un honnête homme, d'une courtisane, d'une religieuse, d'une jeune fille ou d'une marchande aux halles,
35 car nous sommes obligés de nous poser ainsi le problème: «Si *j'*étais roi, assassin, voleur, courtisane, religieuse, jeune fille ou marchande aux halles, qu'est-ce que *je* ferais, qu'est-ce que *je* penserais, comment est-ce que *j'*agirais?» Nous ne diversifions donc nos personnages qu'en changeant l'âge, le sexe, la situation sociale et toutes les circonstances de la vie de
40 notre *moi* que la nature a entouré d'une barrière d'organes infranchissable.

L'adresse consiste à ne pas laisser reconnaître ce *moi* par le lecteur sous tous les masques divers qui nous servent à le cacher.

Mais si, au seul point de vue de la complète exactitude, la pure analyse psychologique est contestable, elle peut cependant nous donner des œuvres
45 d'art aussi belles que toutes les autres méthodes de travail.

Voici, aujourd'hui, les symbolistes. Pourquoi pas? Leur rêve d'artistes est respectable; et ils ont cela de particulièrement intéressant qu'ils savent et qu'ils proclament l'extrême difficulté de l'art.

Il faut être, en effet, bien fou, bien audacieux, bien outrecuidant [2] ou bien sot, pour écrire encore aujourd'hui! Après tant de maîtres aux natures si variées, au génie si multiple, que reste-t-il à faire qui n'ait été fait, que reste-t-il à dire qui n'ait été dit? Qui peut se vanter, parmi nous, d'avoir écrit une page, une phrase qui ne se trouve déjà, à peu près pareille, quelque part. Quand nous lisons, nous, si saturés d'écriture française que notre corps entier nous donne l'impression d'être une pâte faite avec des mots, trouvons-nous jamais une ligne, une pensée qui ne nous soit familière, dont nous n'ayons eu, au moins, le confus pressentiment?

L'homme qui cherche seulement à amuser son public par des moyens déjà connus, écrit avec confiance, dans la candeur de sa médiocrité, des œuvres destinées à la foule ignorante et désœuvrée. Mais ceux sur qui pèsent tous les siècles de la littérature passée, ceux que rien ne satisfait, que tout dégoûte parce qu'ils rêvent mieux, à qui tout semble défloré déjà, à qui leur œuvre donne toujours l'impression d'un travail inutile et commun, en arrivent à juger l'art littéraire une chose insaisissable, mystérieuse, que nous dévoilent à peine quelques pages des plus grands maîtres.

Vingt vers, vingt phrases, lus tout à coup nous font tressaillir jusqu'au cœur comme une révélation surprenante; mais les vers suivants ressemblent à tous les vers, la prose qui coule ensuite ressemble à toutes les proses.

Les hommes de génie n'ont point, sans doute, ces angoisses et ces tourments, parce qu'ils portent en eux une force créatrice irrésistible. Ils ne se jugent pas eux-mêmes. Les autres, nous autres qui sommes simplement des travailleurs conscients et tenaces, nous ne pouvons lutter contre l'invincible découragement que par la continuité de l'effort.

Deux hommes par leurs enseignements simples et lumineux m'ont donné cette force de toujours tenter: Louis Bouilhet [3] et Gustave Flaubert.

Si je parle ici d'eux et de moi c'est que leurs conseils, résumés en peu de lignes, seront peut-être utiles à quelques jeunes gens moins confiants en eux-mêmes qu'on ne l'est d'ordinaire quand on débute dans les lettres.

Bouilhet, que je connus le premier d'une façon un peu intime, deux ans environ avant de gagner l'amitié de Flaubert, à force de me répéter que cent vers, peut-être moins, suffisent à la réputation d'un artiste, s'ils sont irréprochables et s'ils contiennent l'essence du talent et de l'originalité d'un homme même de second ordre, me fit comprendre que le travail continuel et la connaissance profonde du métier peuvent, un jour de lucidité, de puissance et d'entraînement, par la rencontre heureuse d'un sujet concordant bien avec toutes les tendances de notre esprit, amener cette éclosion de l'œuvre courte, unique et aussi parfaite que nous la pouvons produire.

Je compris ensuite que les écrivains les plus connus n'ont presque jamais laissé plus d'un volume et qu'il faut, avant tout, avoir cette chance de trouver

---

[2] "arrogant."

[3] Louis Bouilhet (1822–1869), dramatist (usually wrote in verse), and poet of the Parnassian type.

et de discerner, au milieu de la multitude des matières qui se présentent à notre choix, celle qui absorbera toutes nos facultés, toute notre valeur, toute notre puissance artiste.

Plus tard, Flaubert, que je voyais quelquefois, se prit d'affection pour moi. J'osai lui soumettre quelques essais. Il les lut avec bonté et me répondit: «Je ne sais pas si vous aurez du talent. Ce que vous m'avez apporté prouve une certaine intelligence, mais n'oubliez point ceci, jeune homme, que le talent—suivant le mot de Buffon [4]—n'est qu'une longue patience. Travaillez.»

Je travaillai, et je revins souvent chez lui, comprenant que je lui plaisais, car il s'était mis à m'appeler, en riant, son disciple.

Pendant sept ans je fis des vers, je fis des contes, je fis des nouvelles, je fis même un drame détestable. Il n'en est rien resté. Le maître lisait tout, puis le dimanche suivant, en déjeunant, développait ses critiques et enfonçait en moi, peu à peu, deux ou trois principes qui sont le résumé de ses longs et patients enseignements. «Si on a une originalité, disait-il, il faut avant tout la dégager; si on n'en a pas, il faut en acquérir une.»

—Le talent est une longue patience.—Il s'agit de regarder tout ce qu'on veut exprimer assez longtemps et avec assez d'attention pour en découvrir un aspect qui n'ait été vu et dit par personne. Il y a, dans tout, de l'inexploré, parce que nous sommes habitués à ne nous servir de nos yeux qu'avec le souvenir de ce qu'on a pensé avant nous sur ce que nous contemplons. La moindre chose contient un peu d'inconnu. Trouvons-le. Pour décrire un feu qui flambe et un arbre dans une plaine, demeurons en face de ce feu et de cet arbre jusqu'à ce qu'ils ne ressemblent plus, pour nous, à aucun autre arbre et à aucun autre feu.

C'est de cette façon qu'on devient original.

Ayant, en outre, posé cette vérité qu'il n'y a pas, de par le monde entier, deux grains de sable, deux mouches, deux mains ou deux nez absolument pareils, il me forçait à exprimer, en quelques phrases, un être ou un objet de manière à le particulariser nettement, à le distinguer de tous les autres êtres ou de tous les autres objets de même race ou de même espèce.

«Quand vous passez, me disait-il, devant un épicier assis sur sa porte, devant un concierge qui fume sa pipe, devant une station de fiacres, montrez-moi cet épicier et ce concierge, leur pose, toute leur apparence physique contenant aussi, indiquée par l'adresse de l'image, toute leur nature morale, de façon à ce que je ne les confonde avec aucun autre épicier ou avec aucun autre concierge, et faites-moi voir, par un seul mot, en quoi un cheval de fiacre ne ressemble pas aux cinquante autres qui le suivent et le précèdent.»

J'ai développé ailleurs ses idées sur le style. Elles ont de grands rapports avec la théorie de l'observation que je viens d'exposer.

Quelle que soit la chose qu'on veut dire, il n'y a qu'un mot pour l'expri-

---

[4] Eighteenth century naturalist (1707–1788), who wrote a famous *Discours sur le style*. The quotation, which comes from Hérault de Séchelles' *Voyage à Montbard*, reads: *Le génie n'est qu'une plus grande aptitude à la patience.*

mer, qu'un verbe pour l'animer et qu'un adjectif pour la qualifier. Il faut donc chercher, jusqu'à ce qu'on les ait découverts, ce mot, ce verbe et cet adjectif, et ne jamais se contenter de l'à peu près, ne jamais avoir recours à des supercheries,[4a] même heureuses, à des clowneries de langage pour éviter la difficulté. 5

On peut traduire et indiquer les choses les plus subtiles en appliquant ce vers de Boileau:

> *D'un mot mis en sa place enseigna le pouvoir.*[5]

Il n'est point besoin du vocabulaire bizarre, compliqué, nombreux et chinois qu'on nous impose aujourd'hui sous le nom d'écriture artiste,[6] pour 10 fixer toutes les nuances de la pensée; mais il faut discerner avec une extrême lucidité toutes les modifications de la valeur d'un mot suivant la place qu'il occupe. Ayons moins de noms, de verbes et d'adjectifs aux sens presque insaisissables, mais plus de phrases différentes, diversement construites, ingénieusement coupées, pleines de sonorités et de rythmes savants. Efforçons- 15 nous d'être des stylistes excellents plutôt que des collectionneurs de termes rares.

Il est, en effet, plus difficile de manier la phrase à son gré, de lui faire tout dire, même ce qu'elle n'exprime pas, de l'emplir de sous-entendus, d'intentions secrètes et non formulées, que d'inventer des expressions nouvelles ou 20 de rechercher, au fond de vieux livres inconnus, toutes celles dont nous avons perdu l'usage et la signification, et qui sont pour nous comme des verbes [7] morts.

La langue française, d'ailleurs, est une eau pure que les écrivains maniérés n'ont jamais pu et ne pourront jamais troubler. Chaque siècle a jeté dans 25 ce courant limpide, ses modes, ses archaïsmes prétentieux et ses préciosités, sans que rien surnage de ces tentatives inutiles, de ces efforts impuissants. La nature de cette langue est d'être claire, logique et nerveuse. Elle ne se laisse pas affaiblir, obscurcir ou corrompre.

Ceux qui font aujourd'hui des images, sans prendre garde aux termes 30 abstraits, ceux qui font tomber la grêle ou la pluie sur la *propreté* des vitres, peuvent aussi jeter des pierres à la simplicité de leurs confrères! Elles frapperont peut-être les confrères qui ont un corps, mais n'atteindront jamais la simplicité qui n'en a pas.

Guy de Maupassant.

La Guillette, Étretat, septembre 1887.

LA PARURE [8]

C'était une de ces jolies et charmantes filles, nées, comme par une erreur 35 du destin, dans une famille d'employés. Elle n'avait pas de dot, pas d'espérances, aucun moyen d'être connue, comprise, aimée, épousée par un homme

---

[4a] "tricks."   [5] Boileau, *L'Art Poétique*, V, 133. Boileau's verse refers to Malherbe.
[6] Term applied to the highly impressionistic style of the Goncourt brothers, but Maupassant probably has in mind some of the young Symbolists.
[7] "words."   [8] *La Parure* is one of Maupassant's most perfect short-stories.

riche et distingué; et elle se laissa marier avec un petit commis du ministère [9] de l'Instruction publique.

Elle fut simple, ne pouvant être parée; mais malheureuse comme une déclassée; car les femmes n'ont point de caste ni de race, leur beauté, leur
5 grâce et leur charme leur servant de naissance et de famille. Leur finesse native, leur instinct d'élégance, leur souplesse d'esprit sont leur seule hiérarchie,[10] et font des filles du peuple les égales des plus grandes dames.

Elle souffrait sans cesse, se sentant née pour toutes les délicatesses et tous les luxes. Elle souffrait de la pauvreté de son logement, de la misère des murs,
10 de l'usure des sièges, de la laideur des étoffes. Toutes ces choses, dont une autre femme de sa caste ne se serait même pas aperçue, la torturaient et l'indignaient. La vue de la petite Bretonne [11] qui faisait son humble ménage éveillait en elle des regrets désolés et des rêves éperdus. Elle songeait aux antichambres muettes, capitonnées avec des tentures orientales, éclairées par
15 de hautes torchères [12] de bronze, et aux deux grands valets en culotte courte qui dorment dans les larges fauteuils, assoupis par la chaleur lourde du calorifère.[13] Elle songeait aux grands salons vêtus [14] de soie ancienne, aux meubles fins portant des bibelots [15] inestimables, et aux petits salons coquets,[16] parfumés, faits pour la causerie de cinq heures avec les amis les plus
20 intimes, les hommes connus et recherchés dont toutes les femmes envient et désirent l'attention.

Quand elle s'asseyait, pour dîner, devant la table ronde couverte d'une nappe de trois jours, en face de son mari qui découvrait la soupière en déclarant d'un air enchanté: «Ah! le bon pot-au-feu! [17] je ne sais rien de
25 meilleur que cela . . . ,» elle songeait aux dîners fins, aux argenteries reluisantes, aux tapisseries peuplant les murailles de personnages anciens et d'oiseaux étranges au milieu d'une forêt de féerie; elle songeait aux plats exquis servis en des vaisselles merveilleuses, aux galanteries chuchotées et écoutées avec un sourire de sphinx, tout en mangeant la chair rose d'une
30 truite ou des ailes de gelinotte.[18]

Elle n'avait pas de toilettes, pas de bijoux, rien. Et elle n'aimait que cela; elle se sentait faite pour cela. Elle eût tant désiré plaire, être enviée, être séduisante et recherchée.

Elle avait une amie riche, une camarade de couvent qu'elle ne voulait plus
35 aller voir, tant elle souffrait en revenant. Et elle pleurait pendant des jours entiers, de chagrin, de regret, de désespoir et de détresse.

Or, un soir, son mari rentra, l'air glorieux [19] et tenant à la main une large enveloppe.

—Tiens, dit-il, voici quelque chose pour toi.

---

[9] Maupassant knew the life of the *petits commis* perfectly, having worked himself for a number of years in the *Ministère de la Marine* and in the *Ministère de l'Instruction publique.*
[10] "distinction."
[11] The province of Brittany, in western France, furnishes many of the *bonnes* of Paris.
[12] "candelabra."   [13] "furnace."   [14] "ornamented."   [15] "curios."   [16] "smart."
[17] "meat and vegetables boiled together," a very common dish.   [18] "hazel-grouse."
[19] "proud."

Elle déchira vivement le papier et en tira une carte imprimée qui portait ces mots:

«Le ministre de l'Instruction publique et Mme Georges Ramponneau prient M. et Mme Loisel de leur faire l'honneur de venir passer la soirée à l'hôtel du ministère, le lundi 18 janvier.»

Au lieu d'être ravie, comme l'espérait son mari, elle jeta avec dépit l'invitation sur la table, murmurant:

—Que veux-tu [20] que je fasse de cela?

—Mais, ma chérie, je pensais que tu serais contente. Tu ne sors jamais, et c'est une occasion, cela, une belle! J'ai eu une peine infinie à l'obtenir. Tout le monde en veut; c'est très recherché et on n'en donne pas beaucoup aux employés. Tu verras là tout le monde officiel.

Elle le regardait d'un œil irrité, et elle déclara avec impatience:

—Que veux-tu que je me mette sur le dos pour aller là?

Il n'y avait pas songé; il balbutia:

—Mais la robe avec laquelle tu vas au théâtre. Elle me semble très bien, à moi . . .

Il se tut, stupéfait, éperdu, en voyant que sa femme pleurait. Deux grosses larmes descendaient lentement des coins des yeux vers les coins de la bouche; il bégaya:

—Qu'as-tu? qu'as-tu?

Mais, par un effort violent, elle avait dompté sa peine et elle répondit d'une voix calme en essuyant ses joues humides:

—Rien. Seulement je n'ai pas de toilette et par conséquent je ne peux aller à cette fête. Donne ta carte à quelque collègue dont la femme sera mieux nippée que moi.

Il était désolé. Il reprit:

—Voyons, Mathilde. Combien cela coûterait-il, une toilette convenable, qui pourrait te servir encore en d'autres occasions, quelque chose de très simple?

Elle réfléchit quelques secondes, établissant ses comptes et songeant aussi à la somme qu'elle pouvait demander sans s'attirer un refus immédiat et une exclamation effarée du commis économe.

Enfin, elle répondit en hésitant:

—Je ne sais pas au juste, mais il me semble qu'avec quatre cents francs je pourrais arriver.[21]

Il avait un peu pâli, car il réservait juste cette somme pour acheter un fusil et s'offrir [22] des parties de chasse, l'été suivant, dans la plaine de Nanterre,[23] avec quelques amis qui allaient tirer des alouettes, par là, le dimanche.

Il dit cependant:

—Soit. Je te donne quatre cents francs. Mais tâche d'avoir une belle robe.

Le jour de la fête approchait, et Mme Loisel semblait triste, inquiète, anxieuse. Sa toilette était prête cependant. Son mari lui dit un soir:

[20] "What do you expect me to do with that?"
[22] "treat himself to."
[21] "manage."
[23] Town near Paris.

—Qu'as-tu? Voyons, tu es toute drôle depuis trois jours.

Et elle répondit:

—Cela m'ennuie de n'avoir pas un bijou, pas une pierre, rien à mettre sur moi. J'aurai l'air misère [24] comme tout. J'aimerais presque mieux ne pas aller à cette soirée.

Il reprit:

—Tu mettras des fleurs naturelles. C'est très chic en cette saison-ci. Pour dix francs tu auras deux ou trois roses magnifiques.

Elle n'était point convaincue.

—Non . . . il n'y a rien de plus humiliant que d'avoir l'air pauvre au milieu de femmes riches.

Mais son mari s'écria:

—Que tu es bête! Va trouver ton amie Mme Forestier et demande-lui de te prêter des bijoux. Tu es bien assez liée avec elle pour faire cela.

Elle poussa un cri de joie.

—C'est vrai. Je n'y avais point pensé.

Le lendemain, elle se rendit chez son amie et lui conta sa détresse.

Mme Forestier alla vers son armoire à glace, prit un large coffret, l'apporta, l'ouvrit, et dit à Mme Loisel:

—Choisis, ma chère.

Elle vit d'abord des bracelets, puis un collier de perles, puis une croix vénitienne, or et pierreries, d'un admirable travail. Elle essayait les parures devant la glace, hésitait, ne pouvait se décider à les quitter,[25] à les rendre. Elle demandait toujours:

—Tu n'as plus rien autre?

—Mais si. Cherche. Je ne sais pas ce qui peut te plaire.

Tout à coup elle découvrit, dans une boîte de satin noir, une superbe rivière[26] de diamants; et son cœur se mit à battre d'un désir immodéré. Ses mains tremblaient en la prenant. Elle l'attacha autour de sa gorge, sur sa robe montante,[27] et demeura en extase devant elle-même.

Puis, elle demanda, hésitante, pleine d'angoisse:

—Peux-tu me prêter cela, rien que cela?

—Mais oui, certainement.

Elle sauta au cou de son amie, l'embrassa avec emportement, puis s'enfuit avec son trésor.

Le jour de la fête arriva. Mme Loisel eut un succès. Elle était plus jolie que toutes, élégante, gracieuse, souriante et folle de joie. Tous les hommes la regardaient, demandaient son nom, cherchaient à être présentés. Tous les attachés du cabinet voulaient valser avec elle. Le ministre la remarqua.

Elle dansait avec ivresse, avec emportement, grisée par le plaisir, ne pensant plus à rien, dans le triomphe de sa beauté, dans la gloire de son succès, dans une sorte de nuage de bonheur fait de tous ces hommages, de toutes ces

---

[24] "I shall look extremely poverty-stricken."
[25] "could not make up her mind to take them off."   [26] "necklace."   [27] "high-necked."

admirations, de tous ces désirs éveillés, de cette victoire si complète et si douce au cœur des femmes.

Elle partit vers quatre heures du matin. Son mari, depuis minuit, dormait dans un petit salon désert avec trois autres messieurs dont les femmes s'amusaient beaucoup.

Il lui jeta sur les épaules les vêtements qu'il avait apportés pour la sortie, modestes vêtements de la vie ordinaire, dont la pauvreté jurait[28] avec l'élégance de la toilette de bal. Elle le sentit et voulut s'enfuir, pour ne pas être remarquée par les autres femmes qui s'enveloppaient de riches fourrures.

Loisel la retenait:

—Attends donc. Tu vas attraper froid dehors. Je vais appeler un fiacre.

Mais elle ne l'écoutait point et descendait rapidement l'escalier. Lorsqu'ils furent dans la rue, ils ne trouvèrent pas de voiture; et ils se mirent à chercher, criant après les cochers qu'ils voyaient passer de loin.

Ils descendaient vers la Seine, désespérés, grelottants. Enfin ils trouvèrent sur le quai un de ces vieux coupés noctambules qu'on ne voit dans Paris que la nuit venue, comme s'ils eussent été honteux de leur misère pendant le jour.

Il les ramena jusqu'à leur porte, rue des Martyrs, et ils remontèrent tristement chez eux. C'était fini, pour elle. Et il songeait, lui, qu'il lui faudrait être au Ministère à dix heures.

Elle ôta les vêtements dont elle s'était enveloppé les épaules, devant la glace, afin de se voir encore une fois dans sa gloire. Mais soudain elle poussa un cri. Elle n'avait plus sa rivière autour du cou.

Son mari, à moitié dévêtu déjà, demanda:

—Qu'est-ce que tu as?

Elle se tourna vers lui, affolée:

—J'ai . . . j'ai . . . je n'ai plus la rivière de Mme Forestier. Il se dressa, éperdu:

—Quoi! . . . comment! . . . Ce n'est pas possible!

Et ils cherchèrent dans les plis de la robe, dans les plis du manteau, dans les poches, partout. Ils ne la trouvèrent point.

Il demandait:

—Tu es sûre que tu l'avais encore en quittant le bal?

—Oui, je l'ai touchée dans le vestibule du Ministère.

—Mais si tu l'avais perdue dans la rue, nous l'aurions entendue tomber. Elle doit être dans le fiacre.

—Oui. C'est probable. As-tu pris le numéro?

—Non. Et toi, tu ne l'as pas regardé?

—Non.

Ils se contemplaient atterrés. Enfin Loisel se rhabilla.

—Je vais, dit-il, refaire tout le trajet que nous avons fait à pied, pour voir si je ne la retrouverai pas.

Et il sortit. Elle demeura en toilette de soirée, sans force pour se coucher, abattue sur une chaise, sans feu, sans pensée.

[28] "contrasted (disagreeably) with."

Son mari rentra vers sept heures. Il n'avait rien trouvé.

Il se rendit à la Préfecture de police,[29] aux journaux, pour faire promettre une récompense, aux compagnies de petites voitures, partout enfin où un soupçon d'espoir le poussait.

Elle attendit tout le jour, dans le même état d'effarement devant cet affreux désastre.

Loisel revint le soir, avec la figure creusée, pâlie; il n'avait rien découvert.

—Il faut, dit-il, écrire à ton amie que tu as brisé la fermeture de sa rivière et que tu la fais réparer. Cela nous donnera le temps de nous retourner.[30]

Elle écrivit sous sa dictée.

Au bout d'une semaine, ils avaient perdu toute espérance.

Et Loisel, vieilli de cinq ans, déclara:

—Il faut aviser [31] à remplacer ce bijou.

Ils prirent, le lendemain, la boîte qui l'avait renfermé, et se rendirent chez le joaillier, dont le nom se trouvait dedans. Il consulta ses livres:

—Ce n'est pas moi, madame, qui ai vendu cette rivière; j'ai dû seulement fournir l'écrin.

Alors ils allèrent de bijoutier en bijoutier, cherchant une parure pareille à l'autre, consultant leurs souvenirs, malades tous deux de chagrin et d'angoisse.

Ils trouvèrent, dans une boutique du Palais-Royal,[32] un chapelet [33] de diamants qui leur parut entièrement semblable à celui qu'ils cherchaient. Il valait quarante mille francs. On le leur laisserait à trente-six mille.

Ils prièrent donc le joaillier de ne pas le vendre avant trois jours. Et ils firent condition qu'on le reprendrait pour trente-quatre mille francs, si le premier était retrouvé avant la fin de février.

Loisel possédait dix-huit mille francs que lui avait laissés son père. Il emprunterait le reste.

Il emprunta, demandant mille francs à l'un, cinq cents à l'autre, cinq louis par-ci, trois par-là. Il fit des billets, prit des engagements [34] ruineux, eut affaire aux usuriers, à toutes les races de prêteurs. Il compromit toute la fin de son existence, risqua sa signature sans savoir même s'il pourrait y faire honneur, et, épouvanté par les angoisses de l'avenir, par la noire misère qui allait s'abattre sur lui, par la perspective de toutes les privations physiques et de toutes les tortures morales, il alla chercher la rivière nouvelle, en déposant sur le comptoir du marchand trente-six mille francs.

Quand Mme Loisel reporta la parure à Mme Forestier, celle-ci lui dit, d'un air froissé:

—Tu aurais dû me la rendre plus tôt, car je pouvais en avoir besoin.

Elle n'ouvrit pas l'écrin, ce que redoutait son amie. Si elle s'était aperçue de la substitution, qu'aurait-elle pensé? Qu'aurait-elle dit? Ne l'aurait-elle pas prise pour une voleuse?

---

[29] Central police station.   [30] "look about."   [31] "consider" (means of).
[32] A well-known Paris monument, built in 1629, for Richelieu. There are shops on the ground floor.
[33] "string."   [34] "obligations."

Mme Loisel connut la vie horrible des nécessiteux. Elle prit son parti, d'ailleurs, tout d'un coup, héroïquement. Il fallait payer cette dette effroyable. Elle payerait. On renvoya la bonne; on changea de logement; on loua sous les toits une mansarde.

Elle connut les gros travaux du ménage, les odieuses besognes de la cuisine. Elle lava la vaisselle, usant ses ongles roses sur les poteries grasses et le fond des casseroles. Elle savonna le linge sale, les chemises et les torchons, qu'elle faisait sécher sur une corde; elle descendit à la rue, chaque matin, les ordures,[35] et monta l'eau, s'arrêtant à chaque étage pour souffler. Et, vêtue comme une femme du peuple, elle alla chez le fruitier, chez l'épicier, chez le boucher, le panier au bras, marchandant, injuriée,[36] défendant sou à sou son misérable argent.

Il fallait chaque mois payer des billets, en renouveler d'autres, obtenir du temps.

Le mari travaillait, le soir, à mettre au net les comptes d'un commerçant, et la nuit souvent, il faisait de la copie à cinq sous la page.

Et cette vie dura dix ans.

Au bout de dix ans, ils avaient tout restitué, tout, avec le taux de l'usure, et l'accumulation des intérêts superposés.

Mme Loisel semblait vieille, maintenant. Elle était devenue la femme forte, et dure, et rude, des ménages pauvres. Mal peignée, avec les jupes de travers et les mains rouges, elle parlait haut, lavait à grande eau [37] les planchers. Mais parfois, lorsque son mari était au bureau, elle s'asseyait auprès de la fenêtre, et elle songeait à cette soirée d'autrefois, à ce bal où elle avait été si belle et si fêtée.

Que serait-il arrivé si elle n'avait point perdu cette parure? Qui sait? qui sait? Comme la vie est singulière, changeante! Comme il faut peu de chose [38] pour vous perdre ou vous sauver!

Or, un dimanche, comme elle était allée faire un tour aux Champs-Élysées [39] pour se délasser des besognes de la semaine, elle aperçut tout à coup une femme qui promenait un enfant. C'était Mme Forestier, toujours jeune, toujours belle, toujours séduisante.

Mme Loisel se sentit émue. Allait-elle lui parler? Oui, certes. Et maintenant qu'elle avait payé, elle lui dirait tout. Pourquoi pas?

Elle s'approcha.

—Bonjour, Jeanne.

L'autre ne la reconnaissait point, s'étonnant d'être appelée ainsi familièrement par cette bourgeoise. Elle balbutia:

—Mais . . . madame! . . . Je ne sais . . . Vous devez vous tromper.

—Non. Je suis Mathilde Loisel.

Son amie poussa un cri:

—Oh! . . . ma pauvre Mathilde, comme tu es changée! . . .

---

[35] "slops."   [36] "insulted."   [37] "scrubbed."   [38] "How little it takes."
[39] The most beautiful avenue of Paris, extending from the Place de la Concorde to the Place de l'Étoile.

—Oui, j'ai eu des jours bien durs, depuis que je ne t'ai vue; et bien des misères . . . et cela à cause de toi! . . .

—De moi . . . Comment ça?

—Tu te rappelles bien cette rivière de diamants que tu m'as prêtée pour aller à la fête du Ministère.

—Oui. Eh bien?

—Eh bien, je l'ai perdue.

—Comment! puisque tu me l'as rapportée.

—Je t'en ai rapporté une autre toute pareille. Et voilà dix ans que nous la payons. Tu comprends que ça n'était pas aisé pour nous, qui n'avions rien . . . Enfin c'est fini, et je suis rudement contente.

Mme Forestier s'était arrêtée.

—Tu dis que tu as acheté une rivière de diamants pour remplacer la mienne?

—Oui. Tu ne t'en étais pas aperçue, hein! Elles étaient bien pareilles.

Et elle souriait d'une joie orgueilleuse et naïve.

Mme Forestier, fort émue, lui prit les deux mains.

—Oh! ma pauvre Mathilde! Mais la mienne était fausse. Elle valait au plus cinq cents francs! . . .

Boule de Suif.

LA FICELLE [40]

Sur toutes les routes autour de Goderville,[41] les paysans et leurs femmes s'en venaient vers le bourg, car c'était jour de marché. Les mâles allaient, à pas tranquilles, tout le corps en avant à chaque mouvement de leurs longues jambes torses,[42] déformées par les rudes travaux, par la pesée sur la charrue qui fait en même temps monter l'épaule gauche et dévier [43] la taille, par le fauchage des blés qui fait écarter les genoux pour prendre un aplomb solide, par toutes les besognes lentes et pénibles de la campagne. Leur blouse bleue, empesée,[44] brillante, comme vernie, ornée au col et aux poignets d'un petit dessin de fil blanc, gonflée autour de leur torse osseux, semblait un ballon prêt à s'envoler, d'où sortaient une tête, deux bras et deux pieds.

Les uns tiraient au bout d'une corde une vache, un veau. Et leurs femmes, derrière l'animal, lui fouettaient les reins d'une branche encore garnie de feuilles, pour hâter sa marche. Elles portaient au bras de larges paniers d'où sortaient des têtes de poulets par-ci, des têtes de canards par-là. Et elles marchaient d'un pas plus court et plus vif que leurs hommes, la taille sèche,[45] droite et drapée dans un petit châle étriqué,[46] épinglé sur leur poitrine plate, la tête enveloppée d'un linge blanc collé [47] sur les cheveux et surmontée d'un bonnet.

---

[40] In *La Ficelle* Maupassant gives a masterful description of a scene with which he had become quite familiar as a youth. His Normandy peasants are described with the realism which is characteristic of the author.

[41] Goderville and the other towns mentioned are all near le Havre.

[42] "twisted" (out of shape). [43] "twist." [44] "starched."

[45] "thin." [46] "scanty." [47] "fastened tightly."

Puis, un char à bancs[48] passait, au trot saccadé d'un bidet,[49] secouant étrangement deux hommes assis côte à côte et une femme dans le fond du véhicule, dont elle tenait le bord pour atténuer les durs cahots.

Sur la place de Goderville, c'était une foule, une cohue d'humains et de bêtes mélangés. Les cornes des bœufs, les hauts chapeaux à longs poils des paysans riches et les coiffes des paysannes émergeaient à la surface de l'assemblée. Et les voix criardes, aiguës, glapissantes,[50] formaient une clameur continue et sauvage que dominait parfois un grand éclat poussé par la robuste poitrine d'un campagnard en gaieté, ou le long meuglement d'une vache attachée au mur d'une maison.

Tout cela sentait l'étable, le lait et le fumier, le foin et la sueur, dégageait cette saveur aigre, affreuse, humaine et bestiale, particulière aux gens des champs.

Maître Hauchecorne, de Bréauté, venait d'arriver à Goderville, et il se dirigeait vers la place, quand il aperçut par terre un petit bout de ficelle. Maître Hauchecorne, économe en vrai Normand, pensa que tout était bon à ramasser qui peut servir; et il se baissa péniblement, car il souffrait de rhumatismes. Il prit, par terre, le morceau de corde mince, et il se disposait à le rouler avec soin, quand il remarqua, sur le seuil de sa porte, maître Malandain, le bourrelier, qui le regardait. Ils avaient eu des affaires[51] ensemble au sujet d'un licol,[52] autrefois, et ils étaient restés fâchés, étant rancuniers tous deux. Maître Hauchecorne fut pris d'une sorte de honte d'être vu ainsi, par son ennemi, cherchant dans la crotte un bout de ficelle. Il cacha brusquement sa trouvaille sous sa blouse, puis dans la poche de sa culotte; puis il fit semblant de chercher encore par terre quelque chose qu'il ne trouvait point, et il s'en alla vers le marché, la tête en avant, courbé en deux par ses douleurs.

Il se perdit aussitôt dans la foule criarde et lente, agitée par les interminables marchandages. Les paysans tâtaient les vaches, s'en allaient, revenaient, perplexes, toujours dans la crainte d'être mis dedans,[53] n'osant jamais se décider, épiant l'œil du vendeur, cherchant sans fin à découvrir la ruse de l'homme et le défaut de la bête.

Les femmes, ayant posé à leurs pieds leurs grands paniers, en avaient tiré leurs volailles qui gisaient par terre, liées par les pattes, l'œil effaré, la crête écarlate.

Elles écoutaient les propositions, maintenaient leurs prix, l'air sec, le visage impassible, ou bien tout à coup, se décidant au rabais proposé, criaient au client qui s'éloignait lentement:

—C'est dit,[54] maît' Anthime. J' vous l' donne.

Puis, peu à peu, la place se dépeupla, et l'angélus sonnant midi, ceux qui demeuraient trop loin se répandirent dans les auberges.

Chez Jourdain, la grande salle était pleine de mangeurs, comme la vaste

---

[48] Cart with seats along the side.   [49] "nag."   [50] "shrill."
[51] "they had quarreled."   [52] *licou,* "halter."   [53] "of being taken in" (cheated).
[54] "It's a bargain."

cour était pleine de véhicules de toute race, charrettes,[55] cabriolets,[56] chars à bancs, tilburys,[57] carrioles[58] innommables, jaunes de crotte, déformées, rapiécées, levant au ciel, comme deux bras, leurs brancards, ou bien le nez par terre et le derrière en l'air.

Tout contre[59] les dîneurs attablés, l'immense cheminée, pleine de flamme claire, jetait une chaleur vive dans le dos de la rangée de droite. Trois broches tournaient, chargées de poulets, de pigeons et de gigots; et une délectable odeur de viande rôtie et de jus ruisselant sur la peau rissolée,[60] s'envolait de l'âtre, allumait les gaietés, mouillait les bouches.

Toute l'aristocratie de la charrue mangeait là, chez maît' Jourdain, aubergiste et maquignon,[61] un malin qui avait des écus.

Les plats passaient, se vidaient comme les brocs de cidre jaune. Chacun racontait ses affaires, ses achats et ses ventes. On prenait des nouvelles[62] des récoltes. Le temps était bon pour les verts,[63] mais un peu mucre[64] pour les blés.

Tout à coup, le tambour roula, dans la cour, devant la maison. Tout le monde aussitôt fut debout, sauf quelques indifférents, et on courut à la porte, aux fenêtres, la bouche encore pleine et la serviette à la main.

Après qu'il eut terminé son roulement, le crieur public lança d'une voix saccadée,[65] scandant[66] ses phrases à contretemps:[67]

—Il est fait assavoir aux habitants de Goderville, et en général à toutes— les personnes présentes au marché, qu'il a été perdu ce matin, sur la route de Beuzeville, entre—neuf heures et dix heures, un portefeuille en cuir noir, contenant cinq cents francs et des papiers d'affaires. On est prié de le rapporter—à la mairie, incontinent,[68] ou chez maître Fortuné Houlbrèque, de Manneville. Il y aura vingt francs de récompense.

Puis l'homme s'en alla. On entendit encore une fois au loin des battements sourds de l'instrument et la voix affaiblie du crieur.

Alors on se mit à parler de cet événement, en énumérant les chances qu'avait maître Houlbrèque de retrouver ou de ne pas retrouver son portefeuille.

Et le repas s'acheva.

On finissait le café, quand le brigadier[69] de gendarmerie parut sur le seuil. Il demanda:

—Maître Hauchecorne, de Bréauté, est-il ici?

Maître Hauchecorne, assis à l'autre bout de la table, répondit:

—Me v'là.[70]

Et le brigadier reprit:

—Maître Hauchecorne, voulez-vous avoir la complaisance de m'accompagner à la mairie. M. le maire voudrait vous parler.

Le paysan, surpris, inquiet, avala d'un coup son petit verre,[71] se leva et,

[55] "two-wheeled farm carts."   [56] "gigs."   [57] "two-wheeled carriages." [58] "covered carts."   [59] "close to."   [60] "browned."   [61] "horse-dealer." [62] "They inquired about the harvests."   [63] "grass."   [64] "damp."   [65] "jerky." [66] "scanning" (dividing).   [67] "at the wrong place."   [68] "immediately." [69] "corporal."   [70] *Me voilà.*   [71] "his (small glass of) brandy."

plus courbé encore que le matin, car les premiers pas après chaque repos étaient particulièrement difficiles, il se mit en route en répétant:

—Me v'là, me v'là.

Et il suivit le brigadier.

Le maire l'attendait, assis dans un fauteuil. C'était le notaire de l'endroit, homme gros, grave, à phrases pompeuses.

—Maître Hauchecorne, dit-il, on vous a vu ce matin ramasser, sur la route de Beuzeville, le portefeuille perdu par maître Houlbrèque, de Manneville.

Le campagnard, interdit, regardait le maire, apeuré déjà par ce soupçon qui pesait sur lui, sans qu'il comprît pourquoi.

—Mé,[72] mé, j'ai ramassé çu [73] portafeuille?

—Oui, vous-même.

—Parole d'honneur, je n'en ai seulement point eu connaissance.

—On vous a vu.

—On m'a vu, mé? Qui ça qui m'a vu?

—M. Malandain, le bourrelier.

Alors le vieux se rappela, comprit et, rougissant de colère:

—Ah! i [74] m'a vu, çu manant! I m'a vu ramasser ct'e ficelle-là, tenez, m'sieu le maire.

Et, fouillant au fond de sa poche, il en retira le petit bout de corde.

Mais le maire, incrédule, remuait la tête.

—Vous ne me ferez pas accroire, maître Hauchecorne, que M. Malandain, qui est un homme digne de foi, a pris ce fil pour un portefeuille.

Le paysan, furieux, leva la main, cracha de côté pour attester son honneur, répétant:

—C'est pourtant la vérité du bon Dieu, la sainte vérité, m'sieu le maire. Là, sur mon âme et mon salut, je l' répète.

Le maire reprit:

—Après avoir ramassé l'objet, vous avez même encore cherché longtemps dans la boue, si quelque pièce de monnaie ne s'en était pas échappée.

Le bonhomme suffoquait d'indignation et de peur.

—Si on peut [75] dire! . . . si on peut dire . . . des menteries comme ça pour dénaturer [76] un honnête homme! Si on peut dire! . . .

Il eut beau protester, on ne le crut pas.

Il fut confronté avec M. Malandain, qui répéta et soutint son affirmation. Ils s'injurièrent [77] une heure durant. On fouilla, sur sa demande, maître Hauchecorne. On ne trouva rien sur lui.

Enfin, le maire, fort perplexe, le renvoya, en le prévenant qu'il allait aviser le parquet [78] et demander des ordres.

La nouvelle s'était répandue. A sa sortie de la mairie, le vieux fut entouré, interrogé avec une curiosité sérieuse ou goguenarde,[79] mais où n'entrait

---

[72] *Moi.* [73] *ce.* [74] *il m'a vu, ce manant!*
[75] "Did anyone ever hear the like?" [76] "ruin the reputation of."
[77] "abused." [78] "court authorities." [79] "bantering."

aucune indignation. Et il se mit à raconter l'histoire de la ficelle. On ne le crut pas. On riait.

Il allait, arrêté par tous, arrêtant ses connaissances, recommençant sans fin son récit et ses protestations, montrant ses poches retournées, pour prouver qu'il n'avait rien.

On lui disait:

—Vieux malin, va! [80]

Et il se fâchait, s'exaspérant, enfiévré, désolé de n'être pas cru, ne sachant que faire, et contant toujours son histoire.

La nuit vint. Il fallait partir. Il se mit en route avec trois voisins à qui il montra la place où il avait ramassé le bout de corde; et tout le long du chemin il parla de son aventure.

Le soir, il fit une tournée dans le village de Bréauté, afin de la dire à tout le monde. Il ne rencontra que des incrédules.

Il en fut malade toute la nuit.

Le lendemain, vers une heure de l'après-midi, Marius Paumelle, valet de ferme de maître Breton, cultivateur à Ymauville, rendait le portefeuille et son contenu à maître Houlbrèque, de Manneville.

Cet homme prétendait avoir, en effet, trouvé l'objet sur la route; mais, ne sachant pas lire, il l'avait rapporté à la maison et donné à son patron.

La nouvelle se répandit aux environs. Maître Hauchecorne en fut informé. Il se mit aussitôt en tournée et commença à narrer son histoire complétée du dénouement. Il triomphait.

—C' qui m' faisait deuil,[81] disait-il, c'est point tant la chose, comprenez-vous; mais c'est la menterie.[82] Y a rien qui vous nuit comme d'être en réprobation pour une menterie.

Tout le jour il parlait de son aventure, il la contait sur les routes aux gens qui passaient, au cabaret aux gens qui buvaient, à la sortie de l'église le dimanche suivant. Il arrêtait des inconnus pour la leur dire. Maintenant, il était tranquille, et pourtant quelque chose le gênait sans qu'il sût au juste ce que c'était. On avait l'air de plaisanter en l'écoutant. On ne paraissait pas convaincu. Il lui semblait sentir des propos derrière son dos.

Le mardi de l'autre [83] semaine, il se rendit au marché de Goderville, uniquement poussé par le besoin de conter son cas.

Malandain, debout sur sa porte, se mit à rire en le voyant passer. Pourquoi?

Il aborda un fermier de Criquetot, qui ne le laissa pas achever et, lui jetant une tape dans le creux de son ventre, lui cria par la figure: «Gros malin, va!» Puis lui tourna les talons.

Maître Hauchecorne demeura interdit et de plus en plus inquiet. Pourquoi l'avait-on appelé «gros malin»?

Quand il fut assis à table, dans l'auberge de Jourdain, il se remit à expliquer l'affaire.

Un maquignon de Montivilliers lui cria:

—Allons, allons, vieille pratique,[84] je la connais, ta ficelle!

---

[80] "Go on, you sly old fox!" [81] "The thing that hurt me." [82] *mensonge.*
[83] "the following." [84] "you old rascal."

Hauchecorne balbutia:

—Puisqu'on l'a retrouvé çu portafeuille?

Mais l'autre reprit:

—Tais-té,[85] mon pé, y en a un qui trouve, et y en a un qui r'porte. Ni vu ni connu, je t'embrouille.[86]

Le paysan resta suffoqué. Il comprenait enfin. On l'accusait d'avoir fait reporter le portefeuille par un compère, par un complice.

Il voulut protester. Toute la table se mit à rire.

Il ne put achever son dîner et s'en alla, au milieu des moqueries.

Il rentra chez lui, honteux et indigné, étranglé par la colère, par la confusion, d'autant plus atterré qu'il était capable, avec sa finauderie [87] de Normand, de faire ce dont on l'accusait, et même de s'en vanter comme d'un bon tour. Son innocence lui apparaissait confusément comme impossible à prouver, sa malice [88] étant connue. Et il se sentait frappé au cœur par l'injustice du soupçon.

Alors il recommença à conter l'aventure, en allongeant chaque jour son récit, ajoutant chaque fois des raisons nouvelles, des protestations plus énergiques, des serments plus solennels qu'il imaginait, qu'il préparait dans ses heures de solitude, l'esprit uniquement occupé de l'histoire de la ficelle. On le croyait d'autant moins que sa défense était plus compliquée et son argumentation plus subtile.

—Ça, c'est des raisons d'menteux,[89] disait-on derrière son dos.

Il le sentait, se rongeait les sangs,[90] s'épuisait en efforts inutiles.

Il dépérissait à vue d'œil.

Les plaisants maintenant lui faisaient conter «la Ficelle» pour s'amuser, comme on fait conter sa bataille au soldat qui a fait campagne. Son esprit, atteint [91] à fond, s'affaiblissait.

Vers la fin de décembre, il s'alita.

Il mourut dans les premiers jours de janvier, et, dans le délire de l'agonie, il attestait son innocence, répétant:

—Une 'tite ficelle [92] . . . une 'tite ficelle . . . t'nez, la voilà, m'sieu le maire.

Miss Henriette.

L'AVENTURE DE WALTER SCHNAFFS

Depuis son entrée en France avec l'armée [93] d'invasion, Walter Schnaffs se jugeait le plus malheureux des hommes. Il était gros, marchait avec peine, soufflait beaucoup et souffrait affreusement des pieds qu'il avait fort plats et fort gras. Il était en outre pacifique et bienveillant, nullement magnanime [94] ou sanguinaire, père de quatre enfants qu'il adorait et marié avec une jeune femme blonde, dont il regrettait désespérément chaque soir les tendresses, les petits soins et les baisers. Il aimait se lever tard et se coucher tôt, manger

---

[85] *Tais-toi, mon père, il y en a un qui trouve, et il y en a un qui rapporte.*
[86] "no one is the wiser."   [87] "cunning."   [88] "trickery."   [89] *menteur.*
[90] "worried over it."   [91] "completely shaken."   [92] *une petite ficelle.*
[93] The German army under von Moltke, which invaded France in 1870.   [94] "courageous."

lentement de bonnes choses et boire de la bière dans les brasseries. Il songeait en outre que tout ce qui est doux dans l'existence disparaît avec la vie; et il gardait au cœur une haine épouvantable, instinctive et raisonnée en même temps, pour les canons, les fusils, les revolvers et les sabres, mais surtout pour les baïonnettes, se sentant incapable de manœuvrer assez vivement cette arme rapide pour défendre son gros ventre.

Et, quand il se couchait sur la terre, la nuit venue, roulé dans son manteau à côté des camarades qui ronflaient, il pensait longuement aux siens laissés là-bas et aux dangers semés sur sa route: S'il était tué, que deviendraient les petits? Qui donc les nourrirait et les élèverait? A l'heure même, ils n'étaient pas riches, malgré les dettes qu'il avait contractées en partant pour leur laisser quelque argent. Et Walter Schnaffs pleurait quelquefois.

Au commencement des batailles il se sentait dans les jambes de telles faiblesses qu'il se serait laissé tomber, s'il n'avait songé que toute l'armée lui passerait sur le corps. Le sifflement des balles hérissait le poil sur sa peau.

Depuis des mois il vivait ainsi dans la terreur et dans l'angoisse.

Son corps d'armée s'avançait vers la Normandie;[95] et il fut un jour envoyé en reconnaissance avec un faible détachement qui devait simplement explorer une partie du pays et se replier ensuite. Tout semblait calme dans la campagne; rien n'indiquait une résistance préparée.

Or, les Prussiens descendaient avec tranquillité dans une petite vallée que coupaient des ravins profonds, quand une fusillade violente les arrêta net, jetant bas une vingtaine des leurs; et une troupe de francs-tireurs,[96] sortant brusquement d'un petit bois grand comme la main, s'élança en avant, la baïonnette au fusil.

Walter Schnaffs demeura d'abord immobile, tellement surpris et éperdu qu'il ne pensait même pas à fuir. Puis un désir fou de détaler le saisit; mais il songea aussitôt qu'il courait comme une tortue en comparaison des maigres Français qui arrivaient en bondissant comme un troupeau de chèvres. Alors, apercevant à six pas devant lui un large fossé plein de broussailles couvertes de feuilles sèches, il y sauta à pieds joints, sans songer même à la profondeur, comme on saute d'un pont dans une rivière.

Il passa, à la façon d'une flèche, à travers une couche épaisse de lianes[97] et de ronces aiguës qui lui déchirèrent la face et les mains, et il tomba lourdement assis sur un lit de pierres.

Levant aussitôt les yeux, il vit le ciel par le trou qu'il avait fait. Ce trou révélateur le pouvait dénoncer, et il se traîna avec précaution, à quatre pattes, au fond de cette ornière,[98] sous le toit de branchages enlacés, allant le plus vite possible, en s'éloignant du lieu de combat. Puis il s'arrêta et s'assit de nouveau, tapi comme un lièvre au milieu des hautes herbes sèches.

Il entendit pendant quelque temps encore des détonations, des cris et des plaintes. Puis les clameurs de la lutte s'affaiblirent, cessèrent. Tout redevint muet et calme.

[95] Old province northwest of Paris.   [96] Guerilla fighters in the French army.
[97] "vines."   [98] "gully" (literally "rut").

Soudain quelque chose remua contre lui. Il eut un sursaut [99] épouvantable. C'était un petit oiseau qui, s'étant posé sur une branche, agitait des feuilles mortes. Pendant près d'une heure, le cœur de Walter Schnaffs en battit à grands coups pressés.

La nuit venait, emplissant d'ombre le ravin. Et le soldat se mit à songer. Qu'allait-il faire? Qu'allait-il devenir? Rejoindre son armée?... Mais comment? Mais par où? Et il lui faudrait recommencer l'horrible vie d'angoisses, d'épouvantes, de fatigues et de souffrances qu'il menait depuis le commencement de la guerre! Non! Il ne se sentait plus ce courage. Il n'aurait plus l'énergie qu'il fallait pour supporter les marches et affronter les dangers de toutes les minutes.

Mais que faire? Il ne pouvait rester dans ce ravin et s'y cacher jusqu'à la fin des hostilités. Non, certes. S'il n'avait pas fallu manger, cette perspective [100] ne l'aurait pas trop atterré; mais il fallait manger, manger tous les jours.

Et il se trouvait ainsi tout seul, en armes, en uniforme, sur le territoire ennemi, loin de ceux qui le pouvaient défendre. Des frissons lui couraient sur la peau.

Soudain il pensa: «Si seulement j'étais prisonnier!» Et son cœur frémit de désir, d'un désir violent, immodéré, d'être prisonnier des Français. Prisonnier! Il serait sauvé, nourri, logé, à l'abri des balles et des sabres, sans appréhension possible, dans une bonne prison bien gardée. Prisonnier! Quel rêve!

Et sa résolution fut prise immédiatement:

—Je vais me constituer prisonnier.

Il se leva, résolu à exécuter ce projet sans tarder d'une minute. Mais il demeura immobile, assailli soudain par des réflexions fâcheuses et par des terreurs nouvelles.

Où allait-il se constituer prisonnier? Comment? De quel côté? Et des images affreuses, des images de mort, se précipitèrent dans son âme.

Il allait courir des dangers terribles en s'aventurant seul, avec son casque à pointe,[101] par la campagne.

S'il rencontrait des paysans? Ces paysans, voyant un Prussien perdu, un Prussien sans défense, le tueraient comme un chien errant! Ils le massacreraient avec leurs fourches, leurs pioches, leurs faux, leurs pelles! Ils en feraient une bouillie,[102] une pâtée, avec l'acharnement [103] des vaincus exaspérés.

S'il rencontrait des francs-tireurs? Ces francs-tireurs, des enragés sans loi ni discipline, le fusilleraient pour s'amuser, pour passer une heure, histoire [104] de rire en voyant sa tête. Et il se croyait déjà appuyé contre un mur en face de douze canons de fusils, dont les petits trous ronds et noirs semblaient le regarder.

S'il rencontrait l'armée française elle-même? Les hommes d'avant-garde le prendraient pour un éclaireur, pour quelque hardi et malin troupier parti seul en reconnaissance, et ils lui tireraient dessus. Et il entendait déjà les

99 "start." 100 "prospect." 101 Prussian helmet. 102 "pulp."
103 "fury." 104 "just for fun."

détonations irrégulières des soldats couchés dans les broussailles, tandis que
lui, debout au milieu d'un champ, s'affaissait, troué comme une écumoire [105]
par les balles qu'il sentait entrer dans sa chair.

Il se rassit, désespéré. Sa situation lui paraissait sans issue.

La nuit était tout à fait venue, la nuit muette et noire. Il ne bougeait plus,
tressaillant à tous les bruits inconnus et légers qui passent dans les ténèbres.
Un lapin, tapant [106] du cul au bord d'un terrier, faillit faire s'enfuir Walter
Schnaffs. Les cris des chouettes [107] lui déchiraient l'âme, le traversant de
peurs soudaines, douloureuses comme des blessures. Il écarquillait ses gros
yeux pour tâcher de voir dans l'ombre; et il s'imaginait à tout moment
entendre marcher près de lui.

Après d'interminables heures et des angoisses de damné, il aperçut, à
travers son plafond de branchages, le ciel qui devenait clair. Alors, un
soulagement immense le pénétra; ses membres se détendirent, reposés soudain; son cœur s'apaisa; ses yeux se fermèrent. Il s'endormit.

Quand il se réveilla, le soleil lui parut arrivé à peu près au milieu du ciel;
il devait être midi. Aucun bruit ne troublait la paix morne des champs; et
Walter Schnaffs s'aperçut qu'il était atteint d'une faim aiguë.

Il bâillait, la bouche humide à la pensée du saucisson, du bon saucisson des
soldats; et son estomac lui faisait mal.

Il se leva, fit quelques pas, sentit que ses jambes étaient faibles, et se rassit
pour réfléchir. Pendant deux ou trois heures encore, il établit le pour et le
contre, changeant à tout moment de résolution, combattu, malheureux,
tiraillé par les raisons les plus contraires.

Une idée lui parut enfin logique et pratique, c'était de guetter le passage
d'un villageois seul, sans armes, et sans outils de travail dangereux, de courir
au-devant de lui et de se remettre en ses mains en lui faisant bien comprendre
qu'il se rendait.

Alors il ôta son casque, dont la pointe le pouvait trahir, et il sortit sa
tête au bord de son trou, avec des précautions infinies.

Aucun être isolé ne se montrait à l'horizon. Là-bas, à droite, un petit village
envoyait au ciel la fumée de ses toits, la fumée de ses cuisines! Là-bas, à
gauche, il apercevait, au bout des arbres d'une avenue, un grand château
flanqué de tourelles.

Il attendit jusqu'au soir, souffrant affreusement, ne voyant rien que des
vols de corbeaux, n'entendant rien que les plaintes sourdes de ses entrailles.

Et la nuit encore tomba sur lui.

Il s'allongea au fond de sa retraite et il s'endormit d'un sommeil fiévreux,
hanté de cauchemars, d'un sommeil d'homme affamé.

L'aurore se leva de nouveau sur sa tête. Il se remit en observation. Mais
la campagne restait vide comme la veille; et une peur nouvelle entrait dans
l'esprit de Walter Schnaffs, la peur de mourir de faim! Il se voyait étendu
au fond de son trou, sur le dos, les deux yeux fermés. Puis des bêtes, des
petites bêtes de toute sorte s'approchaient de son cadavre et se mettaient à
le manger, l'attaquant partout à la fois, se glissant sous ses vêtements pour

[105] "sieve." [106] "striking his rump against. . . ." [107] Common brown owl.

mordre sa peau froide. Et un grand corbeau lui piquait les yeux de son bec effilé.

Alors, il devint fou, s'imaginant qu'il allait s'évanouir de faiblesse et ne plus pouvoir marcher. Et déjà, il s'apprêtait à s'élancer vers le village, résolu à tout oser, à tout braver, quand il aperçut trois paysans qui s'en allaient aux champs avec leurs fourches sur l'épaule, et il se replongea dans sa cachette.

Mais, dès que le soir obscurcit la plaine, il sortit lentement du fossé, et se mit en route, courbé, craintif, le cœur battant, vers le château lointain, préférant entrer là dedans plutôt qu'au village qui lui semblait redoutable comme une tanière pleine de tigres.

Les fenêtres d'en bas brillaient. Une d'elles était même ouverte; et une forte odeur de viande cuite s'en échappait, une odeur qui pénétra brusquement dans le nez et jusqu'au fond du ventre de Walter Schnaffs; qui le crispa,[108] le fit haleter, l'attirant irrésistiblement, lui jetant au cœur une audace désespérée.

Et brusquement, sans réfléchir, il apparut, casqué, dans le cadre de la fenêtre.

Huit domestiques dînaient autour d'une grande table. Mais soudain une bonne demeura béante,[109] laissant tomber son verre, les yeux fixes. Tous les regards suivirent le sien!

On aperçut l'ennemi!

Seigneur! les Prussiens attaquaient le château! . . .

Ce fut d'abord un cri, un seul cri, fait de huit cris poussés sur huit tons différents, un cri d'épouvante horrible, puis une levée tumultueuse, une bousculade, une mêlée, une fuite éperdue vers la porte du fond. Les chaises tombaient, les hommes renversaient les femmes et passaient dessus. En deux secondes, la pièce fut vide, abandonnée, avec la table couverte de mangeaille en face de Walter Schnaffs stupéfait, toujours debout dans sa fenêtre.

Après quelques instants d'hésitation, il enjamba le mur[110] d'appui et s'avança vers les assiettes. Sa faim exaspérée le faisait trembler comme un fiévreux: mais une terreur le retenait, le paralysait encore. Il écouta. Toute la maison semblait frémir; des portes se fermaient, des pas rapides couraient sur le plancher du dessus. Le Prussien inquiet tendait l'oreille à ces confuses rumeurs; puis il entendit des bruits sourds comme si des corps fussent tombés dans la terre molle, au pied des murs, des corps humains sautant du premier étage.

Puis tout mouvement, toute agitation cessèrent, et le grand château devint silencieux comme un tombeau.

Walter Schnaffs s'assit devant une assiette restée intacte, et il se mit à manger. Il mangeait par grandes bouchées comme s'il eût craint d'être interrompu trop tôt, de n'en pouvoir engloutir assez. Il jetait à deux mains les morceaux dans sa bouche ouverte comme une trappe; et des paquets de nourriture lui descendaient coup sur coup dans l'estomac, gonflant sa gorge en passant. Parfois, il s'interrompait, prêt à crever à la façon d'un tuyau trop

---

108 "contracted."   109 "open-mouthed."   110 "he stepped over the window-sill."

plein. Il prenait alors la cruche au cidre et se déblayait [111] l'œsophage comme on lave un conduit bouché.

Il vida toutes les assiettes, tous les plats et toutes les bouteilles; puis, saoul [112] de liquide et de mangeaille, abruti,[113] rouge, secoué par des hoquets, l'esprit troublé et la bouche grasse, il déboutonna son uniforme pour souffler, incapable d'ailleurs de faire un pas. Ses yeux se fermaient, ses idées s'engourdissaient; il posa son front pesant dans ses bras croisés sur la table, et il perdit doucement la notion des choses et des faits.

Le dernier croissant éclairait vaguement l'horizon au-dessus des arbres du parc. C'était l'heure froide qui précède le jour.

Des ombres glissaient dans les fourrés,[114] nombreuses et muettes; et parfois, un rayon de lune faisait reluire dans l'ombre une pointe d'acier.

Le château tranquille dressait sa grande silhouette noire. Deux fenêtres seules brillaient encore au rez-de-chaussée.

Soudain, une voix tonnante hurla:

—En avant! nom d'un nom! [115] à l'assaut! mes enfants!

Alors, en un instant, les portes, les contrevents [116] et les vitres s'enfoncèrent sous un flot d'hommes qui s'élança, brisa, creva tout, envahit la maison. En un instant cinquante soldats armés jusqu'aux cheveux, bondirent dans la cuisine où reposait pacifiquement Walter Schnaffs, et, lui posant sur la poitrine cinquante fusils chargés, le culbutèrent, le roulèrent, le saisirent, le lièrent des pieds à la tête.

Il haletait d'ahurissement,[117] trop abruti pour comprendre, battu, crossé [118] et fou de peur.

Et tout d'un coup, un gros militaire chamarré [119] d'or lui planta son pied sur le ventre en vociférant:

—Vous êtes mon prisonnier, rendez-vous!

Le Prussien n'entendit que ce seul mot «prisonnier,» et il gémit: «ya,[120] ya, ya.»

Il fut relevé, ficelé sur une chaise, et examiné avec une vive curiosité par ses vainqueurs qui soufflaient comme des baleines. Plusieurs s'assirent, n'en pouvant [121] plus d'émotion et de fatigue.

Il souriait, lui, il souriait, maintenant, sûr d'être enfin prisonnier!

Un autre officier entra et prononça:

—Mon colonel, les ennemis se sont enfuis; plusieurs semblent avoir été blessés. Nous restons maîtres de la place.

Le gros militaire qui s'essuyait le front vociféra: «Victoire!»

Et il écrivit sur un petit agenda [122] de commerce tiré de sa poche:

«Après une lutte acharnée,[123] les Prussiens ont dû battre en retraite, em-

---

[111] "would flush out."   [112] "satiated."
[113] "besotted."   [114] "thickets."   [115] Euphemistic oath.   [116] "shutters."
[117] "he was panting with bewilderment."   [118] "clubbed."
[119] Decorated with gold or silver braid.   [120] German *ja*, "yes."
[121] "overcome."   [122] "memorandum."
[123] Observe the exaggeration, and note also the irony of the conclusion. The conclusion here

portant leurs morts et leurs blessés, qu'on évalue à cinquante hommes hors de combat. Plusieurs sont restés entre nos mains.»

Le jeune officier reprit:

—Quelles dispositions dois-je prendre, mon colonel?

Le colonel répondit:

—Nous allons nous replier pour éviter un retour offensif avec de l'artillerie et des forces supérieures.

Et il donna l'ordre de repartir.

La colonne se reforma dans l'ombre, sous les murs du château, et se mit en mouvement, enveloppant de partout Walter Schnaffs garrotté, tenu par six guerriers le revolver au poing.

Des reconnaissances furent envoyées pour éclairer la route. On avançait avec prudence, faisant halte de temps en temps.

Au jour levant, on arrivait à la sous-préfecture de la Roche-Oysel, dont la garde nationale avait accompli ce fait d'armes.

La population anxieuse et surexcitée attendait. Quand on aperçut le casque du prisonnier, des clameurs formidables éclatèrent. Les femmes levaient les bras; des vieilles pleuraient; un aïeul lança sa béquille au Prussien et blessa le nez d'un de ses gardiens.

Le colonel hurlait.

—Veillez à la sûreté du captif.

On parvint enfin à la maison [124] de ville. La prison fut ouverte, et Walter Schnaffs jeté dedans, libre de liens. Deux cents hommes en armes montèrent la garde autour du bâtiment.

Alors, malgré des symptômes d'indigestion qui le tourmentaient depuis quelque temps, le Prussien, fou de joie, se mit à danser, à danser éperdument, en levant les bras et les jambes, à danser en poussant des cris frénétiques, jusqu'au moment où il tomba, épuisé au pied d'un mur.

Il était prisonnier! Sauvé!

C'est ainsi que le château de Champignet fut repris à l'ennemi après six heures seulement d'occupation.

Le colonel Ratier, marchand de drap, qui enleva [125] cette affaire à la tête des gardes nationaux de la Roche-Oysel, fut décoré.[126]

Contes de la Bécasse.

LA PEUR

On remonta sur le pont après dîner. Devant nous, la Méditerranée n'avait pas un frisson sur toute sa surface qu'une grande lune calme moirait.[127] Le vaste bateau glissait, jetant sur le ciel, qui semblait ensemencé d'étoiles, un gros serpent de fumée noire: et, derrière nous, l'eau toute blanche, agitée par le

might be compared to that of *les Prisonniers* and other stories, in which Maupassant satirizes such bourgeois institutions as decorations, as well as the manner in which they are awarded.
[124] "the town-hall," where the jail would be located.   [125] "carried out."
[126] "was decorated," possibly, made a *chevalier de la Légion d'Honneur.*
[127] "caused to look like watered silk."

passage rapide du lourd bâtiment, battue par l'hélice, moussait, semblait se tordre, remuait tant de clartés qu'on eût dit de la lumière de lune bouillonnant.

Nous étions là, six ou huit, silencieux, admirant, l'œil tourné vers l'Afrique lointaine où nous allions. Le commandant, qui fumait un cigare au milieu
5 de nous, reprit soudain la conversation du dîner.

—Oui, j'ai eu peur ce jour-là. Mon navire est resté six heures avec ce rocher dans le ventre, battu par la mer. Heureusement que nous avons été recueillis, vers le soir, par un charbonnier anglais qui nous aperçut.

Alors un grand homme à figure brûlée, à l'aspect grave, un de ces hommes
10 qu'on sent avoir traversé de longs pays inconnus, au milieu de dangers inces- sants, et dont l'œil tranquille semble garder, dans sa profondeur, quelque chose des paysages étranges qu'il a vus: un de ces hommes qu'on devine trempés dans le courage, parla pour la première fois:

—Vous dites, commandant, que vous avez eu peur; je n'en crois rien. Vous
15 vous trompez sur le mot et sur la sensation que vous avez éprouvée. Un homme énergique n'a jamais peur en face du danger pressant. Il est ému, agité, anxieux; mais la peur, c'est autre chose.

Le commandant reprit en riant:

—Fichtre! [128] je vous réponds bien que j'ai eu peur, moi.
20 Alors l'homme au teint bronzé prononça d'une voix lente:

—Permettez-moi de m'expliquer! La peur (et les hommes les plus hardis peuvent avoir peur), c'est quelque chose d'effroyable, une sensation atroce, comme une décomposition de l'âme, un spasme affreux de la pensée et du cœur, dont le souvenir seul donne des frissons d'angoisse. Mais cela n'a lieu,
25 quand on est brave, ni devant une attaque, ni devant la mort inévitable, ni devant toutes les formes connues du péril: cela a lieu dans certaines circon- stances anormales, sous certaines influences mystérieuses en face de risques vagues. La vraie peur, c'est quelque chose comme une réminiscence des terreurs fantastiques d'autrefois. Un homme qui croit aux revenants, et qui s'imagine
30 apercevoir un spectre dans la nuit, doit éprouver la peur en toute son épou- vantable horreur.

Moi, j'ai deviné la peur en plein jour, il y a dix ans environ. Je l'ai ressentie, l'hiver dernier, par une nuit de décembre.

Et pourtant, j'ai traversé bien des hasards, bien des aventures qui
35 semblaient mortelles. Je me suis battu souvent. J'ai été laissé pour mort par des voleurs. J'ai été condamné, comme insurgé, à être pendu, en Amérique, et jeté à la mer du pont d'un bâtiment sur les côtes de Chine. Chaque fois je me suis cru perdu, j'en ai pris immédiatement mon parti,[129] sans attendris- sement et même sans regrets.
40 Mais la peur, ce n'est pas cela.

Je l'ai pressentie [130] en Afrique. Et pourtant elle est fille du Nord; le soleil la dissipe comme un brouillard. Remarquez bien ceci, Messieurs. Chez les Orientaux la vie ne compte pour rien; on est résigné tout de suite: les nuits sont claires et vides des inquiétudes sombres qui hantent les cerveaux

---

[128] "The deuce!"
[129] "I immediately resigned myself to the situation."   [130] "I had a foretaste of it."

dans les pays froids. En Orient, on peut connaître la panique, on ignore la peur.

Eh bien! voici ce qui m'est arrivé sur cette terre d'Afrique:

Je traversais les grandes dunes au sud de Ouargla.[131] C'est là un des plus étranges pays du monde. Vous connaissez le sable uni, le sable droit des interminables plages de l'Océan. Eh! bien figurez-vous l'Océan lui-même devenu sable au milieu d'un ouragan; imaginez une tempête silencieuse de vagues immobiles en poussière jaune. Elles sont hautes comme des montagnes, ces vagues inégales, différentes, soulevées tout à fait comme des flots déchaînés, mais plus grandes encore, et striées [132] comme de la moire. Sur cette mer furieuse, muette et sans mouvement, le dévorant soleil du Sud verse sa flamme implacable et directe. Il faut gravir ces lames de cendre d'or, re-descendre, gravir encore, gravir sans cesse, sans repos et sans ombre. Les chevaux râlent,[133] enfoncent jusqu'aux genoux, et glissent en dévalant l'autre versant des surprenantes collines.

Nous étions deux amis suivis de huit spahis [134] et de quatre chameaux avec leurs chameliers. Nous ne parlions plus, accablés de chaleur, de fatigue, et desséchés de soif comme ce désert ardent. Soudain un de nos hommes poussa une sorte de cri; tous s'arrêtèrent; et nous demeurâmes immobiles, surpris par un inexplicable phénomène, connu des voyageurs en ces contrées perdues.[135]

Quelque part, près de nous, dans une direction indéterminée, un tambour battait, le mystérieux tambour des dunes; il battait distinctement, tantôt plus vibrant, tantôt affaibli, arrêtant, puis reprenant son roulement fantastique.

Les Arabes, épouvantés, se regardaient; et l'un dit, en sa langue: «La mort est sur nous.» Et voilà que tout à coup mon compagnon, mon ami, presque mon frère, tomba de cheval, la tête en avant, foudroyé par une insolation.[136]

Et pendant deux heures, pendant que j'essayais en vain de le sauver, tou-jours ce tambour insaisissable m'emplissait l'oreille de son bruit monotone, intermittent et incompréhensible; et je sentais se glisser dans mes os la peur, la vraie peur, la hideuse peur, en face de ce cadavre aimé, dans ce trou incendié par le soleil entre quatre monts de sable, tandis que l'écho inconnu nous jetait, à deux cents lieues de tout village français, le battement rapide du tambour.

Ce jour-là, je compris ce que c'était que d'avoir peur; je l'ai su mieux encore une autre fois . . .

Le commandant interrompit le conteur:

—Pardon, Monsieur, mais ce tambour? Qu'était-ce?

Le voyageur répondit:

—Je n'en sais rien. Personne ne sait. Les officiers, surpris souvent par ce bruit singulier, l'attribuent généralement à l'écho grossi, multiplié, démesuré-

---

[131] Oasis in southern Algeria, on the edge of the Sahara.   [132] "streaked."
[133] "Make a rattling noise" (as they breathe).
[134] Mounted French soldiers in Algeria, most of whom are natives.
[135] "remote regions."   [136] "sunstroke."

ment enflé par les vallonnements [137] des dunes, d'une grêle de grains de sable emportés dans le vent et heurtant une touffe d'herbes sèches; car on a toujours remarqué que le phénomène se produit dans le voisinage de petites plantes brûlées par le soleil, et dures comme du parchemin.

5 Ce tambour ne serait donc qu'une sorte de mirage du son. Voilà tout. Mais je n'appris cela que plus tard.

J'arrive à ma seconde émotion.

C'était l'hiver dernier, dans une forêt du nord-est de la France. La nuit vint deux heures plus tôt, tant le ciel était sombre. J'avais pour guide un 10 paysan qui marchait à mon côté, par un tout petit chemin, sous une voûte de sapins dont le vent déchaîné tirait des hurlements. Entre les cimes, je voyais courir des nuages en déroute, des nuages perdus qui semblaient fuir devant une épouvante. Parfois sous une immense rafale, toute la forêt s'inclinait dans le même sens avec un gémissement de souffrance; et le froid 15 m'envahissait, malgré mon pas rapide et mon lourd vêtement.

Nous devions souper et coucher chez un garde forestier dont la maison n'était plus éloignée de nous. J'allais là pour chasser.

Mon guide, parfois, levait les yeux et murmurait: «Triste temps!» Puis il me parla des gens chez qui nous arrivions. Le père avait tué un braconnier 20 deux ans auparavant, et, depuis ce temps, il semblait sombre, comme hanté d'un souvenir. Ses deux fils, mariés, vivaient avec lui.

Les ténèbres étaient profondes. Je ne voyais rien devant moi, ni autour de moi, et toute la branchure des arbres entre-choqués emplissait la nuit d'une rumeur incessante. Enfin, j'aperçus une lumière, et bientôt mon compagnon 25 heurtait une porte. Des cris aigus de femmes nous répondirent. Puis, une voix d'homme, une voix étranglée demanda: «Qui va là?» Mon guide se nomma. Nous entrâmes. Ce fut un inoubliable tableau.

Un vieil homme à cheveux blancs, à l'œil fou, le fusil chargé dans la main, nous attendait debout au milieu de la cuisine, tandis que deux grands 30 gaillards,[138] armés de haches, gardaient la porte. Je distinguai dans les coins sombres deux femmes à genoux, le visage caché contre le mur.

On s'expliqua. Le vieux remit son arme contre le mur et ordonna de préparer ma chambre; puis, comme les femmes ne bougeaient point, il me dit brusquement:

35 —Voyez-vous, Monsieur, j'ai tué un homme il y a deux ans, cette nuit. L'autre année,[139] il est revenu m'appeler. Je l'attends encore ce soir.

Puis il ajouta d'un ton qui me fit sourire:

—Aussi, nous ne sommes pas tranquilles.

Je le rassurai comme je pus, heureux d'être venu justement ce soir-là, et 40 d'assister au spectacle de cette terreur superstitieuse. Je racontai des histoires, et je parvins à calmer à peu près tout le monde.

Près du foyer, un vieux chien, presque aveugle et moustachu, un de ces chiens qui ressemblent à des gens qu'on connaît, dormait le nez dans ses pattes.

---

[137] "terraces." [138] "fellows." [139] "last year."

Au dehors, la tempête acharnée battait la petite maison, et, par un étroit carreau, une sorte de judas [140] placé près de la porte, je voyais soudain tout un fouillis d'arbres bousculés par le vent à la lueur de grands éclairs.

Malgré mes efforts, je sentais bien qu'une terreur profonde tenait ces gens, et chaque fois que je cessais de parler, toutes les oreilles écoutaient au loin. Las d'assister à ces craintes imbéciles, j'allais demander à me coucher, quand le vieux garde tout à coup fit un bond de sa chaise, saisit de nouveau son fusil, en bégayant d'une voix égarée: «Le voilà! le voilà! Je l'entends!» Les deux femmes retombèrent à genoux dans leurs coins en se cachant le visage; et les fils reprirent leurs haches. J'allais tenter encore de les apaiser, quand le chien endormi s'éveilla brusquement et, levant sa tête, tendant le cou, regardant vers le feu, de son œil presque éteint, il poussa un de ces lugubres hurlements qui font tressaillir les voyageurs, le soir, dans la campagne. Tous les yeux se portèrent sur lui, il restait maintenant immobile, dressé sur ses pattes comme hanté d'une vision et il se mit à hurler vers quelque chose d'invisible, d'inconnu, d'affreux sans doute, car tout son poil se hérissait. Le garde, livide, cria: «Il le sent! il le sent! il était là quand je l'ai tué.» Et les deux femmes égarées se mirent, toutes les deux, à hurler avec le chien.

Malgré moi, un grand frisson me courut entre les épaules. Cette vision de l'animal dans ce lieu, à cette heure, au milieu de ces gens éperdus, était effrayante à voir.

Alors, pendant une heure, le chien hurla sans bouger; il hurla comme dans l'angoisse d'un rêve; et la peur, l'épouvantable peur entrait en moi; la peur de quoi? Le sais-je? C'était la peur, voilà tout.

Nous restions immobiles, livides, dans l'attente d'un événement affreux, l'oreille tendue, le cœur battant, bouleversés au moindre bruit. Et le chien se mit à tourner autour de la pièce, en sentant les murs et gémissant toujours. Cette bête nous rendait fous! Alors, le paysan qui m'avait amené se jeta sur elle, dans une sorte de paroxysme de terreur furieuse, et, ouvrant une porte donnant sur une petite cour, jeta l'animal dehors.

Il se tut aussitôt; et nous restâmes plongés dans un silence plus terrifiant encore. Et soudain tous ensemble, nous eûmes une sorte de sursaut; un être glissait contre le mur du dehors vers la forêt; puis il passa contre la porte, qu'il sembla tâter d'une main hésitante; puis on n'entendit plus rien pendant deux minutes qui firent de nous des insensés; puis il revint, frôlant toujours la muraille; et il gratta légèrement, comme ferait un enfant avec son ongle; puis soudain une tête apparut contre la vitre du judas, une tête blanche avec des yeux lumineux comme ceux des fauves. Et un son sortit de sa bouche, un son indistinct, un murmure plaintif.

Alors un bruit formidable éclata dans la cuisine. Le vieux garde avait tiré et aussitôt les fils se précipitèrent, bouchèrent le judas en dressant la grande table qu'ils assujettirent [141] avec le buffet.

Et je vous jure qu'au fracas du coup de fusil que je n'attendais point, j'eus une telle angoisse du cœur, de l'âme et du corps, que je me sentis défaillir, prêt à mourir de peur.

---

[140] "peep-hole."   [141] "braced."

Nous restâmes là jusqu'à l'aurore, incapables de bouger, de dire un mot, crispés dans un affolement indicible.

On n'osa débarricader la sortie qu'en apercevant, par la fente d'un auvent, un mince rayon de jour.

5 Au pied du mur, contre la porte, le vieux chien gisait, la gueule brisée d'une balle.

Il était sorti de la cour en creusant un trou sous une palissade.

L'homme au visage brun se tut; puis il ajouta:

—Cette nuit-là, pourtant, je ne courus aucun danger; mais j'aimerais mieux
10 recommencer toutes les heures où j'ai affronté les plus terribles périls, que la seule minute du coup de fusil sur la tête barbue du judas.

Contes de la Bécasse.

MENUET

Les grands malheurs ne m'attristent guère, dit Jean Bridelle, un vieux garçon qui passait pour sceptique. J'ai vu la guerre de bien près: j'enjambais les corps sans apitoiement. Les fortes brutalités de la nature ou des hommes
15 peuvent nous faire pousser des cris d'horreur ou d'indignation, mais ne nous donnent point ce pincement [142] au cœur, ce frisson qui vous passe dans le dos à la vue de certaines petites choses navrantes.

La plus violente douleur que l'on puisse éprouver, certes, est la perte d'un enfant pour une mère, et la perte de la mère pour un homme. Cela est violent,
20 terrible, cela bouleverse et déchire; mais on guérit de ces catastrophes comme de larges blessures saignantes. Or, certaines rencontres, certaines choses entr'aperçues, devinées, certains chagrins secrets, certaines perfidies du sort, qui remuent en nous tout un monde douloureux de pensées, qui entr'ouvrent devant nous brusquement la porte mystérieuse des souffrances morales,
25 compliquées, incurables, d'autant plus profondes qu'elles semblent bénignes, d'autant plus cuisantes [143] qu'elles semblent presque insaisissables, d'autant plus tenaces qu'elles semblent factices,[144] nous laissent à l'âme comme une traînée [145] de tristesse, un goût d'amertume, une sensation de désenchantement dont nous sommes longtemps à nous débarrasser.

30 J'ai toujours devant les yeux deux ou trois choses que d'autres n'eussent point remarquées assurément, et qui sont entrées en moi comme de longues et minces piqûres [146] inguérissables.

Vous ne comprendriez peut-être pas l'émotion qui m'est restée de ces rapides impressions. Je ne vous en dirai qu'une. Elle est très vieille, mais vive
35 comme d'hier. Il se peut que mon imagination seule ait fait les frais [147] de mon attendrissement.

J'ai cinquante ans. J'étais jeune alors et j'étudiais le droit. Un peu triste, un peu rêveur, imprégné d'une philosophie mélancolique, je n'aimais guère les cafés bruyants, les camarades braillards,[148] ni les filles stupides. Je me

142 "gripping."   143 "bitter."   144 "unreal."   145 "streak," "trail," "train."
146 "stings."   147 "was the source of," "was responsible for."   148 "noisy."

levais tôt; et une de mes plus chères voluptés était de me promener seul, vers huit heures du matin, dans la pépinière [149] du Luxembourg.[150]

Vous ne l'avez pas connue, vous autres, cette pépinière? C'était comme un jardin oublié de l'autre siècle, un jardin joli comme un doux sourire de vieille. Des haies touffues séparaient les allées étroites et régulières, allées calmes entre deux murs de feuillage taillés avec méthode. Les grands ciseaux du jardinier alignaient sans relâche ces cloisons de branches; et, de place en place, on rencontrait des parterres de fleurs, des plates-bandes de petits arbres rangés comme des collégiens en promenade, des sociétés des rosiers magnifiques ou des régiments d'arbres à fruits.

Tout un coin de ce ravissant bosquet était habité par les abeilles. Leurs maisons de paille, savamment espacées sur des planches, ouvraient au soleil leurs portes grandes comme l'entrée d'un dé à coudre; et on rencontrait tout le long des chemins les mouches bourdonnantes et dorées, vraies maîtresses de ce lieu pacifique, vraies promeneuses de ces tranquilles allées en corridors.

Je venais là presque tous les matins. Je m'asseyais sur un banc et je lisais. Parfois je laissais retomber le livre sur mes genoux pour rêver, pour écouter autour de moi vivre Paris, et jouir du repos infini de ces charmilles [151] à la mode ancienne.

Mais je m'aperçus bientôt que je n'étais pas seul à fréquenter ce lieu dès l'ouverture des barrières, et je rencontrais parfois, nez à nez, au coin d'un massif,[152] un étrange petit vieillard.

Il portait des souliers à boucles d'argent, une culotte à pont,[153] une redingote tabac d'Espagne, une dentelle en guise de cravate et un invraisemblable chapeau gris à grands bords et à grands poils, qui faisait penser au déluge.

Il était maigre, fort maigre, anguleux, grimaçant et souriant. Ses yeux vifs palpitaient, s'agitaient sous un mouvement continu des paupières; et il avait toujours à la main une superbe canne à pommeau d'or qui devait être pour lui quelque souvenir magnifique.

Ce bonhomme m'étonna d'abord, puis m'intéressa outre mesure. Et je le guettais à travers les murs de feuilles, je le suivais de loin, m'arrêtant au détour des bosquets pour n'être point vu.

Et voilà qu'un matin, comme il se croyait bien seul, il se mit à faire des mouvements singuliers: quelques petits bonds d'abord, puis une révérence; puis il battit, de sa jambe grêle, un entrechat [154] encore alerte, puis il commença à pivoter galamment, sautillant, se trémoussant [155] d'une façon drôle, souriant comme devant un public, faisant des grâces, arrondissant les bras, tortillant son pauvre corps de marionnette, adressant dans le vide de légers saluts attendrissants et ridicules. Il dansait!

---

[149] "nursery" (for plants).
[150] The *Jardin du Luxembourg* is one of the largest parks in Paris; located in the "Latin Quarter."
[151] "hedges" (of hornbeam).   [152] "clump" (of bushes).
[153] "breeches with a flap." Translate: "old-fashioned knee breeches, buttoned at the sides."
[154] "cut a caper."   [155] "fluttering," "frisking."

Je demeurais pétrifié d'étonnement, me demandant lequel des deux était fou, lui, ou moi.

Mais il s'arrêta soudain, s'avança comme font les acteurs sur la scène, puis s'inclina en reculant avec des sourires gracieux et des baisers de comédienne qu'il jetait de sa main tremblante aux deux rangées d'arbres taillés.

Et il reprit avec gravité sa promenade.

A partir de ce jour, je ne le perdis plus de vue; et, chaque matin, il recommençait son exercice invraisemblable.

Une envie folle me prit de lui parler. Je me risquai, et, l'ayant salué, je lui dis:

—Il fait bien bon aujourd'hui, monsieur.

Il s'inclina.

—Oui, monsieur, c'est un vrai temps de jadis.

Huit jours après, nous étions amis et je connus son histoire. Il avait été maître de danse à l'Opéra, du temps du roi Louis XV.[156] Sa belle canne était un cadeau du comte de Clermont.[157] Et, quand on lui parlait de danse, il ne s'arrêtait plus de bavarder.

Or, voilà qu'un jour il me confia:

—J'ai épousé la Castris, monsieur. Je vous présenterai si vous voulez, mais elle ne vient ici que sur le tantôt.[158] Ce jardin, voyez-vous, c'est notre plaisir et notre vie. C'est tout ce qui nous reste d'autrefois. Il nous semble que nous ne pourrions plus exister si nous ne l'avions point. Cela est vieux et distingué, n'est-ce pas? Je crois y respirer un air qui n'a point changé depuis ma jeunesse. Ma femme et moi, nous y passons toutes nos après-midi. Mais moi, j'y viens dès le matin, car je me lève de bonne heure.

Dès que j'eus fini de déjeuner, je retournai au Luxembourg, et bientôt j'aperçus mon ami qui donnait le bras avec cérémonie à une toute vieille petite femme vêtue de noir, et à qui je fus présenté. C'était la Castris, la grande danseuse aimée des princes, aimée du roi, aimée de tout ce siècle galant qui semble avoir laissé dans le monde une odeur d'amour.

Nous nous assîmes sur un banc. C'était au mois de mai. Un parfum de fleurs voltigeait dans les allées proprettes:[159] un bon soleil glissait entre les feuilles et semait sur nous de larges gouttes de lumière. La robe noire de la Castris semblait toute mouillée de clarté.

Le jardin était vide. On entendait au loin rouler des fiacres.

—Expliquez-moi donc, dis-je au vieux danseur, ce que c'était que le menuet?

Il tressaillit.

—Le menuet, monsieur, c'est la reine des danses, et la danse des Reines, entendez-vous? Depuis qu'il n'y a plus de Rois, il n'y a plus de menuet.

Et il commença, en style pompeux, un long éloge dithyrambique [160] auquel je ne compris rien. Je voulus me faire décrire les pas, tous les mouvements,

[156] Louis XV (1715-1774).   [157] A prince of the Condé family (1709-1771).
[158] "by and by," "somewhat later."   [159] "tidy."   [160] "enthusiastic."

les poses. Il s'embrouillait, s'exaspérant de son impuissance, nerveux et désolé.

Et soudain, se tournant vers son antique compagne, toujours silencieuse et grave:

—Élise, veux-tu, dis, veux-tu, tu seras bien gentille, veux-tu que nous montrions à monsieur ce que c'était?

Elle tourna ses yeux inquiets de tous les côtés, puis se leva sans dire un mot et vint se placer en face de lui.

Alors je vis une chose inoubliable.

Ils allaient et venaient avec des simagrées [161] enfantines, se souriaient, se balançaient, s'inclinaient, sautillaient,[162] pareils à deux vieilles poupées qu'aurait fait danser une mécanique ancienne, un peu brisée, construite jadis par un ouvrier fort habile, suivant la manière de son temps.

Et je les regardais, le cœur troublé de sensations extraordinaires, l'âme émue d'une indicible [163] mélancolie. Il me semblait voir une apparition lamentable et comique, l'ombre démodée d'un siècle. J'avais envie de rire et besoin de pleurer.

Tout à coup ils s'arrêtèrent, ils avaient terminé les figures de la danse. Pendant quelques secondes ils restèrent debout l'un devant l'autre, grimaçant d'une façon surprenante; puis ils s'embrassèrent en sanglotant.

Je partais, trois jours après, pour la province. Je ne les ai point revus. Quand je revins à Paris, deux ans plus tard, on avait détruit la pépinière. Que sont-ils devenus sans le cher jardin d'autrefois, avec ses chemins en labyrinthe, son odeur du passé et les détours gracieux des charmilles?

Sont-ils morts? Errent-ils par les rues modernes comme des exilés sans espoir? Dansent-ils, spectres falots,[164] un menuet fantastique entre les cyprès d'un cimetière, le long des sentiers bordés de tombes, au clair de lune?

Leur souvenir me hante, m'obsède, me torture, demeure en moi comme une blessure. Pourquoi? Je n'en sais rien.

Vous trouverez cela ridicule, sans doute?

Contes de la Bécasse.

[161] "affectations."
[163] "indescribable, unspeakable."
[162] "hopped."
[164] "grotesque."

ÉMILE ZOLA (1840–1902)

The rise of Naturalism immediately following the Franco-Prussian war was by no means an instance of spontaneous generation. In the immediate background, following Stendhal and Balzac, were Murger, Duranty, Flaubert, the Goncourts, and others, each advancing the evolution in his own way. There was the positivistic philosophy of Auguste Comte which had contributed to the development of the materialism that had become rooted in both society and literature. There was the deterministic theory of Taine to justify it, and Claude Bernard's *Introduction à l'Étude de la Médecine Expérimentale* to suggest not only the method but the very name for Zola to use: *Le Roman Expérimental*. Naturalism, as one critic has said, was to be merely "Realism with scientific pretensions."

It remained for Zola to apply to the novel a so-called scientific method, with exactitude as one of its main tenets. As a matter of fact, in spite of all his claims and theories, there is little science to be found in Zola, and his psychology—which to him meant observing and describing the exterior—is of little consequence. Despite diligent note-taking and tedious minute descriptions, his determination to "chercher la bête" led him far astray. He is little more realistic than the Romanticists; he often merely exaggerates in the opposite direction. One should not allow himself to be misled by the imposing claim: "Histoire naturelle et sociale d'une famille sous le second Empire," for the twenty volumes forming the series of the *Rougon-Macquart* (1871–1893) are neither history nor natural nor excessively social. Wright calls the series "a vast prose epic of human bestiality." Zola's ambition was to do for the Second Empire what Balzac had done for the first half of the nineteenth century, but lacking the insight, the understanding, the genius of his predecessor, he fell far short of the mark.

One should remember, however, that Zola was first of all a Romanticist, and that he had a very active imagination. It is when he is least scientific, perhaps, when he gives play to his imagination and to his epic descriptive powers that he is at his best. Lanson says: "Mais c'est précisément ce romantisme, cette puissance poétique qui font la valeur de l'œuvre de M. Zola: cinq ou six de ses romans sont des visions grandioses qui saisissent l'imagination. Surtout, incapable, comme il est, de faire vivre un individu, il a le don de mouvoir les masses, les foules: il est sans égal pour peindre tout ce qui est confus et démesuré, la cohue des rues, une réunion de courses, une grève, une émeute. Toutes les parties de *Germinal* qui expriment la vie et l'âme collectives des mineurs, sont étonnantes de largeur épique." (*Histoire de la Littérature Française.*) Unfortunately the average reader finds in him more that is disgusting than pleasing or charming. Fortunately Naturalism was short-lived—it was dead before 1890—and even Zola, toward the end of his life, turned away from it to write novels of sociological interest.

IMPORTANT WORKS:

NOVEL: *L'Assommoir* (1877); *Germinal* (1885); *La Débâcle* (1892).

LE ROMAN EXPÉRIMENTAL

Je n'aurai à faire ici qu'un travail d'adaptation, car la méthode expéri- mentale a été établie avec une force et une clarté merveilleuse par Claude Bernard, dans son *Introduction à l'étude de la médecine expérimentale.* Ce livre, d'un savant dont l'autorité est décisive, va me servir de base solide. Je trouverai là toute la question traitée et je me bornerai, comme argu- 5 ments irréfutables à donner les citations qui me seront nécessaires. Ce ne sera donc qu'une compilation de textes; car je compte sur tous les points me retrancher derrière Claude Bernard. Le plus souvent, il me suffira de remplacer le mot «médecin» par le mot «romancier», pour rendre ma pensée claire et lui apporter la rigueur d'une vérité scientifique. . . . 10

Eh bien! en revenant au roman, nous voyons également que le romancier est fait d'un observateur et d'un expérimentateur. L'observateur chez lui donne les faits tels qu'il les a observés, pose le point de départ, établit le terrain solide sur lequel vont marcher les personnages et se développer les phénomènes. Puis l'expérimentateur paraît et institue l'expérience, je veux 15 dire fait mouvoir les personnages dans une histoire particulière, pour y montrer que la succession des faits y sera telle que l'exige le déterminisme des phénomènes mis à l'étude. C'est presque toujours ici une expérience «pour voir», comme l'appelle Claude Bernard. Le romancier part à la recherche d'une vérité. Je prendrai comme exemple la figure du baron 20 Hulot, dans La *Cousine Bette,* de Balzac. Le fait général observé par Balzac est le ravage que le tempérament amoureux d'un homme amène chez lui, dans sa famille et dans la société. Dès qu'il a eu choisi son sujet, il est parti des faits observés, puis il a institué son expérience en soumettant Hulot à une série d'épreuves, en le faisant passer par certains milieux, pour montrer le 25 fonctionnement du mécanisme de sa passion. Il est donc évident qu'il n'y a pas seulement là observation, mais qu'il y a aussi expérimentation, puisque Balzac ne s'en tient pas strictement en photographe aux faits recueillis par lui, puisqu'il intervient d'une façon directe pour placer son personnage dans des conditions dont il reste le maître. Le problème est de savoir ce que telle 30 passion, agissant dans tel milieu et dans telles circonstances, produira au point de vue de l'individu et de la société; et un roman expérimental, La *Cousine Bette,* par exemple, est simplement le procès-verbal de l'expéri- ence, que le romancier répète sous les yeux du public. En somme toute l'opération consiste à prendre les faits dans la nature, puis à étudier le 35 mécanisme des faits, en agissant sur eux par les modifications des cir- constances et des milieux, sans jamais s'écarter des lois de la nature. Au bout, il y a la connaissance de l'homme, la connaissance scientifique, dans son action individuelle et sociale.

Sans doute, nous sommes loin ici des certitudes de la chimie et même de 40 la physiologie. Nous ne connaissons point encore les réactifs qui décomposent

les passions et qui permettent de les analyser. . . . Si le romancier expérimental marche encore à tâtons dans la plus obscure et la plus complexe des
sciences, cela n'empêche pas cette science d'exister. Il est indéniable que le
roman naturaliste, tel que nous le comprenons à cette heure, est une expéri-
5 ence véritable que le romancier fait sur l'homme, en s'aidant de l'observation. . . .

Sans me risquer à formuler des lois, j'estime que la question d'hérédité a
une grande influence [1] dans les manifestations intellectuelles et passionelles
de l'homme. Je donne aussi une importance considérable au milieu. . . .
10 J'en suis donc arrivé à ce point: le roman expérimental est une conséquence
de l'évolution scientifique du siècle; il continue et complète la physiologie,
qui elle-même s'appuie sur la chimie et la physique; il substitute à l'étude
de l'homme abstrait, de l'homme métaphysique, l'étude de l'homme naturel,
soumis aux lois physico-chimiques et déterminé par les influences du milieu;
15 il est en un mot la littérature de notre âge scientifique, comme la littérature
classique et romantique a correspondu à un âge de scolastique et de
théologie. . . .

Je résume notre rôle de moralistes expérimentateurs. Nous montrons le
mécanisme de l'utile et du nuisible, nous dégageons le déterminisme des
20 phénomènes humains et sociaux, pour qu'on puisse un jour dominer et
diriger ces phénomènes. En un mot, nous travaillons avec tout le siècle à
la grande œuvre qui est la conquête de la nature, la puissance de l'homme
décuplée. Et voyez, à côté de la nôtre, la besogne des écrivains idéalistes,
qui s'appuient sur l'irrationnel et le surnaturel, et dont chaque élan est suivi
25 d'une chute profonde dans le chaos métaphysique. C'est nous qui avons la
force, c'est nous qui avons la morale.

Le Roman expérimental.

L'ATTAQUE DU MOULIN [2]

I

Le moulin du père Merlier, par cette belle soirée d'été, était en grande
fête. Dans la cour, on avait mis trois tables, placées bout à bout, et qui
attendaient les convives. Tout le pays savait qu'on devait fiancer, ce jour-là,
30 la fille Merlier, Françoise, avec Dominique, un garçon qu'on accusait de
fainéantise, mais que les femmes, à trois lieues à la ronde, regardaient avec
des yeux luisants, tant il avait bon air.

---

[1] In his preface to *Les Rougon-Macquart,* Zola states: "L'hérédité a ses lois, comme la
pesanteur."
[2] This story first appeared in *Les Soirées de Médan,* a collection of stories edited by Zola (1880),
to which Maupassant, Alexis, Céard, Hennique, and Huysmans, also contributed. Each of the
stories deals with an episode of the Franco-Prussian war. Maupassant's story was *Boule de Suif.*
Zola's story is hardly typical of his method—it is far more Romantic than Naturalistic.

Ce moulin du père Merlier était une vraie gaîté.[3] Il se trouvait juste au milieu de Rocreuse, à l'endroit où la grand'route fait un coude. Le village n'a qu'une rue, deux files de masures, une file à chaque bord de la route; mais là, au coude, des prés s'élargissent, de grands arbres, qui suivent le cours de la Morelle, couvrent le fond de la vallée d'ombrages magnifiques. Il n'y a pas, dans toute la Lorraine,[4] un coin de nature plus adorable. A droite et à gauche, des bois épais, des futaies séculaires [5] montent des pentes douces, emplissent l'horizon d'une mer de verdure; tandis que, vers le midi, la plaine s'étend, d'une fertilité merveilleuse, déroulant à l'infini des pièces de terre coupées de haies vives. Mais ce qui fait surtout le charme de Rocreuse, c'est la fraîcheur de ce trou de verdure, aux journées les plus chaudes de juillet et d'août. La Morelle descend des bois de Gagny, et il semble qu'elle prenne le froid des feuillages sous lesquels elle coule pendant des lieues; elle apporte les bruits murmurants, l'ombre glacée et recueillie des forêts. Et elle n'est point la seule fraîcheur: toutes sortes d'eaux courantes chantent sous les bois; à chaque pas, des sources jaillissent; on sent, lorsqu'on suit les étroits sentiers, comme des lacs souterrains qui percent sous la mousse et profitent des moindres fentes, au pied des arbres, entre les roches, pour s'épancher en fontaines cristallines. Les voix chuchotantes de ces ruisseaux s'élèvent si nombreuses et si hautes, qu'elles couvrent le chant des bouvreuils. On se croirait dans quelque parc enchanté, avec des cascades tombant de toutes parts.

En bas, les prairies sont trempées. Des marronniers gigantesques font des ombres noires. Au bord des prés, de longs rideaux de peupliers alignent leurs tentures [6] bruissantes. Il y a deux avenues d'énormes platanes qui montent, à travers champs, vers l'ancien château de Gagny, aujourd'hui en ruines. Dans cette terre continuellement arrosée, les herbes grandissent démesurément. C'est comme un fond de parterre,[7] entre les deux coteaux boisés, mais de parterre naturel, dont les prairies sont les pelouses, et dont les arbres géants dessinent les colossales corbeilles.[8] Quand le soleil, à midi, tombe d'aplomb, les ombres bleuissent, les herbes allumées dorment dans la chaleur, tandis qu'un frisson glacé passe sous les feuillages.

Et c'était là que le moulin du père Merlier égayait de son tic-tac un coin de verdures folles. La bâtisse, faite de plâtre et de planches, semblait vieille comme le monde. Elle trempait à moitié dans la Morelle, qui arrondit à cet endroit un clair bassin. Une écluse était ménagée, la chute tombait de quelques mètres sur la roue du moulin, qui craquait en tournant, avec la toux asthmatique d'une fidèle servante vieillie dans la maison. Quand on conseillait au père Merlier de la changer, il hochait la tête en disant qu'une jeune roue serait plus paresseuse et ne connaîtrait pas si bien le travail; et il raccommodait l'ancienne avec tout ce qui lui tombait sous la main, des douves de tonneau, des ferrures rouillées, du zinc, du plomb. La roue en paraissait plus gaie, avec son profil devenu étrange, toute empanachée [9]

---

[3] "a real joy."
[4] One of the eastern provinces taken from France after the Franco-Prussian war (1870).
[5] "centuries old."   [6] "hangings."   [7] "flower-garden."   [8] "flower-beds."   [9] "bedecked."

d'herbes et de mousses. Lorsque l'eau la battait de son flot d'argent, elle se couvrait de perles, on voyait passer son étrange carcasse sous une parure éclatante de colliers de nacre.

La partie du moulin qui trempait ainsi dans la Morelle, avait l'air d'une
5 arche barbare, échouée là. Une bonne moitié du logis était bâtie sur des pieux. L'eau entrait sous le plancher, il y avait des trous, bien connus dans le pays pour les anguilles et les écrevisses énormes qu'on y prenait. En dessous de la chute, le bassin était limpide comme un miroir, et lorsque la roue ne le troublait pas de son écume, on apercevait des bandes de gros
10 poissons qui nageaient avec des lenteurs d'escadre. Un escalier rompu descendait à la rivière, près d'un pieu où était amarrée une barque. Une galerie de bois passait au-dessus de la roue. Des fenêtres s'ouvraient, percées irrégulièrement. C'était un pêle-mêle d'encoignures, de petites murailles, de constructions ajoutées après coup, de poutres et de toitures qui donnaient au
15 moulin un aspect d'ancienne citadelle démantelée. Mais des lierres avaient poussé, toutes sortes de plantes grimpantes bouchaient les crevasses trop grandes et mettaient un manteau vert à la vieille demeure. Les demoiselles [10] qui passaient, dessinaient sur leurs albums le moulin du père Merlier.

Du côté de la route, la maison était plus solide. Un portail en pierre
20 s'ouvrait sur la grande cour, que bordaient à droite et à gauche des hangars et des écuries. Près d'un puits, un orme immense couvrait de son ombre la moitié de la cour. Au fond, la maison alignait les quatre fenêtres de son premier étage, surmonté d'un colombier. La seule coquetterie du père Merlier était de faire badigeonner cette façade tous les dix ans. Elle venait justement
25 d'être blanchie, et elle éblouissait le village, lorsque le soleil l'allumait, au milieu du jour.

Depuis vingt ans, le père Merlier était maire de Rocreuse. On l'estimait pour la fortune qu'il avait su faire. On lui donnait [11] quelque chose comme quatre-vingt mille francs, amassés sou à sou. Quand il avait épousé Madeleine
30 Guillard, qui lui apportait en dot le moulin, il ne possédait guère que ses deux bras. Mais Madeleine ne s'était jamais repentie de son choix, tant il avait su mener gaillardement [12] les affaires du ménage. Aujourd'hui, la femme était défunte, il restait veuf avec sa fille Françoise. Sans doute, il aurait pu se reposer, laisser la roue du moulin dormir dans la mousse; mais il se
35 serait trop ennuyé, et la maison lui aurait semblé morte. Il travaillait toujours, pour le plaisir. Le père Merlier était alors un grand vieillard, à longue figure silencieuse, qui ne riait jamais, mais qui était tout de même très gai en dedans. On l'avait choisi pour maire, à cause de son argent, et aussi pour le bel air qu'il savait prendre, lorsqu'il faisait un mariage.[13]
40 Françoise Merlier venait d'avoir dix-huit ans. Elle ne passait pas pour une des belles filles du pays, parce qu'elle était chétive. Jusqu'à quinze ans, elle avait même été laide. On ne pouvait pas comprendre, à Rocreuse, comment la fille du père et de la mère Merlier, tous deux si bien plantés,[14] poussait mal et d'un air de regret. Mais à quinze ans, tout en restant délicate, elle prit une

---

[10] "city girls."   [11] "It was thought that he had."   [12] "successfully."
[13] In France the official marriage ceremony is performed by the mayor.   [14] "well built."

petite figure, la plus jolie du monde. Elle avait des cheveux noirs, des yeux noirs, et elle était toute rose avec ça; une bouche qui riait toujours, des trous dans les joues, un front clair où il y avait comme une couronne de soleil. Quoique chétive pour le pays, elle n'était pas maigre, loin de là; on voulait dire simplement qu'elle n'aurait pas pu lever un sac de blé; mais elle devenait toute potelée[15] avec l'âge, elle devait finir par être ronde et friande comme une caille. Seulement, les longs silences de son père l'avaient rendue raisonnable très jeune. Si elle riait toujours, c'était pour faire plaisir aux autres. Au fond, elle était sérieuse.

Naturellement, tout le pays la courtisait, plus encore pour ses écus que pour sa gentillesse. Et elle avait fini par faire un choix, qui venait de scandaliser la contrée. De l'autre côté de la Morelle, vivait un grand garçon, que l'on nommait Dominique Penquer. Il n'était pas de Rocreuse. Dix ans auparavant, il était arrivé de Belgique, pour hériter d'un oncle, qui possédait un petit bien, sur la lisière même de la forêt de Gagny, juste en face du moulin, à quelques portées de fusil. Il venait pour vendre ce bien, disait-il, et retourner chez lui. Mais le pays le charma, paraît-il, car il n'en bougea plus. On le vit cultiver son bout de champ, récolter quelques légumes dont il vivait. Il pêchait, il chassait; plusieurs fois, les gardes faillirent le prendre et lui dresser des procès-verbaux.[16] Cette existence libre, dont les paysans ne s'expliquaient pas bien les ressources, avait fini par lui donner un mauvais renom. On le traitait vaguement de braconnier. En tous cas, il était paresseux, car on le trouvait souvent endormi dans l'herbe, à des heures où il aurait dû travailler. La masure qu'il habitait, sous les derniers arbres de la forêt, ne semblait pas non plus la demeure d'un honnête[17] garçon. Il aurait eu[18] un commerce avec les loups des ruines de Gagny, que cela n'aurait point surpris les vieilles femmes. Pourtant, les jeunes filles, parfois, se hasardaient à le défendre, car il était superbe, cet homme louche,[19] souple et grand comme un peuplier, très blanc de peau, avec une barbe et des cheveux blonds qui semblaient de l'or au soleil. Or, un beau matin, Françoise avait déclaré au père Merlier qu'elle aimait Dominique et que jamais elle ne consentirait à épouser un autre garçon.

On pense quel coup de massue le père Merlier reçut, ce jour-là! Il ne dit rien, selon son habitude. Il avait son visage réfléchi; seulement, sa gaîté intérieure ne luisait plus dans ses yeux. On se bouda[20] pendant une semaine. Françoise, elle aussi, était toute grave. Ce qui tourmentait le père Merlier, c'était de savoir comment ce gredin de braconnier avait bien pu ensorceler sa fille. Jamais Dominique n'était venu au moulin. Le meunier guetta et il aperçut le galant, de l'autre côté de la Morelle, couché dans l'herbe et feignant de dormir. Françoise, de sa chambre, pouvait le voir. La chose était claire, ils avaient dû s'aimer, en se faisant les doux yeux par-dessus la roue du moulin.

---

[15] "plump."   [16] "complaints" (for his poaching).   [17] "respectable."
[18] "Even if he had had dealings with the wolves of the ruins of Gagny, that would not have surprised the old women."
[19] "suspicious."   [20] "They were sulky towards each other."

Cependant, huit autres jours s'écoulèrent. Françoise devenait de plus en plus grave. Le père Merlier ne disait toujours rien. Puis, un soir, silencieusement, il amena lui-même Dominique. Françoise, justement, mettait la table. Elle ne parut pas étonnée, elle se contenta d'ajouter un couvert; seulement,
5 les petits trous de ses joues venaient de se creuser de nouveau, et son rire avait reparu. Le matin, le père Merlier était allé trouver Dominique dans sa masure, sur la lisière du bois. Là, les deux hommes avaient causé pendant trois heures, les portes et les fenêtres fermées. Jamais personne n'a su ce qu'ils avaient pu se dire. Ce qu'il y a de certain, c'est que le père Merlier en sortant
10 traitait déjà Dominique comme son fils. Sans doute, le vieillard avait trouvé le garçon, qu'il était allé chercher, un brave garçon, dans ce paresseux qui se couchait sur l'herbe pour se faire aimer des filles.

Tout Rocreuse clabauda.[21] Les femmes, sur les portes, ne tarissaient pas [22] au sujet de la folie du père Merlier, qui introduisait ainsi chez lui un
15 garnement. Il laissa dire. Peut-être s'était-il souvenu de son propre mariage. Lui non plus ne possédait pas un sou vaillant, lorsqu'il avait épousé Madeleine et son moulin; cela pourtant ne l'avait point empêché de faire un bon mari. D'ailleurs, Dominique coupa court aux cancans,[23] en se mettant si rudement à la besogne, que le pays en fut émerveillé. Justement le garçon
20 du moulin était tombé au sort,[24] et jamais Dominique ne voulut qu'on en engageât un autre. Il porta les sacs, conduisit la charrette, se battit avec la vieille roue, quand elle se faisait prier pour tourner, tout cela d'un tel cœur, qu'on venait le voir par plaisir. Le père Merlier avait son rire silencieux. Il était très fier d'avoir deviné ce garçon. Il n'y a rien comme l'amour pour
25 donner du courage aux jeunes gens.

Au milieu de toute cette grosse besogne, Françoise et Dominique s'adoraient. Ils ne se parlaient guère, mais ils se regardaient avec une douceur souriante. Jusque-là, le père Merlier n'avait pas dit un seul mot au sujet du mariage; et tous deux respectaient ce silence, attendant la volonté du vieillard.
30 Enfin, un jour, vers le milieu de juillet, il avait fait mettre trois tables dans la cour, sous le grand orme, en invitant ses amis de Rocreuse à venir le soir boire un coup avec lui. Quand la cour fut pleine et que tout le monde eut le verre en main, le père Merlier leva le sien très haut, en disant:

—C'est pour avoir le plaisir de vous annoncer que Françoise épousera ce
35 gaillard-là dans un mois, le jour de la Saint-Louis.[25]

Alors, on trinqua bruyamment. Tout le monde riait. Mais le père Merlier haussant la voix, dit encore:

—Dominique, embrasse ta promise. Ça se doit.[26]

Et ils s'embrassèrent, très rouges pendant que l'assistance riait plus fort.
40 Ce fut une vraie fête. On vida un petit tonneau. Puis, quand il n'y eut là que les amis intimes, on causa d'une façon calme. La nuit était tombée, une nuit étoilée et très claire. Dominique et Françoise, assis sur un banc, l'un près de l'autre, ne disaient rien. Un vieux paysan parlait de la guerre que

---

[21] "gossiped."   [22] "were never tired of talking."   [23] "gossip."
[24] "had been drafted."   [25] Aug. 25.
[26] "That's the proper thing to do."

l'empereur [27] avait déclarée à la Prusse. Tous les gars du village étaient déjà partis. La veille, des troupes avaient encore passé. On allait se cogner dur.[28]

—Bah! dit le père Merlier avec l'égoïsme d'un homme heureux, Dominique est étranger, il ne partira pas. . . . Et si les Prussiens venaient, il serait là pour défendre sa femme. 5

Cette idée que les Prussiens pouvaient venir parut une bonne plaisanterie. On allait leur flanquer une raclée soignée,[29] et ce serait vite fini.

—Je les ai déjà vus,[30] je les ai déjà vus, répéta d'une voix sourde le vieux paysan.

Il y eut un silence. Puis, on trinqua une fois encore. Françoise et Dominique 10 n'avaient rien entendu; ils s'étaient pris doucement la main, derrière le banc, sans qu'on pût les voir, et cela leur semblait si bon, qu'ils restaient là, les yeux perdus [31] au fond des ténèbres.

Quelle nuit tiède et superbe! Le village s'endormait aux deux bords de la route blanche, dans une tranquillité d'enfant. On n'entendait plus, de loin 15 en loin, que le chant de quelque coq éveillé trop tôt. Des grands bois voisins descendaient de longues haleines qui passaient sur les toitures comme des caresses. Les prairies, avec leurs ombrages noirs, prenaient une majesté mystérieuse et recueillie, tandis que toutes les sources, toutes les eaux courantes qui jaillissaient dans l'ombre, semblaient être la respiration fraîche 20 et rythmée de la campagne endormie. Par instants, la vieille roue du moulin, ensommeillée, paraissait rêver comme ces vieux chiens de garde qui aboient en ronflant; elle avait des craquements, elle causait toute seule, bercée par la chute de la Morelle, dont la nappe rendait le son musical et continu d'un tuyau d'orgues. Jamais une paix plus large n'était descendue sur un coin 25 plus heureux de nature.

II

Un mois plus tard, jour pour jour, juste la veille de la Saint-Louis, Rocreuse était dans l'épouvante. Les Prussiens avaient battu l'empereur et s'avançaient à marches forcées vers le village. Depuis une semaine, des gens qui passaient sur la route annonçaient les Prussiens: «Ils sont à Lormière, ils sont à 30 Novelles»; et, à entendre dire qu'ils se rapprochaient si vite, Rocreuse, chaque matin, croyait les voir descendre par les bois de Gagny. Ils ne venaient point cependant, cela effrayait davantage. Bien sûr qu'ils tomberaient sur le village pendant la nuit et qu'ils égorgeraient tout le monde.

La nuit précédente, un peu avant le jour, il y avait eu une alerte. Les 35 habitants s'étaient réveillés, en entendant un grand bruit d'hommes sur la route. Les femmes déjà se jetaient à genoux et faisaient des signes de croix, lorsqu'on avait reconnu des pantalons rouges, en entr'ouvrant prudemment les fenêtres. C'était un détachement français. Le capitaine avait tout de suite demandé le maire du pays, et il était resté au moulin, après avoir causé 40 avec le père Merlier.

---

[27] Napoleon III declared war on Prussia, July 17, 1870.
[28] "There was going to be hard fighting." [29] "give them a neat trimming."
[30] During the Napoleonic wars, probably 1814, 1815. [31] "gazing into space."

Le soleil se levait gaîment, ce jour-là. Il ferait chaud, à midi. Sur les bois, une clarté blonde flottait, tandis que dans les fonds, au-dessus des prairies, montaient des vapeurs blanches. Le village, propre et joli, s'éveillait dans la fraîcheur, et la campagne, avec sa rivière et ses fontaines, avait des grâces
5　mouillées de bouquet.[32] Mais cette belle journée ne faisait rire personne. On venait de voir le capitaine tourner autour du moulin, regarder les maisons voisines, passer de l'autre côté de la Morelle, et de là, étudier le pays avec une lorgnette; le père Merlier, qui l'accompagnait, semblait donner des explications. Puis, le capitaine avait posté des soldats derrière des murs, derrière des
10　arbres, dans des trous. Le gros du détachement campait dans la cour du moulin. On allait donc se battre? Et quand le père Merlier revint, on l'interrogea. Il fit un long signe de tête, sans parler. Oui, on allait se battre.

Françoise et Dominique étaient là, dans la cour, qui le regardaient. Il finit par ôter sa pipe de la bouche, et dit cette simple phrase:
15　Ah! mes pauvres petits, ce n'est pas demain que je vous marierai!

Dominique, les lèvres serrées, avec un pli de colère au front, se haussait parfois, restait les yeux fixés sur les bois de Gagny, comme s'il eût voulu voir arriver les Prussiens. Françoise, très pâle, sérieuse, allait et venait, fournissant aux soldats ce dont ils avaient besoin. Ils faisaient la soupe dans un coin de la
20　cour, et plaisantaient, en attendant de manger.

Cependant, le capitaine paraissait ravi. Il avait visité les chambres et la grande salle du moulin donnant sur la rivière. Maintenant, assis près du puits, il causait avec le père Merlier.

—Vous avez là une vraie forteresse, disait-il. Nous tiendrons bien jusqu'à ce
25　soir. . . . Les bandits sont en retard. Ils devraient être ici.

Le meunier restait grave. Il voyait son moulin flamber comme une torche. Mais il ne se plaignait pas, jugeant cela inutile. Il ouvrit seulement la bouche pour dire:

—Vous devriez faire cacher la barque derrière la roue. Il y a là un trou
30　où elle tient. . . . Peut-être qu'elle pourra servir.

Le capitaine donna un ordre. Ce capitaine était un bel homme d'une quarantaine d'années, grand et de figure aimable. La vue de Françoise et de Dominique semblait le réjouir. Il s'occupait d'eux, comme s'il avait oublié la lutte prochaine. Il suivait Françoise des yeux, et son air disait clairement
35　qu'il la trouvait charmante. Puis, se tournant vers Dominique:

—Vous n'êtes donc pas à l'armée, mon garçon? lui demanda-t-il brusquement.

—Je suis étranger, répondit le jeune homme.

Le capitaine parut goûter médiocrement [33] cette raison. Il cligna les yeux
40　et sourit. Françoise était plus agréable à fréquenter que le canon. Alors, en le voyant sourire, Dominique ajouta:

—Je suis étranger, mais je loge une balle dans une pomme, à cinq cents mètres. . . . Tenez, mon fusil de chasse est là, derrière vous.

—Il pourra vous servir, répliqua simplement le capitaine.

---

[32] "was as charming (graceful) as a freshly sprinkled bouquet."　　[33] "like none too well."

Françoise s'était approchée, un peu tremblante. Et, sans se soucier du monde qui était là, Dominique prit et serra dans les siennes les deux mains qu'elle lui tendait, comme pour se mettre sous sa protection. Le capitaine avait souri de nouveau, mais il n'ajouta pas une parole. Il demeurait assis, son épée entre les jambes, les yeux perdus, paraissant rêver. 5

Il était déjà dix heures. La chaleur devenait très forte. Un lourd silence se faisait. Dans la cour, à l'ombre des hangars, les soldats s'étaient mis à manger la soupe. Aucun bruit ne venait du village, dont les habitants avaient tous barricadé leurs maisons, portes et fenêtres. Un chien, resté seul sur la route, hurlait. Des bois et des prairies voisines, pâmés[34] par la chaleur, 10 sortait une voix lointaine, prolongée, faite de tous les souffles épars. Un coucou chanta. Puis, le silence s'élargit encore.

Et, dans cet air endormi, brusquement, un coup de feu éclata. Le capitaine se leva vivement, les soldats lâchèrent leurs assiettes de soupe, encore à moitié pleines. En quelques secondes, tous furent à leur poste de combat; de bas 15 en haut, le moulin se trouvait occupé. Cependant, le capitaine, qui s'était porté sur la route, n'avait rien vu; à droite, à gauche, la route s'étendait, vide et toute blanche. Un deuxième coup de feu se fit entendre, et toujours rien, pas une ombre. Mais, en se retournant, il aperçut du côté de Gagny, entre deux arbres, un léger flocon de fumée qui s'envolait, pareil à un fil de la 20 Vierge.[35] Le bois restait profond et doux.

—Les gredins se sont jetés dans la forêt, murmura-t-il. Ils nous savent ici.

Alors, la fusillade continua, de plus en plus nourrie,[36] entre les soldats français, postés autour du moulin, et les Prussiens, cachés derrière les arbres. Les balles sifflaient au-dessus de la Morelle, sans causer de pertes ni d'un 25 côté ni de l'autre. Les coups étaient irréguliers, partaient de chaque buisson; et l'on n'apercevait toujours que les petites fumées, balancées mollement par le vent. Cela dura près de deux heures. L'officier chantonnait d'un air indifférent. Françoise et Dominique, qui étaient restés dans la cour, se haussaient et regardaient par-dessus une muraille basse. Ils s'intéressaient 30 surtout à un petit soldat, posté au bord de la Morelle, derrière la carcasse d'un vieux bateau; il était à plat ventre, guettait, lâchait son coup de feu, puis se laissait glisser dans un fossé, un peu en arrière, pour recharger son fusil; et ses mouvements étaient si drôles, si rusés, si souples, qu'on se laissait aller à sourire en le voyant. Il dut apercevoir quelque tête de Prussien, car il se 35 leva vivement et épaula; mais, avant qu'il eût tiré, il jeta un cri, tourna[37] sur lui-même et roula dans le fossé, où ses jambes eurent un instant le roidissement convulsif des pattes d'un poulet qu'on égorge. Le petit soldat venait de recevoir une balle en pleine poitrine. C'était le premier mort. Instinctivement, Françoise avait saisi la main de Dominique et la lui serrait, 40 dans une crispation nerveuse.

—Ne restez pas là, dit le capitaine. Les balles viennent jusqu'ici.

En effet, un petit coup sec s'était fait entendre dans le vieil orme, et un bout de branche tombait en se balançant. Mais les deux jeunes gens ne

---

[34] "drooping."   [35] "gossamer."   [36] "brisk," "heavy."   [37] "spun around."

bougèrent pas, cloués par l'anxiété du spectacle. A la lisière du bois, un Prussien était brusquement sorti de derrière un arbre comme d'une coulisse,[38] battant l'air de ses bras et tombant à la renverse. Et rien ne bougea plus, les deux morts semblaient dormir au grand soleil, on ne voyait toujours per-
5 sonne dans la campagne alourdie. Le pétillement de la fusillade lui-même cessa. Seule, la Morelle chuchotait avec son bruit clair.

Le père Merlier regarda le capitaine d'un air de surprise, comme pour lui demander si c'était fini.

—Voilà le grand coup, murmura celui-ci. Méfiez-vous. Ne restez pas là.
10 Il n'avait pas achevé qu'une décharge effroyable eut lieu. Le grand orme fut comme fauché, une volée[39] de feuilles tournoya. Les Prussiens avaient heureusement tiré trop haut. Dominique entraîna, emporta presque Françoise, tandis que le père Merlier les suivait, en criant:

—Mettez-vous dans le petit caveau, les murs sont solides.
15 Mais ils ne l'écoutèrent pas, ils entrèrent dans la grande salle, où une dizaine de soldats attendaient en silence, les volets fermés, guettant par des fentes. Le capitaine était resté seul dans la cour, accroupi derrière la petite muraille, pendant que des décharges furieuses continuaient. Au dehors, les soldats qu'il avait postés, ne cédaient le terrain que pied à pied. Pourtant, ils
20 rentraient un à un en rampant, quand l'ennemi les avait délogés de leurs cachettes. Leur consigne était de gagner du temps, de ne point se montrer, pour que les Prussiens ne pussent savoir quelles forces ils avaient devant eux. Une heure encore s'écoula. Et, comme un sergent arrivait, disant qu'il n'y avait plus dehors que deux ou trois hommes, l'officier tira sa montre, en
25 murmurant:

—Deux heures et demie. . . . Allons, il faut tenir quatre heures.

Il fit fermer le grand portail de la cour, et tout fut préparé pour une résistance énergique. Comme les Prussiens se trouvaient de l'autre côté de la Morelle, un assaut immédiat n'était pas à craindre. Il y avait bien un pont à
30 deux kilomètres, mais ils ignoraient sans doute son existence, et il était peu croyable qu'ils tenteraient de passer à gué la rivière. L'officier fit donc simplement surveiller la route. Tout l'effort allait porter du côté de la campagne.

La fusillade de nouveau avait cessé. Le moulin semblait mort sous le grand soleil. Pas un volet n'était ouvert, aucun bruit ne sortait de l'intérieur.
35 Peu à peu, cependant, des Prussiens se montraient à la lisière du bois de Gagny. Ils allongeaient la tête, s'enhardissaient. Dans le moulin, plusieurs soldats épaulaient déjà; mais le capitaine cria:

—Non, non, attendez. . . . Laissez-les s'approcher.

Ils y mirent beaucoup de prudence, regardant le moulin d'un air méfiant.
40 Cette vieille demeure, silencieuse et morne, avec ses rideaux de lierre, les inquiétait. Pourtant, ils avançaient. Quand ils furent une cinquantaine dans la prairie, en face, l'officier dit un seul mot:

—Allez![40]

Un déchirement se fit entendre, des coups isolés suivirent. Françoise, agitée
45 d'un tremblement, avait porté malgré elle les mains à ses oreilles. Dominique,

[38] "wing" (of a theater).   [39] "shower."   [40] "Go ahead." "Fire."

derrière les soldats, regardait; et, quand la fumée se fut un peu dissipée, il aperçut trois Prussiens étendus sur le dos, au milieu du pré. Les autres s'étaient jetés derrière les saules et les peupliers. Et le siège commença.

Pendant plus d'une heure, le moulin fut criblé de balles. Elles en fouettaient les vieux murs comme une grêle. Lorsqu'elles frappaient sur de la pierre, on 5 les entendait s'écraser et retomber à l'eau. Dans le bois, elles s'enfonçaient avec un bruit sourd. Parfois, un craquement annonçait que la roue venait d'être touchée. Les soldats, à l'intérieur, ménageaient leurs coups, ne tiraient que lorsqu'ils pouvaient viser. De temps à autre, le capitaine consultait sa montre. Et, comme une balle fendait un volet et allait se loger 10 dans le plafond:

—Quatre heures, murmura-t-il. Nous ne tiendrons jamais.

Peu à peu, en effet, cette fusillade terrible ébranlait le vieux moulin. Un volet tomba à l'eau, troué comme une dentelle, et il fallut le remplacer par un matelas. Le père Merlier, à chaque instant, s'exposait pour constater les 15 avaries de sa pauvre roue, dont les craquements lui allaient au cœur. Elle était bien finie, cette fois; jamais il ne pourrait la raccommoder. Dominique avait supplié Françoise de se retirer, mais elle voulait rester avec lui; elle s'était assise derrière une grande armoire de chêne, qui la protégeait. Une balle pourtant arriva dans l'armoire, dont les flancs rendirent un son grave. 20 Alors, Dominique se plaça devant Françoise. Il n'avait pas encore tiré, il tenait son fusil à la main, ne pouvant approcher des fenêtres dont les soldats tenaient toute la largeur. A chaque décharge, le plancher tressaillait.

—Attention! attention! cria tout d'un coup le capitaine.

Il venait de voir sortir du bois toute une masse sombre. Aussitôt s'ouvrit un 25 formidable feu de peloton. Ce fut comme une trombe [41] qui passa sur le moulin. Un autre volet partit, et par l'ouverture béante de la fenêtre, les balles entrèrent. Deux soldats roulèrent sur le carreau. L'un ne remua plus; on le poussa contre le mur, parce qu'il encombrait. L'autre se tordit en demandant qu'on l'achevât; mais on ne l'écoutait point, les balles entraient 30 toujours, chacun se garait et tâchait de trouver une meurtrière pour riposter. Un troisième soldat fut blessé; celui-là ne dit pas une parole, il se laissa couler au bord d'une table, avec des yeux fixes et hagards. En face de ces morts, Françoise, prise d'horreur, avait repoussé machinalement sa chaise, pour s'asseoir à terre, contre le mur; elle se croyait là plus petite et moins 35 en danger. Cependant, on était allé prendre tous les matelas de la maison, on avait rebouché à moitié la fenêtre. La salle s'emplissait de débris, d'armes rompues, de meubles éventrés.

—Cinq heures, dit le capitaine. Tenez bon. . . . Ils vont chercher à passer l'eau. 40

A ce moment, Françoise poussa un cri. Une balle, qui avait ricoché venait de lui effleurer le front. Quelques gouttes de sang parurent. Dominique la regarda; puis, s'approchant de la fenêtre, il lâcha son premier coup de feu, et il ne s'arrêta plus. Il chargeait, tirait, sans s'occuper de ce qui se passait près de lui; de temps à autre seulement, il jetait un coup d'œil sur Françoise. 45

41 "water spout."

D'ailleurs, il ne se pressait pas, visait avec soin. Les Prussiens, longeant les peupliers, tentaient le passage de la Morelle, comme le capitaine l'avait prévu; mais, dès qu'un d'entre eux se hasardait, il tombait frappé à la tête par une balle de Dominique. Le capitaine, qui suivait ce jeu, était émerveillé. Il
5 complimenta le jeune homme, en lui disant qu'il serait heureux d'avoir beaucoup de tireurs de sa force. Dominique ne l'entendait pas. Une balle lui entama [42] l'épaule, une autre lui contusionna [43] le bras. Et il tirait toujours.

Il y eut deux nouveaux morts. Les matelas, déchiquetés, ne bouchaient plus les fenêtres. Une dernière décharge semblait devoir emporter le moulin.
10 La position n'était plus tenable. Cependant, l'officier répétait:

—Tenez bon. . . . Encore une demi-heure.

Maintenant, il comptait les minutes. Il avait promis à ses chefs d'arrêter l'ennemi là jusqu'au soir, et il n'aurait pas reculé d'une semelle avant l'heure qu'il avait fixée pour la retraite. Il gardait son air aimable, souriait à
15 Françoise, afin de la rassurer. Lui-même venait de ramasser le fusil d'un soldat mort et faisait le coup de feu.

Il n'y avait plus que quatre soldats dans la salle. Les Prussiens se montraient en masse sur l'autre bord de la Morelle, et il était évident qu'ils allaient passer la rivière d'un moment à l'autre. Quelques minutes s'écoulèrent
20 encore. Le capitaine s'entêtait, ne voulait pas donner l'ordre de la retraite, lorsqu'un sergent accourut, en disant:

—Ils sont sur la route, ils vont nous prendre par derrière.

Les Prussiens devaient avoir trouvé le pont. Le capitaine tira sa montre.

Encore cinq minutes, dit-il. Ils ne seront pas ici avant cinq minutes.
25 Puis, à six heures précises, il consentit enfin à faire sortir ses hommes par une petite porte qui donnait sur une ruelle. De là, ils se jetèrent dans un fossé, ils gagnèrent la forêt de Sauval. Le capitaine avait, avant de partir, salué très poliment le père Merlier, en s'excusant. Et il avait même ajouté:

—Amusez-les.[44] . . . Nous reviendrons.
30 Cependant, Dominique était resté seul dans la salle. Il tirait toujours, n'entendant rien, ne comprenant rien. Il n'éprouvait que le besoin de défendre Françoise. Les soldats étaient partis, sans qu'il s'en doutât le moins du monde. Il visait et tuait son homme à chaque coup. Brusquement, il y eut un grand bruit. Les Prussiens, par derrière, venaient d'envahir la cour.
35 Il lâcha un dernier coup, et ils tombèrent sur lui, comme son fusil fumait encore.

Quatre hommes le tenaient. D'autres vociféraient autour de lui, dans une langue effroyable. Ils faillirent l'égorger tout de suite. Françoise s'était jetée en avant, suppliante. Mais un officier entra et se fit remettre le prisonnier.
40 Après quelques phrases qu'il échangea en allemand avec les soldats, il se tourna vers Dominique et lui dit rudement, en très bon français:

—Vous serez fusillé dans deux heures.

---

42 "grazed."   **43** "bruised."   **44** "delay them."

III

C'était une règle posée par l'état-major allemand: tout Français n'apparte-
nant pas à l'armée régulière et pris les armes à la main, devait être fusillé. Les
compagnies franches [45] elles-mêmes n'étaient pas reconnues comme belligé-
rantes. En faisant ainsi de terribles exemples sur les paysans qui défendaient
leurs foyers, les Allemands voulaient empêcher la levée en masse, qu'ils re-
doutaient.

L'officier, un homme grand et sec, d'une cinquantaine d'années, fit subir
à Dominique un bref interrogatoire. Bien qu'il parlât le français très purement, il avait une raideur toute prussienne.

—Vous êtes de ce pays?

—Non, je suis Belge.

—Pourquoi avez-vous pris les armes? . . . Tout ceci ne doit pas vous regarder.

Dominique ne répondit pas. A ce moment, l'officier aperçut Françoise
debout et très pâle, qui écoutait; sur son front blanc, sa légère blessure mettait
une barre rouge. Il regarda les jeunes gens l'un après l'autre, parut comprendre, et se contenta d'ajouter:

—Vous ne niez pas avoir tiré?

—J'ai tiré tant que j'ai pu, répondit tranquillement Dominique.

Cet aveu était inutile, car il était noir de poudre, couvert de sueur, taché
de quelques gouttes de sang qui avaient coulé de l'éraflure [46] de son épaule.

—C'est bien, répéta l'officier. Vous serez fusillé dans deux heures.

Françoise ne cria pas. Elle joignit les mains et les éleva dans un geste de
muet désespoir. L'officier remarqua ce geste. Deux soldats avaient emmené
Dominique dans une pièce voisine, où ils devaient le garder à vue. La jeune
fille était tombée sur une chaise, les jambes brisées; elle ne pouvait pleurer,
elle étouffait. Cependant, l'officier l'examinait toujours. Il finit par lui adresser
la parole:

—Ce garçon est votre frère? demanda-t-il.

Elle dit non de la tête. Il resta raide, sans un sourire. Puis, au bout d'un
silence:

—Il habite le pays depuis longtemps?

Elle dit oui, d'un nouveau signe.

—Alors il doit très bien connaître les bois voisins?

Cette fois, elle parla.

—Oui, monsieur, dit-elle en le regardant avec quelque surprise.

Il n'ajouta rien et tourna sur les talons, en demandant qu'on lui amenât
le maire du village. Mais Françoise s'était levée, une légère rougeur au visage,
croyant avoir saisi le but de ses questions et reprise d'espoir. Ce fut elle-
même qui courut pour trouver son père.

Le père Merlier, dès que les coups de feu avaient cessé, était vivement
descendu par la galerie de bois, pour visiter [47] sa roue. Il adorait sa fille, il
avait une solide amitié pour Dominique, son futur gendre; mais sa roue

[45] Independent companies of volunteers called *francs-tireurs.*   [46] "scratch."   [47] "inspect."

tenait aussi une large place dans son cœur. Puisque les deux petits, comme
il les appelait, étaient sortis sains et saufs de la bagarre, il songeait à son
autre tendresse,[48] qui avait singulièrement souffert, celle-là. Et, penché sur
la grande carcasse de bois, il en étudiait les blessures d'un air navré. Cinq
5 palettes étaient en miettes, la charpente centrale était criblée. Il fourrait les
doigts dans les trous des balles, pour en mesurer la profondeur; il réfléchissait
à la façon dont il pourrait réparer toutes ces avaries. Françoise le trouva qui
bouchait déjà des fentes avec des débris et de la mousse.

—Père, dit-elle, ils vous demandent.

10 Et elle pleura enfin, en lui contant ce qu'elle venait d'entendre. Le père
Merlier hocha la tête. On ne fusillait pas les gens comme ça. Il fallait voir. Et
il rentra dans le moulin, de son air silencieux et paisible. Quand l'officier
lui eut demandé des vivres pour ses hommes, il répondit que les gens de
Rocreuse n'étaient pas habitués à être brutalisés, et qu'on n'obtiendrait rien
15 d'eux si l'on employait la violence. Il se chargeait de tout, mais à la condition
qu'on le laissât agir seul. L'officier parut se fâcher d'abord de ce ton
tranquille; puis, il céda, devant les paroles brèves et nettes du vieillard.
Même il le rappela, pour lui demander:

—Ces bois-là, en face, comment les nommez-vous?

20 —Les bois de Sauval.

—Et quelle est leur étendue?

Le meunier le regarda fixement.

—Je ne sais pas, répondit-il.

Et il s'éloigna. Une heure plus tard, la contribution de guerre en vivres
25 et en argent, réclamée par l'officier, était dans la cour du moulin. La nuit
venait, Françoise suivait avec anxiété les mouvements des soldats. Elle ne
s'éloignait pas de la pièce dans laquelle était enfermé Dominique. Vers sept
heures, elle eut une émotion poignante; elle vit l'officier entrer chez le
prisonnier, et, pendant un quart d'heure, elle entendit leurs voix qui
30 s'élevaient. Un instant, l'officier reparut sur le seuil pour donner un
ordre en allemand, qu'elle ne comprit pas; mais, lorsque douze hommes
furent venus se ranger dans la cour, le fusil au bras, un tremblement la
saisit, elle se sentit mourir. C'en était donc fait; l'exécution allait avoir lieu.
Les douze hommes restèrent là dix minutes, la voix de Dominique continuait
35 à s'élever sur un ton de refus violent. Enfin, l'officier sortit, en fermant
brutalement la porte et en disant:

—C'est bien, réfléchissez. . . . Je vous donne jusqu'à demain matin.

Et, d'un geste, il fit rompre les rangs aux douze hommes. Françoise restait
hébétée.[49] Le père Merlier, qui avait continué de fumer sa pipe, en regardant
40 le peloton d'un air simplement curieux, vint la prendre par le bras, avec
une douceur paternelle. Il l'emmena dans sa chambre.

—Tiens-toi tranquille, lui dit-il, tâche de dormir. . . . Demain, il fera
jour, et nous verrons.

En se retirant, il l'enferma par prudence. Il avait pour principe que les

---

[48] Observe that the old mill-wheel is spoken of as though it were a person.
[49] "dazed."

femmes ne sont bonnes à rien, et qu'elles gâtent tout, lorsqu'elles s'occupent d'une affaire sérieuse. Cependant, Françoise ne se coucha pas. Elle demeura longtemps assise sur son lit, écoutant les rumeurs de la maison. Des soldats allemands, campés dans la cour, chantaient et riaient; ils durent manger et boire jusqu'à onze heures, car le tapage ne cessa pas un instant. Dans le moulin même, des pas lourds résonnaient de temps à autre, sans doute des sentinelles qu'on relevait. Mais, ce qui l'intéressait surtout, c'étaient les bruits qu'elle pouvait saisir dans la pièce qui se trouvait sous sa chambre. Plusieurs fois elle se coucha par terre, elle appliqua son oreille contre le plancher. Cette pièce était justement celle où l'on avait enfermé Dominique. Il devait marcher du mur à la fenêtre, car elle entendit longtemps la cadence régulière de sa promenade; puis, il se fit un grand silence, il s'était sans doute assis. D'ailleurs, les rumeurs cessaient, tout s'endormait. Quand la maison lui parut s'assoupir, elle ouvrit sa fenêtre le plus doucement possible, elle s'accouda.

Au dehors, la nuit avait une sérénité tiède. Le mince croissant de la lune, qui se couchait derrière les bois de Sauval, éclairait la campagne d'une lueur de veilleuse. L'ombre allongée des grands arbres barrait de noir les prairies, tandis que l'herbe, aux endroits découverts, prenait une douceur de velours verdâtre. Mais Françoise ne s'arrêtait guère au charme mystérieux de la nuit. Elle étudiait la campagne, cherchant les sentinelles que les Allemands avaient dû poster de côté. Elle voyait parfaitement leurs ombres s'échelonner[50] le long de la Morelle. Une seule se trouvait devant le moulin, de l'autre côté de la rivière, près d'un saule dont les branches trempaient dans l'eau. Françoise la distinguait parfaitement. C'était un grand garçon qui se tenait immobile, la face tournée vers le ciel, de l'air rêveur d'un berger.

Alors, quand elle eut ainsi inspecté les lieux avec soin, elle revint s'asseoir sur son lit. Elle y resta une heure, profondément absorbée. Puis elle écouta de nouveau: la maison n'avait plus un souffle. Elle retourna à la fenêtre, jeta un coup d'œil; mais sans doute une des cornes de la lune qui apparaissait encore derrière les arbres, lui parut gênante, car elle se remit à attendre. Enfin, l'heure lui sembla venue. La nuit était toute noire, elle n'apercevait plus la sentinelle en face, la campagne s'étalait comme une mare d'encre. Elle tendit l'oreille un instant et se décida. Il y avait là, passant près de la fenêtre, une échelle de fer, des barres scellées dans le mur, qui montait de la roue au grenier, et qui servait autrefois aux meuniers pour visiter certains rouages; puis, le mécanisme avait été modifié, depuis longtemps l'échelle disparaissait sous les lierres épais qui couvraient ce côté du moulin.

Françoise, bravement, enjamba la balustrade de sa fenêtre, saisit une des barres de fer et se trouva dans le vide. Elle commença à descendre. Ses jupons l'embarrassaient beaucoup. Brusquement, une pierre se détacha de la muraille et tomba dans la Morelle avec un rejaillissement sonore. Elle s'était arrêtée, glacée d'un frisson. Mais elle comprit que la chute d'eau, de son ronflement continu, couvrait à distance tous les bruits qu'elle pouvait faire, et elle descendit alors plus hardiment, tâtant le lierre du pied, s'assurant des

[50] "standing at regular intervals."

échelons. Lorsqu'elle fut à la hauteur de la chambre qui servait de prison à Dominique, elle s'arrêta. Une difficulté imprévue faillit lui faire perdre tout son courage: la fenêtre de la pièce du bas n'était pas régulièrement percée au-dessous de la fenêtre de sa chambre, elle s'écartait de l'échelle, et
5 lorsqu'elle allongea la main, elle ne rencontra que la muraille. Lui faudrait-il donc remonter, sans pousser son projet jusqu'au bout? Ses bras se lassaient, le murmure de la Morelle, au-dessous d'elle, commençait à lui donner des vertiges. Alors, elle arracha du mur de petits fragments de plâtre et les lança dans la fenêtre de Dominique. Il n'entendait pas, peut-être dormait-il.
10 Elle émietta encore la muraille, elle s'écorchait les doigts. Et elle était à bout de force, elle se sentait tomber à la renverse, lorsque Dominique ouvrit enfin doucement.

—C'est moi, murmura-t-elle. Prends-moi vite, je tombe.

C'était la première fois qu'elle le tutoyait. Il la saisit, en se penchant, et
15 l'apporta dans la chambre. Là, elle eut une crise de larmes, étouffant ses sanglots, pour qu'on ne l'entendît pas. Puis, par un effort suprême, elle se calma.

—Vous êtes gardé? demanda-t-elle à voix basse.

Dominique, encore stupéfait de la voir ainsi, fit un simple signe, en
20 montrant sa porte. De l'autre côté, on entendait un ronflement; la sentinelle, cédant au sommeil, avait dû se coucher par terre, contre la porte, en se disant que, de cette façon, le prisonnier ne pouvait bouger.

—Il faut fuir, reprit-elle vivement. Je suis venue pour vous supplier de fuir et pour vous dire adieu.

25 Mais lui ne paraissait pas l'entendre. Il répétait:

—Comment, c'est vous, c'est vous. . . . Oh! que vous m'avez fait peur! Vous pouviez vous tuer.

Il lui prit les mains, il les baisa.

—Que je vous aime, Françoise! . . . Vous êtes aussi courageuse que
30 bonne. Je n'avais qu'une crainte, c'était de mourir sans vous avoir revue. . . . Mais vous êtes là, et maintenant ils peuvent me fusiller. Quand j'aurai passé un quart d'heure avec vous, je serai prêt.

Peu à peu, il l'avait attirée à lui, et elle appuyait sa tête sur son épaule. Le danger les rapprochait. Ils oubliaient tout dans cette étreinte.

35 —Ah! Françoise, reprit Dominique d'une voix caressante, c'est aujourd'hui la Saint-Louis, le jour si longtemps attendu de notre mariage. Rien n'a pu nous séparer, puisque nous voilà tous les deux seuls, fidèles au rendez-vous. . . . N'est-ce pas? c'est à cette heure le matin des noces.

—Oui, oui, répéta-t-elle, le matin des noces.

40 Ils échangèrent un baiser en frissonnant. Mais, tout d'un coup, elle se dégagea, la terrible réalité se dressait devant elle.

—Il faut fuir, il faut fuir, bégaya-t-elle. Ne perdons pas une minute.

Et comme il tendait les bras dans l'ombre pour la reprendre, elle le tutoya de nouveau:

45 —Oh! je t'en prie, écoute-moi. . . . Si tu meurs, je mourrai. Dans une heure, il fera jour. Je veux que tu partes tout de suite.

Alors, rapidement, elle expliqua son plan. L'échelle de fer descendait jusqu'à la roue; là, il pourrait s'aider des palettes et entrer dans la barque qui se trouvait dans un enfoncement. Il lui serait facile ensuite de gagner l'autre bord de la rivière et de s'échapper.

—Mais il doit y avoir des sentinelles? dit-il. 5

—Une seule, en face, au pied du premier saule.

—Et si elle m'aperçoit, si elle veut crier?

Françoise frissonna. Elle lui mit dans la main un couteau qu'elle avait descendu. Il y eut un silence.

—Et votre père, et vous? reprit Dominique. Mais non, je ne puis fuir. . . . 10 Quand je ne serai plus là, ces soldats vous massacreront peut-être. . . . Vous ne les connaissez pas. Ils m'ont proposé de me faire grâce, si je consentais à les guider dans la forêt de Sauval. Lorsqu'ils ne me trouveront plus, ils sont capables de tout.

La jeune fille ne s'arrêta pas à discuter. Elle répondait simplement à toutes 15 les raisons qu'il donnait:

—Par amour pour moi, fuyez . . . . Si vous m'aimez, Dominique, ne restez pas ici une minute de plus.

Puis, elle promit de remonter dans sa chambre. On ne saurait pas qu'elle l'avait aidé. Elle finit par le prendre dans ses bras, par l'embrasser, pour le 20 convaincre, avec un élan de passion extraordinaire. Lui, était vaincu. Il ne posa plus qu'une question.

—Jurez-moi que votre père connaît votre démarche et qu'il me conseille la fuite?

—C'est mon père qui m'a envoyée, répondit hardiment Françoise. 25

Elle mentait. Dans ce moment, elle n'avait qu'un besoin immense, le savoir en sûreté, échapper à cette abominable pensée que le soleil allait être le signal de sa mort. Quand il serait loin, tous les malheurs pouvaient fondre sur elle; cela lui paraîtrait doux, du moment où il vivrait. L'égoïsme de sa tendresse le voulait vivant, avant toutes choses. 30

—C'est bien, dit Dominique, je ferai comme il vous plaira.

Alors, ils ne parlèrent plus. Dominique alla rouvrir la fenêtre. Mais, brusquement, un bruit les glaça. La porte fut ébranlée, et ils crurent qu'on l'ouvrait. Évidemment, une ronde avait entendu leurs voix. Et tous deux debout, serrés l'un contre l'autre, attendaient dans une angoisse indicible. 35 La porte fut de nouveau secouée; mais elle ne s'ouvrit pas. Ils eurent chacun un soupir étouffé; ils venaient de comprendre, ce devait être le soldat couché en travers du seuil, qui s'était retourné. En effet, le silence se fit, les ronflements recommencèrent.

Dominique voulut absolument que Françoise remontât d'abord chez 40 elle. Il la prit dans ses bras, il lui dit un muet adieu. Puis, il l'aida à saisir l'échelle et se cramponna à son tour. Mais il refusa de descendre un seul échelon avant de la savoir dans sa chambre. Quand Françoise fut rentrée, elle laissa tomber d'une voix légère comme un souffle:

—Au revoir, je t'aime! 45

Elle resta accoudée, elle tâcha de suivre Dominique. La nuit était toujours très noire. Elle chercha la sentinelle et ne l'aperçut pas; seul, le saule faisait une tache pâle, au milieu des ténèbres. Pendant un instant, elle entendit le frôlement du corps de Dominique le long du lierre. Ensuite la roue craqua, et il y eut un léger clapotement qui lui annonça que le jeune homme venait

5 de trouver la barque. Une minute plus tard, en effet, elle distingua la silhouette sombre de la barque sur la nappe grise de la Morelle. Alors, une angoisse terrible la reprit à la gorge. A chaque instant, elle croyait entendre le cri d'alarme de la sentinelle; les moindres bruits, épars dans l'ombre, lui semblaient des pas précipités de soldats, des froissements d'armes, des bruits

10 de fusils qu'on armait. Pourtant, les secondes s'écoulaient, la campagne gardait sa paix souveraine. Dominique devait aborder à l'autre rive. Françoise ne voyait plus rien. Le silence était majestueux. Et elle entendit un piétinement, un cri rauque, la chute sourde d'un corps. Puis, le silence se fit plus profond. Alors, comme si elle eût senti la mort passer, elle resta

15 toute froide, en face de l'épaisse nuit.

IV

Dès le petit jour, des éclats de voix ébranlèrent le moulin. Le père Merlier était venu ouvrir la porte de Françoise. Elle descendit dans la cour, pâle et très calme. Mais là, elle ne put réprimer un frisson, en face du cadavre d'un soldat prussien, qui était allongé près du puits, sur un manteau étalé.

20 Autour du corps, des soldats gesticulaient, criaient sur un ton de fureur. Plusieurs d'entre eux montraient les poings au village. Cependant, l'officier venait de faire appeler le père Merlier, comme maire de la commune.

—Voici, lui dit-il d'une voix étranglée par la colère, un de nos hommes que l'on a trouvé assassiné sur le bord de la rivière. . . . Il nous faut un

25 exemple éclatant, et je compte que vous allez nous aider à découvrir le meurtrier.

—Tout ce que vous voudrez, répondit le meunier avec son flegme. Seulement, ce ne sera pas commode.

L'officier s'était baissé pour écarter un pan du manteau, qui cachait la

30 figure du mort. Alors apparut une horrible blessure. La sentinelle avait été frappée à la gorge, et l'arme était restée dans la plaie. C'était un couteau de cuisine à manche noir.

—Regardez ce couteau, dit l'officier au père Merlier, peut-être nous aidera-t-il dans nos recherches.

35 Le vieillard avait eu un tressaillement. Mais il se remit aussitôt, il répondit, sans qu'un muscle de sa face bougeât:

—Tout le monde a des couteaux pareils, dans nos campagnes. . . . Peut-être que votre homme s'ennuyait de se battre et qu'il se sera fait son affaire lui-même.[51] Ça se voit.

40 —Taisez-vous! cria furieusement l'officier. Je ne sais ce qui me retient de mettre le feu aux quatre coins du village.

La colère heureusement l'empêchait de remarquer la profonde altération

[51] "He probably killed himself."

du visage de Françoise. Elle avait dû s'asseoir sur le banc de pierre, près du puits. Malgré elle, ses regards ne quittaient plus ce cadavre, étendu à terre, presque à ses pieds. C'était un grand et beau garçon, qui ressemblait à Dominique, avec des cheveux blonds et des yeux bleus. Cette ressemblance lui retournait le cœur. Elle pensait que le mort avait peut-être laissé là-bas, 5
en Allemagne, quelque amoureuse qui allait pleurer. Et elle reconnaissait son couteau dans la gorge du mort. Elle l'avait tué.

Cependant l'officier parlait de frapper Rocreuse de mesures terribles, lorsque des soldats accoururent. On venait de s'apercevoir seulement de l'évasion de Dominique. Cela causa une agitation extrême. L'officier se 10
rendit sur les lieux, regarda par la fenêtre laissée ouverte, comprit tout, et revint exaspéré.

Le père Merlier parut très contrarié de la fuite de Dominique.

—L'imbécile! murmura-t-il, il gâte tout.

Françoise qui l'entendit, fut prise d'angoisse. Son père, d'ailleurs, ne 15
soupçonnait pas sa complicité. Il hocha la tête, en lui disant à demi-voix:

—A présent, nous voilà propres! [52]

—C'est ce gredin! c'est ce gredin! criait l'officier. Il aura gagné les bois. . . . Mais il faut qu'on nous le retrouve, ou le village payera pour lui.

Et, s'adressant au meunier: 20

—Voyons, vous devez savoir où il se cache?

Le père Merlier eut son rire silencieux, en montrant la large étendue des coteaux boisés.

—Comment voulez-vous trouver un homme là-dedans? dit-il.

—Oh! il doit y avoir des trous que vous connaissez. Je vais vous donner 25
dix hommes. Vous les guiderez.

—Je veux bien. Seulement, il nous faudra huit jours pour battre tous les bois des environs.

La tranquillité du vieillard enrageait l'officier. Il comprenait en effet le ridicule de cette battue. Ce fut alors qu'il aperçut sur le banc Françoise pâle 30
et tremblante. L'attitude anxieuse de la jeune fille le frappa. Il se tut un instant, examinant tour à tour le meunier et Françoise.

—Est-ce que cet homme, finit-il par demander brutalement au vieillard, n'est pas l'amant de votre fille?

Le père Merlier devint livide, et l'on put croire qu'il allait se jeter sur 35
l'officier pour l'étrangler. Il se raidit, il ne répondit pas. Françoise avait mis son visage entre ses mains.

—Oui, c'est cela, continua le Prussien, vous ou votre fille l'avez aidé à fuir. Vous êtes son complice. . . . Une dernière fois, voulez-vous nous le livrer?

Le meunier ne répondit pas. Il s'était détourné, regardant au loin d'un 40
air indifférent, comme si l'officier ne s'adressait pas à lui. Cela mit le comble [53] à la colère de ce dernier.

—Eh bien! déclara-t-il, vous allez être fusillé à sa place.

Et il commanda une fois encore le peloton d'exécution. Le père Merlier

---

[52] "Now we are in a fine pickle."
[53] "put the finishing touch," "increased to the bursting point."

garda son flegme. Il eut à peine un léger haussement d'épaules, tout ce drame lui semblait d'un goût médiocre.[54] Sans doute il ne croyait pas qu'on fusillât un homme si aisément. Puis, quand le peloton fut là, il dit avec gravité:

—Alors, c'est sérieux? . . . Je veux bien. S'il vous en faut un absolument,
5 moi autant qu'un autre.

Mais Françoise s'était levée, affolée, bégayant:

—Grâce, monsieur, ne faites pas de mal à mon père. Tuez-moi à sa place . . . C'est moi qui ai aidé Dominique à fuir. Moi seule suis coupable.

—Tais-toi, fillette, s'écria le père Merlier. Pourquoi mens-tu? . . . Elle a
10 passé la nuit enfermée dans sa chambre, monsieur. Elle ment, je vous assure.

—Non, je ne mens pas, reprit ardemment la jeune fille. Je suis descendue par la fenêtre, j'ai poussé Dominique à s'enfuir. . . . C'est la vérité, la seule vérité. . . .

Le vieillard était devenu très pâle. Il voyait bien dans ses yeux qu'elle ne
15 mentait pas, et cette histoire l'épouvantait. Ah! ces enfants, avec leurs cœurs, comme ils gâtaient tout! Alors, il se fâcha.

—Elle est folle, ne l'écoutez pas. Elle vous raconte des histoires stupides. . . . Allons, finissons-en.

Elle voulut protester encore. Elle s'agenouilla, elle joignit les mains.
20 L'officier, tranquillement, assistait à cette lutte douloureuse.

—Mon Dieu! finit-il par dire, je prends votre père, parce que je ne tiens plus l'autre. . . . Tâchez de retrouver l'autre, et votre père sera libre.

Un moment, elle le regarda, les yeux agrandis par l'atrocité de cette proposition.

25 —C'est horrible, murmura-t-elle. Où voulez-vous que je retrouve Dominique, à cette heure? Il est parti, je ne sais plus. . . .

—Enfin, choisissez. Lui ou votre père.

—Oh! mon Dieu! est-ce que je puis choisir? Mais je saurais où est Dominique, que je ne pourrais pas choisir![55] . . . C'est mon cœur que vous
30 coupez. . . . J'aimerais mieux mourir tout de suite. Oui, ce serait plus tôt fait. Tuez-moi, je vous en prie, tuez-moi. . . .

Cette scène de désespoir et de larmes finissait par impatienter l'officier. Il s'écria:

—En voilà assez! Je veux être bon, je consens à vous donner deux heures.
35 . . . Si, dans deux heures, votre amoureux n'est pas là, votre père payera pour lui.

Et il fit conduire le père Merlier dans la chambre qui avait servi de prison à Dominique. Le vieux demanda du tabac et se mit à fumer. Sur son visage impassible on ne lisait aucune émotion. Seulement, quand il fut seul, tout
40 en fumant, il pleura deux grosses larmes qui coulèrent lentement sur ses joues. Sa pauvre et chère enfant, comme elle souffrait!

Françoise était restée au milieu de la cour. Des soldats prussiens passaient en riant. Certains lui jetaient des mots, des plaisanteries qu'elle ne comprenait pas. Elle regardait la porte par laquelle son père venait de disparaître. Et

---

[54] "rather poor." [55] "Even if I knew . . . I could not . . ."

d'un geste lent, elle portait la main à son front, comme pour l'empêcher d'éclater.

L'officier tourna sur ses talons, en répétant:

—Vous avez deux heures. Tâchez de les utiliser.

Elle avait deux heures. Cette phrase bourdonnait dans sa tête. Alors, machinalement, elle sortit de la cour, elle marcha devant elle. Où aller? que faire? Elle n'essayait même pas de prendre un parti, parce qu'elle sentait bien l'inutilité de ses efforts. Pourtant, elle aurait voulu voir Dominique. Ils se seraient entendus tous les deux, ils auraient peut-être trouvé un expédient. Et, au milieu de la confusion de ses pensées, elle descendit au bord de la Morelle, qu'elle traversa en dessous de l'écluse, à un endroit où il y avait de grosses pierres. Ses pieds la conduisirent sous le premier saule, au coin de la prairie. Comme elle se baissait, elle aperçut une mare de sang qui la fit pâlir. C'était bien là. Et elle suivit les traces de Dominique dans l'herbe foulée; il avait dû courir, on voyait une ligne de grands pas coupant la prairie de biais.[56] Puis, au delà, elle perdit ces traces. Mais, dans un pré voisin, elle crut les retrouver. Cela la conduisit à la lisière de la forêt, où toute indication s'effaçait.

Françoise s'enfonça quand même [57] sous les arbres. Cela la soulageait d'être seule. Elle s'assit un instant. Puis, en songeant que l'heure s'écoulait, elle se remit debout. Depuis combien de temps avait-elle quitté le moulin? Cinq minutes? une demi-heure? Elle n'avait plus conscience du temps. Peut-être Dominique était-il allé se cacher dans un taillis qu'elle connaissait, et où ils avaient, une après-midi, mangé des noisettes ensemble. Elle se rendit au taillis, le visita. Un merle seul s'envola, en sifflant sa phrase douce et triste. Alors, elle pensa qu'il s'était réfugié dans un creux de roches, où il se mettait parfois à l'affût; mais le creux de roches était vide. A quoi bon le chercher? elle ne le trouverait pas; et peu à peu le désir de le découvrir la passionnait, elle marchait plus vite. L'idée qu'il avait dû monter dans un arbre lui vint brusquement. Elle avança dès lors, les yeux levés, et pour qu'il la sût près de lui, elle l'appelait tous les quinze à vingt pas. Des coucous répondaient, un souffle qui passait dans les branches lui faisait croire qu'il était là et qu'il descendait. Une fois même, elle s'imagina le voir; elle s'arrêta, étranglée, avec l'envie de fuir. Qu'allait-elle lui dire? Venait-elle donc pour l'emmener et le faire fusiller? Oh! non, elle ne parlerait point de ces choses. Elle lui crierait de se sauver, de ne pas rester dans les environs. Puis, la pensée de son père qui l'attendait, lui causa une douleur aiguë. Elle tomba sur le gazon, en pleurant, en répétant tout haut:

—Mon Dieu! mon Dieu! pourquoi suis-je là!

Elle était folle d'être venue. Et, comme prise de peur, elle courut, elle chercha à sortir de la forêt. Trois fois, elle se trompa, et elle croyait qu'elle ne retrouverait plus le moulin, lorsqu'elle déboucha dans une prairie, juste en face de Rocreuse. Dès qu'elle aperçut le village, elle s'arrêta. Est-ce qu'elle allait rentrer seule?

[56] "obliquely."   [57] "nevertheless."

Elle restait debout, quand une voix l'appela doucement:

—Françoise! Françoise!

Et elle vit Dominique qui levait la tête, au bord d'un fossé. Juste Dieu! elle l'avait trouvé! Le ciel voulait donc sa mort? Elle retint un cri, elle se
5 laissa glisser dans le fossé.

—Tu me cherchais? demanda-t-il.

—Oui, répondit-elle, la tête bourdonnante, ne sachant ce qu'elle disait.

—Ah! que se passe-t-il?

Elle baissa les yeux, elle balbutia.

10 —Mais, rien, j'étais inquiète, je désirais te voir.

Alors, tranquillisé, il lui expliqua qu'il n'avait pas voulu s'éloigner. Il craignait pour eux. Ces gredins de Prussiens étaient très capables de se venger sur les femmes et sur les vieillards. Enfin, tout allait bien, et il ajouta en riant:

15 —La noce sera pour dans huit jours, voilà tout.

Puis, comme elle restait bouleversée, il redevint grave.

—Mais, qu'as-tu? tu me caches quelque chose.

—Non, je te jure. J'ai couru pour venir.

Il l'embrassa, en disant que c'était imprudent pour elle et pour lui de causer
20 davantage; et il voulut remonter le fossé, afin de rentrer dans la forêt. Elle le retint. Elle tremblait.

—Écoute, tu ferais peut-être bien tout de même de rester là. . . . Personne ne te cherche, tu ne crains rien.

—Françoise, tu me caches quelque chose, répéta-t-il.

25 De nouveau, elle jura qu'elle ne lui cachait rien. Seulement, elle aimait mieux le savoir près d'elle. Et elle bégaya encore d'autres raisons. Elle lui parut si singulière, que maintenant lui-même aurait refusé de s'éloigner. D'ailleurs, il croyait au retour des Français. On avait vu des troupes du côté de Sauval.

30 —Ah! qu'ils se pressent, qu'ils soient ici le plus tôt possible! murmura-t-elle avec ferveur.

A ce moment, onze heures sonnèrent au clocher de Rocreuse. Les coups arrivaient, clairs et distincts. Elle se leva, effarée; il y avait deux heures qu'elle avait quitté le moulin.

35 —Écoute, dit-elle rapidement, si nous avions besoin de toi, je monterai dans ma chambre et j'agiterai mon mouchoir.

Et elle partit en courant, pendant que Dominique, très inquiet, s'allongeait au bord du fossé, pour surveiller le moulin. Comme elle allait rentrer dans Rocreuse, Françoise rencontra un vieux mendiant, le père Bontemps, qui
40 connaissait tout le pays. Il la salua, il venait de voir le meunier au milieu des Prussiens; puis, en faisant des signes de croix et en marmottant des mots entrecoupés, il continua sa route.

—Les deux heures sont passées, dit l'officier quand Françoise parut.

Le père Merlier était là, assis sur le banc, près du puits. Il fumait toujours.
45 La jeune fille, de nouveau, supplia, pleura, s'agenouilla. Elle voulait gagner du temps. L'espoir de voir revenir les Français avait grandi en elle, et tandis

qu'elle se lamentait, elle croyait entendre au loin les pas cadencés d'une armée. Oh! s'ils avaient paru, s'ils les avaient tous délivrés!

—Écoutez, monsieur, une heure, encore une heure. . . . Vous pouvez bien nous accorder une heure!

Mais l'officier restait inflexible. Il ordonna même à deux hommes de s'emparer d'elle et de l'emmener pour qu'on procédât à l'exécution du vieux tranquillement. Alors, un combat affreux se passa dans le cœur de Françoise. Elle ne pouvait laisser ainsi assassiner son père. Non, non, elle mourrait plutôt avec Dominique; et elle s'élançait vers sa chambre, lorsque Dominique lui-même entra dans la cour.

L'officier et les soldats poussèrent un cri de triomphe. Mais lui, comme s'il n'y avait eu là que Françoise, s'avança vers elle, tranquille, un peu sévère.

—C'est mal, dit-il. Pourquoi ne m'avez-vous pas ramené? Il a fallu que le père Bontemps me contât les choses. . . . Enfin, me voilà.

v

Il était trois heures. De grands nuages noirs avaient lentement empli le ciel, la queue de quelque orage voisin. Ce ciel jaune, ces haillons cuivrés changeaient la vallée de Rocreuse, si gaie au soleil, en un coupe-gorge [58] plein d'une ombre louche. L'officier prussien s'était contenté de faire enfermer Dominique, sans se prononcer sur le sort qu'il lui réservait. Depuis midi, Françoise agonisait dans une angoisse abominable. Elle ne voulait pas quitter la cour, malgré les instances [59] de son père. Elle attendait les Français. Mais les heures s'écoulaient, la nuit allait venir, et elle souffrait d'autant plus, que tout ce temps gagné ne paraissait pas devoir changer l'affreux dénouement.

Cependant, vers trois heures, les Prussiens firent leurs préparatifs de départ. Depuis un instant, l'officier s'était, comme la veille, enfermé avec Dominique. Françoise avait compris que la vie du jeune homme se décidait. Alors, elle joignit les mains, elle pria. Le père Merlier, à côté d'elle, gardait son attitude muette et rigide de vieux paysan, qui ne lutte pas contre la fatalité des faits.

—Oh! mon Dieu! oh! mon Dieu! balbutiait Françoise, ils vont le tuer. . . . Le meunier l'attira près de lui et la prit sur ses genoux comme un enfant.

A ce moment, l'officier sortait, tandis que, derrière lui, deux hommes amenaient Dominique.

—Jamais, jamais! criait ce dernier. Je suis prêt à mourir.

—Réfléchissez bien, reprit l'officier. Ce service que vous me refusez, un autre nous le rendra. Je vous offre la vie, je suis généreux. . . . Il s'agit simplement de nous conduire à Montredon, à travers bois. Il doit y avoir des sentiers.

Dominique ne répondait plus.

—Alors, vous vous entêtez?

---

[58] "a cut-throat spot." Observe the difference between the description given here and that given earlier.

[59] "entreaties."

—Tuez-moi, et finissons-en, répondit-il.

Françoise, les mains jointes, le suppliait de loin. Elle oubliait tout, elle lui aurait conseillé une lâcheté. Mais le père Merlier lui saisit les mains, pour que les Prussiens ne vissent pas son geste de femme affolée.

5 —Il a raison, murmura-t-il, il vaut mieux mourir.

Le peloton d'exécution était là. L'officier attendait une faiblesse de Dominique. Il comptait toujours le décider. Il y eut un silence. Au loin, on entendait de violents coups de tonnerre. Une chaleur lourde écrasait la campagne. Et ce fut dans ce silence qu'un cri retentit:

10 —Les Français! les Français!

C'étaient eux, en effet. Sur la route de Sauval, à la lisière du bois, on distinguait la ligne des pantalons rouges. Ce fut, dans le moulin, une agitation extraordinaire. Les soldats prussiens couraient, avec des exclamations gutturales. D'ailleurs, pas un coup de feu n'avait encore été tiré.

15 —Les Français! les Français! cria Françoise en battant des mains.

Elle était comme folle. Elle venait de s'échapper de l'étreinte de son père, et elle riait, les bras en l'air. Enfin, ils arrivaient donc, et ils arrivaient à temps, puisque Dominique était encore là, debout!

Un feu de peloton terrible qui éclata comme un coup de foudre à ses 20 oreilles, la fit se retourner. L'officier venait de murmurer:

—Avant tout, réglons cette affaire.

Et, poussant lui-même Dominique contre le mur d'un hangar, il avait commandé le feu. Quand Françoise se tourna, Dominique était par terre, la poitrine trouée de douze balles.

25 Elle ne pleura pas, elle resta stupide.[60] Ses yeux devinrent fixes, et elle alla s'asseoir sous le hangar, à quelques pas du corps. Elle le regardait, elle avait par moments un geste vague et enfantin de la main. Les Prussiens s'étaient emparés du père Merlier comme d'un otage.

Ce fut un beau combat. Rapidement, l'officier avait posté ses hommes, 30 comprenant qu'il ne pouvait battre en retraite, sans se faire écraser. Autant valait-il vendre chèrement sa vie. Maintenant, c'étaient les Prussiens qui défendaient le moulin, et les Français qui l'attaquaient. La fusillade commença avec une violence inouïe. Pendant une demi-heure, elle ne cessa pas. Puis, un éclat sourd se fit entendre, et un boulet cassa une maîtresse branche 35 de l'orme séculaire. Les Français avaient du canon. Une batterie, dressée juste au-dessus du fossé, dans lequel s'était caché Dominique, balayait la grande rue de Rocreuse. La lutte, désormais, ne pouvait être longue.

Ah! le pauvre moulin![61] Des boulets le perçaient de part en part. Une moitié de la toiture fut enlevée. Deux murs s'écroulèrent. Mais c'était surtout 40 du côté de la Morelle que le désastre devint lamentable. Les lierres, arrachés des murailles ébranlées, pendaient comme des guenilles; la rivière emportait des débris de toutes sortes, et l'on voyait, par une brèche, la chambre de Françoise, avec son lit, dont les rideaux blancs étaient soigneusement tirés. Coup sur coup, la vieille roue reçut deux boulets, et elle eut[62] un gémisse-

---

[60] Note the striking contrast with her mood of a moment before.
[61] Is Zola impersonal here?   [62] "gave."

ment suprême; les palettes furent charriées dans le courant, la carcasse s'écrasa. C'était l'âme [63] du gai moulin qui venait de s'exhaler.

Puis, les Français donnèrent l'assaut. Il y eut un furieux combat à l'arme blanche.[64] Sous le ciel couleur de rouille, le coupe-gorge de la vallée s'emplissait de morts. Les larges prairies semblaient farouches, avec leurs grands arbres isolés, leurs rideaux de peupliers qui les tachaient d'ombre. A droite et à gauche, les forêts étaient comme les murailles d'un cirque qui enfermaient les combattants, tandis que les sources, les fontaines et les eaux courantes prenaient des bruits de sanglots, dans la panique de la campagne.[65]

Sous le hangar, Françoise n'avait pas bougé, accroupie en face du corps de Dominique. Le père Merlier venait d'être tué raide par une balle perdue.[66] Alors, comme les Prussiens étaient exterminés et que le moulin brûlait, le capitaine français entra le premier dans la cour. Depuis le commencement de la campagne, c'était l'unique succès qu'il remportait. Aussi, tout enflammé, grandissant sa haute taille, riait-il de son air aimable de beau cavalier. Et, apercevant Françoise imbécile entre les cadavres de son mari et de son père, au milieu des ruines fumantes du moulin, il la salua galamment de son épée, en criant:

—Victoire! victoire! [67]

[63] The old mill, personified, is one of the main characters, perhaps the main character of the story. Compare the rôle it plays with that of the cathedral in Hugo's *Notre-Dame de Paris.*
[64] "bayonet."
[65] Zola has made the moods of nature conform to the action both here and earlier in the story. Is this realistic?
[66] "stray."
[67] Note the absolute contrast between the overwhelming sorrow of Françoise and the exultant cry of the captain, and the irony of his shout, coming as it does immediately after the death of those she loved, the death of all her hopes.

FERDINAND BRUNETIÈRE (1849-1907)

The first part of his life, Brunetière devoted to criticism, as a lecturer in the École Normale Supérieure and as editor of the *Revue des Deux Mondes*. After 1894, while continuing to write criticism, he took an active part in politics, using his eloquence to defend tradition, authority, and the Catholic church.

Although he held no other degree than the *baccalauréat*, Brunetière is sometimes ranked second to Sainte-Beuve in nineteenth century criticism. He applied the theory of evolution to literary criticism, pointing out forcibly the continuity of ideas and types of art, and focussed attention upon the importance of transition periods usually much neglected. He emphasized the influence of earlier writers, and tradition, upon those of a later period, without neglecting the importance of individuality and genius. He was a dogmatic critic, especially preoccupied with the moral side of literature. He favored objectivity and the truthful portrayal of nature, but, for him, a work was really valuable in proportion as it presented vital moral ideas. It was natural, consequently, that he should favor particularly the seventeenth century, upon which he did his best work. His studies of the eighteenth century are also good, but he is not always to be followed without reservations in his estimates of sixteenth and nineteenth century authors, even though many of his readers are grateful to him for his attack upon Naturalism.

". . . Il a appliqué à l'étude de la littérature un fort tempérament de polémiste et d'orateur, une rare puissance d'abstraction, de logique et de synthèse, une grande richesse d'information bibliographique et chronologique; et tout cela par soi-même valait déjà beaucoup: mais il y a ajouté, heureusement, des impressions fines et originales, de vives intuitions déterminées au contact des œuvres, un goût esthétique enfin aussi sûr que prompt, qui lui ont fourni des matériaux excellents pour ses imposantes constructions. . . ." (Lanson: *Histoire de la Littérature Française*.)

IMPORTANT WORKS:

Le Roman Naturaliste (1883); *Les Époques du Théâtre Français* (1892); *Études Critiques sur la Littérature Française* (1880-1898); *L'Évolution de la Poésie Lyrique* (1894); *Histoire de la Littérature Française*—unfinished—(1905).

EVOLUTION DES GENRES [1]

Pour ce qui est de l'*Histoire da la tragédie française,* le plan nous en est, en quelque sorte, donné par la manière même dont nous avons posé la question: *Comment un Genre naît, grandit, atteint sa perfection, décline, et enfin meurt.*

5   1° Nous étudierons donc d'abord la tragédie française, dans sa période de

---

[1] Enough of the introductory chapter, *Programme et division du cours,* is given here to show what Brunetière proposed to do and how he intended to set about his task.

formation, c'est-à dire depuis les origines, depuis la *Cléopâtre* et la *Didon*
de Jodelle [2] jusqu'au théâtre de Robert Garnier [2] ou d'Antoine de Montchrétien.[2]

2° Sous l'influence de la littérature espagnole et du bel esprit italien, nous
la verrons alors, dans une seconde période, comme osciller entre les diverses 5
directions qu'elle eût pu prendre; et nous tâcherons de dire pourquoi, grâce
au concours de quelles circonstances—non pas du tout en 1628, comme on le
dit, mais douze ou quinze ans plus tard, entre 1640 et 1645,—elle dégage,
pour ainsi parler, la pureté de son type du mélange et de la confusion de ses
contrefaçons: comédie héroïque, tragi-comédie, mélodrame, tragédie pas- 10
torale, etc.

3° C'est alors que, diversement comprise et traitée par deux hommes de
génie, par l'auteur de *Rodogune* [3] et par celui d'*Andromaque,* [4] elle atteint,
entre 1645 et 1675, ce qu'on peut appeler son point de perfection ou de
maturité. 15

4° Mais déjà, quelque estime que nous fassions de *Phèdre,* [4] la tragédie
semble y tendre, par le lyrisme, vers une forme d'elle-même plus pompeuse,
plus décorative, plus ornée; et, Quinault [5] survenant, avec ses opéras, ses
Atys et ses *Rolands,* "ses douceureux *Rolands,*" son vers fait pour être chanté,
pour être surtout fredonné, du vivant même de Racine la décadence com- 20
mence. L'histoire en est longue et triste, mais intéressante.

5° En vain Voltaire, avec sa fécondité d'invention, essaye de rendre à
la tragédie racinienne un peu de souffle et de vie; on dirait qu'il ne la comprend plus; et, en tout cas, ce qu'il en admire, c'est ce qu'elle a de plus
contraire à sa vraie perfection. Ce que Voltaire n'a pas pu faire, d'autres 25
s'y essayent à leur tour, mais avec moins de succès ou de bonheur encore,
Marmontel, Laharpe, Ducis; [6] et—phénomène bien digne d'attention, qu'il
nous faudra regarder de très près—la tragédie périt pour avoir en quelque
manière laissé rentrer dans sa définition tout ce que l'on en avait exclu pour
la conduire elle-même à sa perfection. 30

.   .   .   .

Passons au second exemple: *Comment un Genre se transforme en un
autre.* C'est, avons-nous dit, l'histoire de la transformation de l'éloquence de
la chaire en poésie lyrique.

1° Pour nous convaincre de la réalité de la transformation, nous étudierons
l'éloquence de la chaire au XVII siècle, c'est-à-dire à l'époque de sa perfec- 35
tion, premièrement dans sa *matière,* et secondement dans sa *forme.* Sa
matière, j'entends par là les idées ou les sentiments qu'elle remue d'ordinaire;
et sa *forme,* c'est ce qui en rend l'expression proprement éloquente: c'est le
rythme et c'est l'image.

2° Nous trompons-nous peut-être? Je ne le crois pas; mais, pour nous en 40

[2] Jodelle (1532–1573), Garnier (1535–1601), Montchrétien (1575?–1621), 16th century dramatic authors.
[3] Tragedy by Corneille, presented in 1645.
[4] *Andromaque* (1667), *Phèdre* (1677), tragedies by Racine.
[5] French poet. See page 221, note 57.   [6] 18th century writers of tragedy.

assurer, c'est ce que nous demanderons à Bossuet, à Bourdaloue, à Massillon.[7]
Nous y trouverons d'ailleurs cet avantage inattendu que, de l'un à l'autre,
nous verrons la forme diminuer de splendeur; la matière s'*humaniser;*
l'inspiration biblique remplacée par la dialectique; et la dialectique par la
5 rhétorique.

3° Puis, il se fait un grand silence; Massillon descend de sa chaire; et
pendant près d'un demi-siècle, de 1704 à 1749, si vous cherchiez une page
éloquente dans l'histoire de la prose française, vous ne l'y trouveriez pas.
Ni Fontenelle,[8] ni Voltaire, ni l'auteur même de *l'Esprit des lois*[9] ne sont
10 des hommes éloquents, et vous le savez de reste,[10] mais il faudra que nous
en cherchions ensemble, et que nous en disions les raisons.

4° Mais voici tout d'un coup qu'une parole enflammée se fait entendre:
c'est celle de l'auteur du *Discours sur l'origine de l'inégalité parmi les
hommes;*[11] et ce *Discours* est suivi de la *Lettre sur les Spectacles,* de la
15 *Nouvelle Héloïse,* de *l'Émile,* du *Contrat social;* autant d'écrits qui peuvent
d'ailleurs avoir d'autres qualités, mais dont la première est d'être les modèles
d'une éloquence nouvelle. Désormais, comme on le faisait cent ans auparavant, on va pouvoir traiter les grands intérêts de l'humanité avec des mots
dignes de leur importance, et avec une chaleur digne de la noblesse de la
20 cause. En même temps, le même homme réintègre dans leurs droits deux
puissances que, jusqu'alors, on avait subordonnées dans la littérature: il
rend à la *sensibilité* l'influence dont on l'avait destituée, et il confère à l'écrivain le droit de mettre sa *personnalité* dans son œuvre.

5° Or c'est là tout le *romantisme,* et pour en devenir certains, nous
25 n'aurons qu'à l'étudier lui-même dans ses plus illustres représentants, l'auteur
des *Méditations,* celui des *Feuilles d'Automne,* celui des *Destinées.* Lamartine,
Hugo, Vigny, que font-ils, en effet que réfracter en eux l'univers? et, en
donnant la bride à leur sensibilité, que font-ils, comme l'auteur des *Confessions,*[12] que se confesser eux-mêmes. Seulement, comme ce sont de grands
30 poètes, il y a quelque chose en eux de plus grand, de plus universel, de plus
permanent qu'eux-mêmes; et ce quelque chose, il reste à démontrer que
c'est ce qui faisait la matière et la forme de l'éloquence de la chaire.

6° Nous achèverons de nous en rendre compte en étudiant le *lyrisme,*
premièrement dans sa *forme,* secondement dans sa *matière;* et si nous trou-
35 vons cette matière et cette forme identiques à celles de l'éloquence de la
chaire, la démonstration sera complète, me semble-t-il; et nous aurons vu
vraiment, non pas métaphoriquement, un genre se transformer en un autre.
Cela fera, si j'ai bien compté, six ou sept autres leçons ou chapitres.

Nous suivrons une autre méthode encore pour tracer l'*Histoire du roman
40 français,* et sachant ce que c'est, pour l'avoir appris en étudiant l'*Histoire de
la tragédie,* nous essayerons d'abord de déterminer l'objet propre du genre
et le point de sa perfection dans l'histoire de notre littérature.

---

[7] Bossuet (1627–1704), Bourdaloue (1632–1704), Massillon (1663–1742), celebrated pulpit
orators.
[8] Fontenelle, precursor of the *philosophes.* See page 221, note 58.
[9] The masterpiece of Montesquieu. See page 48, note 1.   [10] "all too well."
[11] *Discours . . . ,* etc., works of Rousseau.   [12] Rousseau.

1° Nous trouverons qu'il a pris conscience de l'un avec Lesage [13] et Marivaux,[14] dans les premières années du XVIIIe siècle, et qu'il n'a vraiment touché l'autre que de notre temps, avec George Sand et Balzac. Vous voyez la conséquence: de l'un à l'autre de ces deux extrêmes, nous n'aurons plus, en effet, qu'à insérer les moments de son évolution.

2° Avec Lesage et Marivaux, nous le verrons s'enrichir, pour ainsi parler, des pertes successives de la comédie, comédie de caractère, comédie de mœurs, comédie d'intrigue.

3° Avec Prévost [15] et Rousseau,[16] nous le verrons absorber la matière de la tragédie, et précéder ainsi de soixante ou de quatre-vingts ans ce drame bourgeois qu'à la même époque les Diderot, les Beaumarchais, les Mercier,[18] Sedaine [17] même essayent vainement d'en faire sortir.

4° Encore un pas, et avec l'auteur de *Corinne*,[18] avec l'auteur d'*Indiana*,[19] de *Valentine*, de *Jacques*, nous le verrons s'incorporer: d'abord cette *moralité* ou, pour mieux dire, cette science de la vie qui avait été jusque-là le privilège des moralistes à la Rivarol,[20] à la Chamfort,[21] à la Duclos; [22] ensuite, le droit de traiter ces questions, sociales ou religieuses, que d'autres moralistes s'étaient eux aussi, réservées jusque-là; en troisième lieu ce droit de peindre qui semblait uniquement appartenir à la poésie.

5° Et enfin, de nos jours même, avec Balzac et Flaubert, égalant ses ambitions à la diversité de la "Comédie humaine," [23] nous le verrons accommoder la souplesse infinie de sa forme à tous les états de la pensée, à toutes les conditions de la vie, à toutes les nécessités de toutes les propagandes, le plus large, le plus divers, le plus souple, le plus ondoyant, et avec cela, cependant, de tous les genres, le plus facile à reconnaître, à déterminer et à définir. . . . .

. . . .

1° Quel est l'objet de l'art, en général, et particulièrement de l'art d'écrire? a-t-il en soi son commencement? y a-t-il surtout sa fin ou son but? puisqu'il se sert de *mots,* et que ces *mots* sont des *sons,* et qu'ils traduisent ou plutôt qu'ils évoquent des *images,* les théoriciens de *l'art pour l'art* n'auraient-ils pas peut-être raison? Mais, si ces *mots* expriment en même temps des *idées* ou des *sentiments,* peut-on les traiter comme on fait des *couleurs* ou des *formes?* Et si le langage fait assurément l'un des liens les plus étroits et les

---

[13] Lesage (1668–1747), the author of a picaresque novel, *Gil Blas,* the first outstanding realistic novel.

[14] Marivaux (1688–1763), author of *La Vie de Marianne* and *Le Paysan Parvenu,* realistic and psychological novels.

[15] L'Abbé Prévost (1697–1763), author of *Manon Lescaut,* the first great French novel of passion.

[16] The *Nouvelle Héloïse* of Rousseau is the great sentimental novel of the 18th century.

[17] Mercier (1740–1814), Sedaine (1719–1797), dramatic writers in the new type of the *drame bourgeois,* of which Diderot was the theorist.

[18] *Corinne* (1807), novel by Mme de Staël.

[19] *Indiana* (1832), *Valentine, Jacques,* novels by George Sand.

[20] Rivarol (1753–1801), French author and journalist, famous for his caustic wit.

[21] Chamfort (1741–1794), French moralist known for his chiseled witty style.

[22] Duclos (1704–1772), French moralist; witty and ironical.

[23] Collective title of Balzac's novels.

plus forts des sociétés humaines, peut-on séparer l'art d'avec la vie sociale? A toutes ces questions nous trouverons sans doute de quoi répondre, ou, je le répète, c'est que nous serons bien malheureux.

2° Nous prendrons en même temps des leçons de méthode; car, la critique
5 est-elle une *science?* le problème est litigieux; [24] et, pour ma part, je ne crois pas qu'elle en puisse prendre le nom, ni même, pour des raisons que je vous dirai, qu'elle ait aucun avantage à le prendre. Mais, en tout cas, nous nous convaincrons, je l'espère, que pour n'être pas une *science,* la critique n'en a pas moins ses *méthodes;* et que, conséquemment les jugements qu'elle porte
10 sur les œuvres dérivent de quelque source plus haute que son caprice et que sa fantaisie. Les poètes et les romanciers n'en veulent pas convenir, parce qu'en effet, lorsqu'il leur arrive, à eux, l'auteur de *Cromwell* [25] ou de *Volupté,*[26] de faire de la critique, ils y portent cette conception d'art en vertu de laquelle ils sont romanciers et poètes. Je serai trompé, si nous ne réussis-
15 sons pas à établir contre eux qu'il y a critique et critique; et que, si la leur a toujours été, sera toujours personnelle, ce n'est pas une raison pour que la nôtre le soit, nous, qui ne nous piquons point de faire des vers ou des romans, mais uniquement de l'esthétique ou de l'histoire, et d'établir, sur quelque solide fondement, un ordre ou une hiérarchie parmi les productions des
20 poètes et des romanciers.

3° Car il faudra bien que nous en venions là. On se moque des classificateurs; et, aujourd'hui surtout, peu s'en faut que l'on ne considère [27] leur besogne comme à peu près aussi stérile que de tourner des ronds de serviettes ou de collectionner des timbres-poste. On se moque aussi de ceux qui
25 «comparent» Corneille et Racine, Lamartine et Hugo, Balzac et George Sand; et, quoiqu'un peu vieille, il semble bien que la plaisanterie réussisse toujours. Ce qui est toutefois curieux, c'est que ceux qui s'en moquent soient les mêmes aussi qui célèbrent le plus éloquemment les découvertes et les conquêtes contemporaines de l'anatomie *comparée,* de la physiologie *com-*
30 *parée,* de la philologie *comparée,* quoi encore? S'ils prenaient donc la peine de réfléchir davantage, ils s'apercevraient sans doute que, s'il est intéressant de comparer l'ornithorynque [28] et le kanguroo, les mêmes raisons, absolument les mêmes, tirées du besoin de connaître et pour mieux connaître, de comparer, rendent également intéressante, ou plutôt nécessaire, la comparai-
35 son du drame de Shakespeare avec la tragédie de Racine, ou du lyrisme de Byron avec celui de Victor Hugo.

Ou, plus généralement, ce qu'ils verraient alors peut-être, c'est que la fin finale de toute science au monde est de classer, dans un ordre de plus en plus semblable à l'ordre même de la nature, les objets qui font la matière de ses
40 recherches. L'histoire naturelle en est un admirable exemple, où, de Linné [29] jusqu'à Cuvier, de Cuvier jusqu'à Darwin, et de Darwin jusqu'à Hæckel, on peut dire avec assurance que chaque progrès de la science est un progrès

---

[24] "contentious."   [25] Drama by Hugo.
[26] A long, minute, psychological novel by Sainte-Beuve.   [27] "One almost considers."
[28] "ornithorhyncus," the Australian duckbill.
[29] Linnaeus (1707–1778), Swedish naturalist, one of the founders of modern botany.

ou un changement dans la classification. De confuse et de vague en devenant *systématique;* de *systématique* en devenant *naturelle;* et de *naturelle* en devenant *généalogique,* la classification, toute seule, par son progrès même, a bouleversé les sciences de la nature et de la vie. Il en sera quelque jour ainsi, il en est ainsi, dès à présent, de la critique; et, sans y insister aujourd'hui, je dis que, si c'était la seule conclusion à laquelle nous dussions aboutir, elle est assez importante;—et vous estimerez avec moi que nous n'aurions perdu ni notre peine ni notre année.

PAUL VERLAINE (1844-1896)

Although he was born at Metz, Verlaine passed his youth in Paris. Shortly after his marriage his bohemian habits and his infatuation for the young poet Rimbaud led his wife to obtain a separation from him. Together the two poets visited England and Belgium. In 1873 Verlaine shot and wounded his young friend, and, as a result, was condemned to prison. Verlaine now turned to Catholicism, but, although his conversion was apparently sincere, his religion was not strong enough to counteract the lure of old haunts and habits, once he was free. His life, one of dissipation, has been compared to that of Villon and of Poe.

Verlaine was first influenced by Leconte de Lisle and Baudelaire, and later by Rimbaud. Starting with the Parnassian group, he soon turned to lyricism of a new type. As indicated in *Art Poétique,* he sought music, suggestiveness, vagueness or a kind of purposeful half-obscurity, and rhythm as opposed to mere rime. It is easy to see the influence of Baudelaire as well as to observe how Verlaine leads directly to Symbolism. He can hardly be called the leader of a school. Some critics, however, consider him as the greatest poet of his time.

"Verlaine est un vrai poète: et plus d'une fois, il a été un grand poète. Naïf et compliqué, très savant et très spontané, il a exprimé avec un art raffiné et sincère le duel de l'esprit et de la chair, les douloureuses angoisses de l'âme élancée vers son Dieu, et les furieuses joies du corps vautré dans la corruption. Il retournait au romantisme, en faisant de la poésie le cri d'une âme manifestant sa destinée. . . . Nul artiste ne fut plus sûr de sa langue et de son rythme." (Lanson: *Histoire de la Littérature Française.*)

IMPORTANT WORKS:

Les Fêtes Galantes (1869); *La Bonne Chanson* (1870); *Sagesse* (1881); *Jadis et Naguère* (1884).

FEMME ET CHATTE

Elle jouait avec sa chatte;
Et c'était merveille de voir
La main blanche et la blanche patte
S'ébattre dans l'ombre du soir.

Elle cachait—la scélérate!—   5
Sous ses mitaines de fil noir
Ses meurtriers ongles d'agate,
Coupants et clairs comme un rasoir.

L'autre faisait aussi la sucrée [1]
Et rentrait sa griffe acérée,   10
Mais le diable n'y perdait rien . . .

[1] "was pretending to be sweet."

Et dans le boudoir où, sonore,
Tintait son rire aérien,
Brillaient quatre points de phosphore.

Poèmes Saturniens.

CLAIR DE LUNE [2]

Votre âme est un paysage choisi
Que vont charmant masques [3] et bergamasques, [4]
Jouant du luth et dansant et quasi
Tristes sous leurs déguisements fantasques.

Tout en chantant sur le mode [5] mineur   5
L'amour vainqueur et la vie opportune,
Ils n'ont pas l'air de croire à leur bonheur
Et leur chanson se mêle au clair de lune,

Au calme clair de lune triste et beau,
Qui fait rêver les oiseaux dans les arbres   10
Et sangloter d'extase les jets d'eau,
Les grands jets d'eau sveltes parmi les marbres.

Fêtes Galantes.

LE BRUIT DES CABARETS, LA FANGE DES TROTTOIRS

Le bruit des cabarets, la fange des trottoirs,
Les platanes déchus s'effeuillant dans l'air noir,
L'omnibus, ouragan de ferraille et de boues,
Qui grince, mal assis entre ses quatre roues,
Et roule ses yeux verts et rouges lentement,   5
Les ouvriers allant au club, tout en fumant
Leur brûle-gueule [6] au nez des agents de police,
Toits qui dégouttent, murs suintants, pavé qui glisse,
Bitume défoncé, ruisseaux comblant l'égout,
Voilà ma route—avec le paradis au bout.   10

La Bonne Chanson.

ARIETTES OUBLIÉES

I

C'est l'extase langoureuse,
C'est la fatigue amoureuse,

---

[2] An attempt to express the melancholy mood of Watteau.
[3] Masks of the Italian comedy, a favorite theme of the 18th century painter, Watteau.
[4] Italian country dance.   [5] "key."   [6] "short-stemmed pipes."

C'est tous les frissons des bois
Parmi l'étreinte des brises,
C'est, vers les ramures grises,   5
Le chœur des petites voix.

O le frêle et frais murmure!
Cela gazouille et susurre,[7]
Cela ressemble au cri doux
Que l'herbe agitée expire . . .   10
Tu dirais, sous l'eau qui vire,
Le roulis sourd des cailloux.

Cette âme qui se lamente
En cette plaine dormante,
C'est la nôtre, n'est-ce pas?   15
La mienne, dis, et la tienne,
Dont s'exhale l'humble antienne [8]
Par ce tiède soir, tout bas?

III

Il pleure dans mon cœur
Comme il pleut sur la ville,   20
Quelle est cette langueur
Qui pénètre mon cœur?

O bruit doux de la pluie
Par terre et sur les toits!
Pour un cœur qui s'ennuie   25
O le chant de la pluie!

Il pleure sans raison
Dans ce cœur qui s'écœure.[9]
Quoi! nulle trahison?
Ce deuil est sans raison.   30

C'est bien la pire peine
De ne savoir pourquoi,
Sans amour et sans haine,
Mon cœur a tant de peine!

VIII

Dans l'interminable   35
Ennui de la plaine,

---

[7] "murmurs softly."   [8] "anthem."   [9] "is becoming nauseated."

La neige incertaine
Luit comme du sable.

Le ciel est de cuivre
Sans lueur aucune.   40
On croirait voir vivre
Et mourir la lune.

Comme des nuées
Flottent gris les chênes
Des forêts prochaines   45
Parmi les buées.[10]

Le ciel est de cuivre
Sans lueur aucune.
On croirait voir vivre
Et mourir la lune.   50

Corneille poussive[11]
Et vous les loups maigres,
Par ces bises aigres
Quoi donc vous arrive?

Dans l'interminable   55
Ennui de la plaine,
La neige incertaine
Luit comme du sable.

Romances sans Paroles.

GASPARD HAUSER CHANTE[12]

Je suis venu, calme orphelin,
Riche de mes seuls yeux tranquilles,
Vers les hommes des grandes villes:
Ils ne m'ont pas trouvé malin.

A vingt ans un trouble nouveau   5
Sous le nom d'amoureuses flammes
M'a fait trouver belles les femmes:
Elles ne m'ont pas trouvé beau.

---

[10] "mists."   [11] "broken-winded crow."
[12] This poem and the one following it are taken from *Sagesse,* first published in 1881. *Sagesse*
contains religious poems, written after Verlaine's conversion, while he was in prison at Mons, as
well as poems of more varied inspiration.
  In this poem, apparently reminiscent of the mysterious Kasper Hauser (died 1833), Verlaine
is suggesting his own unhappy life.

Bien que sans patrie et sans roi
Et très brave ne l'étant guère,   10
J'ai voulu mourir à la guerre:
La mort n'a pas voulu de moi.

Suis-je né trop tôt ou trop tard?
Qu'est-ce que je fais en ce monde?
O vous tous, ma peine est profonde;   15
Priez pour le pauvre Gaspard!

                         Sagesse.

Le ciel est, par-dessus le toit,
     Si beau, si calme!
Un arbre, par-dessus le toit
     Berce sa palme.[13]

La cloche dans le ciel qu'on voit   5
     Doucement tinte.
Un oiseau sur l'arbre qu'on voit
     Chante sa plainte.

Mon Dieu, mon Dieu, la vie est là,
     Simple et tranquille.   10
Cette paisible rumeur-là
     Vient de la ville!

—Qu'as-tu fait, ô toi que voilà
     Pleurant sans cesse,
Dis, qu'as-tu fait, toi que voilà,   15
     De ta jeunesse?

                         Sagesse.

ART POÉTIQUE [14]

De la musique avant toute chose,
Et pour cela préfère l'Impair [15]
Plus vague et plus soluble dans l'air,
Sans rien en lui qui pèse ou qui pose.

Il faut aussi que tu n'ailles point   5
Choisir tes mots sans quelque méprise: [16]

---

[13] "branches."
[14] This poem shows that Verlaine had drifted away from his early Parnassian affiliation and was preparing the way for the Symbolists.
[15] "the odd, the uneven"; *le rythme impair.*
[16] An attack on the precision of the Parnassians.

Rien de plus cher que la chanson grise
Où l'Indécis au Précis se joint.

C'est des beaux yeux derrière des voiles,
C'est le grand jour tremblant de midi,   10
C'est, par un ciel d'automne attiédi,
Le bleu fouillis [17] des claires étoiles!

Car nous voulons la Nuance encor,
Pas la Couleur, rien que la nuance!
Oh! la nuance seule fiance   15
Le rêve au rêve et la flûte au cor!

Fuis du plus loin la Pointe [18] assassine,
L'Esprit cruel et le Rire impur,
Qui font pleurer les yeux de l'Azur,[19]
Et tout cet ail de basse cuisine!   20

Prends l'éloquence et tords-lui son cou!
Tu feras bien, en train d'énergie,[20]
De rendre un peu la Rime assagie.
Si l'on n'y veille, elle ira jusqu'où?

O qui dira les torts de la Rime!   25
Quel enfant sourd ou quel nègre fou
Nous a forgé ce bijou d'un sou
Qui sonne creux et faux sous la lime?

De la musique encore et toujours! [21]
Que ton vers soit la chose envolée   30
Qu'on sent qui fuit d'une âme en allée
Vers d'autres yeux à d'autres amours.

Que ton vers soit la bonne aventure [22]
Éparse au vent crispé du matin
Qui va fleurant [23] la menthe et le thym . . .   35
Et tout le reste est littérature.[24]

                                        Jadis et Naguère.

[17] "confusion."   [18] "pun, witticism."   [19] The Ideal.   [20] "while you are about it."
[21] The insistence on musical effects is characteristically Symbolistic.
[22] Poetic inspiration must have a whimsical, random quality.
[23] "which gives off a perfume of."
[24] *Littérature* is here used disparagingly, "mere literature."

JEAN ARTHUR RIMBAUD (1854–1891)

Rimbaud was born at Charleville, in the Ardennes, and brought up by his mother who was separated from her husband. Filled with the spirit of adventure, restless, and longing for freedom, he went to Paris when he was sixteen, only to be sent home by the police. Next he made his way to Belgium, then again to Paris. In 1871 he met Verlaine with whom he visited England and Belgium, but it was not long before he broke with his companion. In 1873, at the age of nineteen, he renounced literature and even wished to destroy his last work. The rest of his life he spent in foreign countries, returning to France only to die, in 1891.

This meteoric prodigy disappeared from the literary horizon as quickly as he had risen, though his influence is, perhaps, among the strongest now operating on French poetry. In a brief period of three years, however, he lived and felt intensely. He thought the poet should *"se faire voyant"* through a *"dérèglement de tous les sens,"* become *"le grand malade, le grand criminel, le grand maudit, le suprême savant,"* reach *"l'inconnu."* Then, he thought, the poet became in truth a *"voleur de feu."* He was at the same time a painter and a musician. Violence, irony, vision, hallucination, found place in his works. He would probe the subconscious and express whatever is to be found there, whether order or disorder. Though he possessed undoubted genius of a kind, there are probably few who will agree with Jacques Rivière in saying: "Je ne fais pas grande difficulté, par moments, à le révérer comme le plus grand poète qui ait existé."

IMPORTANT WORKS:

Bateau Ivre (1871); *Une Saison en Enfer* (1873); *Illuminations* (1886).

VOYELLES [1]

A noir, E blanc, I rouge, U vert, O bleu, voyelles,
Je dirai quelque jour vos naissances latentes.
A, noir corset velu des mouches éclatantes
Qui bombillent [2] autour des puanteurs cruelles,

Golfe d'ombre; E, candeur des vapeurs et des tentes,   5
Lance des glaciers fiers, rois blancs, frissons d'ombelles; [3]
I, pourpres, [4] sang craché, rire des lèvres belles
Dans la colère ou les ivresses pénitentes;

[1] This poem is not to be taken too seriously. Rimbaud himself calls it, in *Une Saison en Enfer,* (a sort of autobiography) "une de mes folies." It had, nevertheless a considerable influence upon the development of the artistic doctrines of the Symbolists.
[2] Not to be found in Littré; apparently means "buzz."
[3] "cluster of blossoms" (umbels).   [4] "reds."

U, cycles, vibrements divins des mers virides,[5]
Paix des pâtis [6] semés d'animaux, paix des rides   10
Que l'alchimie imprime aux grands fronts studieux;

O, suprême clairon plein de strideurs [7] étranges,
Silences traversés des Mondes et des Anges:
—O l'Oméga, rayon violet de Ses Yeux!
      Premiers vers. (Éditions de *la Nouvelle Revue Française.*
      Tous droits réservés.)

BATEAU IVRE [8]

Comme je [9] descendais des Fleuves impassibles,
Je ne me sentis plus guidé par les haleurs: [10]
Des Peaux-Rouges criards les avaient pris pour cibles,[11]
Les ayant cloués nus aux poteaux de couleurs.

J'étais insoucieux de tous les équipages,   5
Porteur de blés flamands ou de cotons anglais.
Quand avec mes haleurs ont fini ces tapages,
Les fleuves m'ont laissé descendre où je voulais.

Dans les clapotements furieux des marées,
Moi, l'autre hiver, plus sourd que les cerveaux d'enfants,   10
Je courus! et les Péninsules démarrées [12]
N'ont pas subi tohu-bohus [13] plus triomphants.

La tempête a béni mes éveils maritimes.[14]
Plus léger qu'un bouchon j'ai dansé sur les flots
Qu'on appelle rouleurs éternels de victimes,   15
Dix nuits, sans regretter l'œil niais des falots.[15]

Plus douce qu'aux enfants la chair des pommes sures,[16]
L'eau verte pénétra ma coque de sapin
Et des taches de vins bleus et des vomissures
Me lava, dispersant gouvernail et grappin.[17]   20

Et, dès lors, je me suis baigné dans le poème
De ma mer infusé [18] d'astres et lactescent [19]
Dévorant les azurs verts où, flottaison [20] blême
Et ravie, un noyé pensif, parfois, descend;

---

[5] "green."   [6] "pastures."   [7] "shrillness."
[8] A typical Rimbaud use of the symbol. The pilotless boat drifting down the river towards the sea symbolizes the poet's soul seeking escape from the conventions of society in order to find new spiritual adventures. Rimbaud had never seen the sea when he wrote this poem (1871).
[9] *je,* i. e. the boat.   [10] "towers."   [11] "targets."   [12] "unmoored."
[13] "uproars."   [14] "initiation to the sea."   [15] "lanterns," "beacons."   [16] "sour."
[17] "grapple."   [18] "steeped."   [19] "milky."   [20] "floating object."

Où, teignant tout à coup les bleuités,[21] délires   25
Et rhythmes lents sous les rutilements [22] du jour,
Plus fortes que l'alcool, plus vastes que vos lyres,
Fermentent les rousseurs amères de l'amour!

Je sais les cieux crevant en éclairs, et les trombes [23]
Et les ressacs [24] et les courants; je sais le soir,   30
L'aube exaltée ainsi qu'un peuple de colombes,
Et j'ai vu quelquefois ce que l'homme a cru voir.

J'ai vu le soleil bas taché d'horreurs mystiques
Illuminant de longs figements [25] violets,
Pareils à des acteurs de drames très antiques,   35
Les flots roulant au loin leurs frissons de volets.[26]

J'ai rêvé la nuit verte aux neiges éblouies,
Baisers montant aux yeux des mers avec lenteur,
La circulation [27] des sèves inouïes
Et l'éveil jaune et bleu des phosphores [28] chanteurs.   40

J'ai suivi, des mois pleins, pareille aux vacheries [29]
Hystériques, la houle à l'assaut des récifs,
Sans songer que les pieds lumineux des Maries [30]
Pussent forcer le mufle aux Océans poussifs.

J'ai heurté, savez-vous? d'incroyables Florides   45
Mêlant aux fleurs des yeux de panthères aux peaux
D'hommes, des arcs-en-ciel tendus comme des brides,
Sous l'horizon des mers, à de glauques troupeaux.

J'ai vu fermenter les marais, énormes nasses [31]
Où pourrit dans les joncs tout un Léviathan,   50
Des écroulements d'eaux au milieu des bonaces [32]
Et les lointains vers les gouffres cataractant!

Glaciers, soleils d'argent, flots nacreux, cieux de braises,
Échouages [33] hideux au fond des golfes bruns
Où les serpents géants dévorés des punaises   55
Choient [34] des arbres tordus avec de noirs parfums!

[21] *bleuté.*
[22] "reddish glow."
[23] "waterspouts."
[24] "surfs."
[25] "curdling" (of clouds).
[26] "shutters." Their slats recall the regular movement of the waves.
[27] Apparently Rimbaud thinks of the sea as having a circulatory system.
[28] Certain tropical waters are phosphorescent.
[29] "Cow barns," "milking-stalls," but Rimbaud must have in mind something like "sea-herds."
[30] "the luminous feet of the Marys might calm the broken-winded (panting) waters." *Mufle* means "snout," "muzzle."
[31] "weirs."
[32] "calms."
[33] "beachings."
[34] *tombent.*

J'aurais voulu montrer aux enfants ces dorades [35]
Du flot bleu, ces poissons d'or, ces poissons chantants.
Des écumes de fleurs ont béni mes dérades,[36]
Et d'ineffables vents m'ont ailé par instants.   60

Parfois, martyr lassé des pôles et des zones,
La mer, dont le sanglot faisait mon roulis [37] doux,
Montait vers moi ses fleurs d'ombre aux ventouses [38] jaunes
Et je restais ainsi qu'une femme à genoux,

Presqu'île ballottant sur mes bords les querelles   65
Et les fientes [39] d'oiseaux clabaudeurs [40] aux yeux blonds,
Et je voguais lorsqu'à travers mes liens frêles
Des noyés descendaient dormir à reculons. . . .

Or, moi, bateau perdu sous les cheveux des anses,[41]
Jeté par l'ouragan dans l'éther sans oiseau,   70
Moi dont les monitors [42] et les voiliers des Hanses [43]
N'auraient pas repêché la carcasse ivre d'eau,

Libre, fumant, monté de brumes violettes,
Moi qui trouais le ciel rougeoyant comme un mur
Qui porte, confiture exquise aux bons poètes,   75
Des lichens de soleil et des morves [44] d'azur,

Qui courais taché de lunules [45] électriques,
Planche folle, escorté des hippocampes [46] noirs,
Quand les juillets faisaient crouler à coups de triques
Les cieux ultramarins aux ardents entonnoirs.   80

Moi qui tremblais, sentant geindre à cinquante lieues
Le rut des Béhémots [47] et des Maëlstroms [48] épais,
Fileur éternel des immobilités bleues,
Je regrette l'Europe aux anciens parapets.

J'ai vu des archipels sidéraux! [49] et des îles   85
Dont les cieux délirants sont ouverts au vogueur:
Est-ce en ces nuits sans fond que tu dors et t'exiles,
Million d'oiseaux d'or, ô future Vigueur?

---

[35] "dolphins."   [36] "driftings."   [37] "rolling."
[38] "suckers," "cupping-glasses."   [39] "excrement."   [40] "screeching."
[41] "sea-weeds of the coves."   [42] "monitors" (warships).
[43] *Hanseatic League,* an association of free German cities in the Middle Ages, formed for protection and the furtherance of trade.
[44] "mucus."   [45] "lunules" (crescent-shaped).   [46] "sea-horses."
[47] *Behemoth,* a monstrous animal mentioned in the book of *Job.*
[48] Celebrated whirlpool on the west coast of Norway.   [49] "starry."

Mais, vrai, j'ai trop pleuré. Les aubes sont navrantes.
Toute lune est atroce et tout soleil amer.   90
L'âcre amour m'a gonflé de torpeurs enivrantes.
Oh! que ma quille éclate! Oh! que j'aille à la mer!

Si je désire une eau d'Europe, c'est la flache [50]
Noire et froide où vers le crépuscule embaumé
Un enfant accroupi, plein de tristesse, lâche   95
Un bateau frêle comme un papillon de mai.

Je ne puis plus, baigné de vos langueurs, ô lames,
Enlever leur sillage aux porteurs de cotons,[51]
Ni traverser l'orgueil des drapeaux et des flammes,
Ni nager sous les yeux horribles des pontons! [52]   100
          Poésies. (Éditions de *la Nouvelle Revue Française.*
                Tous droits réservés.)

DÉLIRES

ALCHIMIE DU VERBE [53]

A moi. L'histoire d'une de mes folies.

Depuis longtemps je me vantais de posséder tous les paysages possibles, et trouvais dérisoires les célébrités de la peinture et de la poésie modernes.

J'aimais les peintures idiotes, dessus de portes, décors, toiles de saltimban-
5   ques,[54] enseignes, enluminures[55] populaires; la littérature démodée, latin d'église, livres érotiques sans orthographe, romans de nos aïeules, contes de fées, petits livres de l'enfance, opéras vieux, refrains niais, rythmes naïfs.

Je rêvais croisades, voyages de découvertes dont on n'a pas de relations, républiques sans histoires, guerres de religion étouffées, révolutions de mœurs,
10   déplacements [56] de races et de continents: je croyais à tous les enchantements.

J'inventais la couleur des voyelles!—A noir, E blanc, I rouge, O bleu, U vert.—Je réglai la forme et le mouvement de chaque consonne, et, avec des rythmes instinctifs, je me flattai d'inventer un verbe poétique accessible, un jour ou l'autre, à tous les sens. Je me réservais la traduction.

15   Ce fut d'abord une étude. J'écrivais des silences des nuits, je notais l'inexpri-
mable. Je fixais des vertiges.

    .   .   .   .

La vieillerie poétique avait une bonne part dans mon alchimie du verbe.

Je m'habituai à l'hallucination simple: je voyais très franchement une mosquée à la place d'une usine, une école de tambours faite par les anges,

---

[50] *flaque,* "pool."   [51] Commercial ships.
[52] "prison-ships." The *yeux horribles* are the portholes.
[53] Two fragments from *Une Saison en Enfer* are given here because they throw some light upon Rimbaud's ideas in regard to poetry, his method, or lack of method, of composition, and his sources of inspiration.
[54] "mountebanks."   [55] "chromos."   [56] "migrations."

des calèches sur les routes du ciel, un salon au fond d'un lac; les monstres, les mystères; un titre de vaudeville dressait des épouvantes devant moi.

Puis j'expliquai mes sophismes magiques avec l'hallucination des mots!

Je finis par trouver sacré le désordre de mon esprit. J'étais oisif, en proie à une lourde fièvre: j'enviais la félicité des bêtes,—les chenilles,[57] qui repré- 5
sentent l'innocence des limbes,[58] les taupes, le sommeil de la virginité!

Mon caractère s'aigrissait. Je disais adieu au monde dans d'espèces de romances . . .

Enfin, ô bonheur, ô raison, j'écartai du ciel l'azur, qui est du noir, et je vécus étincelle d'or de la lumière *nature*. De joie, je prenais une expression 10
bouffonne et égarée au possible. . . .

Une Saison en Enfer.
Poésies. (Éditions de *la Nouvelle Revue Française.*
Tous droits réservés.)

[57] "caterpillars."
[58] "Limbo," borderland of hell, abode of the virtuous who have been denied knowledge of the Christian faith.

STÉPHANE MALLARMÉ (1842–1898)

A native Parisian, at the age of twenty Mallarmé went to England as a teacher. Returning to France he taught English, first in the provinces, and then in Paris. In the early eighties his salon became the gathering place of such men as Gustave Kahn, Henri de Régnier, Paul Claudel, Paul Valéry, and others, all of whom, perhaps, owed something to his informal *causeries,* for Mallarmé's influence was greater than his poetry. He began writing as a follower of the Parnassians and an admirer of Baudelaire, but was not long in deserting their practices which he found too rigid for his purpose. His guiding motif appears to be music. He does not seek clarity in his use of words, but rather musical sounds which will produce emotions, and suggest images. To write clearly is commonplace; moreover it is to overlook the advantages to be derived from making the reader a collaborator. Hence he abandons the conventional sentence structure and concerns himself with rhythm, suggestion, association. The result is, of course, that some of his poems would be interpreted differently by every individual reading them. Though many French readers are impatient with his obscurity, Paul Valéry, possibly the greatest of contemporary French poets, acknowledges Mallarmé as his master.

". . . L'œuvre de Mallarmé est le plus merveilleux prétexte à rêveries qui ait encore été offert aux hommes fatigués de tant d'affirmations lourdes et inutiles: une poésie pleine de doutes, de nuances changeantes et de parfums ambigus, c'est peut-être la seule où nous puissions désormais nous plaire. . . ." (Remy de-Gourmont: *Culture des Idées.*)

IMPORTANT WORKS:

Poetry: *L'Après-midi d'un Faune* (1876); *Vers et Prose* (1893); *Divagations* (1897); *Poésies Complètes* (1899).

BRISE MARINE [1]

La chair est triste, hélas! et j'ai lu tous les livres.
Fuir! là-bas fuir! Je sens que des oiseaux sont ivres
D'être parmi l'écume inconnue et les cieux!
Rien, ni les vieux jardins reflétés par les yeux
Ne retiendra ce cœur qui dans la mer se trempe,   5
O nuits! ni la clarté déserte de ma lampe
Sur le vide papier que la blancheur défend,
Et ni la jeune femme allaitant son enfant.[2]
Je partirai! Steamer balançant ta mâture

---

[1] Stéphane Mallarmé, *Poésies.* (Éditions de la Nouvelle Revue Française. Tous droits réservés.) *Brise Marine* is one of Mallarmé's earlier poems, written when he was under Parnassian influences; first published in 1866. The poem treats the Baudelairian theme of *l'Invitation au voyage,* the necessity of seeking adventure in the unknown to escape the utter boredom of life.
[2] *La jeune femme* and *son enfant,* Mallarmé's own wife and child.

Lève l'ancre pour une exotique nature!   10
Un Ennui, désolé par les cruels espoirs,
Croit encore à l'adieu suprême des mouchoirs!
Et, peut-être, les mâts, invitant les orages
Sont-ils de ceux qu'un vent penche sur les naufrages
Perdus, sans mâts, sans mâts, ni fertiles îlots . . .   15
Mais, ô mon cœur, entends le chant des matelots!

ÉVENTAIL [3]

O rêveuse,[4] pour que je plonge
Au pur délice sans chemin,
Sache, par un subtil mensonge,
Garder mon aile dans ta main.

Une fraîcheur de crépuscule   5
Te vient à chaque battement
Dont le coup prisonnier recule
L'horizon délicatement.

Vertige! voici que frissonne
L'espace comme un grand baiser   10
Qui, fou de naître pour personne
Ne peut jaillir ni s'apaiser.

Sens-tu le paradis farouche
Ainsi qu'un rire enseveli
Se couler du coin de ta bouche   15
Au fond de l'unanime pli!

Le sceptre [5] des rivages roses
Stagnants sur les soirs d'or, ce l'est,
Ce blanc vol fermé que tu poses
Contre le feu d'un bracelet.   20

LE TOMBEAU D'EDGAR POE [6]

Tel qu'en Lui-même enfin l'éternité le change,
Le Poëte suscite avec un glaive nu
Son siècle épouvanté de n'avoir pas connu
Que la mort triomphait dans cette voix étrange!

---

[3] Stéphane Mallarmé, *Poésies*. (Éditions de la Nouvelle Revue Française. Tous droits réservés.)
This is the second *Éventail* (de Mademoiselle Mallarmé).
   [4] The fan addresses Mlle Mallarmé.   [5] The fan.
   [6] Stéphane Mallarmé, *Poésies*. (Éditions de la Nouvelle Revue Française. Tous droits réservés.)
This great American poet and Walt Whitman are highly appreciated in France.
Jules Lemaître in *Les Contemporains* (V, p. 43) offers an interpretation of this poem, which
may or may not be the correct one.

Eux,[7] comme un vil sursaut d'hydre oyant jadis l'ange   5
Donner un sens plus pur aux mots de la tribu
Proclamèrent très haut le sortilège bu
Dans le flot sans honneur de quelque noir mélange.[8]

Du sol et de la nue hostiles, ô grief!
Si notre idée avec [9] ne sculpte un bas-relief   10
Dont la tombe de Poe éblouissante s'orne

Calme bloc ici-bas chu [10] d'un désastre obscur,
Que ce granit du moins montre à jamais sa borne
Aux noirs vols du Blasphème épars dans le futur.

[7] *Eux,* the people of his time.
[8] Allusion to the "mixed drinks," cocktails, in which Poe indulged too frequently and too heavily.
[9] "with it" (*le sortilège*), "with Poe's images."   [10] *tombé.*

ANATOLE FRANCE (1844–1924)

Jacques Anatole-François Thibault, who wrote under the pen-name of Anatole France, was born in the heart of Paris, on the Quai Malaquais, where he grew up in his father's *librairie* on familiar terms with the old booksellers, whose stalls he saw in the foreground as he looked over the Seine towards the Louvre. While he received the conventional classical education, he read widely, and tells us that the old booksellers along the quays were his masters.

Although most of his stories are philosophical, Anatole France is not a great original thinker. Indeed, he tells us there is nothing new in the way of ideas; all that one can do is dress old ideas in an attractive form. "Une idée ne vaut que par la forme et donner une forme nouvelle à une vieille idée, c'est tout l'art et c'est la seule création possible à l'humanité" (*Vie Littéraire*). He does not confine his interest to form, however: he wishes to make people think. Those books and authors that provoke thought are the best: "Les meilleurs à mon sens sont ceux qui donnent le plus à penser" (*Vie Littéraire*). Judged by this standard, some of his own works are excellent, for, challenging existing ideas, philosophies, religions, governments, examining them from points of view not generally considered, he does provoke thought. Anyone who has read Anatole France is impressed by his irony, a gentle irony, in his early works, mingled with pity. "Plus je songe à la vie humaine, plus je crois qu'il faut lui donner pour témoins et pour juges l'ironie et la pitié. . . ." (*Jardin d'Épicure.*)

Deeply interested in religions, Anatole France is himself a skeptic. His lack of religious belief does not, however, make him hopelessly pessimistic. He has the good humor which characterizes all those French authors who have been the best representatives of the "esprit gaulois." As one reads some of his works, such as *La Rôtisserie,* one inevitably thinks of certain pages of *Pantagruel* or *Candide.* He owed much to the eighteenth century, but his skeptical attitude can be traced to Renan, for whom he had the highest admiration. Anatole France was long content to watch and enjoy the passing show, but with the Dreyfus case a new and more serious note appeared in him. His sympathy for the poor, suffering because of the ignorance, stupidity, or worse, of those directing the affairs of state, for the victims of the existing political, religious, and social order, led him to satirize conditions in an effort to bring about greater justice.

His original works are characterized by profound erudition, general and philosophic ideas, imagination, and irony, which, added to his simple and beautiful style, give him a charm rarely equaled. His plots are sometimes carelessly constructed; he seeks truth and beauty, and cares little for the framework of his stories. His style, classical in its purity, is whimsical, highly personal, charming.

As a critic, he is impressionistic. He believes that all anyone can find in a book is what he himself puts into it. In practice, however, he favors those authors who, like himself, show intelligence, and whose works approach classical perfection of form.

". . . Amateur de curiosités philosophiques, érudit bibliophile, il se promène de l'alexandrinisme au XVIIIe siècle, de la Thébaïde à la rue Saint-Jacques, de Paris à Florence, mettant dans tous ses romans ses goûts de fureteur et de chartiste, son tour de pensée spirituel et séduisant, et son exquis sentiment de l'art. Il s'est fait à partir de 1897 le peintre des mœurs politiques de la France; et il y a manifesté, avec l'observation la plus aiguë, une chaleur insoupçonnée, un amour passioné de la raison et de la justice: l'ironie est devenue l'arme d'un croyant." (Lanson: *Histoire de la Littérature Française*.)

IMPORTANT WORKS:

Novel: *Le Crime de Sylvestre Bonnard* (1881); *Le Livre de Mon Ami* (1885); *Thaïs* (1890); *La Rôtisserie de la Reine Pédauque* (1893); *L'Histoire Contemporaine: L'Orme du Mail* (1897) and *M. Bergeret à Paris* (1901); *L'Ile des Pingouins* (1908); *Les Dieux Ont Soif* (1912). Criticism: *La Vie Littéraire* (1888–1892).

LA MORALE ET LA SCIENCE

[This article shows the author as a critic and makes clear how far he was from agreeing with Brunetière's dogmatic method of criticism.]

II

Dans ce beau roman du *Disciple*,[1] dont nous avons parlé, M. Paul Bourget agite, avec une rare habileté d'esprit, de hautes questions morales qu'il ne résout pas. Et comment les résoudrait-il? Le dénouement d'un conte ou d'un poème est-il jamais une solution? C'est assez pour sa gloire et pour notre profit qu'il ait solicité vivement toutes les âmes pensantes. M. Paul Bourget nous a montré le jeune élève d'un grand philosophe commettant un crime odieux sous l'empire des doctrines déterministes; et il nous a amenés à nous demander avec lui dans quelle mesure la condition du disciple engageait la responsabilité du maître.

Ce maître, M. Adrien Sixte, se sent lui-même profondément troublé, et, loin de se laver les mains des hontes et du sang qui rejaillissent jusqu'à lui, il courbe la tête, il s'humilie, il pleure. Bien plus: il prie. Son cœur n'est plus déterministe. Qu'est-ce à dire? C'est-à-dire que le cœur n'est jamais tout à fait philosophe et qu'on le trouve vite prêt à repousser les vérités auxquelles notre esprit s'attache obstinément. M. Sixte, qui est homme, a été troublé dans sa chair. C'est tout le sens que je puis tirer de cette partie du récit. Mais M. Sixte doit-il être tenu pour responsable du crime de son disciple?

En professant l'illusion de la volonté et la subjectivité des idées de bien et de mal, a-t-il commis lui-même un crime? M. Bourget ne l'a pas dit, il ne pouvait, il ne devait pas le dire. Le trouble moral de M. Sixte nous enseigne du moins que l'intelligence ne suffit pas seule à comprendre l'univers et que la raison ne peut méconnaître impunément les raisons du cœur. Et cette idée se montre comme une lueur douce et pure, dont ce livre est tout illuminé.

[1] *Le Disciple* (1889), a psychological novel by Paul Bourget (1852–   ). In this novel, Bourget introduces M. Sixte, a philosopher whose ideas and character are much like Taine's. A young man, Greslou, having become the disciple of Sixte, and deciding to put his philosophy into practice, is responsible for the death of a young woman. The question discussed in the novel is whether or not Sixte is responsible for the practical results of his philosophical theories.

M. Brunetière a été très frappé du caractère moral d'une telle pensée, et il en a félicité M. Paul Bourget dans un article dont je ne saurais trop louer l'argumentation rigoureuse, mais qui, par sa doctrine et ses tendances, offense grièvement cette liberté intellectuelle, ces franchises de l'esprit, que M. Brunetière devait être, ce semble, un des premiers à défendre, comme il [5] est un des premiers à en user. Dans cet article, M. Brunetière commence par demander si les idées agissent ou non sur les mœurs. Il faut bien lui accorder que les idées agissent sur les mœurs et il en prend avantage pour subordonner tous les systèmes philosophiques à la morale. «C'est la morale, dit-il qui juge la métaphysique.» Et remarquez qu'en décidant ainsi il ne soumet [10] pas la métaphysique, c'est-à-dire les diverses théories des idées, à une théorie particulière du devoir, à une morale abstraite. Non, il livre la pensée à la merci de la morale pratique, autrement dit, à l'usage des peuples, aux préjugés, aux habitudes, enfin, à ce qu'on appelle les principes. C'est uniquement d'après les principes qu'il appréciera les doctrines. Il le dit expressément: [15]

«Toutes les fois qu'une doctrine aboutira par voie de conséquence logique à mettre en question les principes sur lesquels la société repose, elle sera fausse, n'en faites pas de doute; et l'erreur en aura pour mesure de son énormité la gravité du mal même qu'elle sera capable de causer à la société.» Et, un peu plus loin, il dit des déterministes que «leurs idées doivent être fausses [20] puisqu'elles sont dangereuses.» Mais il ne songe pas que les principes sociaux sont plus variables encore que les idées des philosophes et que, loin d'offrir à l'esprit une base solide, ils s'écroulent dès qu'on y touche.

Il ne songe pas non plus qu'il est impossible de décider si une doctrine, funeste aujourd'hui dans ses premiers effets, ne sera pas demain largement [25] bienfaisante. Toutes les idées sur lesquelles repose aujourd'hui la société ont été subversives avant d'être tutélaires, et c'est au nom des intérêts sociaux qu'invoque M. Brunetière, que toutes les maximes de tolérance et d'humanité ont été longtemps combattues.

Pas plus que vous je ne suis sûr de la bonté de tel système et, comme vous, [30] je vois qu'il est en opposition avec les mœurs de mon temps, mais qui me garantit de la bonté de ces mœurs? Qui me dit que ce système, en désaccord avec notre morale, ne s'accordera pas un jour avec une morale supérieure?

Notre morale est excellente pour nous; elle l'est; elle doit l'être. Encore est-ce trop humilier la pensée humaine que de l'attacher à des habitudes qui [35] n'étaient point hier et qui demain ne seront plus. Le mariage, par exemple, est d'ordre moral. C'est une institution doublement respectable par l'intérêt que lui portent et l'Église et l'État. Il convient de ne le dépouiller d'aucune parcelle de sa force et de sa majesté; mais ce serait[2] aujourd'hui en France, comme jadis au Malabar,[3] l'usage de brûler les veuves de qualité sur le bûcher [40] de leur époux, assurément une philosophie qui tendrait, par voie de conséquence logique, à l'abolition de cet usage, mettrait en péril un principe social: en serait-elle pour cela fausse et détestable? Quelle philosophie jugée par les

---

[2] *ce serait . . . mettrait en peril*—"(even) if it were . . . would imperil."
[3] South-western part of India.

mœurs n'a pas d'abord été condamnée? A la naissance du christianisme, est-ce que ceux qui croyaient à un Dieu crucifié n'étaient pas tenus par cela même pour les ennemis de l'empire?

Il ne saurait y avoir pour la pensée pure une pire domination que celle des
5 mœurs. Longtemps la métaphysique fut soumise à la religion; *Philosophia ancilla theologiæ.*[4] Du moins avait-elle alors une maîtresse stable, constante dans ses commandements. Je sais bien que c'est le fanatisme scientifique, le déterminisme darwinien qui est seul en cause pour le moment. Vraie ou non au point de vue scientifique, cette doctrine est absolument condamnée par
10 M. Brunetière au nom de la morale.

«Fussiez-vous donc assuré, dit-il, que la concurrence vitale[5] est la loi du développement de l'homme, comme elle l'est des autres animaux; que la nature, indifférente à l'individu, ne se soucie que des espèces, et qu'il n'y a qu'une raison ou qu'un droit au monde, qui est celui du plus fort, il ne
15 faudrait pas le dire, puisque de suivre «ces vérités» dans leurs dernières conséquences, il n'est personne aujourd'hui qui ne voie que ce serait ramener l'humanité à sa barbarie première.»

Vous craignez que le darwinisme systématique vous ramène à la nature, en supprimant les idées sociales qui seules nous en séparent.
20 Ces craintes, quand on y songe, sont bien vaines. J'ignore les destinées futures du déterminisme scientifique, mais je ne puis croire qu'il nous ramène un jour à la barbarie primitive! Considérez que, s'il était aussi funeste qu'on croit, il aurait détruit l'humanité depuis longtemps. Car il est, dans son essence aussi vieux que l'homme même, et les mythes primitifs, l'antique
25 fable d'Œdipe[6] attestent que l'idée de l'enchaînement fatal des causes occupait déjà les peuples enfants dans leur héroïque berceau.

M. Brunetière n'accorde aux vérités de l'ordre scientifique qu'une confiance très médiocre. En cela, il montre un esprit judicieux. Ces vérités sont précaires et transitoires. La philosophie de la nature est toujours à refaire. Il
30 y a quelque amertume à songer que nous n'avons de toutes choses que des lueurs incertaines. Je confesserai volontiers que la science n'est qu'inquiétude et que trouble et que l'ignorance, au contraire, a des douceurs non pareilles. Quel est donc ce disciple de Jean-Jacques qui disait: «La nature nous a donné l'ignorance pour servir de paupière à notre âme?» On trouve dans la *Chau-*
35 *mière indienne*[7] un éloge exquis de la sainte ignorance.

«L'ignorance, dit Bernardin, à la considérer seule et sans la vérité avec laquelle elle a de si douces harmonies, est le repos de notre intelligence; elle nous fait oublier les maux passés, nous dissimule les présents; enfin, elle est un bien, puisque nous la tenons de la nature.»
40 Oui, à certains égards, elle est un bien, je l'avoue, sans craindre que M. Brunetière abuse contre moi de cet aveu. Car il verra tout de suite par quels chemins je le ramène à cette philosophie antisociale, à ce culte senti-

---

[4] "Philosophy the handmaid of theology."   [5] The "struggle for existence."
[6] Œdipus: who was fated to kill his father and marry his own mother. See page 4, note 9.
[7] *Chaumière indienne* (1790), a story by Bernardin de Saint-Pierre.

mental de la nature, à ces doctrines de Jean-Jacques qui lui semblent les voies les plus criminelles de l'esprit humain.

Il craindra que cette bienfaisante et pure ignorance, si on la laissait faire, ne nous ramenât à la brutalité primitive et au cannibalisme. Et peut-être, en effet, nous reconduirait-elle plus sûrement que toutes les doctrines dé- 5 terministes à l'âge de pierre, aux rudes mœurs des cavernes et à la police barbare des cités lacustres.[8]

Ne disons pas trop de mal de la science. Surtout ne nous défions pas de la pensée. Loin de la soumettre à notre morale, soumettons-lui tout ce qui n'est pas elle. La pensée, c'est tout l'homme. Pascal l'a dit: «Toute notre 10 dignité consiste en la pensée.» Travaillons donc à bien penser. Voilà le principe de la morale.

Laissons toutes les doctrines se produire librement, n'ameutons jamais contre elles les petits dieux domestiques qui gardent nos foyers. N'accusons jamais d'impiété la pensée pure. Ne disons jamais qu'elle est immorale, car 15 elle plane au-dessus de toutes les morales. Ne la condamnons pas surtout pour ce qu'elle peut apporter d'inconnu. Le métaphysicien est l'architecte du monde moral. Il dresse de vastes plans d'après lesquels on bâtira peut-être un jour. En quoi faut-il que ses plans s'accordent avec le type de nos habitations actuelles, palais ou masures? Faut-il toujours que, comme les architectes du 20 temple de Vesta,[9] on copie, même en un sanctuaire de marbre, les huttes de bois des aïeux?

C'est la pensée qui conduit le monde. Les idées de la veille font les mœurs du lendemain. Les Grecs le savaient bien quand ils nous montraient des villes bâties aux sons de la lyre. Subordonner la philosophie à la morale, c'est 25 vouloir la mort même de la pensée, la ruine de toute spéculation intellectuelle, le silence éternel de l'esprit. Et c'est arrêter du même coup le progrès des mœurs et l'essor de la civilisation.

III

A l'occasion du *Disciple,* M. Brunetière s'étant efforcé de démontrer dans la *Revue des Deux Mondes* que les philosophes et les savants sont responsa- 30 bles, devant la morale, des conséquences de leurs doctrines et que toute physique, comme toute métaphysique, cesse d'être innocente quand elle ne s'accorde pas avec l'ordre social. La *Revue rose* [10] s'alarma, non sans quelque raison, à mon sens,[11] d'une doctrine qui subordonne la pensée à l'usage et tend à consacrer d'antiques préjugés. Moi-même je me permis de défendre 35 non telle ou telle théorie scientifique ou philosophique, mais les droits même de l'esprit humain, dont la grandeur est d'oser tout penser et tout dire. J'étais persuadé—et je le suis encore—que le plus noble et le plus légitime emploi que l'homme puisse faire de son intelligence est de se représenter le monde et que ces représentations, qui sont les seules réalités que nous 40

---

[8] Prehistoric villages built on piles in lakes. [9] Roman goddess of fire and of the home.
[10] *Revue Politique et Littéraire* (1863-). [11] "in my opinion."

puissions atteindre, donnent à la vie tout son prix, toute sa beauté. Mais d'abord il faut vivre, dit M. Brunetière. Et il y a des règles pour cela. Toute doctrine qui va contre ces règles est condamnée.

Il est facile de lui répondre qu'une philosophie, quelle qu'elle soit, si
5 morne, si désolée qu'elle paraisse d'abord, si sombre que semble sa face, change de figure et de caractère dès qu'elle entre dans le domaine de l'action. Aussitôt qu'elle s'empare de l'empire des âmes, aussitôt qu'elle est reine enfin, elle édicte des lois morales en rapport avec les besoins et les aspirations de ses sujets. Sa souveraineté est à ce prix. Car il est vrai qu'avant tout
10 il faut vivre: et la morale n'est que le moyen de vivre. Suivez, par le monde, l'histoire des idées et des mœurs. Sous quel idéal l'homme n'a-t-il pas vécu? Il a adoré des dieux féroces. Il professa, il professe encore des religions athées. Ici, il nourrit d'éternelles espérances; ailleurs, il a le culte du désespoir, de la mort et du néant. Et partout et toujours il est moral. Du moins
15 il l'est en quelque façon et de quelque manière. Car, sans morale aucune, il lui est impossible de subsister.

C'est justement parce que la morale est nécessaire que toutes les théories du monde ne prévaudront pas contre elle. Moloch [12] n'empêchait point les mères phéniciennes de nourrir leurs petits enfants. Quel est donc ce nouveau
20 Moloch que la psycho-physiologie prépare dans ses laboratoires et que MM. Ch. Richet,[13] Théodule Ribot [14] et Paulhan [15] arment pour l'extermination de la race humaine? Le déterminisme vous apparaît dans l'ombre comme un spectre effrayant. S'il venait à se répandre dans la conscience de tout un peuple, il perdrait cet aspect lugubre et ne montrerait plus qu'un
25 visage paisible. Alors il serait une religion, et toutes les religions sont consolantes; même celles qui agitent au chevet du mourant des images terribles; même celles qui murmurent aux oreilles des justes la promesse de l'infini néant; même celle qui nous dirait: «Souffrez, pensez, puis évanouissez-vous, ombres sensibles, l'univers y consent. Il faut que chaque
30 être soit à son tour le centre du monde. Homme, comme l'insecte, ton frère, tu auras été dieu une heure. Que te faut-il de plus?» Il y aurait encore dans ces maximes une adorable sainteté. Qu'importe au fond ce que l'homme croit, pourvu qu'il croie! Qu'importe ce qu'il espère, pourvu qu'il espère!

Tout ce qu'il découvrira, tout ce qu'il contemplera, tout ce qu'il adorera
35 dans l'univers ne sera jamais que le reflet de sa propre pensée, de ses joies, de ses douleurs et de son anxiété sublime. Une philosophie inhumaine, dit M. Brunetière.—Quel non-sens! Il ne saurait y avoir rien que d'humain dans une philosophie. Spiritualisme ou matérialisme, déisme, panthéisme, déterminisme, c'est nous, nous seuls. C'est le mirage qui n'atteste que la
40 réalité de nos regards. Mais que seraient les déserts de la vie sans les mirages éclatants de nos pensées?

Il y a pourtant des doctrines funestes, dit M. Brunetière, et sans le

[12] Moloch (Baal), god of the Phœnicians, worshiped with human sacrifices.
[13] Richet (1850–   ), physiologist, remembered for his work in serotherapy.
[14] Ribot (1839–1916), French philosopher who wrote works on experimental psychology.
[15] Paulhan (1856–   ), penetrating and original psychologist and philosopher.

Vicaire savoyard[16] nous n'aurions pas eu Robespierre.[17] Ce n'est pas l'avis de cet ingénieux et pénétrant Valbert[18] qui vient de défendre son compatriote Jean-Jacques avec une grâce persuasive. Mais laissons Jean-Jacques et Robespierre et reconnaissons que l'idée pure a plus d'une fois armé une main criminelle.

Qu'est-ce-à dire? La vie elle-même est-elle jamais tout à fait innocente? Le meilleur des hommes peut-il se flatter à sa mort de n'avoir jamais causé aucun mal? Savons-nous jamais ce que pourra coûter de deuils et de douleurs à quelque inconnu la parole que nous prononçons aujourd'hui? Savons-nous, quand nous lançons la flèche ailée, ce qu'elle rencontrera dans sa courbe fatale? Celui qui vint établir sur la terre le royaume de Dieu n'a-t-il pas dit, un jour, dans son angoisse prophétique: «J'ai apporté le glaive et non la paix?»[19]

Pourtant il n'enseignait ni la lutte pour la vie, ni l'illusion de la liberté humaine. Quel prophète après celui-là peut répondre que la paix qu'il annonce ne sera pas ensanglantée? Non, non! vivre n'est point innocent. On ne vit qu'en dévorant la vie, et la pensée qui est un acte participe de la cruauté attachée à tout acte. Il n'y a pas une seule pensée absolument inoffensive. Toute philosophie destinée à régner est grosse d'abus, de violences et d'iniquités. Dans ma première réponse, je n'ai pas eu de peine à montrer que l'idée, chère à M. Brunetière, de la subordination de la science à la morale est d'une application fâcheuse. Elle est vieille comme le monde et elle a produit, durant son long empire sur les âmes, des désastres lamentables. Cette démonstration lui a été sensible, si j'en juge par la vivacité avec laquelle il la repousse. Il voudrait bien au moins que je ne visse point que l'idée contraire, celle de l'indépendance absolue de la science, présente certains dangers; car alors il triompherait aisément de ma simplicité. Je ne puis lui donner cette joie. Je vois les périls réels qu'il a beaucoup grossis. Ce sont ceux de la liberté. Mais l'homme ne serait pas l'homme s'il ne pensait librement. Je me range du côté où je découvre le moindre mal associé au plus grand bien. La science et la philosophie issue de la science ne font pas le bonheur de l'humanité; mais elles lui donnent quelque force et quelque honneur. C'est assez pour les affranchir. En dépit de leur apparente insensibilité, elles concourent à l'adoucissement des mœurs; elles rendent peu à peu la vie plus riche, plus facile et plus variée. Elles conseillent la bienveillance, elles sont indulgentes et tolérantes. Laissez-les faire. Elles élaborent obscurément une morale qui n'est point faite pour nous, mais qui semblera peut-être un jour plus heureuse et plus intelligente que la nôtre. Et, pour en revenir au roman si intéressant de M. Paul Bourget, ne forçons point ce bon M. Sixte à brûler ses livres parce qu'un misérable y a trouvé peut-être des excitations à sa propre perversité. Ne condamnons pas trop vite ce brave homme comme corrupteur de la jeunesse. C'est là,

[16] *Vicaire savoyard* (*Profession de foi du*), episode of *Émile* (1762) by Jean-Jacques Rousseau.
[17] Robespierre (1758–1794), leader of the Reign of Terror.
[18] Pen name used by Cherbuliez (1829–1899), French novelist, in writing critical articles for the *Revue des Deux Mondes*.
[19] *Matthew* X, 34.

vous le savez, une condamnation que la postérité ne confirme pas toujours. Ne parlons pas avec trop d'indignation de l'immoralité de ses doctrines. Rien ne semble plus immoral que la morale future. Nous ne sommes point les juges de l'avenir.

5   Dernièrement, j'ai rencontré d'aventure, dans les Champs-Élysées, un des plus illustres savants de cette école psycho-physiologique qui offense si grièvement la piété inattendue de M. Brunetière. Il se promenait tranquillement sous les marronniers verdis par la sève d'automne et portant de jeunes feuilles que flétrit déjà le froid des nuits et qui ne pourront pas
10 déployer leur large éventail. Et je doute que ce spectacle ait contribué à lui inspirer une confiance absolue dans la bonté de la nature et dans la providence universelle. D'ailleurs, il n'y prenait pas garde; il lisait la *Revue des Deux Mondes.* Dès qu'il me vit, il me donna naturellement raison contre M. Brunetière. Il parla à peu près en ces termes. Son langage vous semblera
15 peut-être rigoureux; n'oubliez point que c'est un très grand psycho-physiologiste:

«Le vieux Sixte, dont M. Paul Bourget nous a fort bien exposé les doctrines, explique, comme Spinoza,[20] l'illusion de la volonté par l'ignorance des motifs qui nous font agir et des causes sourdes qui nous déterminent. La
20 volonté est pour lui, comme pour M. Ribot (je m'efforce de citer exactement) un état de conscience final qui résulte de la coordination plus ou moins complexe d'un groupe d'états conscients, subconscients ou inconscients qui, tous réunis, se traduisent par une action ou un arrêt, état de conscience qui n'est la cause de rien, qui constate une situation, mais qui ne la con-
25 stitue pas. Il estime, avec M. Charles Richet, que «la volonté, ou l'attention «qui est la forme la plus nette de la volonté, semble être la conscience de «l'effort et la conscience de la direction des idées. L'effort et la direction sont «imposés par une image ou par un groupe d'images prédominantes, par des «tentations et des émotions plus fortes que les autres.» Voilà ce qu'enseigne
30 M. Sixte. Serons-nous en droit de conclure que le crime de Greslou[21] est le naturel produit de ces théories, qu'une pleine responsabilité incombe de ce chef[22] aux théoriciens et que nous sommes tenus désormais, comme le prétend M. Brunetière, de suspendre prudemment nos analyses psycho-physiologiques et nos synthèses approximatives de la vie de l'esprit? Enfin,
35 cette science, ou si vous aimez mieux cette étude de certains problèmes, parvenue au point d'atteindre des résultats incomplets, je l'accorde, mais assurément dignes d'attention, doit-elle être brusquement abandonnée? Devons-nous faire le silence sur ce qui est acquis ou semble l'être et renoncer à la conquête encore incertaine d'une vérité peut-être dangereuse à con-
40 naître? Puisque aussi bien M. Brunetière pose la question sur le terrain de l'intérêt social, nous consentons à l'y suivre et nous ne nierons pas absolument le danger possible de telles ou telles théories mal comprises. Oui, je concède que Greslou, mal organisé et profondément atteint de «misère

[20] Spinoza (1632–1677), celebrated Dutch-Jewish philosopher, known especially for his *Ethics.* He is the great modern exponent of pantheism.
[21] Main character in Bourget's *le Disciple.*   [22] "falls for this reason (on this count)."

psychologique,» comme il l'était, a pu trouver dans l'œuvre du maître certaines idées génératrices de certains états de conscience, qui, coordonnés avec
«des groupes d'états antérieurs, conscients, subconscients ou inconscients»
(cette coordination ayant pour facteur principal le caractère qui n'est que
l'expression psychique d'un organisme individuel) ont pu se traduire par 5
une action—action criminelle—par un arrêt, arrêt des impulsions honnêtes,—
mais c'est là tout ce que je vous accorde. Et que le maître soit, à quelque
degré qu'on le suppose, responsable des errements du disciple, il est, à
mon sens, aussi raisonnable de le soutenir que d'accuser Montgolfier [23] de
la mort de Crocé-Spinelli.[24] Je prévois la réponse de M. Brunetière. L'aérosta- 10
tion, me dira-t-il, est une découverte avantageuse en somme et qu'on pouvait
acheter au prix de la vie de plusieurs victimes, tandis que la psycho-
physiologie est une illusion, et l'intérêt social vaut à coup sûr le sacrifice
d'une illusion. Si M. Brunetière parlait de la sorte—et je crois que c'est
bien là sa pensée—nous ne serions pas près de nous entendre; mais la ques- 15
tion serait mieux posée. Nous en viendrions à rechercher si la science et
l'observation n'appuient pas déjà solidement nos essais de psycho-physiologie.
Et alors, pour peu que M. Brunetière hésite à frapper de nullité nos recherches et nos travaux, il n'osera plus en condamner la divulgation. Car
je ne veux pas croire encore qu'il soit tout à fait brouillé avec la liberté 20
intellectuelle et l'indépendance de l'esprit humain. Quand de l'arbre de la
science un fruit tombe, c'est qu'il est mûr. Nul ne pouvait l'empêcher de
tomber.»

Ayant ainsi parlé, l'illustre psycho-physiologue me quitta. Et je songeai
que la plus grande vertu de l'homme est peut-être la curiosité. Nous voulons 25
savoir; il est vrai que nous ne saurons jamais rien. Mais nous aurons du
moins opposé au mystère universel qui nous enveloppe une pensée obstinée
et des regards audacieux; toutes les raisons des raisonneurs ne nous guériront
point, par bonheur, de cette grande inquiétude qui nous agite devant
l'inconnu. 30

La Vie Littéraire (III).

LE JONGLEUR DE NOTRE DAME [25]

I

Au temps du roi Louis,[26] il y avait en France un pauvre jongleur, natif
de Compiègne,[27] nommé Barnabé, qui allait par les villes, faisant des tours
de force et d'adresse.

Les jours de foire, il étendait sur la place publique un vieux tapis tout
usé, et, après avoir attiré les enfants et les badauds par des propos plaisants 35

---

[23] The Montgolfier brothers invented the aerostat, or air balloon in 1782–1783.
[24] Crocé-Spinelli, French aeronaut who died in the balloon, *Zenith*, in 1875.
[25] This story is based upon a medieval legend, the *Tumbeor Nostre Dame*, only the essential
portions of which have been retained. Anatole France has kept, beautifully, the childlike simplicity of the legend.
[26] Possibly Louis VII (1137–1180).   [27] City northeast of Paris, on the Oise.

qu'il tenait d'un très vieux jongleur et auxquels il ne changeait jamais rien, il prenait des attitudes qui n'étaient pas naturelles et il mettait une assiette d'étain en équilibre sur son nez. La foule regardait d'abord avec indifférence.

5 Mais quand, se tenant sur les mains la tête en bas, il jetait en l'air et rattrapait avec ses pieds six boules de cuivre qui brillaient au soleil, ou quand, se renversant jusqu'à ce que sa nuque touchât ses talons, il donnait à son corps la forme d'une roue parfaite et jonglait, dans cette posture, avec douze couteaux, un murmure d'admiration s'élevait dans l'assistance et les 10 pièces de monnaie pleuvaient sur le tapis.

Pourtant, comme la plupart de ceux qui vivent de leurs talents, Barnabé de Compiègne avait grand'peine à vivre.

Gagnant son pain à la sueur de son front, il portait plus que sa part des misères attachées à la faute d'Adam, notre père.

15 Encore, ne pouvait-il travailler autant qu'il aurait voulu. Pour montrer son beau savoir, comme aux arbres pour donner des fleurs et des fruits, il lui fallait la chaleur du soleil et la lumière du jour. Dans l'hiver, il n'était plus qu'un arbre dépouillé de ses feuilles et quasi mort. La terre gelée était dure au jongleur. Et, comme la cigale dont parle Marie de France,[28] il 20 souffrait du froid et de la faim dans la mauvaise saison. Mais, comme il avait le cœur simple, il prenait ses maux en patience.

Il n'avait jamais réfléchi à l'origine des richesses, ni à l'inégalité des conditions humaines. Il comptait fermement que, si ce monde est mauvais, l'autre ne pourrait manquer d'être bon, et cette espérance le soutenait. Il n'imitait 25 pas les baladins larrons[29] et mécréants,[30] qui ont vendu leur âme au diable. Il ne blasphémait jamais le nom de Dieu; il vivait honnêtement, et, bien qu'il n'eût pas de femme, il ne convoitait pas celle du voisin, parce que la femme est l'ennemie des hommes forts, comme il apparaît par l'histoire de Samson,[31] qui est rapportée dans l'Écriture.

30 A la vérité, il n'avait pas l'esprit tourné aux désirs charnels, et il lui en coûtait plus de renoncer aux brocs[32] qu'aux dames. Car, sans manquer à la sobriété, il aimait à boire quand il faisait chaud. C'était un homme de bien, craignant Dieu et très dévot à la sainte Vierge.

Il ne manquait jamais, quand il entrait dans une église, de s'agenouiller 35 devant l'image de la Mère de Dieu, et de lui adresser cette prière:

«Madame, prenez soin de ma vie jusqu'à ce qu'il plaise à Dieu que je meure, et quand je serai mort, faites-moi avoir les joies du Paradis.»

II

Or, un certain soir, après une journée de pluie, tandis qu'il s'en allait, triste et courbé, portant sous son bras ses boules et ses couteaux cachés dans

---

[28] Twelfth century writer of verse tales and fables. One of the latter is referred to here.
[29] "thieving dancers."   [30] "unbelievers."
[31] Delilah, the mistress of Samson, discovered the secret of his strength and betrayed him to the Philistines. (*Judges* XVI.)
[32] "jugs" (of wine).

son vieux tapis, et cherchant quelque grange pour s'y coucher sans souper, il vit sur la route un moine qui suivait le même chemin, et le salua honnêtement. Comme ils marchaient du même pas,[33] ils se mirent à échanger des propos.

—Compagnon, dit le moine, d'où vient que vous êtes habillé tout de vert? Ne serait-ce point pour faire le personnage d'un fol dans quelque mystère?[34]

—Non point, mon Père, répondit Barnabé. Tel que vous me voyez, je me nomme Barnabé, et je suis jongleur de mon état. Ce serait le plus bel état du monde si on y mangeait tous les jours.

—Ami Barnabé, reprit le moine, prenez garde à ce que vous dites. Il n'y a pas de plus bel état que l'état monastique. On y célèbre les louanges de Dieu, de la Vierge et des saints, et la vie du religieux est un perpétuel cantique au Seigneur.

Barnabé répondit:

—Mon Père, je confesse que j'ai parlé comme un ignorant. Votre état ne se peut comparer au mien et, quoiqu'il y ait du mérite à danser en tenant au bout du nez un denier[35] en équilibre sur un bâton, ce mérite n'approche pas du vôtre. Je voudrais bien comme vous, mon Père, chanter tous les jours l'office,[36] et spécialement l'office de la très sainte Vierge, à qui j'ai voué une dévotion particulière. Je renoncerais bien volontiers à l'art dans lequel je suis connu, de Soissons[37] à Beauvais,[38] dans plus de six cents villes et villages, pour embrasser la vie monastique.

Le moine fut touché de la simplicité du jongleur, et, comme il ne manquait pas de discernement, il reconnut en Barnabé un de ces hommes de bonne volonté de qui Notre-Seigneur a dit: «Que la paix soit avec eux sur la terre!»[39] C'est pourquoi il lui répondit:

—Ami Barnabé, venez avec moi, et je vous ferai entrer dans le couvent dont je suis prieur. Celui qui conduisit Marie l'Égyptienne[40] dans le désert m'a mis sur votre chemin pour vous mener dans la voie du salut.

C'est ainsi que Barnabé devint moine. Dans le couvent où il fut reçu, les religieux célébraient à l'envi le culte de la sainte Vierge, et chacun employait à la servir tout le savoir et toute l'habileté que Dieu lui avait donnés.

Le prieur, pour sa part, composait des livres qui traitaient, selon les règles de la scolastique,[41] des vertus de la Mère de Dieu.

Le Frère Maurice copiait, d'une main savante,[42] ces traités sur des feuilles de vélin.

[33] "at the same gait."

[34] "buffoon in some mystery-play." Mystery-plays were very popular throughout the Middle Ages.

[35] "small coin."   [36] "church service."

[37] City northwest of Paris, in the department of Aisne.

[38] City northwest of Paris, *chef-lieu* of the department of Oise.

[39] "Glory to God in the highest, and on earth peace, good will toward men." *Luke* II, 14.

[40] A very popular saint, a sort of African Mary Magdalen.

[41] "Scholasticism," methods and doctrines of the Christian philosophers of the Middle Ages.

[42] "skilful."

Le Frère Alexandre y peignait de fines miniatures. On y voyait la Reine du ciel, assise sur le trône de Salomon [43] au pied duquel veillent quatre lions; autour de sa tête nimbée voltigeaient sept colombes, qui sont les sept dons [44] du Saint-Esprit: dons de crainte, de piété, de science, de force, de conseil, d'intelligence et de sagesse. Elle avait pour compagnes six vierges aux cheveux d'or: l'Humilité, la Prudence, la Retraite,[45] le Respect, la Virginité et l'Obéissance.

A ses pieds, deux petites figures nues et toutes blanches se tenaient dans une attitude suppliante. C'étaient des âmes qui imploraient, pour leur salut et non, certes, en vain, sa toute-puissante intercession.

Le Frère Alexandre représentait sur une autre page Ève au regard de Marie,[46] afin qu'on vît en même temps la faute et la rédemption, la femme humiliée et la vierge exaltée. On admirait encore dans ce livre le Puits [47] des eaux vives, la Fontaine, le Lis, la Lune, le Soleil et le Jardin clos dont il est parlé dans le cantique,[48] la Porte du Ciel et la Cité de Dieu, et c'étaient là des images de la Vierge.

Le Frère Marbode était semblablement un des plus tendres enfants de Marie.

Il taillait sans cesse des images de pierre, en sorte qu'il avait la barbe, les sourcils et les cheveux blancs de poussière, et que ses yeux étaient perpétuellement gonflés et larmoyants; mais il était plein de force et de joie dans un âge avancé et, visiblement, la Reine du Paradis protégeait la vieillesse de son enfant. Marbode la représentait assise dans une chaire, le front ceint d'un nimbe à orbe perlé. Et il avait soin que les plis de la robe couvrissent les pieds de celle dont le prophète [49] a dit: «Ma bien-aimée est comme un jardin clos.» [50]

Parfois aussi il la figurait sous les traits d'un enfant plein de grâce, et elle semblait dire: «Seigneur, vous êtes mon Seigneur!—*Dixi de ventre matris meæ: Deus meus es tu.*» (*Psalm. 21, 11.*) [51]

Il y avait aussi, dans le couvent, des poètes, qui composaient, en latin, des proses et des hymnes en l'honneur de la bienheureuse vierge Marie, et même il s'y trouvait un Picard [52] qui mettait les miracles de Notre-Dame en langue vulgaire et en vers rimés.

III

Voyant un tel concours de louanges et une si belle moisson d'œuvres, Barnabé se lamentait de son ignorance et de sa simplicité.

—Hélas, soupirait-il en se promenant seul dans le petit jardin sans ombre

---

[43] Solomon—See *I Kings* X, 18–20.   [44] See *Isaiah* XI, 2.
[45] "retreat" (for the purpose of prayer and meditation).
[46] "Eve in comparison with Mary." (On opposite pages.)
[47] See *Song of Solomon*: II, 1; IV, 12, 15; V, 13; VI, 10.   [48] *Song of Solomon.*
[49] Solomon.   [50] *Song of Solomon*, IV, 12.   [51] The reference is really *Psalms* XXII, 10.
[52] Native of the province of Picardy, in northern France. Possibly Anatole France has in mind Gautier de Coinci, a 13th century author, who wrote in the Picard dialect much moralizing lyric verse and many pious narratives. He was not, however, the author of the *Tumbeor.*

du couvent, je suis bien malheureux de ne pouvoir, comme mes frères, louer dignement la sainte Mère de Dieu à laquelle j'ai voué la tendresse de mon cœur. Hélas! hélas! je suis un homme rude et sans art, et je n'ai pour votre service, madame la Vierge, ni sermons édifiants, ni traités bien divisés selon les règles, ni fines peintures, ni statues exactement taillées, ni vers comptés par pieds et marchant en mesure. Je n'ai rien, hélas!

Il gémissait de la sorte et s'abandonnait à la tristesse. Un soir que les moines se récréaient en conversant, il entendit l'un d'eux conter l'histoire d'un religieux qui ne savait réciter autre chose qu'*Ave Maria*.[53] Ce religieux était méprisé pour son ignorance; mais, étant mort, il lui sortit de la bouche cinq roses[54] en l'honneur des cinq lettres du nom de Marie, et sa sainteté fut ainsi manifestée.

En écoutant ce récit, Barnabé admira une fois de plus la bonté de la Vierge; mais il ne fut pas consolé par l'exemple de cette mort bienheureuse, car son cœur était plein de zèle et il voulait servir la gloire de sa dame qui est aux cieux.

Il en cherchait le moyen sans pouvoir le trouver et il s'affligeait chaque jour davantage, quand un matin, s'étant réveillé tout joyeux, il courut à la chapelle et y demeura seul pendant plus d'une heure. Il y retourna l'après-dîner.

Et, à compter de ce moment, il allait chaque jour dans cette chapelle, à l'heure où elle était déserte, et il y passait une grande partie du temps que les autres moines consacraient aux arts libéraux et aux arts mécaniques. Il n'était plus triste et il ne gémissait plus.

Une conduite si singulière éveilla la curiosité des moines.

On se demandait, dans la communauté, pourquoi le frère Barnabé faisait des retraites si fréquentes.

Le prieur, dont le devoir est de ne rien ignorer de la conduite de ses religieux, résolut d'observer Barnabé pendant ses solitudes. Un jour donc que celui-ci était renfermé, comme à son ordinaire, dans la chapelle, dom prieur vint, accompagné de deux anciens[55] du couvent, observer, à travers les fentes de la porte, ce qui se passait à l'intérieur.

Ils virent Barnabé qui, devant l'autel de la sainte Vierge, la tête en bas, les pieds en l'air, jonglait avec six boules de cuivre et douze couteaux. Il faisait, en l'honneur de la sainte Mère de Dieu,[56] les tours qui lui avaient valu le plus de louanges. Ne comprenant pas que cet homme simple mettait ainsi son talent et son savoir au service de la sainte Vierge, les deux anciens criaient au sacrilège.

Le prieur savait que Barnabé avait l'âme innocente; mais il le croyait tombé en démence. Ils s'apprêtaient tous trois à le tirer vivement de la chapelle, quand ils virent la sainte Vierge descendre les degrés de l'autel pour venir essuyer d'un pan de son manteau bleu la sueur qui dégouttait du front de son jongleur.

[53] "Hail Mary," opening words of the prayer to the Virgin.
[54] This story is to be found in Gautier de Coinci's works.
[55] "elders."   [56] The Virgin Mary.

Alors le prieur, se prosternant le visage contre la dalle, récita ces paroles:

—Heureux les simples, car ils verront Dieu![57]

—*Amen!* répondirent les anciens en baisant la terre.

L'Etui de Nacre.

LE PETIT SOLDAT DE PLOMB[58]

Cette nuit-là, comme la fièvre de l'«influenza» m'empêchait de dormir,
j'entendis très distinctement trois coups frappés sur la glace d'une vitrine[59]
qui est à côté de mon lit et dans laquelle vivent pêle-mêle des figurines en
porcelaine de Saxe[60] ou en biscuit de Sèvres,[61] des statuettes en terre cuite
de Tanagra[62] ou de Myrina,[63] des petits bronzes de la Renaissance, des
ivoires japonais, des verres de Venise, des tasses de Chine, des boîtes en
vernis Martin,[64] des plateaux de laque, des coffrets d'émail; enfin, mille
riens que je vénère par fétichisme[65] et qu'anime pour moi le souvenir des
heures riantes ou mélancoliques. Les coups étaient légers mais parfaitement
nets et je reconnus, à la lueur de la veilleuse,[66] que c'était un petit soldat de
plomb, logé dans le meuble, qui essayait de se donner la liberté. Il y réussit,
et, bientôt, sous son poing, la porte vitrée s'ouvrit toute grande. A vrai
dire, je ne fus pas surpris plus que de raison. Ce petit soldat m'a toujours eu
l'air d'un fort mauvais sujet. Et depuis deux ans que Madame G. M. . . .
me l'a donné, je m'attends de sa part à toutes les impertinences. Il porte
l'habit blanc bordé de bleu: c'est un garde[67] française, et l'on sait que ce
régiment-là ne se distinguait point par la discipline.[68]

—Holà! criai-je, La Fleur, Brindamour, La Tulipe![69] ne pourriez-vous
faire moins de bruit et me laisser reposer en paix, car je suis fort souffrant?

Le drôle me répondit en grognant:

—Tel que vous me voyez, bourgeois,[70] il y a cent ans que j'ai pris la
Bastille,[71] ensuite de quoi on vida nombre de pots. Je ne crois pas qu'il reste
beaucoup de soldats de plomb aussi vieux que moi. Bonne nuit, je vais à
la parade.

[57] A combination of the two beatitudes: "Blessed are the meek: for they shall inherit the earth." (*Matthew* V, 5.) "Blessed are the pure in heart: for they shall see God." (*Matthew* V, 8.)

[58] *Le Petit Soldat de Plomb* shows Anatole France's interest in 18th century France and in Greece.

[59] "glass case."

[60] Saxony, one of the German states, famous for its porcelain, which is called Dresden (china) in English.

[61] "Sèvres bisque" (unglazed porcelain). Sèvres is a town between Paris and Versailles, famous for the porcelains made in the national factory located there.

[62] A city of ancient Greece, famed for its statuettes.

[63] City in Asia Minor, another source of interesting statuettes.

[64] Lacquer made by the Martins, in the 18th century.

[65] "devotion to idols or talismans." (A bit of Anatole France's irony.)   [66] "night-lamp."

[67] *un soldat de la garde française.* Here the King's Guard is in the mind of the author.

[68] The *Garde française* was one of the first regiments to desert the royal cause in the Revolution.

[69] These are nicknames of soldiers common at the time.   [70] "citizen."

[71] State prison built 1370–1382, and destroyed July 14, 1789. The destruction of the Bastille is usually considered the beginning of the French Revolution.

—La Tulipe, répondis-je sévèrement, votre régiment fut cassé[72] par ordre de Louis XVI[73] le 31 août 1789. Vous ne devez plus aller à aucune parade. Restez dans cette vitrine.

La Tulipe se frisa la moustache et, me regardant du coin de l'œil avec mépris:

—Quoi, me dit-il, ne savez-vous pas que, chaque année, dans la nuit du 31 décembre,[74] pendant le sommeil des enfants, la grande revue des soldats de plomb défile sur les toits, au milieu des cheminées qui fument joyeusement, et d'où s'échappent encore les dernières cendres de la bûche de Noël? C'est une cavalcade éperdue, où chevauche maint cavalier qui n'a plus de tête. Les ombres de tous les soldats de plomb qui périrent à la guerre passent ainsi dans un tourbillon infernal. Ce ne sont que baïonnettes tordues et sabres brisés. Et les âmes des poupées mortes, toutes pâles au clair de lune, les regardent passer.

Ce discours me laissa perplexe.

—Ainsi donc, La Tulipe, c'est un usage, un usage solennel? J'ai infiniment de respect pour les usages, les coutumes, les traditions, les légendes, les croyances populaires. Nous appelons cela le folk-lore, et nous en faisons des études qui nous divertissent beaucoup. La Tulipe, je vois avec grand plaisir que vous êtes traditionniste. D'un autre côté, je ne sais si je dois vous laisser sortir de cette vitrine.

—Tu le dois, dit une voix harmonieuse et pure que je n'avais pas encore entendue et que je reconnus aussitôt pour celle de la jeune femme de Tanagra qui, serrée dans les plis de son himation,[75] se tenait debout auprès du garde française qu'elle dominait de l'élégante majesté de sa taille. Tu le dois. Toutes les coutumes transmises par les aïeux sont également respectables. Nos pères savaient mieux que nous ce qui est permis et ce qui est défendu, car ils étaient plus près des dieux. Il convient donc de laisser ce Galate[76] accomplir les rites guerriers des ancêtres. De mon temps, ils ne portaient pas, comme celui-ci, un ridicule habit bleu à revers[77] rouges. Ils n'étaient couverts que de leurs boucliers. Et nous en avions grand'peur. C'étaient des barbares. Toi aussi, tu es un Galate et un barbare. En vain tu as lu les poètes et les historiens, tu ne sais point ce que c'est que la beauté de la vie. Tu n'étais point à l'agora,[78] tandis que je filais la laine de Milet,[79] dans la cour de la maison, sous l'antique mûrier.

Je m'efforçai de répondre avec mesure:

—Belle Pannychis, ton petit peuple grec a conçu quelques formes dont se réjouissent à jamais les âmes et les yeux. Mais il se débitait chaque jour sur ton agora autant de sottises qu'en peuvent moudre en une session nos conseils municipaux.[80] Je ne regrette pas de n'avoir point été citoyen de Larisse[81] ou de Tanagra. Toutefois, il convient de reconnaître que tu as

---

[72] "disbanded."   [73] King of France 1774–1793. He was guillotined during the Revolution.
[74] Compare popular beliefs associated with Hallowe'en.   [75] "cloak."
[76] "Galatian." The Galatians were supposed to have been Gauls. They invaded Greece in the 3d century.
[77] "lapel."   [78] "market place."   [79] Miletus, Asia Minor, celebrated for its wool.
[80] A bit of satire aimed at democratic government.   [81] Larissa, N. Greece.

bien parlé. La coutume doit être suivie, sans quoi elle ne serait plus la coutume. Blanche Pannychis, toi qui filais la laine de Milet, sous le mûrier antique, tu ne m'auras pas fait entendre en vain des paroles de bon conseil; sur ton avis, je permets à La Tulipe d'aller partout où le folk-lore l'ap-
5 pelle.

Alors une petite batteuse de beurre en biscuit de Sèvres, les deux mains sur sa baratte,[82] tourna vers moi des regards suppliants.

—Monsieur, ne le laissez point partir. Il m'a promis le mariage. C'est l'amoureux des onze mille vierges.[83] S'il s'en va, je ne le reverrai plus.

10 Et, cachant ses joues rondes dans son tablier, elle pleura de tout son cœur.

La Tulipe était devenu rouge comme le revers de son habit: il ne peut souffrir les scènes, et il lui est extrêmement désagréable d'entendre les reproches qu'il a mérités. Je rassurai du mieux que je pus la petite batteuse de beurre et j'invitai mon garde française à ne point s'attarder, après la
15 revue, dans quelque cabaret de sorcière. Il le promit et je lui souhaitai bon voyage. Mais il ne partait pas. Chose étrange, il demeurait tranquille sur sa tablette,[84] ne bougeant pas plus que les magots[85] qui l'entouraient. Je lui en témoignai ma surprise.

—Patience, me répondit-il. Je ne pourrais partir ainsi sous vos regards
20 sans contrarier toutes les lois de l'occulte. Quand vous sommeillerez, il me sera facile de m'échapper dans un rayon de lune, car je suis subtil.[86] Mais rien ne me presse et je puis attendre encore une heure ou deux. Nous n'avons rien de mieux à faire que de causer. Voulez-vous que je vous conte quelque histoire du vieux temps? J'en sais plus d'une.

25 —Contez, dit Pannychis.

—Contez, dit la batteuse de beurre.

—Contez donc, La Tulipe, dis-je à mon tour.

Il s'assit, bourra sa pipe, demanda un verre de bière, toussa et commença en ces termes:

30 —Il y a quatre-vingt-dix-neuf ans, jour pour jour, j'étais sur un guéridon avec une douzaine de camarades qui me ressemblaient comme des frères; les uns debout, les autres couchés; plusieurs endommagés de la tête ou du pied: débris héroïques d'une boîte de soldats de plomb achetée l'année précédente à la foire Saint-Germain.[87] La chambre était tendue de soie
35 bleu pâle. Une épinette[88] sur laquelle était ouverte la *Prière d'Orphée*,[89] des chaises ayant une lyre pour dossier, un bonheur du jour[90] en acajou, un lit blanc orné de roses, le long de la corniche des couples de colombes, tout souriait avec une grâce attendrie. La lampe brillait doucement et la

---

[82] "churn."

[83] Allusion to the legendary massacre at Cologne by the Huns in the 4th or 5th century of 11,000 virgins, among them St. Ursula.

[84] "shelf."　　　[85] "grotesque porcelain figure."　　　[86] "without substance"; also "cunning."

[87] Popular street fair in Paris, held during Lent in the neighborhood of the abbey of Saint-Germain-des-Prés.

[88] "spinet" (musical instrument resembling the harpsicord).

[89] From one of Gluck's operas, *Orfeo ed Euridice* (1762).　　　[90] "secretary" (writing desk).

flamme du foyer faisait palpiter comme des ailes dans l'ombre. Assise en robe de chambre devant le bonheur du jour, son cou délicat incliné sous la magnifique et pâle auréole de ses cheveux, Julie feuillette les lettres qui dormaient, liées avec des faveurs,[91] dans les tiroirs du meuble.

Minuit sonne; c'est le signe du passage idéal d'une année à l'autre. La mignonne pendule, où rit un amour doré, annonce que l'année 1793[92] est finie.

Au moment de la conjonction des aiguilles, un petit fantôme a paru. Un joli enfant, sorti du cabinet où il couche et dont la porte reste entr'ouverte, est venu, en chemise, se jeter dans les bras de sa mère et lui souhaiter une bonne année.

—Une bonne année, Pierre . . . Je te remercie. Mais sais-tu ce que c'est qu'une bonne année?

Il croit savoir; pourtant, elle veut le lui mieux enseigner.

—Une année est bonne, mon chéri, pour ceux qui l'ont passée sans haine et sans peur.

Elle l'embrasse; elle le porte dans le lit d'où il s'est échappé, puis elle revient s'asseoir devant le bonheur du jour. Elle regarde tour à tour la flamme qui brille dans l'âtre et les lettres d'où s'échappent des fleurs séchées. Il lui en coûte de les brûler. Il le faut pourtant. Car ces lettres, si elles étaient découvertes, feraient envoyer à la guillotine celui qui les a écrites et celle qui les a reçues. S'il ne s'agissait que d'elle, elle ne les brûlerait pas, tant elle est lasse de disputer sa vie aux bourreaux. Mais elle songe à lui, proscrit, dénoncé, recherché, qui se cache dans quelque grenier à l'autre bout de Paris. Il suffit d'une de ces lettres pour retrouver ses traces et le livrer à la mort.

Pierre dort chaudement dans le cabinet voisin; la cuisinière et Nanon se sont retirées dans les chambres hautes. Le grand silence du temps de neige règne au loin. L'air vif et pur active la flamme du foyer. Julie va brûler ces lettres, et c'est une tâche qu'elle ne pourra accomplir, elle le sait, sans de profondes et tristes songeries. Elle va brûler ces lettres, mais non pas sans les relire.

Les lettres sont bien en ordre, car Julie met dans tout ce qui l'entoure l'exactitude de son esprit.

Celles-ci, déjà jaunies, datent de trois ans, et Julie revit dans le silence de la nuit les heures enchantées. Elle ne livre une page aux flammes qu'après en avoir épelé dix fois les syllabes adorées.

Le calme est profond autour d'elle. D'heure en heure, elle va à la fenêtre, soulève le rideau, voit dans l'ombre silencieuse le clocher de Saint-Germain-des-Prés[93] argenté par la lune, puis reprend son œuvre de lente et pieuse destruction. Et comment ne pas boire une dernière fois ces pages délicieuses? Comment livrer aux flammes ces lignes si chères avant de les avoir à jamais imprimées dans son cœur? Le calme est profond autour d'elle, son âme palpite de jeunesse et d'amour.

Elle lit:

91 "ribbons.'   92 The year of the "Reign of Terror."
93 One of the oldest churches in Paris, founded in 558.

«Absent, je vous vois, Julie. Je marche environné des images que ma pensée fait naître. Je vous vois, non point immobile et froide, mais vive, animée, toujours diverse et toujours parfaite. J'assemble autour de vous dans mes rêves, les plus magnifiques spectacles de l'univers. Heureux, l'amant

5 de Julie! [94] Tout le charme, parce qu'il voit tout en elle. En l'aimant il aime vivre; il admire ce monde qu'elle éclaire; il chérit cette terre qu'elle fleurit. L'amour lui révèle le sens caché des choses. Il comprend les formes infinies de la création; elles lui montrent toutes l'image de Julie; il entend les voix sans nombre de la nature; elles lui murmurent toutes le nom de

10 Julie. Il noie ses regards avec délices dans la lumière du jour, en songeant que cette heureuse lumière baigne aussi le visage de Julie, et jette comme une caresse divine sur la plus belle des formes humaines. Ce soir les premières étoiles le feront tressaillir; il se dira: Elle les regarde peut-être en ce moment. Il la respire dans tous les parfums de l'air. Il veut baiser la terre qui la

15 porte . . .

«Ma Julie, si je dois tomber sous la hache des proscripteurs,[95] si je dois, comme Sidney,[96] mourir pour la liberté, la mort elle-même ne pourra retenir dans l'ombre où tu ne seras pas mes mânes [97] indignés. Je volerai vers ma bien-aimée. Souvent mon âme reviendra flotter en ta présence.»

20 Elle lit et songe. La nuit s'achève. Déjà une lueur blême traverse les rideaux: c'est le matin. Les servantes ont commencé leur travail. Elle veut achever le sien. N'a-t-elle pas entendu des voix? Non, le calme est profond autour d'elle.

Le calme est profond, c'est que la neige étouffe le son des pas. On vient,

25 on est là. Des coups ébranlent la porte.

Cacher les lettres, fermer le bonheur du jour, elle n'en a plus le temps. Tout ce qu'elle peut faire, elle le fait; elle prend les papiers à brassée et les jette sous le canapé dont la housse [98] traîne à terre. Quelques lettres se répandent sur le tapis; elle les repousse du pied, saisit un livre et se jette

30 dans un fauteuil.

Le président [99] du district entre suivi de douze piques. C'est un ancien rempailleur, nommé Brochet, qui grelotte la fièvre et dont les yeux sanglants nagent dans une perpétuelle horreur.

Il fait signe à ses hommes de garder les issues, et s'adressant à Julie:

35 —Citoyenne,[100] nous venons d'apprendre que tu es en correspondance avec les agents de Pitt,[101] les émigrés [102] et les conspirateurs [103] des prisons.

---

[94] Probably a reminiscence of Rousseau's sentimental novel, *Julie ou la Nouvelle Héloïse* (1761).

[95] Jacobin leaders, seeking to exterminate the aristocrats.

[96] Algernon Sidney (1622–1683), English politician, exponent of political liberty, author of *Discourses Concerning Government;* beheaded under James II on charges of treason.

[97] "shade" (ghost).   [98] "cover."   [99] "district leader."

[100] Revolutionary title to replace Madame.

[101] William Pitt (1759–1806), English statesman, implacable enemy of the Revolution. He formed three alliances against France.

[102] Aristocrats who had fled from France and were intriguing to restore the monarchy.

[103] Conspiracies were the terror of the ruling factions during this period, and there were many of them.

Au nom de la loi, je viens saisir tes papiers. Il y a longtemps que tu m'étais désignée comme une aristocrate de la plus dangereuse espèce. Le citoyen Rapoix, qui est devant tes yeux, et il désigna un de ses hommes, a avoué que dans le grand hiver de 1789, tu lui as donné de l'argent et des vêtements pour le corrompre.[104] Des magistrats modérés et dépourvus de civisme [105]   5
t'ont épargnée trop longtemps. Mais je suis le maître à mon tour, et tu n'échapperas pas à la guillotine. Livre-nous tes papiers, citoyenne.

—Prenez-les vous-même, dit Julie, mon secrétaire est ouvert.

Il y restait encore quelques billets de naissance, de mariage, ou de mort, des mémoires de fournisseurs et des titres de rente [106] que Brochet examinait   10
un à un. Il les tâtait et les retournait comme un homme défiant, qui ne sait pas bien lire, et disait de temps à autre: «Mauvais! Le nom du ci-devant [107] roi n'est pas effacé, mauvais, mauvais, cela!»

Julie en augure que la visite sera longue et minutieuse. Elle ne peut se défendre de jeter un regard furtif du côté du canapé et elle voit un coin   15
de lettre qui passe [108] sous la housse comme l'oreille blanche d'un chat. A cette vue, son angoisse cesse tout à coup. La certitude de sa perte met dans son esprit une tranquille assurance et sur son visage un calme tout semblable à celui de la sécurité. Elle est certaine que les hommes verront ce bout de papier qu'elle voit. Blanc sur le tapis rouge, il crève les yeux.[109] Mais   20
elle ne sait pas s'ils le découvriront tout de suite ou s'ils tarderont à le voir. Ce doute l'occupe et l'amuse. Elle se fait dans ce moment tragique une sorte de jeu d'esprit à regarder les patriotes s'éloigner ou s'approcher du canapé.

Brochet, qui en a fini avec les papiers du bonheur du jour, s'impatiente et   25
dit qu'il trouvera bien ce qu'il cherche.

Il culbute les meubles, retourne les tableaux et frappe du pommeau de son sabre sur les boiseries pour découvrir les cachettes. Il n'en découvre point. Il fait sauter [110] le panneau de glace pour voir s'il n'y a rien derrière. Il n'y a rien.   30

Pendant ce temps, ses hommes lèvent quelques lames de parquet. Ils jurent qu'une gueuse d'aristocrate ne se moquera pas des bons sans-culottes.[111] Mais aucun d'eux n'a vu la petite corne blanche qui passe sous la housse du canapé.

Ils emmènent Julie dans les autres pièces de l'appartement et demandent   35
toutes les clefs. Ils défoncent les meubles, font voler les vitres en éclats, crèvent les chaises, éventrent les fauteuils. Et ils ne trouvent rien.

Pourtant Brochet ne désespère pas encore, il retourne dans la chambre à coucher.

—Nom de Dieu! les papiers sont ici; j'en suis sûr!   40

Il examine le canapé, le déclare suspect et y enfonce à cinq ou six reprises

---

104 "bribe."   105 "patriotism."   106 "government bonds."   107 "former," "late."
108 "sticks out."   109 "stares one in the face."   110 "pries off."
111 "(violent) republicans." The ruling classes, before the Revolution, wore knee-breeches (*culottes*). The revolutionary republicans wore trousers, hence they came to be called *sans-culottes*.

son sabre dans toute sa longueur. Il ne trouve rien encore de ce qu'il cherche, pousse un affreux juron et donne à ses hommes l'ordre du départ.

Il est déjà à la porte quand, se retournant vers Julie le poing tendu:

—Tremble de me revoir; je suis le peuple souverain!

5   Et il sort le dernier.

Enfin, ils sont partis. Elle entend le bruit de leurs pas se perdre dans l'escalier. Elle est sauvée! Son imprudence ne l'a point trahi, lui! Elle court, avec un rire mutin, embrasser son Émile [112] qui dort les poings fermés, comme si tout n'avait pas été bouleversé autour de son berceau.

10   Ayant ainsi parlé, La Tulipe ralluma sa pipe qui était éteinte et vida son verre.

—Mon ami, lui dis-je, il faut être juste. Pour un garde française, vous contez avec délicatesse. Mais il me semble bien avoir déjà entendu cette histoire-là [113] quelque part.

15   —Il se peut que Julie l'ait racontée. C'était une personne d'infiniment d'esprit.

—Et qu'est-elle devenue?

Elle eut de belles heures encore au temps du Consulat.[114] Pourtant elle murmurait, le soir, aux arbres de son parc, des secrets douloureux. Voyez-
20   vous, monsieur, elle était plus forte contre la mort que contre l'amour.

—Et lui, qui écrivait de si belles lettres?

—Il devint baron et préfet de l'Empire.[115]

—Et le petit Émile?

—Il est mort en 1859, à Versailles,[116] colonel de gendarmerie.

25   —Fichtre!

CRAINQUEBILLE [117]

I

La majesté de la justice réside tout entière dans chaque sentence rendue par le juge au nom du peuple souverain. Jérôme Crainquebille, marchand ambulant,[118] connut combien la loi est auguste, quand il fut traduit [119] en police correctionnelle pour outrage à un agent de la force publique. Ayant
30   pris place, dans la salle magnifique et sombre, sur le banc des accusés, il vit les juges, les greffiers, les avocats en robe, l'huissier portant la chaîne,

[112] When first mentioned in the story, the child was called *Pierre*. Apparently the author had forgotten the name first used.
[113] Anatole France tells the same story himself in his charming *Livre de Mon Ami*, based upon his childhood.
[114] When the *Directoire* was overthrown in 1799, Napoleon became first consul.
[115] The first Empire (1804–1814), with Napoleon Bonaparte as emperor.
[116] About twenty miles down the Seine from Paris; ordinary residence of the King and his court. There is a bit of anticlimax in having Émile become a *colonel de gendarmerie*.
[117] *Crainquebille* appeared (1900–1901) when all France was stirred over the Dreyfus case, and in it we find a note of bitterness which is absent from earlier stories. Anatole France was one of those authors who fought valiantly for justice in this case.
[118] "itinerant."   [119] "arraigned."

les gendarmes et, derrière une cloison, les têtes nues des spectateurs silencieux. Et il se vit lui-même assis sur un siège élevé, comme si de paraître devant des magistrats l'accusé lui-même en recevait un funeste honneur. Au fond de la salle, entre les deux assesseurs,[120] M. le président [121] Bourriche siégeait. Les palmes [122] d'officier d'académie étaient attachées sur sa poitrine. Un buste de la République et un Christ [123] en croix surmontaient le prétoire,[124] en sorte que toutes les lois divines et humaines étaient suspendues sur la tête de Crainquebille. Il en conçut une juste terreur. N'ayant point l'esprit philosophique, il ne se demanda pas ce que voulaient dire ce buste et ce crucifix et il ne rechercha pas si Jésus et Marianne,[125] au Palais,[126] s'accordaient ensemble. C'était pourtant matière à réflexion, car enfin la doctrine pontificale et le droit canon sont opposés, sur bien des points, à la Constitution [127] de la République et au Code civil.[128] Les Décrétales [129] n'ont point été abolies, qu'on sache. L'Église du Christ enseigne comme autrefois que seuls sont légitimes les pouvoirs auxquels elle a donné l'investiture. Or la République française prétend encore ne pas relever [130] de la puissance pontificale. Crainquebille pouvait dire avec quelque raison:

—Messieurs les juges, le Président Loubet [131] n'étant pas oint, ce Christ, pendu sur vos têtes, vous récuse [132] par l'organe des Conciles [133] et des Papes. Ou il est ici pour vous rappeler les droits de l'Église, qui infirment [134] les vôtres, ou sa présence n'a aucune signification raisonnable.

A quoi le président Bourriche aurait peut-être répondu:

—Inculpé Crainquebille, les rois de France ont toujours été brouillés avec le Pape.[135] Guillaume de Nogaret [136] fut excommunié et ne se démit pas de ses charges pour si peu. Le Christ du prétoire n'est pas le Christ de Grégoire VII [137] et de Boniface VIII.[138] C'est, si vous voulez, le Christ de l'Évangile, qui ne savait pas un mot de droit canon et n'avait jamais entendu parler des sacrées Décrétales.

Alors il était loisible à Crainquebille de répondre:

—Le Christ de l'Évangile était un bousingot.[139] De plus, il subit une condamnation que, depuis dix-neuf cents ans, tous les peuples chrétiens

[120] "(assistant) judges."   [121] "presiding judge."

[122] Insignia of a minor order, granted usually for distinction in education or letters.

[123] The crucifixes remained in the court rooms until church and state were separated in 1905.

[124] "judge's bench."

[125] *Marianne* represents the French Republic just as *Uncle Sam* does the United States.

[126] The *Palais de Justice*, seat of the law courts of Paris.   [127] Adopted in 1875.

[128] Formulated by Napoleon in 1807, and considerably amended since.

[129] A collection of papal decisions.   [130] "depend."

[131] President of France 1899–1906.   [132] "challenges your authority."

[133] Councils consisting of the Pope and the Catholic episcopacy, whose canons are supreme in matters of faith.

[134] "invalidate."

[135] Anatole France has in mind the struggle for "Gallican liberties." (See Bossuet's *Déclaration des Quatre articles*.)

[136] Chancellor of France under Philippe le Bel, who was ordered to arrest Pope Boniface VIII, who had claimed temporal as well as spiritual supremacy.

[137] Pope 1073–1085, celebrated for his struggle with the German Emperor, Henry VI, whom he humiliated.

[138] Pope 1294–1303, famous for his struggle with Philippe le Bel, king of France (1285–1314).

[139] "demagogue."

considèrent comme une grave erreur judiciaire. Je vous défie bien, monsieur le président, de me condamner, en son nom, seulement à quarante-huit heures de prison.

Mais Crainquebille ne se livrait à aucune considération historique, politi-
5 que ou sociale. Il demeurait dans l'étonnement. L'appareil[140] dont il était environné lui faisait concevoir une haute idée de la justice. Pénétré de respect, submergé d'épouvante, il était prêt à s'en rapporter aux juges sur sa propre culpabilité. Dans sa conscience, il ne se croyait pas criminel; mais il sentait combien c'est peu que la conscience d'un marchand de légumes devant les
10 symboles de la loi et les ministres de la vindicte[141] sociale. Déjà son avocat l'avait à demi persuadé qu'il n'était pas innocent.

Une instruction sommaire et rapide avait relevé les charges qui pesaient sur lui.

II

L'Aventure de Crainquebille

Jérôme Crainquebille, marchand des quatre-saisons,[142] allait par la ville,
15 poussant sa petite voiture et criant: *Des choux, des navets, des carottes!* Et, quand il avait des poireaux, il criait: *Bottes d'asperges!* parce que les poireaux sont les asperges du pauvre. Or, le 20 octobre, à l'heure de midi, comme il descendait la rue Montmartre, madame Bayard, la cordonnière, sortit de sa boutique et s'approcha de la voiture légumière. Soulevant dédaigneusement
20 une botte de poireaux:

—Ils ne sont guère beaux, vos poireaux. Combien la botte?

—Quinze sous, la bourgeoise.[143] Y a pas[144] meilleur.

—Quinze sous, trois mauvais poireaux?

Et elle rejeta la botte dans la charrette, avec un geste de dégoût.
25 C'est alors que l'agent 64 survint et dit à Crainquebille:

—Circulez![145]

Crainquebille, depuis cinquante ans, circulait du matin au soir. Un tel ordre lui sembla légitime et conforme à la nature des choses. Tout disposé à y obéir, il pressa la bourgeoise de prendre ce qui était à sa convenance.[146]
30 —Faut[147] encore que je choisisse la marchandise, répondit aigrement la cordonnière.

Et elle tâta de nouveau toutes les bottes de poireaux, puis elle garda celle qui lui parut la plus belle et elle la tint contre son sein comme les saintes, dans les tableaux d'église, pressent sur leur poitrine la palme[148] triomphale.
35 —Je vas vous donner quatorze sous. C'est bien assez. Et encore il faut que j'aille les chercher dans la boutique, parce que je ne les ai pas sur moi.

Et, tenant ses poireaux embrassés, elle rentra dans la cordonnerie où une cliente, portant un enfant, l'avait précédée.

---

[140] "ceremony."   [141] "prosecution."   [142] "huckster."   [143] "lady."
[144] *Il n'y a pas.* In popular speech the *ne* is often omitted. Observe further examples in this story.
[145] "Move on."   [146] "what she wanted."   [147] *Il faut.*
[148] The palm is a sign of victory.

A ce moment l'agent 64 dit pour la deuxième fois à Crainquebille:
—Circulez!

—J'attends mon argent, répondit Crainquebille.

—Je ne vous dis pas d'attendre votre argent; je vous dis de circuler, reprit l'agent avec fermeté.

Cependant la cordonnière, dans sa boutique, essayait des souliers bleus à un enfant de dix-huit mois dont la mère était pressée. Et les têtes vertes des poireaux reposaient sur le comptoir.

Depuis un demi-siècle qu'il poussait sa voiture dans les rues, Crainquebille avait appris à obéir aux représentants de l'autorité. Mais il se trouvait cette fois dans une situation particulière, entre un devoir et un droit. Il n'avait pas l'esprit juridique.[149] Il ne comprit pas que la jouissance d'un droit individuel ne le dispensait pas d'accomplir un devoir social. Il considéra trop son droit qui était de recevoir quatorze sous, et il ne s'attacha pas assez à son devoir qui était de pousser sa voiture et d'aller plus avant et toujours plus avant. Il demeura.

Pour la troisième fois, l'agent 64, tranquille et sans colère, lui donna l'ordre de circuler. Contrairement à la coutume du brigadier Montauciel,[150] qui menace sans cesse et ne sévit[151] jamais, l'agent 64 est sobre d'avertissements et prompt à verbaliser.[152] Tel est son caractère. Bien qu'un peu sournois, c'est un excellent serviteur et un loyal soldat. Le courage d'un lion et la douceur d'un enfant. Il ne connaît que sa consigne.

—Vous n'entendez donc pas, quand je vous dis de circuler!

Crainquebille avait de rester en place une raison trop considérable à ses yeux pour qu'il ne la crût pas suffisante. Il l'exposa simplement et sans art:

—Nom de nom! puisque je vous dis que j'attends mon argent.

L'agent 64 se contenta de répondre:

—Voulez-vous que je vous f . . . une contravention?[153] Si vous le voulez, vous n'avez qu'à le dire.

En entendant ces paroles, Crainquebille haussa lentement les épaules et coula sur l'agent un regard douloureux qu'il éleva ensuite vers le ciel. Et ce regard disait:

«Que Dieu me voie! Suis-je un contempteur des lois? Est-ce que je me ris des décrets et des ordonnances qui régissent mon état ambulatoire? A cinq heures du matin, j'étais sur le carreau des Halles.[154] Depuis sept heures, je me brûle les mains à mes brancards en criant: *Des choux, des navets, des carottes!* J'ai soixante ans sonnés. Je suis las. Et vous me demandez si je lève le drapeau noir de la révolte. Vous vous moquez et votre raillerie est cruelle.»

Soit que l'expression de ce regard lui eût échappé, soit qu'il n'y trouvât pas une excuse à la désobéissance, l'agent demanda d'une voix brève et rude si c'était compris.

---

[149] "judicial."   [150] Observe the name of the kindly, blustering policeman.
[151] "acts vigorously."   [152] "draw up an official report" (*procès-verbal*).
[153] "Do you want me to report you for violating police regulations?"
[154] *Les Halles centrales,* the principal market of Paris.

Or, en ce moment précis, l'embarras des voitures était extrême dans la rue Montmartre. Les fiacres, les haquets,[155] les tapissières,[156] les omnibus, les camions, pressés les uns contre les autres, semblaient indissolublement joints et assemblés. Et sur leur immobilité frémissante s'élevaient des jurons
5 et des cris. Les cochers de fiacre échangeaient de loin, et lentement, avec les garçons bouchers des injures héroïques,[157] et les conducteurs d'omnibus, considérant Crainquebille comme la cause de l'embarras, l'appelaient «sale poireau.»

Cependant sur le trottoir, des curieux se pressaient, attentifs à la querelle.
10 Et l'agent, se voyant observé, ne songea plus qu'à faire montre de son autorité.

—C'est bon, dit-il.

Et il tira de sa poche un calepin crasseux et un crayon très court.

Crainquebille suivait son idée et obéissait à une force intérieure. D'ailleurs
15 il lui était impossible maintenant d'avancer ou de reculer. La roue de sa charrette était malheureusement prise dans la roue d'une voiture de laitier.

Il s'écria, en s'arrachant les cheveux sous sa casquette:

—Mais, puisque je vous dis que j'attends mon argent! C'est-il pas [158] malheureux! Misère de misère! Bon sang de bon sang!
20 Par ces propos, qui pourtant exprimaient moins la révolte que le désespoir, l'agent 64 se crut insulté. Et comme, pour lui, toute insulte revêtait nécessaire-ment la forme traditionnelle, régulière, consacrée, rituelle et pour ainsi dire liturgique de «Mort aux vaches!» [159] c'est sous cette forme que spontané-ment il recueillit et concréta dans son oreille les paroles du délinquant.
25 —Ah! vous avez dit: «Mort aux vaches!» C'est bon. Suivez-moi.

Crainquebille, dans l'excès de la stupeur et de la détresse, regardait avec ses gros yeux brûlés du soleil l'agent 64, et de sa voix cassée, qui lui sortait tantôt de dessus la tête et tantôt de dessous les talons, s'écriait, les bras croisés sur sa blouse bleue:
30 —J'ai dit: «Mort aux vaches?» Moi? . . . Oh!

Cette arrestation fut accueillie par les rires des employés de commerce et des petits garçons. Elle contentait le goût que toutes les foules d'hommes éprouvent pour les spectacles ignobles et violents. Mais, s'étant frayé [160] un passage à travers le cercle populaire, un vieillard très triste, vêtu de noir et
35 coiffé d'un chapeau de haute forme, s'approcha de l'agent et lui dit très doucement et très fermement, à voix basse:

—Vous vous êtes mépris. Cet homme ne vous a pas insulté.

—Mêlez-vous de ce qui vous regarde, lui répondit l'agent, sans proférer de menaces, car il parlait à un homme proprement mis.
40 Le vieillard insista avec beaucoup de calme et de ténacité. Et l'agent lui intima l'ordre [161] de s'expliquer chez le commissaire.

Cependant Crainquebille s'écriait:

---

155 "drays."   156 "light carts."
157 The insults exchanged are heroic only in their exaggerated nature. The Paris coachman has the reputation of being a master in the art of abuse.
158 *n'est-ce pas?*   159 "Down with the bulls (police)!"
160 "opened."   161 "enjoined."

—Alors que j'ai dit «Mort aux vaches!» Oh! . . .

Il prononçait ces paroles étonnées quand madame Bayard, la cordonnière, vint à lui, les quatorze sous dans la main. Mais déjà l'agent 64 le tenait au collet, et madame Bayard, pensant qu'on ne devait rien à un homme conduit au poste,[162] mit les quatorze sous dans la poche de son tablier.

Et, voyant tout à coup sa voiture en fourrière,[163] sa liberté perdue, l'abîme sous ses pas et le soleil éteint, Crainquebille murmura:

—Tout de même! . . .

Devant le commissaire, le vieillard déclara que, arrêté sur son chemin par un embarras de voitures, il avait été témoin de la scène et qu'il affirmait que l'agent n'avait pas été insulté, et qu'il s'était totalement mépris. Il donna ses nom et qualités: docteur David Matthieu, médecin en chef de l'hôpital Ambroise-Paré,[164] officier de la Légion d'honneur.[165] En d'autres temps, un tel témoignage aurait suffisamment éclairé le commissaire. Mais alors, en France, les savants étaient suspects.[166]

Crainquebille, dont l'arrestation fut maintenue, passa la nuit au violon[167] et fut transféré, le matin, dans le panier à salade,[168] au Dépôt.[169]

La prison ne lui parut ni douloureuse ni humiliante. Elle lui parut nécessaire. Ce qui le frappa en entrant ce fut la propreté des murs et du carrelage. Il dit:

—Pour un endroit propre, c'est un endroit propre. Vrai de vrai! On mangerait par terre.

Laissé seul, il voulut tirer son escabeau; mais il s'aperçut qu'il était scellé au mur. Il en exprima tout haut sa surprise:

—Quelle drôle d'idée! Voilà une chose que j'aurais pas inventée, pour sûr.

S'étant assis, il tourna ses pouces et demeura dans l'étonnement. Le silence et la solitude l'accablaient. Il s'ennuyait et il pensait avec inquiétude à sa voiture mise en fourrière encore toute chargée de choux, de carottes, de céleri, de mâche[170] et de pissenlit.[171] Et il se demandait anxieux:

—Où qu'ils m'ont étouffé[172] ma voiture?

Le troisième jour, il reçut la visite de son avocat, maître Lemerle, un des plus jeunes membres du barreau de Paris, président d'une des sections de la «Ligue de la Patrie française.»[173]

Crainquebille essaya de lui conter son affaire, ce qui ne lui était pas facile, car il n'avait pas l'habitude de la parole. Peut-être s'en serait-il tiré pourtant, avec un peu d'aide. Mais son avocat secouait la tête d'un air méfiant à tout ce qu'il disait, et feuilletant des papiers, murmurait:

—Hum! hum! je ne vois rien de tout cela au dossier. . . .

Puis, avec un peu de fatigue, il dit en frisant sa moustache blonde:

[162] "police-station."   [163] "impounded."

[164] *Ambroise Paré* (1517–1590), celebrated French surgeon. The hospital appears to be of Anatole France's own invention.

[165] Established by Napoleon to reward military and civil services.

[166] In the Dreyfus affair most of the intellectual men of France, like Anatole France himself, were on the side of the accused Dreyfus, and against the judicial authorities.

[167] "the cooler."   [168] "Black Maria," police-wagon.   [169] "house of detention."

[170] "lamb's-lettuce," "corn-salad."   [171] "dandelions."   [172] "stuck."

[173] This was an anti-Dreyfus organization.

—Dans votre intérêt, il serait peut-être préférable d'avouer. Pour ma part j'estime que votre système de dénégations absolues est d'une insigne maladresse.

Et dès lors Crainquebille eût fait des aveux s'il avait su ce qu'il fallait
5 avouer.

III

CRAINQUEBILLE DEVANT LA JUSTICE

Le président Bourriche consacra six minutes pleines à l'interrogatoire de Crainquebille. Cet interrogatoire aurait apporté plus de lumière si l'accusé avait répondu aux questions qui lui étaient posées. Mais Crainquebille n'avait pas l'habitude de la discussion, et dans une telle compagnie le respect
10 et l'effroi lui fermaient la bouche. Aussi gardait-il le silence, et le président faisait lui-même les réponses; elles étaient accablantes. Il conclut:

—Enfin, vous reconnaissez avoir dit: «Mort aux vaches!»

—J'ai dit: «Mort aux vaches!» parce que monsieur l'agent a dit: «Mort aux vaches!» Alors j'ai dit: «Mort aux vaches!»

15 Il voulait faire entendre qu'étonné par l'imputation la plus imprévue, il avait, dans sa stupeur, répété les paroles étranges qu'on lui prêtait faussement et qu'il n'avait certes point prononcées. Il avait dit: «Mort aux vaches!» comme il eût dit: «Moi! tenir des propos injurieux, l'avez-vous pu croire?»

M. le président Bourriche ne le prit pas ainsi.

20 —Prétendez-vous, dit-il, que l'agent a proféré ce cri le premier?

Crainquebille renonça à s'expliquer. C'était trop difficile.

—Vous n'insistez pas. Vous avez raison, dit le président.

Et il fit appeler les témoins.

L'agent 64, de son nom Bastien Matra, jura de dire la vérité et de ne rien
25 dire que la vérité. Puis il déposa en ces termes:

—Étant de service le 20 octobre, à l'heure de midi, je remarquai, dans la rue Montmartre, un individu qui me sembla être un vendeur ambulant et qui tenait sa charrette indûment [174] arrêtée à la hauteur du [175] numéro 328, ce qui occasionnait un encombrement de voitures. Je lui intimai par trois
30 fois l'ordre de circuler, auquel il refusa d'obtempérer.[176] Et sur ce que je l'avertis que j'allais verbaliser,[177] il me répondit en criant: «Mort aux vaches!» ce qui me sembla être injurieux.[178]

Cette déposition, ferme et mesurée, fut écoutée avec une évidente faveur par le Tribunal. La défense avait cité madame Bayard, cordonnière, et M.
35 David Matthieu, médecin en chef de l'hôpital Ambroise-Paré, officier de la Légion d'honneur. Madame Bayard n'avait rien vu ni entendu. Le docteur Matthieu se trouvait dans la foule assemblée autour de l'agent qui sommait le marchand de circuler. Sa déposition amena un incident.

—J'ai été témoin de la scène, dit-il. J'ai remarqué que l'agent s'était
40 mépris: il n'avait pas été insulté. Je m'approchai et lui en fis l'observation.

---

174 "unduly." 175 "opposite." 176 "obey."
177 "write out a report." 178 "insulting."

L'agent maintint le marchand en état d'arrestation et m'invita à le suivre au commissariat. Ce que je fis. Je réitérai ma déclaration devant le commissaire.

—Vous pouvez vous asseoir, dit le président. Huissier, rappelez le témoin Matra.—Matra, quand vous avez procédé à l'arrestation de l'accusé, monsieur le docteur Matthieu ne vous a-t-il pas fait observer que vous vous 5
mépreniez?

—C'est-à-dire, monsieur le président, qu'il m'a insulté.

—Que vous a-t-il dit?

—Il m'a dit: «Mort aux vaches!»

Une rumeur et des rires s'élevèrent dans l'auditoire. 10

—Vous pouvez vous retirer, dit le président avec précipitation.

Et il avertit le public que si ces manifestations indécentes [179] se reproduisaient, il ferait évacuer [180] la salle. Cependant la défense agitait triomphalement les manches de sa robe, et l'on pensait en ce moment que Crainquebille serait acquitté. 15

Le calme s'étant rétabli, maître Lemerle se leva. Il commença sa plaidoirie par l'éloge des agents de la Préfecture, «ces modestes serviteurs de la société, qui, moyennant un salaire dérisoire, endurent des fatigues et affrontent des périls incessants, et qui pratiquent l'héroïsme quotidien. Ce sont d'anciens soldats, et qui restent soldats. Soldats, ce mot dit tout. . . . » 20

Et maître Lemerle s'éleva, sans effort, a des considérations très hautes sur les vertus militaires. Il était de ceux, dit-il, «qui ne permettent pas qu'on touche à l'armée, à cette armée nationale à laquelle il était fier d'appartenir.» [181]

Le président inclina la tête. 25

Maître Lemerle, en effet, était lieutenant dans la réserve. Il était aussi candidat nationaliste [182] dans le quartier des Vieilles-Haudriettes.[183]

Il poursuivit:

—Non certes, je ne méconnais pas les services modestes et précieux que rendent journellement les gardiens de la paix à la vaillante population de 30
Paris. Et je n'aurais pas consenti à vous présenter, messieurs, la défense de Crainquebille si j'avais vu en lui l'insulteur d'un ancien soldat. On accuse mon client d'avoir dit: «Mort aux vaches!» Le sens de cette phrase n'est pas douteux. Si vous feuilletez le *Dictionnaire de la langue verte*,[184] vous y lirez: «*Vachard,* paresseux, fainéant; qui s'étend paresseusement comme 35
une vache, au lieu de travailler.—*Vache,* qui se vend à la police; mouchard.» *Mort aux vaches!* se dit dans un certain monde. Mais toute la question est celle-ci: Comment Crainquebille l'a-t-il dit? Et même, l'a-t-il dit? Permettez-moi, messieurs, d'en douter.

«Je ne soupçonne l'agent Matra d'aucune mauvaise pensée. Mais il 40
accomplit, comme nous l'avons dit, une tâche pénible. Il est parfois fatigué, excédé, surmené. Dans ces conditions il peut avoir été la victime d'une sorte

---

[179] "unbecoming."   [180] "clear."
[181] The young lawyer-politician is evidently not a Dreyfus sympathizer.
[182] This would mean that he supported the "existing order": Church, state, and army.
[183] An old street and quarter in Paris.   [184] "slang."

d'hallucination de l'ouïe. Et quand il vient vous dire, messieurs, que le docteur David Matthieu, officier de la Légion d'honneur, médecin en chef de l'hôpital Ambroise-Paré, un prince de la science et un homme du monde, a crié: «Mort aux vaches!» nous sommes bien forcés de reconnaître que Matra
5 est en proie à la maladie de l'obsession, et, si le terme n'est pas trop fort, au délire de la persécution.

«Et alors même que Crainquebille aurait crié: «Mort aux vaches!» il resterait à savoir si ce mot a, dans sa bouche, le caractère d'un délit. Crainquebille est l'enfant naturel d'une marchande ambulante, perdue d'inconduite
10 et de boisson, il est né alcoolique. Vous le voyez ici abruti par soixante ans de misère. Messieurs, vous direz qu'il est irresponsable.»

Maître Lemerle s'assit et M. le président Bourriche lut entre ses dents un jugement qui condamnait Jérôme Crainquebille à quinze jours de prison et cinquante francs d'amende. Le Tribunal avait fondé sa conviction sur le
15 témoignage de l'agent Matra.

Mené par les longs couloirs sombres du Palais, Crainquebille ressentit un immense besoin de sympathie. Il se tourna vers le garde de Paris qui le conduisait et l'appela trois fois:

—Cipal! [185] . . . Cipal! . . . Hein? cipal! . . .
20 Et il soupira:

—Il y a seulement quinze jours, si on m'avait dit qu'il m'arriverait ce qu'il m'arrive! . . .

Puis il fit cette réflexion:

—Ils parlent trop vite, ces messieurs. Il parlent bien, mais ils parlent trop
25 vite. On peut pas s'expliquer avec eux. . . . Cipal, vous trouvez pas qu'ils parlent trop vite?

Mais le soldat marchait sans répondre ni tourner la tête.

Crainquebille lui demanda:

—Pourquoi que vous me répondez pas?
30 Et le soldat garda le silence. Et Crainquebille lui dit avec amertume:

—On parle bien à un chien. Pourquoi que vous me parlez pas? Vous ouvrez jamais la bouche: vous avez donc pas peur qu'elle pue?

IV

APOLOGIE POUR M. LE PRÉSIDENT BOURRICHE

Quelques curieux et deux ou trois avocats quittèrent l'audience après la lecture de l'arrêt, quand déjà le greffier appelait une autre cause. Ceux qui
35 sortaient ne faisaient point de réflexion sur l'affaire Crainquebille qui ne les avait guère intéressés, et à laquelle ils ne songeaient plus. Seul M. Jean Lermite, graveur à l'eau-forte,[186] qui était venu d'aventure au Palais, méditait sur ce qu'il venait de voir et d'entendre.

Passant son bras sur l'épaule de maître Joseph Aubarrée:
40 —Ce dont il faut louer le président Bourriche, lui dit-il, c'est d'avoir su se défendre des vaines curiosités de l'esprit et se garder de cet orgueil intel-

---

[185] *Garde municipale.*   [186] "etcher."

lectuel qui veut tout connaître. En opposant l'une à l'autre les dépositions contradictoires de l'agent Matra et du docteur David Matthieu, le juge serait entré dans une voie où l'on ne rencontre que le doute et l'incertitude. La méthode qui consiste à examiner les faits selon les règles de la critique est inconciliable avec la bonne administration de la justice. Si le magistrat avait l'imprudence de suivre cette méthode, ses jugements dépendraient de sa sagacité personnelle, qui le plus souvent est petite, et de l'infirmité humaine, qui est constante. Quelle en serait l'autorité? On ne peut nier que la méthode historique est tout à fait impropre à lui procurer les certitudes dont il a besoin. Il suffit de rappeler l'aventure de Walter Raleigh.[187]

«Un jour que Walter Raleigh, enfermé à la Tour de Londres, travaillait, selon sa coutume, à la seconde partie de son *Histoire du Monde,* une rixe éclata sous sa fenêtre. Il alla regarder ces gens qui se querellaient, et quand il se remit au travail, il pensait les avoir très bien observés. Mais le lendemain, ayant parlé de cette affaire à un de ses amis qui y avait été présent et qui même y avait pris part, il fut contredit par cet ami sur tous les points. Réfléchissant alors à la difficulté de connaître la vérité sur des événements lointains, quand il avait pu se méprendre sur ce qui se passait sous ses yeux, il jeta au feu le manuscrit de son histoire.

«Si les juges avaient les mêmes scrupules que sir Walter Raleigh, ils jetteraient au feu toutes leurs instructions. Et ils n'en ont pas le droit. Ce serait de leur part un déni de justice, un crime. Il faut renoncer à savoir, mais il ne faut pas renoncer à juger. Ceux qui veulent que les arrêts des tribunaux soient fondés sur la recherche méthodique des faits sont de dangereux sophistes et des ennemis perfides de la justice civile et de la justice militaire. Le président Bourriche a l'esprit trop juridique pour faire dépendre ses sentences de la raison et de la science dont les conclusions sont sujettes à d'éternelles disputes. Il les fonde sur des dogmes et les assied sur la tradition, en sorte que ses jugements égalent en autorité les commandements de l'Église. Ses sentences sont canoniques. J'entends qu'il les tire d'un certain nombre de sacrés canons. Voyez, par exemple, qu'il classe les témoignages non d'après les caractères incertains et trompeurs de la vraisemblance et de l'humaine vérité, mais d'après des caractères intrinsèques, permanents et manifestes. Il les pèse au poids des armes.[188] Y a-t-il rien de plus simple et de plus sage à la fois? Il tient pour irréfutable le témoignage d'un gardien de la paix, abstraction [189] faite de son humanité et conçu métaphysiquement en tant qu'un numéro matricule [190] et selon les catégories de la police idéale. Non pas que Matra (Bastien), né à Cinto-Monte (Corse), lui paraisse incapable d'erreur. Il n'a jamais pensé que Bastien Matra fût doué d'un grand esprit d'observation, ni qu'il appliquât à l'examen des faits une méthode exacte et rigoureuse. A vrai dire, il ne considère pas Bastien Matra, mais l'agent 64.—Un homme est faillible, pense-t-il. Pierre et Paul [191] peuvent se

[187] Walter Raleigh (1552–1618), favorite of Queen Elizabeth; executed under James I. He was a poet, diplomat, statesman, and navigator.
[188] "according to their importance" (according to the *influence* witnesses may have or the *position* they may hold).
[189] "leaving aside."   [190] "on the list."   [191] "Tom, Dick and Harry"; "anyone."

tromper. Descartes [192] et Gassendi,[192] Leibnitz [192] et Newton,[192] Bichat [193] et Claude Bernard [194] ont pu se tromper. Nous nous trompons tous et à tout moment. Nos raisons d'errer sont innombrables. Les perceptions des sens et les jugements de l'esprit sont des sources d'illusion et des causes d'incerti-
5 tude. Il ne faut pas se fier au témoignage d'un homme: *Testis unus, testis nullus.*[195] Mais on peut avoir foi dans un numéro. Bastien Matra, de Cinto-Monte, est faillible. Mais l'agent 64, abstraction faite de son humanité, ne se trompe pas. C'est une entité. Une entité n'a rien en elle de ce qui est dans les hommes et les trouble, les corrompt, les abuse. Elle est pure, inaltérable et
10 sans mélange. Aussi le Tribunal n'a-t-il point hésité à repousser le témoignage du docteur David Matthieu, qui n'est qu'un homme, pour admettre celui de l'agent 64, qui est une idée pure, et comme un rayon de Dieu descendu à la barre.

«En procédant de cette manière, le président Bourriche s'assure une sorte
15 d'infaillibilité, et la seule à laquelle un juge puisse prétendre. Quand l'homme qui témoigne est armé d'un sabre, c'est le sabre qu'il faut entendre et non l'homme. L'homme est méprisable et peut avoir tort. Le sabre ne l'est point et il a toujours raison. Le président Bourriche a profondément pénétré l'esprit des lois. La société repose sur la force, et la force doit être respectée
20 comme le fondement auguste des sociétés.[196] La justice est l'administration de la force. Le président Bourriche sait que l'agent 64 est une parcelle du Prince. Le Prince réside dans chacun de ses officiers. Ruiner l'autorité de l'agent 64, c'est affaiblir l'État. Manger une des feuilles de l'artichaut, c'est manger l'artichaut,[197] comme dit Bossuet en son sublime langage. (*Politique*
25 *tirée de l'Écriture sainte, passim.*[198])

«Toutes les épées d'un État sont tournées dans le même sens. En les oppo-sant les unes aux autres, on subvertit [199] la république. C'est pourquoi l'inculpé Crainquebille fut condamné justement à quinze jours de prison et cinquante francs d'amende, sur le témoignage de l'agent 64. Je crois entendre
30 le président Bourriche expliquer lui-même les raisons hautes et belles qui inspirèrent sa sentence. Je crois l'entendre dire:

«—J'ai jugé cet individu en conformité avec l'agent 64, parce que l'agent 64 est l'émanation de la force publique. Et pour reconnaître ma sagesse, il vous suffit d'imaginer que j'ai agi inversement. Vous verrez tout de suite que
35 c'eût été absurde. Car si je jugeais contre la force, mes jugements ne seraient pas exécutés. Remarquez, messieurs, que les juges ne sont obéis que tant qu'ils ont la force avec eux. Sans les gendarmes, le juge ne serait qu'un pauvre rêveur. Je me nuirais si je donnais tort à un gendarme. D'ailleurs le

[192] The men mentioned here are well known scientists and philosophers.
[193] French physiologist and anatomist (1771–1802).
[194] Distinguished French physiologist (1813–1878).
[195] "a single witness is no witness"; i. e., You cannot prove a case with one witness.
[196] Note the irony in all this passage.
[197] Quotation probably invented by the author, who disliked Bossuet, a great champion of orthodox ideas.
[198] "here and there," an expression used to indicate that numerous references are to be found in various parts of a work.
[199] "overthrows."

génie des lois s'y oppose. Désarmer les forts et armer les faibles ce serait changer l'ordre social que j'ai mission de conserver. La justice est la sanction des injustices établies. La vit-on jamais opposée aux conquérants et contraire aux usurpateurs? Quand s'élève un pouvoir illégitime, elle n'a qu'à le reconnaître pour le rendre légitime. Tout est dans la forme, et il n'y a entre 5 le crime et l'innocence que l'épaisseur d'une feuille de papier timbré.— C'était à vous, Crainquebille, d'être le plus fort. Si après avoir crié: «Mort aux vaches!» vous vous étiez fait déclarer empereur, dictateur, président de la République ou seulement conseiller municipal, je vous assure que je ne vous aurais pas condamné à quinze jours de prison et cinquante francs 10 d'amende. Je vous aurais tenu quitte de toute peine. Vous pouvez m'en croire.

«Ainsi sans doute eût parlé le président Bourriche, car il a l'esprit juridique et il sait ce qu'un magistrat doit à la société. Il en défend les principes avec ordre et régularité. La justice est sociale. Il n'y a que de mauvais esprits 15 pour la vouloir humaine et sensible.²⁰⁰ On l'administre avec des règles fixes et non avec les frissons de la chair et les clartés de l'intelligence. Surtout ne lui demandez pas d'être juste, elle n'a pas besoin de l'être puisqu'elle est justice, et je vous dirai même que l'idée d'une justice juste n'a pu germer que dans la tête d'un anarchiste. Le président Magnaud²⁰¹ rend, il est vrai, 20 des sentences équitables. Mais on les lui casse, et c'est justice.

«Le vrai juge pèse les témoignages au poids des armes. Cela s'est vu dans l'affaire Crainquebille, et dans d'autres causes plus célèbres.²⁰²

Ainsi parla M. Jean Lermite, en parcourant d'un bout à l'autre bout la salle des Pas-Perdus.²⁰³ 25

Maître Joseph Aubarrée, qui connaissait le Palais, lui répondit en se grattant le bout du nez:

—Si vous voulez avoir mon avis, je ne crois pas que monsieur le président Bourriche se soit élevé jusqu'à une si haute métaphysique. A mon sens, en admettant le témoignage de l'agent 64 comme l'expression de la vérité, il fit 30 simplement ce qu'il avait toujours vu faire. C'est dans l'imitation qu'il faut chercher la raison de la plupart des actions humaines. En se conformant à la coutume on passera toujours pour un honnête homme. On appelle gens de bien ceux qui font comme les autres.

v

De la Soumission de Crainquebille Aux Lois de la République

Crainquebille, reconduit en prison, s'assit sur son escabeau enchaîné, plein 35 d'étonnement et d'admiration. Il ne savait pas bien lui-même que les juges

---

²⁰⁰ "subject to feeling."

²⁰¹ A sympathetic judge whose decisions attracted attention at the beginning of the century. Observe that Anatole France states that his decisions were reversed (*on les lui casse*).

²⁰² The author has the Dreyfus case in mind.

²⁰³ The famous *salle des Pas-Perdus* is in the *Palais de Justice*, where lawyers walk and talk between trials.

s'étaient trompés. Le Tribunal lui avait caché ses faiblesses intimes sous la majesté des formes. Il ne pouvait croire qu'il eût raison contre des magistrats dont il n'avait pas compris les raisons: il lui était impossible de concevoir que quelque chose clochât [204] dans une si belle cérémonie. Car, n'allant ni
5 à la messe, ni à Élysée,[205] il n'avait, de sa vie, rien vu de si beau qu'un jugement en police correctionnelle. Il savait bien qu'il n'avait pas crié «Mort aux vaches!» Et, qu'il eût été condamné à quinze jours de prison pour l'avoir crié, c'était en sa pensée un auguste mystère, un de ces articles de foi auxquels les croyants adhèrent sans les comprendre, une révélation obscure, éclatante, adorable et
10 terrible.

Ce pauvre vieil homme se reconnaissait coupable d'avoir mystiquement offensé l'agent 64, comme le petit garçon qui va au catéchisme se reconnaît coupable du péché d'Ève. Il lui était enseigné, par son arrêt, qu'il avait crié: «Mort aux vaches!» C'était donc qu'il avait crié «Mort aux vaches!» d'une
15 façon mystérieuse, inconnue de lui-même. Il était transporté dans un monde surnaturel. Son jugement était son apocalypse.[206]

S'il ne se faisait pas une idée nette du délit, il ne se faisait pas une idée plus nette de la peine. Sa condamnation lui avait paru une chose solennelle, rituelle et supérieure, une chose éblouissante qui ne se comprend pas, qui
20 ne se discute pas, et dont on n'a ni à se louer, ni à se plaindre. A cette heure il aurait vu le président Bourriche, une auréole au front, descendre, avec des ailes blanches, par le plafond entr'ouvert, qu'il n'aurait pas été surpris de cette nouvelle manifestation de la gloire judiciaire. Il se serait dit: «Voilà mon affaire qui continue!»
25 Le lendemain son avocat vint le voir:

—Eh bien! mon bonhomme, vous n'êtes pas trop mal? Du courage! deux semaines sont vite passées. Nous n'avons pas trop à nous plaindre.

—Pour ça, on peut dire que ces messieurs ont été bien doux, bien polis; pas un gros mot. J'aurais pas cru. Et le cipal avait mis des gants blancs.
30 Vous avez pas vu?

—Tout pesé, nous avons bien fait d'avouer.

—Possible.

—Crainquebille, j'ai une bonne nouvelle à vous annoncer. Une personne charitable que j'ai intéressée à votre position, m'a remis pour vous une
35 somme de cinquante francs qui sera affectée [207] au payement de l'amende à laquelle vous avez été condamné.

—Alors quand que vous me donnerez les cinquante francs?

—Ils seront versés [208] au greffe.[209] Ne vous en inquiétez pas.

—C'est égal. Je remercie tout de même la personne.
40 Et Crainquebille méditatif murmura:

—C'est pas ordinaire ce qui m'arrive.

—N'exagérez rien, Crainquebille. Votre cas n'est pas rare, loin de là.

—Vous pourriez pas me dire où qu'ils m'ont étouffé ma voiture?

---

204 "was wrong" (limped).   205 The White House of France, residence of the President.
206 *Book of Revelation,* full of mystery.
207 "used."   208 "paid."   209 Office of the clerk of court.

VI

Crainquebille Devant L'Opinion

Crainquebille, sorti de prison, poussait sa voiture rue Montmartre en criant: *Des choux, des navets, des carottes!* Il n'avait ni orgueil, ni honte de son aventure. Il n'en gardait pas un souvenir pénible. Cela tenait, dans son esprit, du théâtre,[210] du voyage et du rêve. Il était surtout content de marcher dans la boue, sur le pavé de la ville, et de voir sur sa tête le ciel tout en eau et sale comme le ruisseau, le bon ciel de sa ville. Il s'arrêtait à tous les coins de rue pour boire un verre; puis, libre et joyeux, ayant craché dans ses mains pour en lubrifier la paume calleuse, il empoignait les brancards et poussait la charrette, tandis que, devant lui, les moineaux, comme lui matineux et pauvres, qui cherchaient leur vie sur la chaussée, s'envolaient en gerbe avec son cri familier: *Des choux, des navets, des carottes!* Une vieille ménagère, qui s'était approchée, lui disait en tâtant des céleris:

—Qu'est-ce qui vous est donc arrivé, père Crainquebille? Il y a bien trois semaines qu'on ne vous a pas vu. Vous avez été malade? Vous êtes un peu pâle.

—Je vas vous dire, m'ame [211] Mailloche, j'ai fait le rentier.[212]

Rien n'est changé dans sa vie, à cela près qu'il va chez le troquet [213] plus souvent que d'habitude, parce qu'il a l'idée que c'est fête, et qu'il a fait connaissance avec des personnes charitables. Il rentre un peu gai, dans sa soupente. Étendu dans le plumard,[214] il ramène sur lui les sacs que lui a prêtés le marchand de marrons du coin et qui lui servent de couverture, et il songe: «La prison, il n'y a pas à se plaindre; on y a tout ce qui [214a] vous faut. Mais on est tout de même mieux chez soi.»

Son contentement fut de courte durée. Il s'aperçut vite que les clientes lui faisaient grise mine.[215]

—Des beaux céleris, m'ame Cointreau!

—Il ne me faut rien.

—Comment, qu'il ne vous faut rien? Vous vivez pourtant pas de l'air du temps.

Et m'ame Cointreau, sans lui faire de réponse, rentrait fièrement dans la grande boulangerie dont elle était la patronne. Les boutiquières et les concierges, naguère assidues autour de sa voiture verdoyante et fleurie, maintenant se détournaient de lui. Parvenu à la cordonnerie de l'Ange Gardien,[216] qui est le point où commencèrent ses aventures judiciaires, il appela:

—M'ame Bayard, m'ame Bayard, vous me devez quinze sous de l'autre fois.

Mais m'ame Bayard, qui siégeait à son comptoir, ne daigna pas tourner la tête.

---

[210] "That, in his mind, had something of the stage about it." [211] *madame.*
[212] "I have been living on my income." [213] "saloon-keeper." [214] "bed" (slang). [214a] *qu'il.*
[215] "were treating him coldly." [216] French shops often have names like this one.

Toute la rue Montmartre savait que le père Crainquebille sortait de prison, et toute la rue Montmartre ne le connaissait plus. Le bruit de sa condamnation était parvenu jusqu'au faubourg et à l'angle tumultueux de la rue Richer. Là, vers midi, il aperçut madame Laure, sa bonne et fidèle
5　cliente, penchée sur la voiture du petit Martin. Elle tâtait un gros chou. Ses cheveux brillaient au soleil comme d'abondants fils d'or largement tordus. Et le petit Martin, un pas grand'chose, un sale coco,[217] lui jurait la main sur son cœur, qu'il n'y avait pas plus belle marchandise que la sienne. A ce spectacle le cœur de Crainquebille se déchira. Il poussa sa voiture sur celle
10　du petit Martin et dit à madame Laure, d'une voix plaintive et brisée:

—C'est pas bien de me faire des infidélités.

Madame Laure, comme elle le reconnaissait elle-même, n'était pas duchesse. Ce n'est pas dans le monde qu'elle s'était fait une idée du panier à salade et du Dépôt. Mais on peut être honnête dans tous les états, pas vrai?
15　Chacun a son amour-propre, et l'on n'aime pas avoir affaire à un individu qui sort de prison. Aussi ne répondit-elle à Crainquebille qu'en simulant un haut-le-cœur.[218] Et le vieux marchand ambulant, ressentant l'affront, hurla:

—Dessalée![219] va!

Madame Laure en laissa tomber son chou vert et s'écria:

20　—Eh! va donc, vieux cheval de retour![220] Ça sort de prison, et ça insulte les personnes!

Crainquebille, s'il avait été de sang-froid, n'aurait jamais reproché à madame Laure sa condition.[120a] Il savait trop qu'on ne fait pas ce qu'on veut dans la vie, qu'on ne choisit pas son métier, et qu'il y a du bon monde par-
25　tout. Il avait coutume d'ignorer sagement ce que faisaient chez elles les clientes, et il ne méprisait personne. Mais il était hors de lui. Il donna par trois fois à madame Laure les noms de dessalée, de charogne[221] et de roulure.[222] Un cercle de curieux se forma autour de madame Laure et de Crainquebille, qui échangèrent encore plusieurs injures aussi solennelles
30　que les premières, et qui eussent égrené[223] tout du long leur chapelet, si un agent soudainement apparu ne les avait, par son silence et son immobilité, rendus tout à coup aussi muets et immobiles que lui. Ils se séparèrent. Mais cette scène acheva de perdre Crainquebille dans l'esprit du faubourg Montmartre et de la rue Richer.

VII

LES CONSÉQUENCES

35　Et le vieil homme allait marmonnant:[223a]

—Pour sûr que c'est une morue.[224] Et même y a pas plus morue que cette femme-là.

Mais dans le fond de son cœur, ce n'est pas de cela qu'il lui faisait un reproche. Il ne la méprisait pas d'être ce qu'elle était. Il l'en estimait plutôt,

---

[217] "a dirty bum."　　[218] "nausea," "disgust."　　[219] "woman of the streets" (slang).
[220] "jailbird."　[220a] "profession," "status."　[221] "carrion."　[222] "street-walker" (slang).
[223] "relieved their minds completely" (gone through the whole rosary).　　[223a] *murmurant*.
[224] "prostitute."

la sachant économe et rangée. Autrefois ils causaient tous deux volontiers ensemble. Elle lui parlait de ses parents qui habitaient la campagne. Et ils formaient tous deux le même vœu de cultiver un petit jardin et d'élever des poules. C'était une bonne cliente. De la voir acheter des choux au petit Martin, un sale coco, un pas grand'chose, il en avait reçu un coup dans 5 l'estomac; et quand il l'avait vue faisant mine de le mépriser, la moutarde [225] lui avait monté au nez, et dame!

Le pis, c'est qu'elle n'était pas la seule qui le traitât comme un galeux.[226] Personne ne voulait plus le connaître. Tout comme madame Laure, madame Cointreau la boulangère, madame Bayard de l'Ange Gardien le méprisaient 10 et le repoussaient. Toute la société, quoi.

Alors! parce qu'on avait été mis pour quinze jours à l'ombre, on n'était plus bon seulement à vendre des poireaux! Est-ce que c'était juste? Est-ce qu'il y avait du bon sens à faire mourir de faim un brave homme parce qu'il avait eu des difficultés avec les flics? [227] S'il ne pouvait plus vendre ses 15 légumes, il n'avait plus qu'à crever.

Comme le vin mal traité, il tournait à l'aigre. Après avoir eu «des mots» avec madame Laure, il en avait maintenant avec tout le monde. Pour un rien, il disait leur fait aux chalandes,[228] et sans mettre de gants, je vous prie de le croire. Si elles tâtaient un peu longtemps la marchandise, il les ap- 20 pelait proprement râleuses [229] et purées; [230] pareillement chez le troquet, il engueulait [231] les camarades. Son ami, le marchand de marrons, qui ne le reconnaissait plus, déclarait que ce sacré père Crainquebille était un vrai porc-épic. On ne peut le nier: il devenait incongru,[232] mauvais coucheur,[233] mal embouché,[234] fort en gueule. C'est que, trouvant la société imparfaite, 25 il avait moins de facilité qu'un professeur de l'École des sciences morales et politiques [235] à exprimer ses idées sur les vices du système et sur les réformes nécessaires, et que ses pensées ne se déroulaient pas dans sa tête avec ordre et mesure.

Le malheur le rendait injuste. Il se revanchait sur ceux qui ne lui voulaient 30 pas de mal et quelquefois sur de plus faibles que lui. Une fois, il donna une gifle à Alphonse, le petit du marchand de vin, qui lui avait demandé si l'on était bien à l'ombre.[236] Il le gifla et lui dit:

—Sale gosse! [237] c'est ton père qui devrait être à l'ombre au lieu de s'enrichir à vendre du poison. 35

Acte et parole qui ne lui faisaient pas honneur; car, ainsi que le marchand de marrons le lui remontra justement, on ne doit pas battre un enfant, ni lui reprocher son père, qu'il n'a pas choisi.

Il s'était mis à boire. Moins il gagnait d'argent, plus il buvait d'eau-de-vie. Autrefois économe et sobre, il s'émerveillait lui-même de ce changement. 40

—J'ai jamais été fricoteur,[238] disait-il. Faut croire qu'on devient moins raisonnable en vieillissant.

---

[225] "he had lost his temper." [226] "mangy person." [227] "cops." [228] "customers."
[229] "skinflints." [230] "dead-brokes." [231] "bawled out." [232] "rude."
[233] "quarrelsome." [234] "foul-mouthed."
[235] Well-known institution for advanced graduate study in philosophy and economics.
[236] "up the river," "in stir," "in jail." [237] "brat." [238] "high liver" (slang).

Parfois il jugeait sévèrement son inconduite et sa paresse:

—Mon vieux Crainquebille, t'es plus bon que pour lever le coude.[239]

Parfois il se trompait lui-même et se persuadait qu'il buvait par besoin:

—Faut comme ça de temps en temps, que je boive un verre pour me
5 donner des forces et pour me rafraîchir. Sûr que j'ai quelque chose de brûlé
dans l'intérieur. Et il y a encore que la boisson comme rafraîchissement.

Souvent il lui arrivait de manquer la criée[240] matinale et il ne se
fournissait plus que de marchandise avariée[241] qu'on lui livrait à crédit.
Un jour se sentant les jambes molles et le cœur las, il laissa sa voiture dans
10 la remise[242] et passa toute la sainte journée à tourner autour de l'étal[243]
de madame Rose, la tripière, et devant tous les troquets des Halles. Le soir,
assis sur un panier, il songea, et il eut conscience de sa déchéance.[244] Il se
rappela sa force première et ses antiques travaux, ses longues fatigues et
ses gains heureux, ses jours innombrables, égaux et pleins; les cent pas,
15 la nuit, sur le carreau des Halles, en attendant la criée; les légumes enlevés
par brassées et rangés avec art dans la voiture, le petit noir[245] de la mère
Théodore avalé tout chaud d'un coup, au pied levé,[246] les brancards em-
poignés solidement; son cri, vigoureux comme le chant du coq, déchirant
l'air matinal, sa course par les rues populeuses, toute sa vie innocente et rude
20 de cheval humain, qui, durant un demi-siècle, porta, sur son étal roulant,
aux citadins brûlés de veilles et de soucis, la fraîche moisson des jardins
potagers. Et secouant la tête il soupira:

—Non! j'ai plus le courage que j'avais. Je suis fini. Tant va la cruche à
l'eau qu'à la fin elle se casse. Et puis, depuis mon affaire en justice, je n'ai
25 plus le même caractère. Je suis plus le même homme, quoi!

Enfin il était démoralisé. Un homme dans cet état-là, autant dire que c'est
un homme par terre et incapable de se relever. Tous les gens qui passent
lui pilent dessus.

VIII

LES DERNIÈRES CONSÉQUENCES

La misère vint, la misère noire. Le vieux marchand ambulant, qui rap-
30 portait autrefois du faubourg Montmartre les pièces de cent sous à plein
sac, maintenant n'avait plus un rond.[247] C'était l'hiver. Expulsé de sa soupente, il coucha sous des charrettes, dans une remise. Les pluies étant tombées pendant vingt-quatre jours, les égouts débordèrent et la remise fut in-
ondée.

35 Accroupi dans sa voiture, au-dessus des eaux empoisonnées, en compagnie des araignées, des rats et des chats faméliques,[248] il songeait dans
l'ombre. N'ayant rien mangé de la journée et n'ayant plus pour se couvrir
les sacs du marchand de marrons, il se rappela les deux semaines durant
lesquelles le gouvernement lui avait donné le vivre et le couvert. Il envia

---

[239] "you are no longer good for anything but raising your elbow," i. e., drinking.
[240] "sale" (auction).   [241] "damaged."   [242] "shelter."   [243] "butcher's stall."
[244] "decline."   [245] "cup of coffee."   [246] "hastily."   [247] "cent."   [248] "starving."

le sort des prisonniers, qui ne souffrent ni du froid ni de la faim, et il lui vint une idée:

—Puisque je connais le truc,[249] pourquoi que je m'en servirais pas?

Il se leva et sortit dans la rue. Il n'était guère plus de onze heures. Il faisait un temps aigre et noir. Une bruine [250] tombait, plus froide et plus péné- 5 trante que la pluie. De rares passants se coulaient au ras des murs.

Crainquebille longea l'église Saint-Eustache [250a] et tourna dans la rue Montmartre. Elle était déserte. Un gardien de la paix se tenait planté sur le trottoir, au chevet [251] de l'église, sous un bec de gaz, et l'on voyait, autour de la flamme, tomber une petite pluie rousse. L'agent la recevait sur son 10 capuchon, il avait l'air transi, mais soit qu'il préférât la lumière à l'ombre, soit qu'il fût las de marcher, il restait sous son candélabre, et peut-être s'en faisait-il un compagnon, un ami. Cette flamme tremblante était son seul entretien dans la nuit solitaire. Son immobilité ne paraissait pas tout à fait humaine; le reflet de ses bottes sur le trottoir mouillé, qui semblait un lac, 15 le prolongeait inférieurement et lui donnait de loin l'aspect d'un monstre amphibie, à demi sorti des eaux. De plus près, encapuchonné et armé, il avait l'air monacal [252] et militaire. Les gros traits de son visage, encore grossis par l'ombre du capuchon, étaient paisibles et tristes. Il avait une moustache épaisse, courte et grise. C'était un vieux sergot,[253] un homme 20 d'une quarantaine d'années.

Crainquebille s'approcha doucement de lui et, d'une voix hésitante et faible, lui dit:

—Mort aux vaches!

Puis il attendit l'effet de cette parole consacrée. Mais elle ne fut suivie 25 d'aucun effet. Le sergot resta immobile et muet, les bras croisés sous son manteau court. Ses yeux, grands ouverts et qui luisaient dans l'ombre, regardaient Crainquebille avec tristesse, vigilance et mépris.

Crainquebille, étonné, mais gardant encore un reste de résolution, balbutia:

—Mort aux vaches! que je vous ai dit. 30

Il y eut un long silence durant lequel tombait la pluie fine et rousse et régnait l'ombre glaciale. Enfin le sergot parla:

—Ce n'est pas à dire.[254]. . . Pour sûr et certain que ce n'est pas à dire. A votre âge on devrait avoir plus de connaissance. . . . Passez votre chemin.

—Pourquoi que vous m'arrêtez pas? demanda Crainquebille. 35

Le sergot secoua la tête sous son capuchon humide:

—S'il fallait empoigner [255] tous les poivrots [256] qui disent ce qui n'est pas à dire, y en aurait de l'ouvrage! . . . Et de quoi que ça servirait?

Crainquebille, accablé par ce dédain magnanime, demeura longtemps stupide et muet, les pieds dans le ruisseau. Avant de partir, il essaya de s'expli- 40 quer:

—C'était pas pour vous que j'ai dit: «Mort aux vaches!» C'était pas plus pour l'un que pour l'autre que je l'ai dit. C'était pour une idée.

---

[249] "trick."   [250] "drizzle."   [250a] Saint-Eustache is near *les Halles.*   [251] "apse."
[252] "monk-like."   [253] *sergent de ville,* "cop."   [254] "You shouldn't say that."
[255] "pinch," "arrest."   [256] "drunks."

Le sergot répondit avec une austère douceur:

—Que ce soye [257] pour une idée ou pour autre chose, ce n'était pas à dire, parce que quand un homme fait son devoir et qu'il endure bien des souffrances, on ne doit pas l'insulter par des paroles futiles. . . . Je vous réitère de passer votre chemin.

Crainquebille, la tête basse et les bras ballants, s'enfonça sous la pluie dans l'ombre.

[257] Popular form of *soit.*